MARTIN CRUZ SMITH (ur. 1942) – amerykański dziennikarz i powieściopisarz. Karierę
literacką rozpoczął w 1970. W dorobku ma
ponad dwadzieścia powieści sensacyjnych,
z których najbardziej znane to seria siedmiu
książek, których bohaterem jest moskiewski
detektyw Arkadij Renko: **Park Gorkiego**,
Gwiazda Polarna, *Red Square*, *Havana
Bay*, **Zona**, **Duch Stalina** i najnowsza (wy-
dana w 2010) *Three Stations*. W 1984 **Park
Gorkiego** został sfilmowany przez Michaela
Apteda z Williamem Hurtem, Lee Marvinem
i polską aktorką Joanną Pacułą w rolach głównych (za swoją rolę otrzymała nominację do
Złotego Globu). Tygodnik *Time* uznał powieść
Smitha za „najważniejszy thriller lat 80."

Tego autora

Wkrótce

MARTIN CRUZ
Smith

Gwiazda Polarna

Z angielskiego przełożył
LECH Z. ŻOŁĘDZIOWSKI

Wydawnictwo
A. Kuryłowicz

Tytuł oryginału:
POLAR STAR

Copyright © Martin Cruz Smith 1989
All rights reserved

Polish edition copyright © Wydawnictwo Albatros A. Kuryłowicz 2011

Polish translation copyright © Lech Z. Żołędziowski 2011

Redakcja: Jacek Ring

Ilustracja na okładce: Lee Thomas/Alamy/BE & W

Projekt graficzny okładki i serii: Andrzej Kuryłowicz

Skład: Laguna

ISBN 978-83-7659-233-6

Dystrybucja
Firma Księgarska Olesiejuk sp. z o.o. sp. k.-a.
Poznańska 91, 05-850 Ożarów Maz.
t./f. 22.535.0557, 22.721.3011/7007/7009
www.olesiejuk.pl

Sprzedaż wysyłkowa – księgarnie internetowe
www.empik.com
www.merlin.pl
www.gandalf.com.pl
www.ksiazki.wp.pl
www.amazonka.pl

WYDAWNICTWO ALBATROS
ANDRZEJ KURYŁOWICZ
Wiktorii Wiedeńskiej 7/24, 02-954 Warszawa

2011. Wydanie I
Druk: Łódzkie Zakłady Graficzne, Łódź

Podziękowania

Dziękuję kapitanowi Borisowi Nadeinowi
i załodze „Sulaka"; kapitanowi Mike'owi Hastingsowi
i załodze „Oceanic"; Sharon Gordon,
Dennisowi McLaughlinowi i Williamowi Turnerowi
za gościnę na Morzu Beringa. Cenną pomoc uzyskałem
także od Martina Arnolda, Kathy Blumberg,
kapitana D. J. (Jacka) Branninga, Knoksa Burgera,
doktora Geralda Freedmana, Beatrice Golden,
profesora Roberta Hughesa, kapitana Jamesa Robinsona
i Kitty Sprague.

Najwięcej zawdzięczam Aleksowi Lewinowi
i kapitanowi Wladilowi Łysence za ich cierpliwość.

Rzeczywiście istnieje radziecki statek przetwórnia
o nazwie „Gwiazda Polarna". Ani on, ani „Sulak"
nie są „Gwiazdą Polarną" z kart tej książki, której treść
jest fikcją literacką.

GWIAZDA POLARNA

Nadbudówka tylna z mesą
dla załogi, kambuzem,
izbą chorych i biblioteką

Trzy pokłady
w nadbudówce
tylnej

Studnia

Rufa

Pochylnia

Szalupy
ratunkowe

Kajuty
załogi

Maszynownia

Taśma produkcyjna

Pokład trałowy

Ładownia ryb

Stoły kontrolne

Warsztaty

Zamrażalnie

Kajuty Amerykanów

Ładownia ryb

Kajuty oficerskie

Ładownia
ryb

Mostek

Cztery pokłady
wewnętrzne

Dziób

174 metry

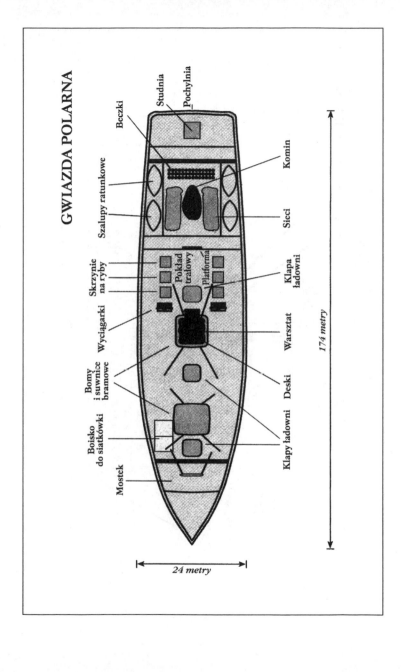

GWIAZDA POLARNA

Studnia
Pochylnia
Beczki
Komin
Szalupy ratunkowe
Sieci
Skrzynie na ryby
Pokład trałowy
Platforma
Klapa ładowni
Wyciągarki
Warsztat
Bomy i suwnice bramowe
Deski
Boisko do siatkówki
Klapy ładowni
Mostek

174 metry

24 metry

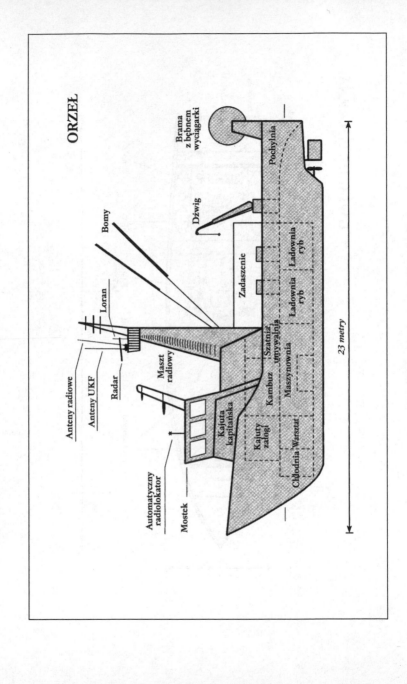

ORZEŁ

Brama
z bębnem
wyciągarki

Pochylnia

Dźwig

Bomy

Zadaszenie

Ładownia
ryb

Ładownia
ryb

Loran

Szatnia,
umywalnia

Maszt
radiowy

Anteny radiowe

Anteny UKF

Radar

Kambuz

Maszynownia

Kajuta
kapitańska

Kajuty
załogi

Chłodnia Warsztat

Automatyczny
radiolokator

Mostek

23 metry

Część pierwsza

WODA

Rozdział 1

Sieć jak parująca bestia wpełzła po rampie i w blasku lamp sodowych spoczęła na pokładzie trałowym. Oka sieci oplątywały błyszczące różnokolorowe wstążki — plastikowe wąsy ułatwiające prześlizgiwanie się sieci po kamienistych nierównościach dna morskiego. Tchnienie zimna z morskich głębin otaczało wstążki dodatkową aureolą barw lśniących w zadeszczonym nocnym mroku.

Woda z sykiem ściekała z plastikowych wąsów na deski pokładu. Mniejsze ryby, takie jak stynki i śledzie, prześlizgiwały się przez oka sieci i rzucały po pokładzie, rozgwiazdy padały ciężko jak kamienie, zagarnięte przez sieć kraby spadały na odnóża, nawet jeśli już były martwe. Nad głowami w blasku lamp szybowały stada mew i burzyków. Nagłe podmuchy wiatru co chwila zamieniały stado w kłąb białych skrzydeł.

Zwykle sieć opróżniano najpierw do przednich rynien, a dopiero potem otwierano od tyłu i spuszczano resztę. Do zamknięcia obu końców sieci służyły nylonowe linki zwane suwakami, które przeplatano przez oka sieci. Na pokładzie ustawili się już rybacy pokładowi z szuflami, ale bosman połowowy powstrzymał ich ruchem ręki. Wszedł w strugi wody cieknącej z plastikowych wąsów, zdjął kask i zadarł głowę. Po zwisających wąsach spływały strumyki wody jak strużki kolorowych farb. Bosman wyciągnął rękę, rozgarnął wąsy i wlepił wzrok w światełko kołyszące się na falach za rufą. Trawler, który chwilę wcześniej dostarczył sieć, już rozpływał się we mgle. Bosman wyjął z pochwy nóż obosieczny i pociągnął na krzyż po gardzieli włoka. Z niewielkiego otworu zaczęły wypadać pierwsze ryby, bosman zdecydowanym ruchem przeciągnął nożem dalej i szybko wycofał się spod sieci.

Z włoka wylała się rzeka skrzących się w blasku lamp łusek: cała ławica mintaja, która trafiła do sieci i sypała się teraz niczym srebrne monety; wśród nich leżały morszczyny, wyglądające jak poobijane oraz czerwone po stronie grzbietowej i bezbarwne po stronie brzusznej płastugi, głowacze z łbami jak smoki, dorsze — niektóre rozdęte jak balony przez pęcherze pławne, inne już rozsadzone i zmienione w mieszaninę tkanki i różowego śluzu, owłosione jak tarantule kraby. Całe bogactwo nocnego połowu.

A także dziewczyna. Wypłynęła z sieci w strumieniu ryb jak niesiona prądem pływaczka, ześlizgnęła się na pokład i spoczęła na stercie soli z ramionami rozrzuconymi na boki i bosymi stopami, do których uczepiły się kraby. Właściwie bardziej młoda kobieta niż dziewczyna. Włosy miała krótkie i zmierzwione, nasiąknięta wodą bluzka i spodnie były zapiaszczone i poskręcane. Na pierwszy rzut oka było widać, że na powrót do świata żywych jest już o wiele za późno. Bosman połowowy odgarnął kosmyk włosów, który opadł jej na twarz. Powieki miała otwarte, a w oczach wyraz zdziwienia. Martwym wzrokiem wpatrywała się w rozproszoną przez światło lamp mgłę, jakby to były złociste chmury, pod którymi płynie wprost do nieba.

Rozdział 2

Gdy „Gwiazdę Polarną" spuszczano z pochylni stoczni w Gdańsku, jej cztery nadbudówki lśniły bielą, a suwnice bramowe i bomy ładunkowe były cukierkowo żółte. Na pokładach panował ład, srebrzyste łańcuchy były równo owinięte na bębnach wyciągarek, a nadbudówki ścięte do tyłu. Krótko mówiąc, „Gwiazda Polarna" wyglądała jak statek. Po dwudziestu latach pływania po słonych wodach wszystko pokrywała warstwa rdzy. Górne pokłady były zawalone stosami desek, beczkami z olejem smarowym i pustymi na tran, stertami podartych sieci z odrapanymi pławami. Z czarnego komina z namalowanym czerwonym pasem waliły kłęby ciemnego dymu, co dowodziło nie najlepszego stanu diesla pod pokładem. „Gwiazda Polarna" z kadłubem powgniatanym przez trawlery wyładowujące połów w czasie burzliwej pogody wyglądała nie tyle na statek przetwórnię, ile napływający wrak, który jakimś cudem utrzymuje się na falach.

Dzień i noc skutecznie jednak łowiła ryby. Choć nie, słowo „łowiła" nie odpowiadało prawdzie. Naprawdę ryby łowiły dużo mniejsze trawlery, które przekazywały sieci na statek

13

przetwórnię, gdzie ich zawartość podlegała wstępnej obróbce: ryby odgławiano, patroszono i zamrażano.

„Gwiazda Polarna" już od czterech miesięcy była na morzu, pływając w towarzystwie amerykańskich trawlerów po amerykańskich wodach terytorialnych — od Syberii po Alaskę i od Cieśniny Beringa po Wyspy Aleuckie — w ramach radziecko-amerykańskiej umowy połowowej. Zawarta umowa przewidywała, że strona radziecka dostarczy statki przetwórnie i zatrzyma złowione ryby, strona amerykańska zapewni trawlery i łączników-tłumaczy i w rozliczeniu dostanie pieniądze. Programem zawiadywała firma z siedzibą w Seattle w połowie należąca do Rosjan, w połowie do Amerykanów. W ciągu czterech miesięcy załoga „Gwiazdy Polarnej" oglądała słońce nie więcej niż przez dwa dni, ale Morze Beringa nie bez powodu nazywają Strefą Szarości.

* * *

Trzeci oficer Sław Bukowski posuwał się wzdłuż linii produkcyjnej, przyglądając się ludziom pracującym przy sortowaniu połowu: mintaje trafiały na taśmę wiozącą je na stanowisko pił, makrele i raje szły na przerób na mączkę rybną. W części dostarczanych ryb podczas wyciągania eksplodowały pęcherze pławne i ich śluzowate strzępy kleiły się do czepków i ceratowych fartuchów, czepiały się rzęs i warg pracujących robotników.

Bukowski minął stanowisko pił tarczowych i ruszył wzdłuż „śluzgawki", jak nazywano linię obróbki ryb, przy której pracownicy stali w zakolach po obu stronach taśmy przenośnika. Pierwsza dwójka wprawnymi ruchami rozkrawała brzuchy ryb od głowy aż po odbyt, następna wężami podciśnieniowymi odsysała wnętrzności, trzecia strumieniami wody morskiej z węży ciśnieniowych opłukiwała skórę, skrzela i wszelkie rybie zakamarki ze śluzu. Ostatnia dwójka poddawała ryby ostatecznemu odessaniu wężami podciśnieniowymi i rzucała oczyszczone tuszki na taśmę, na której jechały do zamrażalni. Przez całą ośmiogodzinną zmianę nad przenośnikami, przejściami i głowami robotników unosiła się lepka mgła rozpylonej krwi i rybiej tkanki. Wśród robotników pracujących przy śluzgawce próżno było szukać przodowników pracy socjalistycznej, a już na pewno nie wyglądał na takiego blady ciemnowłosy mężczyzna, który stał na końcowym stanowisku odsysania i ładowania na taśmę sprawionych ryb.

— Renko!

Arkadij odessał różową wodę z wypatroszonego brzucha ryby, rzucił tuszkę na taśmę przenośnika i wziął do ręki następną. Mięso mintaja nie jest zbyt ścisłe i jeśli się go od razu nie oczyści i nie zamrozi, szybko traci przydatność do spożycia przez ludzi i nadaje się tylko na karmę dla norek, a jeśli i one go nie zechcą, można je już jedynie wysłać do Afryki w ramach programu pomocy żywnościowej. Palce miał zgrabiałe od ciągłego grzebania się w rybach o temperaturze zbliżonej do lodu, ale przynajmniej nie musiał jak Kola pchać rąk pod piłę tarczową. W czasie sztormowej pogody, kiedy statkiem zaczynało mocno kołysać, podkładanie śliskich korpusów mintaja pod wirujące tarcze pił wymagało maksimum uwagi. By nie poślizgnąć się na śliskich deskach podłogi, Arkadij wsuwał czubki gumowców pod dolną krawędź stołu. Na początku każdego rejsu i na zakończenie podłogę w przetwórni szorowano amoniakiem i spłukiwano wodą pod ciśnieniem, ale na morzu w pomieszczeniu wisiała duchota przesycona wilgocią i rybim fetorem. W tej atmosferze hurgot taśmy przenośnika, gwizd piły tarczowej i rytmiczne stękanie kadłuba statku tylko wzmagały wrażenie tkwienia w brzuchu lewiatana, który zawzięcie chłepce morze.

Taśma stanęła.

— To wy jesteście marynarz Renko?

Arkadij nie od razu rozpoznał trzeciego oficera, który nie był częstym gościem pod pokładem. Z ręką na głównym wyłączniku stał kierownik przetwórni Izrail. Miał na sobie kilka swetrów, gęsty czarny zarost sięgał mu oczu, które niecierpliwie wpatrywały się w intruza. Natasza Czajkowskaja, zwalista młoda kobieta w ceratowym kombinezonie, a mimo to podkreślająca swą kobiecość maźnięciem ust szminką, dyskretnie wychyliła się, taksując wzrokiem reeboki i czyściutkie dżinsy trzeciego oficera.

— No więc tak czy nie? — powtórzył Sław.

— To żadna tajemnica — rzekł Arkadij.

— Nie prowadzimy tu kursu tańców towarzyskich dla komsomolców — burknął Izrail. — Jak ci jest potrzebny, to go sobie zabieraj.

Taśma ruszyła równo z Arkadijem, który zszedł ze stanowiska i podążył za Sławem w stronę rufy, mijając po drodze korytka odprowadzające płynne odpadki i tran z rybich wątrób do odpływów w burcie statku.

Sław zatrzymał się i przyjrzał Arkadijowi, jakby zwiedziony jego przebraniem.

— To wy jesteście śledczy Renko, tak? — upewnił się.

— Już nie.

— Ale byliście. — Sław skinął głową. — To wystarczy.

Weszli schodkami na górny pokład. Arkadij sądził, że trzeci prowadzi go na dywanik do oficera politycznego lub do kajuty, by przeprowadzić rewizję, choć wiadomo było, że do tego celu nie potrzebują jego obecności. Przeszli obok kambuza, skąd dochodził mdły zapach gotującego się makaronu, skręcili w lewo przy haśle zagrzewającym do „Zwiększania produkcji w sektorze rolno-przemysłowym i walki o poważny wzrost dostaw rybiego białka" i zatrzymali się przy drzwiach izby chorych.

Wejścia strzegło dwóch marynarzy z czerwonymi opaskami z napisem „Ochotnicza Służba Porządkowa". Skiba i Ślezko byli znanymi wszystkim szpiclami i Skiba sięgnął po notatnik, zanim jeszcze za Arkadijem i Sławem zamknęły się drzwi.

Izba chorych na „Gwieździe Polarnej" wyglądała lepiej od wielu ośrodków zdrowia na lądzie i składała się z gabinetu lekarskiego, ambulatorium, szpitalika z trzema łóżkami, izolatki, gdzie trzymano osoby poddane kwarantannie, i salki operacyjnej, do której Sław skierował kroki. Pod ścianami stały białe szafki ze szklanymi słojami z alkoholem, w których moczyły się narzędzia chirurgiczne. W zamkniętej na klucz czerwonej szafce znajdowały się papierosy i lekarstwa, obok stał wózek z dwiema butlami: zieloną z tlenem i czerwoną z podtlenkiem azotu oraz wysoka popielniczka na nóżkach, na podłodze leżała mosiężna spluwaczka. Ściany były obwieszone planszami z przekrojami anatomicznymi, powietrze przesiąkło ostrą wonią środków dezynfekcyjnych, w rogu stał fotel dentystyczny, a środek pomieszczenia zajmował przykryty prześcieradłem stalowy stół operacyjny. Prześcieradło było na wskroś przemoknięte i ściśle przylegało do leżącego pod nim ciała kobiety. Spod krawędzi prześcieradła zwisały końce pasów służących do unieruchamiania pacjentów.

Iluminatory w ścianie odbijały obraz jak lustra, ponieważ na zewnątrz panowały jeszcze ciemności. Była dokładnie szósta rano, do świtu została godzina pracy na nocnej zmianie, i Arkadija jak zawsze o tej porze zdumiewało te mnóstwo ryb. Czuł się tak, jakby zamiast oczu miał takie same iluminatory.

— Czego chcesz? — spytał.

— Mamy trupa — rzekł Sław.

— Widzę.

17

— Jedna z pracownic stołówki. Wypadła za burtę.

Arkadij spojrzał na drzwi. Wiedział, że Skiba i Ślezko stoją pod nimi i wytężają słuch.

— Co to ma wspólnego ze mną?

— To oczywiste. Organizacja związkowa musi zgłaszać wszystkie zgony, a ja jestem delegatem związku zawodowego. Tylko ty na statku zetknąłeś się nieraz z nagłym zgonem.

— I zmartwychwstaniem — mruknął Arkadij i Sław zamrugał oczami. — Zmartwychwstanie jest jak rehabilitacja, tyle że podobno na dłużej. Nieważne. — Arkadij zerknął na papierosy za szybą szafki, sławetne rosyjskie *papirochy* z długą kartonową gilzą i niewielką ilością tytoniu. Ale szafka i tak była zamknięta. — A gdzie lekarz?

— Obejrzyj ciało.

— Za papierosa?

Pytanie na tyle zaskoczyło Sława, że machinalnie sięgnął do kieszeni koszuli i wyciągnął paczkę marlboro.

— To lepiej umyję ręce — powiedział Arkadij, wyraźnie zaskoczony hojnością.

Woda cieknąca z kranu miała brunatną barwę, ale wystarczyła do opłukania dłoni ze śluzu i rybich łusek. Znakiem rozpoznawczym ludzi długo przebywających na morzu były zęby zbrązowiałe od wody ze skorodowanych zbiorników. Nad umywalką wisiało pierwsze od dawna czyste lustro, w jakie miał okazję spojrzeć. Słowo „zmartwychwstały" nieźle do niego pasowało, uznał jednak, że sytuację lepiej oddaje termin „odgrzebany". Praca na nocnej zmianie w przetwórni pozbawiła jego skórę resztek pigmentu, a oczy chyba miał ciągle podkrążone. Nawet ręczniki były tu czyste. Pomyślał, że warto by się kiedyś rozchorować.

— Gdzie byliście śledczym? — spytał Sław, podając ogień Arkadijowi, który zapalił i z lubością napełnił płuca dymem.

— W Dutch Harbor można kupić papierosy?

— Od jakich przestępstw?

— Podobno w sklepie w Dutch Harbor kartony z papierosami leżą pod sam sufit. I świeże owoce. I sprzęt stereo.

Sław tracił cierpliwość.

— Czym się zajmowaliście? — burknął.

— Przestępstwami w Moskwie. — Arkadij westchnął, po raz pierwszy kierując wzrok na stół ze zwłokami. — Nie nieszczęśliwymi wypadkami. Ale jeśli wypadła za burtę, to jak ją wydostaliście na pokład? Nie słyszałem, żeby na czas akcji ratunkowej zatrzymywano silniki. Jakim cudem wróciła na pokład?

— Nie musicie tego wiedzieć.

— Jako śledczy musiałem oglądać ludzkie zwłoki. Ale także zwykłemu obywatelowi Związku Radzieckiego starczy mi oglądanie martwych ryb. Powodzenia.

Zrobił krok w stronę drzwi i to podziałało jak naciśnięcie przycisku alarmowego.

— Trafiła do jednej z naszych sieci — powiedział szybko Sław.

— Naprawdę? — Wbrew sobie Arkadij poczuł ukłucie ciekawości. — To dość niezwykłe.

— Proszę.

Arkadij zawrócił i uniósł prześcieradło.

Mimo rąk wyciągniętych za głowę kobieta wyglądała na dość niską. I bardzo białą, jak wytrawioną ługiem. A także zupełnie zimną i sztywną. Zmiętoszona bluzka i spodnie owijały ją niczym mokry całun, na jednej stopie tkwił plastikowy czerwony pantofel. Piwne oczy w trójkątnej twarzy spoglądały martwo, krótkie blond włosy miały przy skórze ciemne odrosty. Koło ust znajdował się pieprzyk, który za życia pewnie dodawał jej uroku. Arkadij uniósł głowę denatki i pozwolił bezwładnie opaść. Obmacał jej szyję i ramiona. Ręce w łokciach były złamane, ale niezbyt posiniaczone. Obie nogi były sztywne. Cała cuchnęła morzem, może nawet bardziej niż ryby na dole. W pantoflu znajdowały się ziarna piasku, a to znaczyło, że musiała opaść na samo dno. Na dłoniach i przedramionach dostrzegł otarcia naskórka, które zapewne powstały w trakcie wyciągania sieci.

— Zina Patiaszwili — powiedział Arkadij. Pamiętał ją ze stołówki, gdzie nakładała na talerze porcje ziemniaków i kapusty oraz nalewała kompot do kubków.

— Wygląda zupełnie inaczej, niż kiedy żyła — rzekł Sław w zadumie.

I to z dwóch powodów, pomyślał Arkadij. Raz, bo nie żyje, dwa, bo przebywała w słonej wodzie.

— Kiedy wypadła? — zapytał.

— Parę godzin temu. — Sław ustawił się u szczytu stołu w miejscu przynależnym szefowi. — Musiała stać przy relingu i wypaść podczas ciągnięcia sieci.

— Ktoś to widział?

— Nie. Było ciemno. Gęsta mgła. Pewnie utonęła od razu po uderzeniu w wodę. Albo zabił ją szok termiczny, albo nie umiała pływać.

Arkadij dotknął zwiotczałych mięśni szyi.

— Już prędzej jakąś dobę temu — powiedział. — Stężenie pośmiertne zaczyna się od głowy i schodzi do nóg, po czym w tej samej kolejności ustępuje.

Sław zakołysał się lekko na piętach i nie było to spowodowane bujaniem się statku.

Arkadij spojrzał na drzwi i cicho zapytał:

— Ilu Amerykanów jest na pokładzie?

— Czworo. Troje reprezentuje firmę, czwarty jest obserwatorem z ramienia American Fisheries.

— Wiedzą o tym?

— Nie. Dwóch jeszcze spało, ich szefowa była przy relingu rufowym, a to dość daleko od pokładu trałowego. Obserwator siedział w środku i pił herbatę. Na szczęście bosman połowowy wykazał się inteligencją i przykrył ciało, zanim któreś z Amerykanów mogło je zauważyć.

— Ale sieć dostarczył amerykański trawler. Oni też niczego nie dostrzegli?

— Na trawlerze nigdy nie wiedzą, co jest w sieci, póki im nie powiemy. — Sław się zamyślił. — Ale na wszelki wypadek powinniśmy przygotować odpowiedni komunikat.

— Ach tak, komunikat. Pracowała w stołówce?

— Tak.

— Może zatrucie pokarmowe?

— Nie to miałem na myśli. — Twarz Sława poczerwieniała. — W każdym razie lekarz zbadał ją zaraz po wyłowieniu i orzekł, że nie żyje dopiero od dwóch godzin. A jakbyś był takim dobrym śledczym, tobyś wciąż pracował w Moskwie.

— To prawda.

♦ ♦ ♦

Zmiana Arkadija dobiegła końca, udał się więc wprost do swojej kajuty, którą dzielił z Obidinem, Kolą Merem i elektrykiem Gurijem Gładkim. Żadnego z mieszkańców kajuty nie można było uznać za przykładnego marynarza. Gurij leżał na dolnej koi i przeglądał katalog wysyłkowy Searsa; Obidin powiesił kurtkę w szafie i stanąwszy nad zlewem, wypłukiwał z brody rybi śluz, wczepiony jak pajęczyna w miotełkę z piór. Na piersi dyndał mu wielki prawosławny krzyż. Kiedy się odzywał, jego tubalny głos dobywał się z głębi trzewi i Arkadij często myślał, że przemawiający z grobu nieboszczyk miałby głos Obidina.

— Anty-Biblia — powiedział Obidin do Koli, wskazując głową Gurija. — Dzieło antychrysta.

— A nie widział jeszcze katalogu Sharper Image* — parsknął Gurij, puszczając oko do Arkadija gramolącego się na górną koję. W czasie wolnym od pracy Gurij zawsze nosił ciemne okulary i czarną skórzaną marynarkę, jak lotnik na przepustce. — Wiesz, co on chce robić w Dutch Harbor? Iść do cerkwi.

— Bo tamtejsza społeczność ją zachowała — rzekł Obidin. — To już ostatni przyczółek świętej Rosji.

— Święta Rosja? Społeczność? Mówisz o jebanych dzikusach Aleutach!

Kola raz jeszcze przeliczył swoje pojemniczki. Było ich pięćdziesiąt — kartonowych doniczek o średnicy pięciu centymetrów każda. Z wykształcenia był botanikiem i gdy zaczynał snuć opowieści o Dutch Harbor i przyrodzie na wyspie Unalaska, można było sądzić, że statek zacumuje w samym środku raju, a on będzie miał do wyboru jeden z rajskich ogrodów.

— Dodatek mączki rybnej do ziemi bardzo im pomoże — rzekł w zadumie.

— Naprawdę myślisz, że dowieziesz je aż do Władywostoku? — zdziwił się Gurij, zaraz jednak coś mu przyszło do głowy. — A o jakie kwiaty chodzi?

— Storczyki. Są bardziej wytrzymałe, niż ci się zdaje.

— Amerykańskie storczyki? To mogą zrobić furorę. Będzie ci potrzebna pomoc przy sprzedaży.

— Są identyczne z syberyjskimi orchideami bagiennymi — powiedział Kola. — O to właśnie chodzi.

---

* Sears, Sharper Image — amerykańskie firmy specjalizujące się w sprzedaży wysyłkowej. Tradycyjny Sears działa od 1886 roku, założony w 1977 roku Sharper Image nastawiony jest na młodszą klientelę.

— Bo to wszystko było kiedyś świętą Rosją — powiedział Obidin, jakby przyroda najlepiej tego dowodziła.

— Arkadij, na pomoc — jęknął Gurij. — „O to właśnie chodzi"? Będziemy parę godzin w amerykańskim porcie i jeden kolega chce spędzić ten czas na kupowaniu jebanych syberyjskich kwiatków, a drugi na modlitwach z jebanymi kanibalami! Przemów im do rozumu, ciebie posłuchają. Przez pięć miesięcy obijamy się po oceanie na zasranej łajbie tylko dla tego jednego dnia w porcie. Pod koją mam miejsce na pięć wież stereo i setkę kaset. Albo może dyskietek komputerowych. Wszystkie szkoły we Władywostoku mają dostać yamahy. Przynajmniej mają obiecane, że kiedyś dostaną. Więc wszystko, co się do nich przyda, będzie na wagę złota. Jak już wrócę do domu, to nie po to, żeby schodzić po trapie z syberyjskimi kwiatkami w garści i wołać: „Patrzcie, co wam przywiozłem z Ameryki".

Kola odchrząknął. Był z nich wszystkich najdrobniejszy i wyczuwało się w nim brak pewności typowy dla najmniejszej rybki w akwarium.

— Czego chciał Bukowski? — spytał Arkadija.

— Ten cały Bukowski cholernie mnie wkurza — wtrącił Gurij, wpatrując się w zdjęcie kolorowego telewizora. — Spójrzcie na to: ekran dziewiętnaście cali. Ile to jest na nasze? Miałem w domu kolorowy telewizor marki Foton. Ale go rozerwało jak bombę.

— Bo mają fabryczną wadę kineskopu — powiedział Kola. — Wszyscy to wiedzą.

— I dzięki temu na szczęście trzymałem obok wiadro z piaskiem. — Gurij wychylił się z koi, by spojrzeć na Arkadija. — No to co trzeci chciał od ciebie?

Sufit nad górną koją był tak nisko, że Arkadijowi ledwo udawało się skulić w pozycji siedzącej. Przez szybkę w bulaju widać było horyzont w postaci szarej rozmytej kreski. Wschód słońca na Morzu Beringa.

— Wiesz, która to Zina ze stołówki?

— Taka blondynka. — Gurij kiwnął głową.

— Z Władywostoku — dodał Kola zajęty ustawianiem pojemniczków w sterty.

Gurij uśmiechnął się, ukazując porcelanowe siekacze pokryte złotą powłoką w celach bardziej dekoracyjnych niż stomatologicznych.

— Bukowski przystawia się do Ziny? Ona mu zawiąże kutasa na supeł i spyta, czy lubi precelki. Może zresztą polubi.

Arkadij spojrzał na Obidina, na którego zawsze można było liczyć, że rzuci jakiś tekst rodem ze Starego Testamentu.

— Ladacznica — rzekł Obidin, dokonując inspekcji rzędu słoi na dnie szafy. Każdy był zatkany korkiem i zaopatrzony w gumową rurkę. Otworzył jeden i po kajucie rozeszła się słodkawa woń fermentujących rodzynków, po czym przyjrzał się słojowi z ziemniakami.

— To nie jest niebezpieczne? — zapytał Gurij Kolę. — Jesteś naukowiec, to mi powiedz. Te opary nie wybuchną? Ciekawe, czy jest jakieś warzywo albo owoc, z którego on nie potrafi zrobić gorzały? Pamiętasz banany?

Arkadij pamiętał. W szafie śmierdziało jak w gnijącej dżungli tropikalnej.

— W środowisku drożdży i cukru niemal wszystko fermentuje — wyjaśnił Kola.

— Statek to nie miejsce dla kobiet — zawyrokował Obidin. Na gwoździu na tylnej ścianie szafy wisiała niewielka ikona przedstawiająca świętego Włodzimierza. Obidin zetknął kciuk z dwoma palcami, wskazującym i środkowym, i przeżegnał się, dotykając czoła, piersi, prawego i lewego ramienia i serca, a następnie powiesił na gwoździu koszulę. — Modlę się za nasze wybawienie.

— Wybawienie od czego? — zainteresował się Arkadij.

— Od baptystów, żydów i masonów.

— Trudno sobie wyobrazić Bukowskiego i Zinę jako parę — zauważył Gurij.

— Wtedy koło Sachalinu miała ładny kostium kąpielowy. Pamiętacie? — przypomniał Kola. Prądy morskie przygnały na północ masy ciepłej wody z okolic równika i przez kilka godzin trwało sztuczne lato. — Taki ze stringami.

— Sprawiedliwy mąż kryje oblicze pod zarostem — oznajmił Obidin. — Skromna niewiasta nie wystawia się na widok publiczny.

— Teraz jest już bardzo skromna — powiedział Arkadij. — Bo nie żyje.

— Zina? — Gurij najpierw usiadł, potem zdjął ciemne okulary i podniósłszy się z koi, stanął twarzą w twarz z Arkadijem.

— Nie żyje? — Kola uciekł wzrokiem gdzieś w bok.

Obidin ponownie się przeżegnał.

Arkadij pomyślał, że pewnie wszyscy trzej wiedzą o Zinie Patiaszwili więcej od niego. On ją tylko kojarzył z tym dziwnym dniem u wybrzeży Sachalinu, kiedy pojawiła się obok boiska do siatkówki w skąpym kostiumie kąpielowym. Rosjanie kochają słońce i wszyscy się wtedy porozbierali do rosołu, żeby poopalać blade ciało. Jednak Zina wyróżniała się nie tylko mikroskopijnym kostiumem kąpielowym, ale także zaokrąglonymi kształtami, przywodzącymi na myśl zachodnie piękności. Gdy tak leżała na stole operacyjnym w izbie chorych, bardziej przypominała przemoczony łachman. Nie było w niej nic z tamtej Ziny, dumnie paradującej po pokładzie i pozującej w okularach przeciwsłonecznych, które zasłaniały jej pół twarzy.

— Wypadła za burtę. Dostała się w sieć i w ten sposób wróciła na pokład.

Pozostała trójka zamilkła i wlepiła w niego wzrok. Milczenie przerwał w końcu Gurij:

— No i co w związku z tym Bukowski chciał od ciebie?

Arkadij nie bardzo wiedział, co powiedzieć. Każdy na statku skrywał jakąś przeszłość. Gurij zawsze był *biznesmienem*, który prowadził interesy legalne lub niezbyt legalne; Kola zamienił obozy naukowe na obozy pracy, a Obidin miotał się w pijanym widzie między czołgiem a cerkwią. Od chwili wyjazdu z Moskwy Arkadij obracał się tylko w gronie tego rodzaju ludzi. Nic tak nie poszerza kręgu znajomości, jak wewnętrzne zesłanie. Na tle kolorowej różnorodności społeczności syberyjskiej Moskwa jawiła mu się jako bezbarwne siedlisko aparatczyków. Mimo to z ulgą powitał obcesowe walnięcie w drzwi kajuty i pojawienie się Sława Bukowskiego. Trzeci oficer z udawaną grzecznością skłonił głowę, po czym ociekającym ironią tonem oświadczył:

— Towarzyszu śledczy, kapitan prosi was do siebie.

Rozdział 3

Wiktor Siergiejewicz Marczuk nie musiał mieć munduru ani złotego szamerunku, żeby nie było wątpliwości, że jest kapitanem. Arkadij widział jego twarz w gablocie przed Domem Marynarza we Władywostoku, gdzie wywieszano zdjęcia wyróżniających się kapitanów dalekowschodniej floty rybackiej. Na fotografii rysy Marczuka były wygładzone, a koszula z krawatem i marynarka sugerowały, że chodzi o marynarza dowodzącego zza biurka. Marczuk oglądany na żywo miał kanciastą, jakby wyciosaną z drewna twarz, której srogości dodawała jeszcze krótko przystrzyżona czarna broda. Statkiem dowodził ubrany w wełniany sweter i dżinsy jak ktoś, kto większość czasu spędza na powietrzu. Jednym z jego przodków musiał być Azjata, innym Kozak. W kraju zaczynała ostatnio dochodzić do głosu nowa kadra specjalistów z Syberii — ekonomistów z Nowosybirska, pisarzy z Irkucka i nowoczesnych ludzi morza z Władywostoku.

Tym razem jednak kapitan wyglądał na niezbyt pewnego siebie. Siedział za biurkiem i bębnił palcami w leżące przed nim papiery: teczkę osobową marynarza, księgę kodów z tablicami do szyfrowania i rozłożone kartki papieru. Na jednej widać było długie kolumny cyfr, niektóre obwiedzione na czerwono, na drugiej był tekst literowy. Marczuk podniósł głowę i w milczeniu wlepił wzrok w Arkadija, jakby chciał go przejrzeć na wylot. Bukowski przezornie usunął się na bok.

— Zawsze lubię bliżej poznawać członków załogi — zaczął Marczuk, wskazując głową teczkę osobową. — „Były śledczy". Wysłałem do bazy radiogram z pytaniem o szczegóły i właśnie, marynarzu Renko, otrzymałem odpowiedź. — Postukał wielkim palcem w kartkę z odszyfrowanym tekstem. — Starszy śledczy w moskiewskiej prokuraturze, zwolniony z pracy jako politycznie niepewny. Zesłany na wschód i zatrudniony na poślednejszym stanowisku w Norylsku. Nie ma się czego wstydzić. Wielu naszych najlepszych rodaków przybyło na wschód w kajdanach. Ważne, żeby chcieć się zreformować. W Norylsku byliście nocnym stróżem. Czy jako były moskwianin nie nudziliście się po nocach?

— Rozpalałem smołę w trzech bańkach po oleju i siadałem w środku. Czułem się jak ofiara na stosie.

Marczuk zajął się zapalaniem papierosa, co pozwoliło Arkadijowi rozejrzeć się po kapitańskiej kajucie. Na podłodze leżał perski dywan, w narożnik wbudowana była obszerna sofa, na metalowym regale ustawiono fachową biblioteczkę, telewizor i radio, pod ścianą stało stare biurko zbliżone wielkością do szalupy ratunkowej. Na ścianie nad sofą wisiał portret Lenina przemawiającego do tłumu marynarzy i kadetów, nieco dalej trzy zegary pokazywały czas lokalny, we Władywostoku i czas Greenwich. W sumie kajuta przypominała zwykły gabinet biurowy z zielonkawymi grodziami w miejsce ścian.

— Zwolniony za przywłaszczenie własności państwowej. Pewnie chodziło o tę smołę. Potem znalazłeś sobie pracę w rzeźni.

— Doprowadzałem renifery do stanowiska rzeźnego.

— I znów napisano, że zostałeś zwolniony, tym razem za polityczne podżeganie.

— Pracowałem z dwoma Buriatami, którzy nie rozumieli słowa po rosyjsku. Może jakiś renifer ich podżegał.

— Potem pojawiasz się na trawlerze łowiącym u brzegów Sachalinu. Muszę powiedzieć, marynarzu Renko, że to mnie już zdumiewa. Pływanie na jednej z tych starych kryp to jak wyprawa na Księżyc. Najgorsza praca za najgorszą płacę. Na tych kutrach pływają ludzie, którzy uciekli od żon, migają się od płacenia alimentów, ukrywają za mniejsze lub większe przestępstwa, czasem nawet zabójstwa. I nikt się tym nie przejmuje, bo ktoś musi łowić na wodach Pacyfiku. A jednak ciebie znów wyrzucają. I znów jako „politycznie niepewnego". Powiedz mi, proszę, co narozrabiałeś w Moskwie?

— Wykonywałem swoje obowiązki.

Marczuk niecierpliwie odgonił od twarzy kłąb niebieskiego dymu.

— Renko, jesteś na „Gwieździe Polarnej" prawie od dziesięciu miesięcy. Ale podczas postoju we Władywostoku nawet na chwilę nie zszedłeś na ląd.

Renko wiedział, że marynarz schodzący na ląd musi poddać się kontroli służby granicznej, czyli agendy KGB, której zadaniem jest ochrona granic.

— Podoba mi się na morzu.

— Jestem jednym z wyróżniających się kapitanów floty dalekowschodniej — powiedział Marczuk. — Mam tytuł Bohatera Pracy Socjalistycznej, jednak nawet mnie aż tak się na morzu nie podoba. Ale zostawmy to. Chciałem ci tylko pogratulować. Lekarz zmienił swoją opinię. Zina Patiaszwili utonęła poprzedniej nocy, nie ostatniej. Jako delegat związku zawodowego towarzysz Bukowski będzie musiał przygotować odpowiedni raport w tej sprawie.

— Towarzysz Bukowski niewątpliwie świetnie sobie poradzi.

— Jest pełen zapału. Niemniej trzeci oficer na statku to nie zawodowy śledczy. Poza tobą na pokładzie nie ma innych śledczych.

— Wygląda na ambitnego młodego człowieka. Już awansował na statek przetwórnię. Życzę mu powodzenia.

— Renko, bądźmy poważni. Załoga „Gwiazdy Polarnej" składa się z dwustu siedemdziesięciu ludzi służby pokładowej, mechaników i pracowników przetwórni jak ty. Z tego pięćdziesiąt osób to kobiety. Jesteśmy jak radziecka wioska na amerykańskich wodach. Wiadomość o nagłej śmierci kogoś z naszych rozejdzie się wśród ludzi. Nie możemy dopuścić, żeby zrodził się choć cień podejrzenia, że staramy się coś ukryć albo że sprawę bagatelizujemy.

— Czyli Amerykanie już wiedzą — domyślił się Arkadij.

Marczuk kiwnął głową.

— Ich szefowa już u mnie była. Sytuację dodatkowo komplikuje to, że ta biedna dziewczyna utonęła dwie doby temu. Mówisz po angielsku?

— Już dawno nie mówiłem. Poza tym nasi Amerykanie mówią po rosyjsku.

— Ale nie tańczysz.

— Ostatnio jakoś nie.

— Przedwczoraj mieliśmy tu potańcówkę — przypomniał Sław. — Na cześć rybaków świata.

— Pracowałem na dole przy czyszczeniu ryb. Rzuciłem tylko okiem w drodze do pracy. — Zabawę zorganizowano w stołówce i było jedynie widać podskakujący tłumek, na którym kładły się refleksy światła, rzucane przez lustrzaną kulę. — Graliście na saksofonie — dodał, przenosząc wzrok na Sława.

— Mieliśmy gości — wyjaśnił Marczuk. — Do „Gwiazdy Polarnej" przybiły dwa trawlery i dołączyli do nas amerykańscy rybacy. Może zachcesz z nimi porozmawiać. A oni nie mówią po rosyjsku. Oczywiście nie spodziewam się prawdziwego śledztwa. To, jak sam wiesz najlepiej, przeprowadzą odpowiednie władze po powrocie do Władywostoku. Ale póki ludzie mają wszystko świeżo w pamięci, powinniśmy zebrać jak najwięcej informacji. Bukowskiemu potrzebna jest pomoc kogoś mającego doświadczenie w tych sprawach i znającego angielski. Tylko przez jeden dzień.

— Z całym szacunkiem, towarzyszu kapitanie — wtrącił Sław — ale potrafię sam zadać odpowiednie pytania bez pomocy Renki. Musimy pamiętać, że raport będzie czytany w zarządzie floty, w różnych wydziałach ministerstwa, w...

— Pamiętasz, co powiedział Lenin? „Biurokracja to gówno". — Marczuk parsknął, po czym zwracając się do Arkadija, dodał: — Marynarz Patiaszwili brała udział w zabawie, która trwała mniej więcej wtedy, kiedy według twojej oceny utonęła. Mamy szczęście, że na pokładzie „Gwiazdy Polarnej" jest ktoś o twoich kwalifikacjach. Zakładam, że takim samym szczęściem będzie dla ciebie możliwość służenia dobru statku.

Arkadij spojrzał na papiery rozłożone na biurku.

— A moja niepewność polityczna?

Zwykle surowa mina Marczuka powodowała, że gdy się uśmiechał, jego twarz tym bardziej pogodniała.

— Od tych spraw mamy specjalistę, na którym możemy polegać. Sław, nasz drogi towarzysz Wołowoj już wyraził zainteresowanie osobą marynarza Renki. Nie wyobrażam sobie, żebyśmy mogli rozpocząć jakiekolwiek działania bez zgody towarzysza Wołowoja.

◆ ◆ ◆

W sali stołówki dwa razy dziennie puszczano filmy. Przez otwarte drzwi na korytarz widać było obrazy skaczące na ekranie ustawionym na estradce, na której dwa wieczory wcześniej przygrywał do tańca Sław ze swoim zespołem. Jakiś samolot wylądował w porcie lotniczym o nowoczesnej architekturze, czyli gdzieś na Zachodzie, po czym pod terminal zajechały limuzyny. Może nie najnowsze modele i nie pierwszej młodości, ale niewątpliwie amerykańskie. Słychać było głosy zwracających się do siebie per mister Taki i mister Siaki, a kamera zrobiła zbliżenie na eleganckie męskie półbuty z dziurkowanymi noskami. Też niewątpliwie zachodnie.

— Czujność na obczyźnie — rzucił ktoś, wychodząc ze stołówki. — Walczą z CIA.

Bosman połowowy Karp Korobec miał potężną klatkę piersiową i czuprynę zaczynającą się milimetr nad krzaczastymi brwiami. Swą posturą przypominał wznoszone po wojnie monumentalne posągi ludzi radzieckich — żołnierzy z uniesionymi pepeszami i marynarzy strzelających z dział, co miało podkreślać wkład prostych ludzi w dzieło zwycięstwa nad faszyzmem — i stanowił prawdziwy wzór pracownika statku przetwórni „Gwiazda Polarna".

Potwierdzeniem tego była wisząca na korytarzu tablica, na której ogłaszano wyniki współzawodnictwa pracy między trzema ekipami połowowymi. Punkty przyznawano za tonaż złowionych ryb, ich jakość i procentowe wykonanie planu. Na tej podstawie co tydzień ogłaszano zwycięską ekipę, nagradzając ją złotym proporczykiem. Ekipa Karpa regularnie zdobywała proporczyki, a ponieważ zmiana Arkadija pracowała w przetwórni według tego samego grafiku, ją też wyróżniano. „Karmiąc ludzi radzieckich, budujecie komunizm" — głosił transparent rozpięty nad tablicą. Adresatem hasła był i Karp, i Arkadij.

Bosman połowowy leniwym ruchem wyjął papierosa, nikogo nie częstując. Załoga pokładowa niechętnie bratała się z personelem przetwórni, ale Karp zignorował też Sława. Na ekranie było widać, jak tajni agenci przekazują sobie jakieś białe paczuszki.

— Heroina — mruknął Karp.

— Albo cukier — dodał Arkadij. Cukier w Związku Radzieckim był równie trudno osiągalny.

— To bosman Korobec znalazł zwłoki Ziny — przypomniał Sław.

— O której to było? — zapytał Arkadij.

— Koło trzeciej nad ranem.

— Czy prócz niej było coś jeszcze w sieci?

— Nie. A dlaczego mnie o to pytasz? — obruszył się Karp. Jego wzrok nagle nabrał twardości, jakby posąg otworzył oczy.

— Podobno marynarz Renko ma w tych sprawach doświadczenie — wyjaśnił Sław.

— W wypadaniu za burtę? — prychnął Karp.

— Znałeś ją? — spytał Arkadij.

— Widywałem ją. Nakładała tu jedzenie. — Widać było, że zaciekawienie Karpa nagle wzrosło. Powtórzył nazwisko Arkadija, obracając je na języku jak kamyk. — Renko, Renko. Skąd jesteś?

— Z Moskwy — odpowiedział za niego Sław.

— Z Moskwy? — Karp gwizdnął z podziwem. — To musiałeś nieźle spierdolić sprawę, że wylądowałeś aż tutaj.

— Ale tu wszyscy jesteśmy dumnymi pracownikami floty dalekowschodniej — wtrącił pierwszy oficer Wołowoj. Dołączył do rozmawiających, nie spuszczając wzroku z idącego ku nim młodego Amerykanina. Chłopak miał pokrytą piegami twarz, sterczące jak druty włosy i poruszał się powolnym, ociężałym krokiem. — Bernie, prosimy do środka. Film szpiegowski, bardzo ciekawy.

— Czyli my jesteśmy ci źli, tak? — Bernie miał łagodny uśmiech i mówił po rosyjsku niemal bez obcego akcentu.

— Inaczej nie mógłby być filmem szpiegowskim, nie? — parsknął Wołowoj.

— Potraktuj go jak komedię — poradził Arkadij.

— No, chyba że tak. — Bernie z uznaniem pokiwał głową.

— Proszę, miłych wrażeń — powiedział Wołowoj, już bez uśmiechu. — Towarzysz Bukowski znajdzie ci dobre miejsce.

Pierwszy oficer skinął na Arkadija i ruszył korytarzem do biblioteki, której pomieszczenie było tak ciasne, że czytelnik musiał przeciskać się bokiem pomiędzy regałami. Z uwagi na niewiele miejsca wyłożone na półkach książki dobrano bardzo skrupulatnie. Popularnością cieszył się Jack London, literatura wojenna i powieści fantastycznonaukowe, a także pozycje z gatunku „romansów traktorowych". Wołowoj machnięciem ręki odprawił bibliotekarkę i usiadłszy na jej miejscu, odsunął termos z herbatą, słoiczki z klejem i stertę książek z naderwanymi grzbietami, by zrobić miejsce na teczkę z papierami, którą wyjął z aktówki. Arkadij z zasady starał się unikać kontaktów z oficerem politycznym, nie zabierał głosu na zebraniach i nie bywał na imprezach rozrywkowych. Teraz po raz pierwszy znaleźli się twarzą w twarz.

Mimo iż Wołowoj był pierwszym oficerem i zazwyczaj paradował w wodoodpornym rybackim skafandrze i gumowcach, nigdy nie dotykał steru, sieci czy map nawigacyjnych, gdyż uważał się tylko za oficera politycznego. Na szczęście załoga miała też chiefa i to on zajmował się przyziemnymi kwestiami rybołówstwa i sztuki żeglarskiej, co wprowadzało niezłe zamieszanie w pokładowej hierarchii. Domeną pierwszego oficera Wołowoja było dbanie o dyscyplinę i morale załogi, co owocowało ręcznie malowanymi transparentami z hasłami typu: „Złoty proporzec dla trzeciej zmiany w so-

cjalistycznym współzawodnictwie pracy!". Do jego obowiązków należało też odczytywanie przez pokładowy radiowęzeł
codziennych wiadomości, w których telegramy z gratulacjami
dla dumnych ojców dzieci właśnie urodzonych we Władywostoku przemieszane były z doniesieniami o bohaterskiej walce
rewolucyjnego ludu Mozambiku. Wołowoj odpowiadał też za
organizowanie seansów filmowych i rozgrywek w siatkówkę,
jednak najważniejszym zadaniem było sporządzanie opinii
o stosunku do pracy i politycznych zapatrywaniach członków
załogi — od kapitana po pomoc kuchenną — i przekazywanie
ich do sekcji morskiej KGB.

Nie znaczyło to wcale, że Wołowoj jest gryzipiórkiem
i wymoczkiem. Był aktualnym mistrzem załogi w podnoszeniu
ciężarów i reprezentował ten typ rudzielca, którego gałki oczne
są zawsze zaróżowione, powieki i wargi na stałe spieczone,
a mięsiste i zadbane dłonie porośnięte złocistym meszkiem.
Oficerowie polityczni nie wykonywali żadnej konkretnej pracy
i marynarze przezywali ich „inwalidami", jednak Arkadij musiał
przyznać, że Fiodor Wołowoj był najzdrowiej wyglądającym
inwalidą, jakiego kiedykolwiek spotkał.

— Renko. — Wołowoj czytał takim tonem, jakby dopiero
teraz zaznajamiał się z zawartością teczki. — Starszy śledczy.
Dyscyplinarnie zwolniony z pracy i wyrzucony z partii. Poddany
rehabilitacji w szpitalu psychiatrycznym. Widzisz, mam te same
dane co kapitan. Oddelegowany do pracy we wschodnim rejonie
Republiki Rosyjskiej.

— Na Syberii.

— Wiem, gdzie leży wschodni rejon. Ale widzę, że masz
poczucie humoru.

— Właśnie to głównie w sobie rozwijałem przez ostanie lata.

— To dobrze, bo dysponuję też nieco bardziej szczegółowym
raportem. — Wołowoj rzucił na biurko grubszą teczkę. —

W Moskwie prowadzono śledztwo w sprawie o morderstwo, które zakończyło się niespodziewanym zwrotem: zabiciem przez ciebie miejskiego prokuratora. Kto to jest pułkownik Pribłuda?

— Oficer KGB. W śledztwie zeznawał na moją korzyść i na tej podstawie oczyszczono mnie z zarzutów.

— Ale usunięto cię z partii i wysłano na obserwację psychiatryczną. Czy tak się postępuje z kimś niewinnym?

— Niewinność nie miała z tym nic wspólnego.

— A kto to jest Irina Asanowa? — Wołowoj odczytał nazwisko z dokumentu.

— Była obywatelka Związku Radzieckiego.

— Chciałeś powiedzieć: kobieta, której pomogłeś zdradzić ojczyznę i która od tej pory jest źródłem szkalujących cię pomówień.

— I co to za pomówienia? — zapytał Arkadij. — Jak bardzo zmyślone?

— Utrzymujesz z nią kontakt?

— Stąd?

— Byłeś już przesłuchiwany w tej sprawie.

— Wielokrotnie.

Wołowoj przerzucił kilka kartek w teczce.

— „Niepewny politycznie"... „niepewny politycznie"... Powiem ci, co mnie śmieszy jako pierwszego oficera. Za parę dni wpłyniemy do Dutch Harbor. Wszyscy zejdą na ląd, żeby zrobić zakupy. Wszyscy z wyjątkiem ciebie. A to dlatego, że wszyscy poza tobą mają wizę marynarską pierwszej klasy. Przypuszczam, że masz wizę drugiej klasy, ponieważ znający cię wiedzą, że nie można ci zaufać w sprawie kontaktów z obcokrajowcami w zagranicznym porcie. A mimo to kapitan chce, żebyś to ty pomagał Bukowskiemu, a nawet był jego tłumaczem w rozmowach z Amerykanami i tu, i na ich trawlerach. Albo to bardzo śmieszne, albo bardzo dziwne.

Arkadij wzruszył ramionami.

— Poczucie humoru, to bardzo osobista sprawa.

— Ale żeby cię aż wyrzucili z partii...

Będzie się teraz nad tym rozwodził, pomyślał Arkadij. Nieważne wyrzucenie z pracy i zsyłka na Sybir. Prawdziwie dotkliwa kara — coś, czego każdy aparatczyk boi się najbardziej — to utrata legitymacji partyjnej. Mołotowa obarczono odpowiedzialnością za sporządzanie list tysięcy ofiar stalinowskiego terroru, ale jego prawdziwe kłopoty zaczęły się dopiero w chwili, gdy odebrano mu legitymację partyjną.

— Członkostwo partii okazało się zbyt wielkim zaszczytem. Nie mogłem unieść jego ciężaru.

— Na to wygląda. — Wołowoj znów zagłębił się w papierach. Być może te słowa za bardzo go ubodły, bo uniósł wzrok i prześlizgnął się nim po regałach z książkami, jakby żadna opisana w nich historia nie mogła być aż tak żałosna. — Oczywiście kapitan należy do partii, ale jak wielu kapitanów żeglugi jest uparty i lubi ryzykować. Jest bardzo otrzaskany w kwestiach rybołówstwa, wie, jak unikać gór lodowych i kiedy zrobić zwrot na sterburtę, a kiedy na bakburtę. Ale sprawy polityczne związane z ludzką naturą są dużo bardziej skomplikowane i groźne. To oczywiste, że chce wiedzieć, co doprowadziło do śmierci tej dziewczyny. Wszyscy chcemy. Nie ma obecnie nic ważniejszego. I z tego powodu tak istotny jest odpowiedni nadzór nad dochodzeniem.

— Już to kiedyś słyszałem. — Arkadij kiwnął głową.

— I nie posłuchałeś. A byłeś wtedy członkiem partii, kimś ważnym, człowiekiem z pozycją. Z twoich papierów wynika, że prawie od roku nie schodzisz na ląd. Renko, jesteś na tym statku więźniem. Kiedy dopłyniemy do Władywostoku, twoi koledzy wrócą do swoich żon lub narzeczonych, ale na ciebie będzie czekał patrol służby granicznej, agendy KGB. Musisz o tym wiedzieć, bo inaczej zszedłbyś na ląd podczas ostatniego postoju w porcie macierzystym. Tylko że dla ciebie on nie jest macierzysty, bo nie masz tam domu i nie masz dokąd pójść. Twoją jedyną nadzieją jest uzyskanie dobrej opinii z „Gwiazdy Polarnej". A tym, kto tę opinię sporządzi, jestem ja.

— Czego sobie życzysz?

— Liczę na dokładne i dyskretne informowanie o wszystkim, co się będzie działo, i to zanim trafi to do kapitana.

— Aha. — Arkadij kiwnął głową. — Tylko że nie mamy prowadzić śledztwa. Mamy przez jeden dzień zadać kilka pytań. I nie ja tym kieruję.

— Sław Bukowski mówi słabo po angielsku, więc zadanie wielu pytań spadnie na ciebie. Należy zadać wszelkie pytania i ustalić całą prawdę, i dopiero potem przejść do wniosków. Jest też bardzo ważne, żeby żadne informacje nie przeciekły do Amerykanów.

— Mogę się tylko postarać. Co byście powiedzieli o przypadkowej śmierci? Myśleliśmy też o zatruciu pokarmowym. Czy może wolelibyście zabójstwo?

— Mamy obowiązek chronić dobre imię statku.

— Samobójstwa bywają różne.

— I dobre imię naszej nieszczęsnej towarzyszki.

— To może ogłosić, że przeżyła, i wybrać ją na Królową Dnia Rybaka. Wszystko, cokolwiek sobie życzycie. Napiszcie, co tylko chcecie, a ja natychmiast to podpiszę.

Wołowoj powoli złożył papiery, schował do teczki i odsunąwszy krzesło, wstał zza biurka. Jego zaróżowione oczy jeszcze mocniej poczerwieniały, a spojrzenie nabrało ostrości. Zwykle tak reaguje ktoś, kto w rozmówcy podświadomie wyczuwa naturalnego wroga.

Ale spojrzenie Arkadija było równie nieustępliwe: Ja też wiem, coś ty za jeden.

— Czy mogę już odejść? — zapytał.

— Tak — rzekł sucho Wołowoj i gdy Arkadij był już przy drzwiach, rzucił: — Renko?

— Tak?

— Podobno samobójstwa to twoja specjalność.

Rozdział 4

Zina Patiaszwili leżała na stole, z głową podpartą drewnianym klockiem. Była ładną kobietą o niemal greckim profilu, jaki czasem miewają Gruzinki. Pełne usta, zgrabne szyja i kończyny, kępka czarnego owłosienia łonowego i blond włosy na głowie. Za kogo chciała uchodzić? Za Skandynawkę? Wpadła do morza, dotarła do samego dna i wróciła na powierzchnię bez żadnych widocznych obrażeń, jeśli nie liczyć stężenia pośmiertnego. Teraz stężenie minęło i wszystkie mięśnie zwiotczały: piersi rozpłaszczyły się na żebrach, żuchwa opadła, oczy zapadły się pod na wpół przymkniętymi powiekami, skóra nabrała świetlistego połysku. No i jeszcze ten fetor. Salka operacyjna to nie kostnica z dominującą wonią formaldehydu i leżące na stole zwłoki wypełniły ją mdlącym smrodem podobnym do woni zepsutego mleka.

Arkadij odpalił drugiego biełomora bezpośrednio od pierwszego i z lubością wciągnął dym w płuca. Im rosyjski tytoń mocniejszy, tym lepszy. Na formularzu protokołu narysował cztery sylwetki: widok od przodu, od tyłu, z lewej i z prawej.

Ciało Ziny zdawało się lewitować w błyskach flesza aparatu Sława i opadać, gdy jej cień zniknął. Początkowo trzeci oficer wymigiwał się od udziału w sekcji, ale Arkadij się zaparł. Nie chciał, żeby nastawiony wrogo Sław mógł później twierdzić, że wyniki sekcji zostały przekłamane lub są niekompletne. Jeśli dowodziło to, że w ekśśledczym ocalały resztki profesjonalizmu, Arkadij sam nie wiedział, czy ma się śmiać, czy płakać. Kryminalne standardy specjalisty od patroszenia ryb! Teraz sytuacja uległa odwróceniu: Sław trzaskał zdjęcie za zdjęciem niczym zawodowy fotoreporter TASS, za to Arkadijowi zrobiło się niedobrze.

— W sumie — mówił doktor Vainu — ten rejs jest dla mnie ogromnym rozczarowaniem. Na lądzie miałem pełno klientek na środki uspokajające: walerianę, pentalgin, nawet różne zagraniczne specyfiki. Kobiety na tym statku to Amazonki. Nawet aborcje prawie się nie zdarzają.

Doktor Vainu był młody i wyluzowany, zazwyczaj przyjmował pacjentów w cywilnych ciuchach i kapciach na nogach, jednak tym razem miał na sobie kitel laboratoryjny z poplamioną atramentem kieszenią na piersi. Jak zwykle nie wyjmował z ust papierosa nasączonego antystorminą, środkiem zapobiegającym chorobie morskiej. Trzymał papierosa między czwartym palcem a małym, przez co przy każdym pociągnięciu zasłaniał sobie twarz jak maską. Na podręcznym stoliku miał rozłożone narzędzia chirurgiczne: skalpele, szczypce, klamry i ręczną piłkę tarczową do amputacji; na stalowej tacy pod stołem leżało ubranie Ziny.

— Przepraszam za to zamieszanie z czasem jej śmierci — ciągnął obojętnym tonem — ale komu normalnemu przyszłoby do głowy, że sieć mogła ją zgarnąć później niż dzień po wypadnięciu za burtę?

Arkadij starał się równocześnie palić i rysować. W Moskwie wszystkie czynności związane z sekcją należały do anatomopatologa, a śledczy był tylko biernym obserwatorem. Mógł liczyć na laboratoria, ekipy kryminalistyków, profesjonalne urządzenia i ustaloną rutynę. Był zadowolony, że przez ostatnie lata nie musiał zajmować się ofiarami nagłej śmierci. A już na pewno nie ciałem dziewczyny na pokładzie statku. Woni ludzkiej śmierci towarzyszył słonawy fetor ryb, które trafiły do tej samej sieci. Włosy denatki były zmatowiałe, ramiona, nogi i piersi pokryte sinoczerwonymi plamami.

— Poza tym ustalanie czasu śmierci na podstawie stężenia pośmiertnego bywa bardzo zawodne, zwłaszcza w niskich temperaturach — kontynuował Vainu. — To nic innego jak skurcz mięśni, który jest wynikiem zachodzącej po śmierci reakcji chemicznej. Czy wiecie, że jak się sfiletuje rybę przed zesztywnieniem, to jej mięso kurczy się i twardnieje?

Długopis wysunął się Arkadijowi z palców, a gdy niezgrabnie próbował go podnieść, ten potoczył się jeszcze głębiej pod stół.

— Można by sądzić, że to twoja pierwsza sekcja. — Sław zachichotał, schylając się po długopis. Stał obok Arkadija, obojętnie wpatrując się w stół. — Jest bardzo posiniaczona — dodał, przenosząc wzrok na lekarza. — Myślisz, że to od śruby?

— Ubranie nie było poszarpane. Moje lekarskie doświadczenie podpowiada, że to skutek uderzeń pięścią, nie śruby — odparł Vainu.

Lekarskie doświadczenie? Nauczył się składać połamane kości i wycinać wyrostki, na wszystkie inne przypadłości miał zielone mazidło i aspirynę, bo jak mawiał, pacjenci w jego izbie chorych zwykle nadużywają alkoholu lub narkotyków. Właśnie dlatego stół operacyjny wyposażono w pasy do krępowania pacjentów, tyle że zapas morfiny na „Gwieździe Polarnej" skończył się już miesiąc temu.

Arkadij przeczytał wypełniony nagłówek protokołu sekcji: „Patiaszwili, Zinajda Pietrowna, urodzona 28/8/61 w Tbilisi, G.S.R.R. Wzrost: 160 cm. Waga: 48 kg. Włosy: czarne (farbowane na blond). Oczy: piwne". Podał podkładkę z protokołem lekarzowi i ruszył wokół stołu. Jak wchodzący po drabinie człowiek, który bojąc się wysokości, skupia uwagę tylko na najbliższym szczeblu, Arkadij przenosił wzrok z jednego szczegółu na następny, mówiąc wolno i z namysłem.

— Doktorze, proszę zanotować, że łokcie denatki są złamane. Niewielkie zasinienie sugeruje, że złamanie nastąpiło już po śmierci, przy niskiej temperaturze ciała. — Zaczerpnął głęboko powietrza i zgiął obie nogi dziewczyny. — Proszę zapisać, że to samo dotyczy kolan.

Sław wysunął się do przodu, ustawił ostrość i zrobił kolejne zdjęcie, skrupulatnie dobierając kąt, jak reżyser kręcący swój pierwszy film.

— Robisz kolorowe czy czarno-białe? — spytał Vainu.

— Kolorowe — odrzekł Sław.

— Na przedramionach i łydkach — ciągnął Arkadij — widać zasinienia, ale nie od uderzenia. Prawdopodobnie wynikają z ułożenia ciała po śmierci. To samo widać na piersiach. — Nabiegnięcia krwią na piersiach utworzyły podwójne aureole wokół sutków. To naprawdę nie dla mnie, pomyślał Arkadij. Trzeba było odmówić. — Na lewym ramieniu, na lewym boku i na biodrze niewielkie zasinienia w regularnych odstępach. — Przyłożył linijkę zabraną ze stołu laboratoryjnego. — W sumie dziesięć sińców co pięć centymetrów.

— Mógłbyś potrzymać tę linijkę spokojnie? — burknął Sław, robiąc kolejne zdjęcie.

— Zdaje się, że naszemu śledczemu przydałoby się coś chlapnąć — powiedział Vainu.

Arkadij milcząco skinął głową. Dłonie dziewczyny przypominały pod dotknięciem zimną, miękką glinę.

— Paznokcie nie są połamane, pod spodem brak obcej tkanki. Lekarz pobierze ścinki i zbada pod mikroskopem.

— Albo chlapnąć, albo podeprzeć się szczudłami — parsknął Sław. -

Nim Arkadij odważył się szerzej otworzyć denatce usta, najpierw głęboko zaciągnął się biełomorem.

— Wargi i język nie wykazują zasinień ani skaleczeń. — Zamknął usta, odchylił jej głowę do tyłu i zajrzał do nozdrzy. Ścisnął nasadę nosa, potem uniósł powieki. — Proszę zanotować przebarwienie białka lewego oka.

— Co to znaczy? — zapytał Sław.

— Nie ma śladów bezpośredniego udaru — ciągnął Arkadij. — Zapewne spowodowane uderzeniem w tylną część czaszki. — Przekręcił zwłoki na bok i odgarnął z karku zesztywniałe od soli włosy. Skóra na karku była aż czarna. Przejął z rąk lekarza podkładkę z protokołem i powiedział: — Proszę to rozciąć.

Nie wyjmując z ust papierosa z długim słupkiem popiołu, lekarz wybrał jeden ze skalpeli i zrobił cięcie na całej długości kręgów szyjnych. Arkadij podtrzymał głowę i lekarz sięgnął do środka.

— Szczęście ci dopisuje — powiedział sucho. — Zapisz zmiażdżenie pierwszego kręgu i podstawy czaszki. Musisz odczuwać nie lada satysfakcję. — Spojrzał na Arkadija, potem na piłę. — Jeśli chcesz, możemy wyjąć mózg i upewnić się. Albo rozciąć klatkę piersiową i sprawdzić drogi oddechowe na obecność wody morskiej

Sław zrobił zdjęcie szyi i wyprostował się, lekko chwiejąc się na nogach.

— Nie. — Arkadij opuścił głowę Ziny na drewniany klocek i zamknął jej oczy. Wytarł dłonie o kurtkę i odpaliwszy kolejnego biełomora, łapczywie się zaciągnął, po czym zaczął grzebać w ubraniu denatki na tacy pod stołem. Gdyby się utopiła, jej nos i usta byłyby popękane, w żołądku i płucach znajdowałaby się woda, a przy każdym poruszeniu lałoby się z niej jak z nasączonej gąbki. Poza tym we Władywostoku mają dosyć śledczych i techników, którzy chętnie zajmą się pokrojeniem i oględzinami każdej cząstki jej ciała. Na tacy leżał czerwony plastikowy pantofel produkcji radzieckiej, luźne niebieskie spodnie od dresu, majtki, biała bawełniana bluzka z metką z Hongkongu i znaczek na szpilce z napisem „I ♥ LA". Prawdziwie międzynarodowa dziewczyna. W kieszeni spodni tkwiła namoknięta kulka niebieskiego papieru, który kiedyś stanowił opakowanie gauloisów, jedna karta do gry z damą kier, a także solidny radziecki kondom. Zina Patiaszwili, osoba nie tylko międzynarodowa i romantyczna, ale także praktyczna.

Arkadij raz jeszcze przyjrzał się jej woskowej twarzy i zmarszczonej skórze głowy z widocznymi czarnymi odrostami blond włosów. Poniosła śmierć, marząc o innym życiu. Sekcje zwłok zawsze tak na niego działały: budziły agresję skierowaną nie tylko przeciwko mordercy, lecz także przeciw ofierze. Dlaczego niektórzy nie mogą sobie strzelić w łeb od razu po narodzinach?

„Gwiazda Polarna" wykonywała zwrot, najwyraźniej wyrównywała szyk ze swoimi trawlerami. Arkadij machinalnie wyciągnął rękę, żeby się przytrzymać; Sław oparł się o stół, ale tak, żeby niczego nie dotknąć.

— Czyżby zawodził was wasz marynarski zmysł równowagi? — parsknął Vainu.

Trzeci oficer spojrzał na niego ponuro.

— U mnie wszystko w porządku.

Vainu lekko się uśmiechnął i przeniósł wzrok na Arkadija.

— Powinniśmy przynajmniej usunąć wnętrzności — powiedział.

Arkadij zdjął ubranie ze stalowej tacy. Było poplamione rybią krwią i w paru miejscach naddarte, ale te uszkodzenia mogły powstać podczas przebywania w sieci z rybami. Na kolanie spodni widniała plama po oleju; z przodu bluzki Arkadij zauważył, że materiał w jednym miejscu nie został rozerwany, lecz przecięty.

Powrócił do oględzin ciała. Na kończynach, piersiach i wokół pępka widać było ciemnoczerwone odbarwienia skóry. Może to jednak nie tylko nabiegnięcia krwią? Może wydał zbyt pochopny werdykt, bo chciał jak najszybciej stąd wyjść? Rozciągnął skórę wokół pępka i rzeczywiście dostrzegł niewielką rankę — przecięcie skóry długości około dwóch centymetrów. Dokładnie tyle, ile zostawiłoby ostrze rybackiego noża. Wszyscy członkowie załogi „Gwiazdy Polarnej" nosili przyczepione do paska noże z białą plastikową rączką i dwudziestocentymetrowym obosiecznym ostrzem. Używali go do patroszenia ryb lub rozcinania sieci. Na całym statku wisiały tablice z ostrzeżeniem: „Bądź przygotowany na sytuację awaryjną. Miej zawsze nóż przy sobie". Nóż Arkadija spoczywał w szafce w kajucie.

— Daj, ja to zrobię — powiedział Vainu, odsuwając łokciem Arkadija.

— Znalazłeś siniaka i zadrapanie — wtrącił Sław. — I co z tego?

— To coś więcej niż zwykła powierzchowna rana, nawet jeśli spadła z wysoka.

Vainu raptownie odsunął się od stołu i Arkadij pomyślał, że lekarz zdążył już bardziej rozciąć ranę, bo z przecięcia wystawał kawałek śliskiego, fioletowo zielonkawego jelita. Jelito zaczęło się jednak coraz bardziej wysuwać i chwilę później stało się jasne, że to nie jelito, ale coś żywego, co wypełza z brzucha dziewczyny w pierścieniu bulgocącej morskiej wody i perlistego śluzu.

— Śluzica!

Śluzica stanowi prymitywną, ale bardzo sprawną formę życia. Czasem do sieci trafiał dwumetrowy halibut — prawdziwy olbrzym o wadze normalnie dochodzącej do ćwierć tony — będący tylko workiem ze skóry i ości, w którym kłębiły się śluzice. Z pozoru taka ryba wygląda na nietkniętą, bo drapieżcy przedostają się do środka przez otwór gębowy lub odbyt i zagnieżdżają w żołądku. Kiedy w przetwórni pojawiała się śluzica, kobiety od razu zbijały się w gromadkę i czekały, aż mężczyźni zatłuką szkodnika na śmierć.

Stercząca z żołądka Ziny Patiaszwili głowa zwierzęcia — pozbawiony oczu wyrostek z krążkowatym otworem gębowym i czterema parami wąsików — przez chwilę kołysała się na boki, po czym śluzica o długości ludzkiej ręki wysunęła się na zewnątrz, wykonała salto w powietrzu i spadła na stopy Vainu. Lekarz dźgnął skalpelem i złamał go na pół o deskę podłogi, po czym strząsnął zwierzę z nogi i złapał ze stołu nóż. Zwierzę zaczęło się wić po podłodze, wyczyniając dzikie harce. Jeśli poczuje się zagrożone, wydziela olbrzymie ilości śluzu, który uniemożliwia jego uchwycenie. Produkuje go w takich ilościach, że jeden okaz potrafi napełnić całe wiadro. Żerująca śluzica może otoczyć ofiarę takim kokonem ze śluzu, że nawet rekin nie chce tego tknąć. Koniec noża ukruszył się i skaleczył Vainu w policzek. Lekarz odskoczył, potknął się i rozciągnąwszy się jak długi na plecach, wlepił przerażony wzrok w sunącą ku niemu wężowym ruchem śluzicę.

Arkadij wyszedł na korytarz, wrócił z toporkiem przeciwpożarowym i zaczął walić w zwierzę tępym końcem. Po każdym ciosie śluzica rzucała się i zwijała, pokrywając podłogę warstwą śluzu. Arkadij poślizgnął się i niemal stracił równowagę, udało mu się jednak ustać. Odwrócił toporek i jednym ciosem przeciął szkodnika na pół. Obie części ani na chwilę nie przestały się wić. Arkadij uniósł toporek, przeciął je ponownie i na podłodze zaczęły się wić cztery oddzielne części, każda we własnej kałuży śluzu i krwi.

Vainu chwiejnym krokiem podszedł do szafki, wyjął narzędzia moczące się w słoju i przelał alkohol do dwóch szklanek. Trzecia nie była potrzebna, bo Sława Bukowskiego już nie było. Arkadijowi został w pamięci mglisty obraz trzeciego oficera, który w chwili pojawienia się śluzicy w panice rzucił się do drzwi.

— To mój ostatni rejs — mruknął ponuro Vainu.

— Dlaczego nikt nie zauważył, że nie ma jej w pracy? — zapytał Arkadij. — Była bardzo chorowita?

— Kto, Zina? — Vainu ujął szklankę w obie dłonie. — A skąd.

Arkadij wychylił jednym haustem zawartość swojej i się zadumał. Alkohol pachniał środkiem dezynfekcyjnym, ale i tak smakował całkiem nieźle.

Jacy lekarze podejmują pracę na statkach przetwórniach? Na pewno nie ci, których interesuje cały zakres ludzkich przypadłości — od porodu przez choroby wieku dziecięcego i dorosłego aż po geriatrię. Na „Gwieździe Polarnej" nie zdarzały się nawet typowe wśród załóg choroby tropikalne. Praca lekarza na wodach północnego Pacyfiku musiała być nużąca i jednostajna i dlatego zwykle decydowali się na nią alkoholicy i absolwenci tuż po studiach medycznych, zresztą często wbrew swej woli. Ale Vainu nie należał do żadnej z tych kategorii. Był Estończykiem — obywatelem jednej z republik nadbałtyckich, gdzie Rosjan traktowano jak okupantów — a więc kimś, kto rosyjskiej załogi „Gwiazdy Polarnej" nie mógł darzyć nadmierną sympatią.

— Nie skarżyła się na zawroty, bóle głowy, omdlenia? Nie miała żadnych problemów z narkotykami? Na nic jej nie leczyłeś?

— Widziałeś jej kartę. Czysta jak łza.

— Więc jak to możliwe, że nikt nie zauważył nieobecności tak sprawnej fizycznie pracownicy?

— Renko, coś mi się zdaje, że jesteś jedynym mężczyzną na pokładzie, który nie znał bliżej Ziny.

Arkadij pokiwał głową. Jemu też zaczynało już coś świtać.

— Nie zapomnij odnieść toporka — powiedział Vainu, widząc, że Arkadij rusza do wyjścia.

— Chciałbym żebyś ją zbadał pod kątem niedawnej aktywności seksualnej. Pobierz jej odciski palców i wystarczająco dużo krwi do określenia grupy. Boję się, że będziesz musiał oczyścić jej brzuch.

— A jeśli tam...? — Lekarz spojrzał na szczątki śluzicy.

— No właśnie. — Arkadij kiwnął głową. — Lepiej niech ten toporek tu zostanie.

◆　◆　◆

Sław Bukowski stał na pokładzie przechylony przez reling. Arkadij stanął bez słowa obok, jakby obaj tylko wyszli zaczerpnąć powietrza. Na pokładzie trałowym leżały ogromne sterty żółtej soli, czekając na przerzucenie do koryta zrzutowego, którym powędrują na taśmę w przetwórni. Amerykańska nylonowa sieć wisiała rozpięta między dwoma bomami, obok zwisała sieciowa igła — czółenko z rozdwojoną końcówką — służąca do doraźnego reperowania uszkodzeń. Arkadij był ciekaw, czy to właśnie w tej sieci wyłowiono Zinę. Sław w milczeniu gapił się na fale.

Mgła potrafi działać jak olej wylany na powierzchnię wody. Powierzchnia oceanu była czarna i idealnie spokojna i tylko stadko mew towarzyszyło widocznemu w oddali trawlerowi. Widać go było dzięki temu, że amerykańskie kutry były tak jaskrawe, iż przypominały tęczowe przynęty na ryby. Ten pomalowany był w biało-czerwone pasy, po pokładzie kręciła się załoga w kanarkowożółtych pelerynach. Kołysząc się na falach, pojawiał się i znikał za rufą „Gwiazdy Polarnej", której pokryty rdzą kadłub wystawał dobre dwanaście metrów ponad pokład trawlera. Oczywiście Amerykanie wypływali tylko na cztery tygodnie i wracali do bazy, podczas gdy „Gwiazda Polarna" pozostawała na morzu przez pół roku bez zawijania do portu. Amerykański kuter przypominał wodną zabaweczkę, „Gwiazda Polarna" była całym światem.

— Podczas sekcji takie rzeczy zwykle się nie zdarzają — powiedział miękko Arkadij.

Sław wytarł sobie usta chusteczką.

— Skoro była już martwa, po co ktoś miałby ją dźgać nożem?

— W żołądku jest flora bakteryjna. Rozcięcie brzucha miało zapewnić odprowadzenie gazów, tak żeby zwłoki nie unosiły się w wodzie, tylko opadły na dno. Jeśli wolisz, mogę to pociągnąć sam. Dołączysz, kiedy się lepiej poczujesz.

Sław aż zesztywniał. Wyprostował się i schował chusteczkę.

— Nadal ja tym kieruję. Wszystko odbędzie się jak podczas normalnego dochodzenia.

Arkadij wzruszył ramionami.

— W trakcie normalnego dochodzenia w sprawie zabójstwa miejsce znalezienia zwłok przeszukuje się ze szkłem powiększającym i wykrywaczem metali. Rozejrzyj się. Widzisz tu jakąś konkretną falę, którą chciałbyś przeszukać?

— Przestań gadać o zabójstwie. To tylko rozsiewanie pogłosek.

— Jej rany to nie pogłoski.

— Mogą pochodzić od śruby.

— Pod warunkiem że ktoś ją wymontował i walnął nią w głowę.

— Nie było śladów walki. Sam tak mówiłeś. To twój stosunek do tej sprawy jest największym problemem. Nie dopuszczę, żeby twoje antyspołeczne podejście miało mi zaszkodzić.

— Towarzyszu Bukowski, jestem tylko skromnym robotnikiem na linii produkcyjnej, wy symbolizujecie szczęśliwą radziecką przyszłość. Jakże mógłbym wam zaszkodzić?

— Nie udawaj przede mną robotnika. Wołowoj wszystko mi o tobie powiedział. Narozrabiałeś w Moskwie. Kapitan musiał oszaleć, żeby cię zwolnić z pracy na dole.

— Właśnie. Dlaczego on to zrobił? — Arkadija naprawdę to nurtowało.

— Tego nie wiem.

Było to dla niego równie niezrozumiałe.

* * *

Kajuta Ziny Patiaszwili była identyczna pod względem wielkości i kształtu z kajutą Arkadija i podobnie jak tamta przeznaczona dla czterech osób, które mogły w niej mieszkać jak w miarę wygodnej komorze dekompresyjnej — cztery koje, stół z ławą, szafa, zlew — i tylko panująca tu atmosfera była zupełnie odmienna. W miejsce męskiego potu czuć było silną mieszankę konkurujących z sobą zapachów perfum, zamiast fotografii rozneglizowanych dziewczyn Gurija i ikon Obidina drzwi szafy pokrywały kubańskie widokówki, prymitywne pocztówki z życzeniami z okazji Międzynarodowego Dnia Kobiet, zdjęcia dzieci w pionierskich chustach i wycięte z czasopism fotografie gwiazd filmowych i muzyków. Jedna z nich przedstawiała spasionego gwiazdora radzieckiego rocka Stasa Namina, inna wykrzywioną twarz Micka Jaggera.

— Ta należała do Ziny — powiedziała Natasza Czajkowskaja, wskazując na Jaggera.

Pozostałymi współlokatorkami Ziny były madame Malcewa, najstarsza pracownica ze zmiany Arkadija, i filigranowa Uzbeczka imieniem Dynama, które dano jej dla uczczenia elektryfikacji Uzbekistanu. Rodzice trochę jej tym skomplikowali życie, bo w inteligenckich kręgach radzieckiego społeczeństwa terminem „dynama" określało się flirciarę, która pozwala zaprosić się do restauracji, zjada suto zakrapianą kolację, po czym pod pozorem wyjścia do toalety znika. Na szczęście przyjaciele zdrabniali jej imię na Dynka. Jej czarne oczy z ciekawością spoglądały znad wystających kości policzkowych, włosy spięte w dwie odstające kitki przypominały czarne skrzydła.

Z uwagi na smutne okoliczności Natasza tym razem zrezygnowała ze szminki i swoje zabiegi upiększające ograniczyła do upięcia wysokiego koka na głowie. Z racji jej postury za plecami nazywano ją Czajką, co stanowiło aluzję do wielgachnej radzieckiej limuzyny o tej nazwie. Zapewne jednym ciosem zdołałaby zwalić z nóg Stasa Namina, Mick Jagger mógłby takiego uderzenia nie przeżyć. Ot, kobieta o wyglądzie kulomiotki i duszy Carmen.

— Zina była dobrą dziewczyną, bardzo lubianą, duszą statku — oświadczyła madame Malcewa. Jak władczyni udzielająca audiencji siedziała z szalem ozdobionymi frędzlami na ramionach, wspierając się na satynowej poduszce z wyhaftowanymi falami i napisem „Odwiedzajcie Odessę". — Jeśli skądś dochodził śmiech, to musiała tam być nasza Zina.

— Zina była dla mnie miła — potwierdziła Dynka. — Przychodziła do mnie do pralni i przynosiła mi kanapki. — Jak większość Uzbeków, Dynka lekko sepleniła.

— Była rzetelną radziecką robotnicą, której będzie nam brakować. — Natasza mogła się pochwalić nie tylko legitymacją partyjną, ale także partyjną umiejętnością wygłaszania okrągłych zdań, które brzmiały jak odtwarzane z taśmy.

— To są bardzo cenne uwagi — powiedział Sław.

Z jednej z górnych koi zdjęto pościel i położono na niej karton na trzydzieści kilogramów mrożonych ryb, w którym umieszczono ubrania, buty, kasetowiec stereo z kasetami, wałki i szczotki do włosów, kołonotatnik w szarej okładce, fotografię

Ziny w kostiumie kąpielowym i drugą z Dynką, a także hinduską kasetkę na biżuterię, ozdobioną kolorowym materiałem i kawałkami lusterka. Nad koją widniała przykręcona do ścianki tabliczka informująca o miejscu zbiórki w razie alarmu. Zinie wyznaczono przydział do drużyny przeciwpożarowej w kambuzie. Arkadij nie musiał pytać, do której lokatorki należy która koja. Starsze osoby zawsze zajmowały dolne legowiska, to dodatkowo zarzucone było pamiątkowymi poduszkami z nazwami portów — Soczi, Trypolis, Tanger — co pozwalało madame Malcewej spoczywać na miękkich atłasach. Na koi Nataszy leżały broszury „Konsekwencje socjaldemokratycznych wypaczeń" i „W trosce o lepszą cerę". Gdyby udało się połączyć te tematy w jeden, mogłoby to stanowić prawdziwy przełom w propagandzie. Na górnej koi Dynki leżał pluszowy wielbłąd. W przeciwieństwie do kolegów Arkadija mieszkającym tu kobietom udało się kajucie nadać nieco domowy charakter, co wystarczyło, by poczuł się w niej jak intruz.

— Interesuje nas, jak to się stało, że nikt nie zauważył zniknięcia Ziny — powiedział. — Dzieliłyście z nią kajutę. Jak mogłyście nie zauważyć, że nie ma jej przez cały dzień i całą noc?

— Była bardzo aktywną osobą — odrzekła madame Malcewa. — I pracowałyśmy na różnych zmianach. Jak wiesz, Arkasza, ty i ja pracujemy na nocnej, ona pracowała w dzień. Bywało, że po parę dni się nie widywałyśmy. Trudno uwierzyć, że już nigdy jej nie zobaczymy.

— Musiało was to bardzo poruszyć. — Arkadij widywał madame Malcewą, jak na widok ginących na filmie Niemców płakała. Wszyscy na widowni pokrzykiwali: „Dobrze ci tak, jebany szwabie!" i tylko Malcewa cicho pochlipywała.

— Pożyczyła ode mnie czepek pod prysznic i go nie oddała — powiedziała teraz, wznosząc ku niemu suche oczy.

— Trzeba przesłuchać jej inne koleżanki — wtrącił Sław.

— A co z wrogami? — zapytał Arkadij. — Miała kogoś, kto jej źle życzył?

— Nie! — Wszystkie trzy wykrzyknęły to zgodnym chórem.

— Nie widzę powodu do zadawania takich pytań — obruszył się Sław.

— To zapomnij, że je zadałem. Co z tego należało do Ziny? — Arkadij przebiegł wzrokiem fotograficzną wyklejankę na drzwiach szafy.

— Jej siostrzeniec. — Dynka niepewnie wskazała palcem zdjęcie ciemnowłosego chłopca z kiścią winogron wielkości fig.

— I ta jej aktorka. — Natasza wskazała fotografię nadąsanej Meliny Mercouri w obłoku dymu papierosowego. Czy Zina widziała się jako posępną Greczynkę?

— Miała chłopaka?

Wszystkie trzy spojrzały po sobie, jakby musiały najpierw uzgodnić odpowiedź. W końcu odezwała się Natasza.

— Nie było jakiegoś konkretnego mężczyzny, o którym byśmy wiedziały.

— Żadnego konkretnego — powtórzyła madame Malcewa.

— Żadnego. — Dynka zachichotała.

— Najlepiej jest przyjaźnić się ze wszystkimi członkami załogi — oświadczył Sław.

— Widziałyście ją na zabawie? Byłyście tam? — spytał Arkadij.

— Nie, Arkasza, to już nie na moje lata. — W głosie madame Malcewej była zalotna skromność. — Poza tym zapominasz, że w tym czasie pracowaliśmy przy rybach. Natasza, a ty chyba byłaś wtedy chora, nie?

— Tak — potwierdziła Natasza, ale gdy Sław uniósł brwi, szybko dodała: — Ale na chwilę tam zajrzałam.

Pewnie wystrojona w najlepszą sukienkę, pomyślał Arkadij.

— A ty byłaś na tych tańcach? — zwrócił się do Dynki.

— Tak. — Kiwnęła głową. — Ale Amerykanie tańczą jak małpy. Tylko Zina umiała tańczyć jak oni.

— I z nimi? — upewnił się Arkadij.

— Mnie się wydaje, że w amerykańskim sposobie tańczenia jest jakaś niezdrowa seksualność — zauważyła madame Malcewa.

— Zabawa taneczna miała na celu umacnianie przyjaźni między klasą robotniczą obu krajów — oświadczył Sław. — Co to ma za znaczenie, z kim tańczyła, skoro jej wypadek zdarzył się dużo później?

Arkadij wysypał zawartość kartonu na koję Ziny. Ciuchy z zagranicznymi metkami, mocno znoszone i z pustymi kieszeniami. Magnetofon kasetowy Sanyo, kasety z muzyką Rolling Stones i Dire Straits. Żadnych dokumentów, zresztą nie spodziewał się ich. Książeczka wypłat i morska wiza na pewno spoczywały w kapitańskim sejfie. Schowek przy koi zawierał szminki i perfumy. Jak długo jeszcze przetrwa tu zapach Ziny Patiaszwili? W kasetce leżał sznur sztucznych pereł, pół talii kart — samych dam kier — i zwitek „różańców", różowych banknotów dziesięciorublowych. Uznał, że szkoda mu teraz czasu na dokładne przeglądanie wszystkiego, i włożył zawartość z powrotem do kartonu.

— Wszystko tu jest? — upewnił się. — Wszystkie jej kasety?

— Jej bezcenne kasety — prychnęła Natasza. — Zawsze używała słuchawek. Nigdy nie dawała nam posłuchać.

— Właściwie czego ty tu szukasz? — mruknął Sław. — Mam już dość tego ignorowania mnie.

— Wcale cię nie ignoruję, tylko że ty od razu wiesz, co się wydarzyło. Ja jestem dużo wolniejszy i muszę brnąć krok po kroku. Dziękuję wam — rzucił w stronę trzech kobiet.

— To wszystko, towarzyszki — oznajmił Sław stanowczym tonem, podnosząc karton. — Ja się tym zajmę.

Już w drzwiach Arkadij odwrócił się i spytał:

— A ona dobrze się bawiła na tych tańcach?

— To możliwe — odparła Natasza. — Towarzyszu Renko, wy też powinniście kiedyś przyjść. Inteligencja pracująca powinna bratać się z robotnikami.

Arkadij nie miał pojęcia, skąd Nataszy przyszło do głowy tak go nazwać. Patroszenia ryb na śluzgawce nie można było uznać za zajęcie szczególnie intelektualne. W dodatku głos Nataszy zabrzmiał dość zaczepnie. Chcąc szybko zmienić temat, zwrócił się do Dynki.

— Nie wyglądała nieswojo? Albo na chorą?

Dynka potrząsnęła głową tak energicznie, że jej kitki aż zawirowały.

— Z zabawy wychodziła rozradowana.

— O której to było? I gdzie poszła?

— Na rufę. Nie wiem, która to mogła być. W każdym razie jeszcze tańczyli.

— Z kim wyszła?

— Sama, ale tak radosna jak księżniczka z bajki.

Kobiety w swoim gronie umiały fantazjować znacznie lepiej od mężczyzn. Wydawało im się, że otacza je nie morze, ale zwykłe domowe kłopoty. Jakby zapominały, że wystarczy zrobić krok za burtę, by po prostu zniknąć. U Arkadija te dziesięć miesięcy spędzonych na morzu wywoływało coraz silniejsze poczucie, że ocean jest jedną wielką pustką. Próżnią, która w każdej chwili może człowieka wessać. Ludzie powinni trzymać się swoich koi, a jak już są na pokładzie, zawsze powinni mieć się czego chwycić.

Po wyjściu na pokład Sław i Arkadij znaleźli Vainu zgiętego wpół nad relingiem. Jego fartuch był cały upaprany krwią i śluzem, toporek strażacki leżał u stóp. Na ich widok jęknął „Jeszcze...", uniósł dwa palce i odwrócił twarz ku morzu i wiejącej bryzie.

Pustka albo głębina aż nazbyt pełna życia. Co kto woli.

Rozdział 5

Arkadij z ochotą podążył za Sławem na rufę. Roztaczający się stąd widok był jak ożywcze tchnienie: samotna postać przy relingu, kołyszący się w oddali kuter połowowy, czarne morze zasnute szarą mgłą. Jakże to odmienne od klaustrofobicznych pomieszczeń pod pokładem.

— Rozejrzyj się — powiedział Sław. — Podobno jesteś ekspertem.

— Jasne. — Arkadij posłusznie zaczął się rozglądać, choć do oglądania było niewiele: wyciągarki z uchwytami, podświetlone trzema lampami, które nawet w biały dzień świeciły jak trzy uparte księżyce. W środkowej części pokładu zaczynały się schodki prowadzące bezpośrednio na platformę nad pochylnią rufową. Pochylnie rufowe stały się niemal symbolem nowoczesnego rybołówstwa; ta na „Gwieździe Polarnej" zaczynała się tuż przy linii wody i prowadziła w górę, wychodząc na pokład trałowy z drugiej strony nadbudówki rufowej. Z miejsca, w którym stał, widać było tylko fragment pochylni pod schodkami i czubki sterczących nad pokładem bomów i suwnic. Wokół komina rozmieszczono beczki na tran i zwoje zapasowych lin stalowych i cumowniczych. Z żurawików przy obu burtach zwisały szalupy ratunkowe i przy jednej z nich złożono stertę sprzętu przeciwpożarowego: strażackie toporki, bosaki, osęki i łopaty, jakby z ogniem można było walczyć jak z wojskami wroga.

— No i? — ponaglił go Sław. — Według słów tej dziewczyny Zina właśnie tu przyszła. Jak postać z bajki. — Nagle zesztywniał i dodał szeptem: — Susan.

— Zuu-zan? — powtórzył Arkadij. Imię aż się prosiło, by je przekręcać z rosyjskim akcentem.

— Cii! — Policzki Sława pokryły się rumieńcem.

Postać przy relingu ubrana była w drelichową kurtkę z kapturem, luźne spodnie i gumowce do kolan. Dotychczasowy kontakt Arkadija z Amerykanami był ograniczony do minimum. Oni rzadko pojawiali się przy śluzgawce na dole, on na pokładzie miał wrażenie, że znajduje się pod stałą obserwacją, a szpicle tylko czekają, by go oskarżyć o nawiązywanie nielegalnych kontaktów i narobić kłopotu i jemu, i jego rozmówcy.

— Sprawdza zawartość sieci. — Sław przytrzymał Arkadija za ramię i obaj zatrzymali się w należytej odległości od Amerykanki.

Susan Hightower stała zwrócona do nich plecami i rozmawiała przez radiotelefon. Słychać było, że rozmawia raz po rosyjsku z mostkiem „Gwiazdy Polarnej". raz po angielsku z „Orłem", który podpływał, walcząc z falami. Z dołu dobiegł ich głośny hurgot. Arkadij spojrzał przez otwór klatki schodowej i stwierdził, że po pokrytej rdzą rynnie pochylni trałowej sunie w dół lina z doczepionymi czerwono-białymi pławami.

— Jeśli jest teraz zajęta, może zaczniemy od kogoś innego — rzekł.

— Jest ich szefową. Ze względów kurtuazyjnych musimy zacząć od niej. — Sław powiedział to tonem nieznoszącym sprzeciwu.

Względy kurtuazyjne? Dygocą z zimna, są przez wszystkich ignorowani, a jemu formy towarzyskie w głowie?

Spłynąwszy na wodę, lina zaczęła się prostować i rozciągać na dwadzieścia pięć, pięćdziesiąt, sto metrów ciągu pław, z których każda chlupotała w oddzielnym wianuszku piany. Gdy lina wyciągnęła się na pełną długość, amerykański trawler zrównał się z nią od bakburty i zaczął płynąć równo z nią.

— To naprawdę ekscytujące — powiedział Sław, wyraźnie zafascynowany.

— Tak — potwierdził Arkadij, stając plecami do wiatru. Na tej długości geograficznej północnego i południowego bieguna nie dzieli żaden ląd i wiatr lubi sobie tu pohulać.

— Wiesz, jak radzieckie kutry potrafią blisko podpływać przy przekazywaniu połowu — mówił dalej Sław. — A potem są z tego poobijane kadłuby...

— Poobijane kadłuby to symbol radzieckiej floty. — Arkadij kiwnął głową.

— Ta amerykańska metoda, ten tak zwany system bezkontaktowy, jest dużo czystszy, ale znacznie bardziej skomplikowany i wymaga dużo większej wprawy.

— Jak seks między pająkami — rzuciła Susan, nawet nie odwracając głowy.

Arkadij z podziwem przyglądał się całej operacji. Rybak na amerykańskim trawlerze energicznym ruchem zahaczył linę bosakiem, drugi przeciągnął ją po nadburciu aż na rufę, gdzie wypełniona rybami sieć zajmowała niemal cały wąski pokład trawlera.

— Zahaczają — powiedziała Susan do mikrofonu po rosyjsku.

Jak seks między pająkami? Oryginalne porównanie, pomyślał Arkadij. Lina z pławami była stosunkowo cienka. Statki nie tylko były od siebie oddalone, ale także przesuwały się względem siebie to w jedną, to w drugą stronę. Jeśli zbytnio się oddalą, lina napręży się i pęknie; jeśli znajdą się zbyt blisko, sieć w ogóle nie zsunie się z trawlera lub zacznie tonąć. Próba wyciągnięcia jej pionowo w górę skończy się zerwaniem liny i utratą sieci z całą zawartością, czyli stratą rzędu stu tysięcy dolarów.

— Ruszyła — oznajmiła Susan w chwili, gdy sieć zsunęła się z pokładu trawlera. Ciężar holowanej sieci spowodował, że szybkość „Gwiazdy Polarnej" raptownie spadła o dobre pół węzła. Trawler odpłynął w bok, a wyciągarki na pokładzie trałowym zaczęły zwijać linę.

Arkadij podszedł do Susan i stanął przy relingu, ta jednak obrzuciła go tylko krótkim, przelotnym spojrzeniem. Pomyślał, że pewnie ma na sobie parę swetrów i kilka par spodni, bo przy swej szczupłej, kształtnej twarzy wyglądała grubo i zwaliście. Oczy miała brązowe, na twarzy malował się wyraz takiego skupienia, jaki widuje się u gimnastyczek, które, ćwicząc na równoważni, zapominają o całym świecie.

— Pięćdziesiąt metrów — powiedziała po rosyjsku.

Nad głowami zaczynały krążyć pierwsze mewy. Arkadija zawsze zdumiewało, że zupełnie puste niebo nagle zapełnia się dziesiątkami mew, które pojawiają się jak za dotknięciem czarodziejskiej różdżki.

Za rozciągniętym na wodzie rządkiem pław widać było sunącą ku „Gwieździe Polarnej" pękatą sieć, która połyskiwała pomarańczowo-czarnymi plastikowymi wąsami. Za ich plecami przemknął bosman połowowy, który zbiegł po schodkach i zajął pozycję na podeście nad pochylnią, po której sunęła ociekająca wodą, cienka naprężona lina. Pławy z hurgotem szorowały w górę, aż wreszcie na zanurzoną w wodzie krawędź pochylni wsunęła się zaczepiona o stalową klamrę brzuchata sieć.

— Teraz wolno! — zarządziła Susan po rosyjsku.

„Gwiazda Polarna" raptownie zwolniła i zaczęła niemal kołysać się w miejscu. Wyciągnięcie pływającej w wodzie trzydziestotonowej sieci, która podczas wynurzania pozornie dwukrotnie zwiększała swój ciężar, wymagało ogromnej precyzji. Zbyt duży ciąg na bębnie wyciągarki w połączeniu z przesuwem statku do przodu mógł doprowadzić do zerwania liny; nadmierne zmniejszenie ciągu mogło spowodować, że sieć zacznie tonąć i zaplącze się w śruby napędowe. W końcu sieć częściowo wsunęła się na pochylnię i znieruchomiała, jakby postanowiła odsapnąć. Statek nadal wolniutko sunął do przodu, przez oka sieci zaczęły wypadać pierwsze kraby i rozgwiazdy.

— Jesteś z przetwórni? — zwróciła się do Arkadija Susan.

— Tak.

— Tajemniczy nieznajomy z czeluści pod pokładem.

Sław odciągnął Arkadija w stronę schodków.

— Teraz jej nie przeszkadzaj.

Przez otwór klatki schodowej patrzyli, jak bosman zarządza zamknięcie bramki ochronnej ze stalowej kraty, po czym dwaj obwiązani linkami rybacy pokładowi w kaskach i kamizelkach ratunkowych ruszają w dół po pochylni, wlokąc za sobą grube liny wyciągowe. Im niżej schodzili, tym pochylnia opadała pod większym kątem, i tylko oświetlająca ją lampa wydobywała z mroku miejsce pod brzuchem sieci, gdzie kończył się statek, a zaczynała toń.

Idący pierwszy młodszy rybak Paweł nagle krzyknął, poślizgnął się i przytrzymał linki, aż poblądł ze strachu.

— Zataczasz się jak pijany po parkiecie! — krzyknął z udaną srogością w głosie stojący na podeście bosman. — Może ci łyżwy podesłać?

— To Karp — szepnął z podziwem Sław.

Szerokie bary Karpa ledwie mieściły się w opinającym je swetrze. Bosman zwrócił ku nim wielką głowę i uśmiechnął się, ukazując lśniące złotem uzębienie. Wraz ze swą ekipą ochotniczo pełnił służbę na dodatkowej zmianie, wyrabiając sobie ekstrafory u pierwszego oficera.

— Poczekajcie, aż dopłyniemy do strefy lodu! — zawołał. — Wtedy Paweł pokaże wam prawdziwą jazdę figurową na pochylni.

Arkadij przypomniał sobie porozrywaną sieć, którą wcześniej widział rozwieszoną na pokładzie trałowym.

— To ty przeciąłeś sieć i wyciągnąłeś Zinę?! — zawołał.

— Ja. — Połyskujący złotem uśmiech zniknął z twarzy Karpa. — A bo co?

— Nic. — Arkadija zastanowiło tylko, że Karp Korobec, przodownik pracy i wzór do naśladowania dla pozostałych bosmanów połowowych, zdecydował się zniszczyć drogą amerykańską sieć i wyciąć w niej dziurę, zamiast poczekać, by ciało dziewczyny wypłynęło z niej wraz z rybami.

Na pochylni Paweł mocował się ze stalową klamrą, czekając, aż jego partner zahaczy wielkie zaczepy lin wyciągowych i zwolni naciąg liny z pławami. Pęknięcie jej na morzu groziło utratą połowu, ale gdyby trzasnęła w wąskiej rynnie pochylni, byłaby jak miotający się w beczce stalowy bicz i stanowiłaby śmiertelne zagrożenie dla znajdujących się w pobliżu ludzi.

— Byłeś wtedy na zabawie?! — krzyknął Arkadij.

— Nie! — odkrzyknął Karp. — Ale nie odpowiedziałeś mi na pytanie. Za co cię udupili, Renko?

W głosie Karpa dało się słyszeć moskiewski akcent.

— A co, jest jakiś problem? — spytała Susan, obracając się ku niemu.

Paweł ponownie się poślizgnął i zanim zawisł na lince bezpieczeństwa, zdążył zjechać do połowy sieci. W tym samym momencie pochylnię zalała duża fala, unosząc lekko sieć, która następnie zagarnęła pod siebie młodego rybaka. Arkadij widział już, jak w takich sytuacjach giną ludzie, bo ciężar przygniatającej ich sieci uniemożliwia oddychanie, a jej spodnią część co chwilę zalewają kolejne fale. Partner Pawła krzyknął i zaczął ciągnąć za jego linkę, ale przygniatający chłopaka ciężar trzydziestu ton ryb i samej sieci nie dawał szans na jego uwolnienie i żadne krzyki nie mogły tu nic pomóc. Pochylnię zalała kolejna fala, unosząc nieco sieć, która jeszcze bardziej nasunęła się na Pawła, niczym mors miażdżący cielskiem swoje młode. Cofająca się fala próbowała pociągnąć sieć i zerwała się linka bezpieczeństwa.

Karp skoczył z podestu na sieć, bo zapewne uznał, że dodatkowe sto kilogramów obciążenia nie pogorszy już sprawy. Pochylnię zalała następna fala i mężczyzna znalazł się po pas w lodowatej wodzie. Trzymając się jedną ręką sieci, drugą zanurzył w gąszcz plastikowych wąsów oplatających sieć jak wodorosty, uchwycił Pawła i z głośnym śmiechem zaczął ciągnąć. Gdy krztusząc się i parskając, Paweł wygramolił się na wierzch, bosman przeczołgał się do klamry i pomógł drugiemu z rybaków wpiąć zaczepy lin wyciągowych. Wszystko trwało zaledwie kilka sekund, ale największe wrażenie na Arkadiju zrobiło to, że Karp ani chwili się nie wahał. Ruszył do akcji bez namysłu i z taką łatwością, jakby ratowanie życia wymagało mniej odwagi niż gimnastyczna ewolucja na równoważni.

Trawler wpłynął ponownie w kilwater „Gwiazdy Polarnej" i zaczęło się czekanie na komunikat o wyniku połowu: tyle a tyle ton w sieci, w tym tyle płastug, tyle krabów, tyle szlamu. Nad krawędzią rampy kręciło się stadko mew, wypatrując wyślizgujących się z sieci ryb.

— Teraz najmniej nam tu potrzebny ktoś ze śluzgawki — rzuciła Susan w stronę Sława. — Zaczekajcie w mojej kajucie.

Po wpięciu zaczepów Karp i jego dwaj marynarze od razu ruszyli w górę rampy, podciągając się krok za krokiem na jedynej pozostałej lince bezpieczeństwa. Za ich plecami sieć poruszyła się i też zaczęła sunąć w górę. „Gwiazda Polarna" miała narzucony odgórnie plan połowów, który wynosił pięćdziesiąt tysięcy ton ryb podczas rejsu. Określone też były proporcje: tyle a tyle ton mrożonych filetów i mączki rybnej, tyle a tyle litrów tranu z rybich wątrób — wszystko z myślą o odpowiedniej ilości białka dającego siłę narodowi budującemu komunizm. Jakieś dziesięć procent urobku szło na straty już na pokładzie z powodu niewłaściwego zamrożenia, kolejne dziesięć ulegało zepsuciu na lądzie, następne dziesięć przypadało do podziału między szefa portu a dyrektora floty, dziesięć procent ginęło na wyboistych drogach do wiosek, w których wymęczone długą podróżą filety trafiały do lepiej czy gorzej działających sklepowych zamrażarek. Nic dziwnego, że sieć z zapałem sunęła pochylnią na pokład trałowy.

* * *

Sław powiódł Arkadija w stronę dziobu, mijając po drodze biały hangar obsługi maszynowni.

— Nie zdumiał cię jej akcent? Jest naprawdę świetny — powiedział z podziwem. — Susan to fantastyczna kobieta. Mówi po rosyjsku lepiej od tej Uzbeczki, jak jej tam było na imię?

— Dynka.

— Właśnie, Dynki. Dziś już nikt nie mówi dobrze po rosyjsku.

To akurat prawda, pomyślał Arkadij. Zwłaszcza wspinający się po szczeblach kariery Rosjanie mówili coraz popularniejszą odmianą rosyjskiego z ukraińskiego politbiura. Za czasów Chruszczowa pochodzący z Ukrainy radzieccy przywódcy posługiwali się prostacką wersją rosyjskiego, przekręcając słowa i popełniając liczne błędy gramatyczne. Ciągnęło się to tak długo, że po pewnym czasie wszyscy na Kremlu — niezależnie od tego, czy do Moskwy przybyli z Samarkandy, czy z Syberii — zaczynali mówić jak rodowici kijowianie.

— Wymów swoje imię — poprosił Arkadij.

— Sław — powiedział, przyglądając mu się podejrzliwie. — Nie wiem, na czym to polega, ale odnoszę wrażenie, że jak coś mówisz, to zawsze tak, jakbyś coś węszył.

W oddali, gdzie mgła zlewała się z horyzontem, widać było światła kolejnego trawlera ciągnącego sieć.

— Ile kutrów dla nas łowi? — zapytał Arkadij.

— Zwykle cztery: „Miss Alaska", „Wesoła Jane", „Aurora" i „Orzeł".

— I załogi wszystkich czterech były na zabawie?

— Nie. Na „Miss Alaska" trwała wymiana załogi, a „Aurora" miała jakieś kłopoty ze sterem. Połowy na ten dzień już się skończyły, a ponieważ mamy w planie postój w Dutch Harbor, postanowili popłynąć tam wcześniej. W zabawie uczestniczyły załogi tylko dwóch trawlerów. Tych samych, które łowią dzisiaj.

— Macie dobry zespół muzyczny?

— Nie najgorszy. — W głosie Sława pojawiła się czujność.

Część dziobową pokładu przy jednej burcie zajmowało boisko do siatkówki, przy drugiej przestrzeń załadunkowa, po której teraz szli. Boisko było ogrodzone wysoką siatką, ale i tak zdarzało się, że piłka wpadała do morza. Kapitan kazał wtedy zawracać i szukać tańczącej na falach kropki, co przypominało kierowanie olbrzymim siewnikiem w głębokim błocie. Ale na Morzu Beringa trudno jest o piłki do siatkówki.

Wszyscy Amerykanie przebywający na pokładzie „Gwiazdy Polarnej" mieszkali w przedniej części, pod kwaterami oficerskimi w dolnej części mostka. Susan jeszcze nie wróciła, ale pozostała trójka siedziała w jej kajucie. Poza piegowatym

Berniem, którego Arkadij spotkał wcześniej przed stołówką, był też jego kolega Day — młody człowiek w okularach w stalowych oprawkach, które nadawały mu wygląd naukowca. Obaj reprezentowali spółkę i obaj mieli na sobie dżinsy i stare swetry, które wyglądały na bardziej znoszone, a jednocześnie elegantsze od ubiorów Rosjan. Trzeci z Amerykanów nazywał się Lantz i pełnił na statku funkcję obserwatora z ramienia American Fisheries. Do jego obowiązków należało pilnowanie, by na „Gwiazdę Polarną" nie trafiały ryby niezgodne z przepisami pod względem gatunku, płci czy wymiarów. Ponieważ za chwilę zamierzał wyjść na pokład trałowy i być świadkiem rozładunku, włożył nieprzemakalny kombinezon, kraciastą koszulę z gumowymi zarękawkami, a na jedną dłoń gumową rękawicę. Z kieszeni koszuli wystawała cienka chirurgiczna rękawiczka na drugą dłoń. Leżał na przymocowanej do ściany ławie, złożony wpół jak scyzoryk z uwagi na swój wzrost, i gdyby nie przyklejony do warg ćmiący się pet, można by pomyśleć, że drzemie. Sław rozpoczął pogawędkę po rosyjsku, czekając na Susan. Ton rozmowy był przyjazny i świadczył o wzajemnej sympatii, z jaką zwykle odnoszą się do siebie kumple, rówieśnicy, przyjaciele od serca.

Kajuta Susan nie odbiegała wyglądem od kajut załogi poza tym, że mieściły się w niej dwie koje zamiast czterech, a ona, jako jedyna Amerykanka na pokładzie, mieszkała w niej sama. Pod ścianą stała mała, sięgająca pasa lodówka marki Ził, powietrze było przesycone metaliczną wonią kawy instant. Na górnej koi leżała maszyna do pisania i ryzy papieru, a także kilka pudeł z książkami takich autorów, jak Pasternak, Nabokov i Błok. Arkadij pomyślał, że te wydane po rosyjsku pozycje rozeszłyby się jak woda w każdej radzieckiej księgarni albo byłyby do kupienia za setki rubli u ulicznych sprzedawców w zaułkach Moskwy. Poczuł się, jakby natknął się na ukryty skarb. Czyżby Susan naprawdę je czytała?

— Przypomnij mi — zwrócił się Day do Sława. — Kim on jest?

— Nasi ludzie mają liczne talenty. Marynarz Renko pracuje na dole w przetwórni, ale ma też pewne doświadczenie w zajmowaniu się wypadkami.

— To okropne, co się stało z Ziną — powiedział Bernie. — Taka świetna dziewczyna.

Lantz leniwie wypuścił kółko z dymu i spytał po angielsku:

— A ty skąd to wiesz?

— Co jej się stało? — zainteresował się Day.

Arkadija aż skręciło ze złości na odpowiedź Sława.

— Wygląda na to, że Zina źle się poczuła, wyszła na pokład i prawdopodobnie wypadła za burtę.

— I prawdopodobnie trafiła do sieci? — mruknął Lantz.

— Właśnie.

— Ktoś to widział, jak wypadała za burtę? — zapytał Bernie.

— Nie — odrzekł Sław, popełniając częsty błąd niedoświadczonego śledczego, kiedy to przesłuchujący daje się wmanewrować w odpowiadanie na pytania, zamiast samemu je zadawać. — Wiecie, było już ciemno, mgliście, była sama. Takie rzeczy zdarzają się na morzu. Na razie tyle o tym wiemy, ale jeśli wy wiecie coś więcej...

Zgłoszenie chęci pomagania Sławowi przypominałoby samobójstwo. Wszyscy trzej Amerykanie wzruszyli ramionami i chórem odpowiedzieli: „Nie".

— Mieliśmy zaczekać na Susan — powiedział Sław, zerkając na Arkadija — ale chyba nie mamy już więcej pytań.

— Ja nie mam. — Arkadij pokręcił głową, po czym już po angielsku dodał: — Jestem pod dużym wrażeniem waszego rosyjskiego.

— Wszyscy jesteśmy absolwentami rusycystyki — odparł Day. — Zgłosiliśmy się do tej roboty głównie po to, żeby poćwiczyć rosyjski.

— I zdumiewa mnie też wasza znajomość członków załogi.

— Wszyscy znali Zinę — rzekł Bernie.

— Była bardzo popularna — dodał Day.

Arkadij widział, jak Sław próbuje za nimi nadążyć, tłumacząc sobie w myślach poszczególne słowa.

— Pracowała w stołówce dla załogi — rzekł Arkadij. — Was też obsługiwała?

— Nie, my jemy w mesie oficerskiej. Pracowała u nas na początku rejsu, jednak potem ją przenieśli.

— Ale widywaliśmy ją na pokładzie — uzupełnił Bernie. — Głównie na rufie.

— Czyli w pobliżu waszych stanowisk, tak?

— Właśnie. Podczas ciągnięcia sieci na rufie jest zawsze ktoś z przedstawicieli spółki. Zina często przychodziła, żeby popatrzeć.

— Często?

— Pewnie.

— A twoje stanowisko pracy znajduje się na...? — rzekł niepewnym głosem Arkadij, jakby przepraszając Lantza za swą niewiedzę.

— Na pokładzie trałowym.

— I byłeś tam w chwili, gdy wciągnięto na pokład sieć z Ziną?

Lantz strząsnął popiół ze swetra i usiadł. Jak na swój wzrost miał dość małą głowę, za to włosy starannie ufryzowane.

— Było zimno i siedziałem w środku nad filiżanką herbaty. Rybacy wiedzieli, że mają mnie powiadomić, gdy sieć dotrze do pochylni.

Nawet mimo hałasu towarzyszącego czyszczeniu ryb Arkadij zawsze wiedział, kiedy ciągną kolejną sieć. Słychać było głośne wycie hydraulicznych wyciągarek i dawało się wyczuć nagłe zwolnienie, gdy w pewnej chwili przestawiano napęd z „połową mocy do przodu" na „bardzo wolno do przodu", i ponowne przyspieszenie przy przejściu na „połową mocy do przodu", gdy sieć leżała już na pochylni. Nawet przez sen wiedziałby, kiedy połów trafił na pokład, i powiadamianie o tym siedzącego przy herbacie Lantza musiało być zbyteczne.

— Dobrze się bawiliście? — zapytał.

— Świetnie. — Bernie się uśmiechnął.

— Fajnie grał ten zespół Sława — dodał Day.

— Tańczyłeś z Ziną?

— Zinę bardziej interesowali członkowie gangu motocyklowego — mruknął Lantz.

— Gangu motocyklowego? — powtórzył Arkadij.

— Rybacy — wyjaśnił Bernie. — Amerykańscy, nie wasi.

— Kurczę, naprawdę świetnie mówisz po angielsku — powiedział Day. — Pracujesz w przetwórni?

— Na śluzgawce — weszła mu w słowo Susan, która w tym momencie wkroczyła do kajuty. Rzuciła na koję nieprzemakalną kurtkę i ściągnęła z głowy wełnianą czapkę, uwalniając gęste, krótko przystrzyżone blond włosy. — Nie zaczekaliście na mnie — powiedziała cierpkim tonem do Sława. — Jestem szefową grupy. Wiesz, że nie wolno ci wypytywać moich ludzi pod moją nieobecność.

— Przepraszam, Susan. — Sław wyglądał na mocno zmieszanego.

— Żeby to było jasne.

— Tak, oczywiście.

Od pierwszej chwili było widać, że Susan przejmuje dowodzenie. Zrobiła to bez mrugnięcia okiem, jak często postępują ludzie o niskim wzroście, którzy chcą w ten sposób zaznaczyć swoją obecność. Omiotła spojrzeniem obecnych, jakby sprawdzała listę obecności.

— Chodzi o Zinę i tę zabawę — wyjaśnił Bernie. —

Marynarz Renko powiedział, że już nie ma żadnych pytań, ale coś mi się zdaje, że to nieprawda.

— I zrobił to po angielsku. Tak, słyszałam. Interesuje cię, kto tańczył z Ziną — powiedziała, zwracając się do Arkadija. — A kto to może wiedzieć? Było ciemno i wszyscy podskakiwali razem. Wychodzi się na parkiet z jedną osobą, chwilę później tańczy z trzema innymi. Tańczy się z mężczyznami, z kobietami albo z jednymi i drugimi. To jak gra w piłkę wodną w pustym basenie. Ale pomówmy o tobie. Sław twierdzi, że masz doświadczenie w badaniu okoliczności wypadków.

— Towarzysz Renko pełnił służbę śledczego w moskiewskiej prokuraturze — wyjaśnił Sław.

— I czego dotyczyły te śledztwa? — spytała, nie spuszczając wzroku z Arkadija.

— Poważnych wypadków.

Przyglądała mu się badawczo, jakby zgłosił się na casting do roli i niezbyt dobrze sobie radził.

— Co za szczęśliwy zbieg okoliczności, że trafiłeś do przetwórni ryb akurat na tym statku. Śledczy z samej Moskwy? Dobrze mówiący po angielsku i pracujący przy rybach?

— Pracę w Związku Radzieckim gwarantuje prawo — odparł Arkadij.

— Świetnie. — Kiwnęła głową. — Proponuję zatem, abyś wszystkie swoje pytania ograniczył do obywateli radzieckich. Zina jest problemem radzieckim. Jeśli się dowiem, że znów nachodzisz Amerykanów na tym statku, natychmiast złożę skargę u kapitana Marczuka.

— Koniec pytań — rzucił szybko Sław, popychając Arkadija w stronę drzwi.

— Mam jeszcze tylko jedno — rzekł Arkadij, zwracając się do mężczyzn. — Cieszycie się na postój w Dutch Harbor?

To trochę poprawiło atmosferę.

— Jeszcze tylko dwa dni. — Bernie się uśmiechnął. —
Wynajmę najlepszy pokój w hotelu, usiądę pod gorącym prysz-
nicem i rozprawię się z całym sześciopakiem lodowatego piwa.
— A Zuu-zan? — Wymawianie jej imienia z rosyjska
sprawiało Arkadijowi przyjemność.
— Jeszcze dwa dni i mnie nie ma — odrzekła. — W Dutch
dołączy nowy szef ekipy, a ja odlecę w siną dal prosto do
Kalifornii. Tak że już teraz możesz mnie pożegnać.
— Ale pozostali wracają — dodał Day, patrząc na Sława. —
Zostały nam jeszcze dwa miesiące połowów.
— I tylko połowów. Żadnych więcej pytań. Musimy cały
czas pamiętać, że należymy do jednej załogi i jesteśmy przyja-
ciółmi.

Arkadij miał w pamięci ćwiczenia z kamuflażu i ochrony
przed napromieniowaniem, jakie po opuszczeniu Władywostoku
przeprowadzono wśród załogi „Gwiazdy Polarnej". Każdy
radziecki marynarz wiedział, że w kapitańskim sejfie spoczywa
zalakowana koperta, którą kapitan otwiera po otrzymaniu
szyfrogramu o wybuchu wojny. W środku znajdują się instruk-
cje, jak wymykać się wrogim okrętom podwodnym, gdzie
nawiązywać kontakt z sojusznikami i co robić z jeńcami.

Rozdział 6

Arkadij nigdy nie był miłośnikiem podniebnych jazd w parkach rozrywki, ale ta konkretna mu się spodobała, choć środek transportu nie był szczególnie wymyślny. Zwykły kosz towarowy z łańcuchem zamykającym wejście i oponą pod podłogą do amortyzowania uderzenia przy lądowaniu wystartował z pokładu „Gwiazdy Polarnej" z zapierającym dech w piersiach szarpnięciem i kołysząc się na wysięgniku żurawia, zaczął szybko nabierać wysokości. Stojąc w nim, Arkadij miał przez chwilę wrażenie, że jest zamknięty w klatce, która nagle dostała skrzydeł. Kosz przefrunął nad burtami i rozpoczął zjazd na pokład „Wesołej Jane". Przy potężnym kadłubie statku przetwórni trawlery wyglądały jak zabaweczki, choć w rzeczywistości „Wesoła Jane" miała czterdzieści metrów długości, a także wysoki, typowy dla kutrów łowiących na Morzu Beringa dziób, umieszczoną z przodu sterówkę i komin, maszt obwieszony antenami i lampami, drewniany pokład z własnym żurawiem oraz pochylnię rufową i podnośnik suwnicowy z trzema porządnie zwiniętymi sieciami. Kadłub był niebieski z białymi wstawkami, sterówka biała z niebieskimi wstawkami i w porównaniu ze stojącym obok i przedzielonym tylko czarnym odbojnikiem wielkim statkiem przetwórnią „Wesoła Jane" wyglądała jak świeżo pomalowana zabawka dziecięca. Trzech rybaków w nieprzemakalnych kurtkach pomogło usadowić kosz we właściwym miejscu na pokładzie, Sław odpiął łańcuch i wysiadł pierwszy, Arkadij ruszył za nim. Po raz pierwszy od niemal roku opuścił pokład „Gwiazdy Polarnej", by drogą powietrzną przemieścić się na pokład amerykańskiego trawlera. Trzej rybacy powitali ich uśmiechami, z entuzjazmem potrząsając rękami.

— *Falha Portugues*?

Załoga kutra składała się z dwóch Diegów i jednego Marca. Wszyscy trzej byli niscy, mieli ciemną karnację i smutny wzrok rozbitków. Żaden nie mówił słowa po rosyjsku i tylko kilka słów po angielsku. Sław pociągnął Arkadija w stronę sterówki, gdzie już czekał na nich kapitan Thorwald, różowolicy Norweg o posturze niedźwiedzia.

— To czyste wariactwo, nie? — parsknął. — Statek niby należy do Amerykanów, ale to wszystko. Portugalczycy spędzają dziesięć miesięcy w roku na łowiskach, a rodziny siedzą w Portugalii. Tyle że w porównaniu z tamtejszymi zarobkami tu zarabiają fortunę. Podobnie zresztą jest ze mną. Różnica polega na tym, że ja wracam do domu odgarniać śnieg, a oni smażyć sardynki. Ale dwa miesiące na lądzie zupełnie nam wystarczają.

Kapitan „Wesołej Jane" ubrany był w piżamę z rozchełstaną bluzą, spod której z gąszczu rudego zarostu wyzierały złote łańcuchy. Podobno Rosjanie wywodzą się od najeźdźców wikińskich, a rdzeń „rus" znaczy czerwony i odnosi się do koloru owłosienia wikingów. Thorwald sprawiał takie wrażenie, jakby nic poza następnym najazdem wikingów nie było w stanie go poruszyć.

— Prawie nie mówią po angielsku — zauważył Arkadij.

— I dzięki temu nie pakują się w kłopoty. Znają się na robocie, więc nie mamy specjalnie tematów do rozmowy. Trochę z nich kutasy, ale po Norwegach są najlepsi.

— Serdeczne gratulacje — rzekł Arkadij. — To piękny statek.

Już sam ociekający luksusem mostek mógł wprawić w zachwyt. Stół do map zrobiono z drewna tekowego i polakierowano na połysk i wzór agatu, podłogę wyłożono tak puszystym dywanem, że mógłby zdobić gabinet członka Komitetu Centralnego, na końcach szerokiej, wyłożonej miękką wykładziną konsoli umieszczono dwa oddzielne koła sterowe z wysokimi obrotowymi fotelikami z wyściełanym siedzeniem. Fotelik po stronie sterburty otaczał zestaw kolorowych monitorów echosond do namierzania ławic ryb, ekranów radarowych i displayów cyfrowych radioodbiorników.

Thorwald wetknął rękę w spodnie od piżamy i się podrapał.

— No, zbudowany solidnie, specjalnie na Beringa. Ale przekonacie się dopiero wtedy, gdy wpłyniemy na pola lodowe. Pływanie po tych wodach na czymś takim jak „Orzeł", to dla mnie czyste szaleństwo. Albo zabieranie na pokład kobiet.

— Znał pan Zinę Patiaszwili? — zapytał Sław.

— Ja jak łowię, to łowię. A jak pierdolę, to pierdolę. Nie mieszam jednego z drugim.

— Bardzo rozsądnie. — Arkadij kiwnął głową.

Thorwald nieporuszony kontynuował:

— Nie znałem Ziny i nie uczestniczyłem w żadnych tańcach. Siedziałem w mesie oficerskiej z Marczukiem i Morganem i próbowałem im tłumaczyć, gdzie powinniśmy łowić. Czasem odnoszę wrażenie, że Ruskim i Amerykańcom wcale nie chodzi o ryby.

Sław i Arkadij przeszli do kambuza, gdzie załoga siedziała przy lunchu złożonym z solonego dorsza i wina — zestawu niespotykanego na radzieckich statkach. Rybołówstwo to ciężka praca, ale Arkadija zaskoczyło ułatwiające życie wyposażenie „Wesołej Jane": obszerny bufet z regulowanymi przegródkami, które zapobiegały przesuwaniu się jedzenia na wzburzonym morzu; stół pokryty antypoślizgowymi matami; wyściełana ławka do siedzenia; ekspres do kawy z uchwytem utrzymującym filiżankę we właściwym miejscu. Wnętrze przystrojono drobiazgami tworzącymi domowy nastrój: do sznura lampy przyczepiono drewniany model żaglówki z domalowanymi na dziobie oczami; na ścianie powieszono plakat przedstawiający wioskę z białymi domkami przy plaży. Jakże różniło się to od kambuza na przybrzeżnym trawlerze, którym Arkadij pływał u brzegów Sachalinu. Tam załoga jadała bez zdejmowania wierzchnich okryć, bo nie było co z nimi zrobić, a wszystko — od kaszy przez ziemniaki i kapustę po herbatę — zajeżdżało pleśnią i rybami.

Jedząc, Portugalczycy oglądali mecz na wideo. Wejście obu Rosjan skwitowali grzecznymi kiwnięciami głowy, ale ich zainteresowanie gośćmi całkowicie minęło. Arkadij potrafił to zrozumieć. Jeśli ktoś przychodzi zadawać im pytania, powinien mówić ich językiem. W końcu w czasach, gdy Rosjanie pływali jeszcze łodziami wiosłowymi, Portugalczycy rządzili światowym imperium. Na ekranie ospale rozgrywano mecz piłkarski, któremu towarzyszył pełen histerycznych wykrzykników komentarz.

— Zina Patiaszwili? — spytał Sław. — Czy ktoś z was znał Zinę? Czy... może... tak? — Spojrzał na Arkadija. — Nie, to strata czasu.

— Futbol — powiedział Arkadij, siadając.

Diego siedzący bliżej Arkadija napełnił mu szklaneczkę czerwonym winem.

— *Campeonato do Mundo.* Ty?

— *Goalkeeper.* — Dwadzieścia lat temu, dodał w myślach Arkadij.

— Atak — Rybak pokazał na siebie, potem wskazał drugiego Diega i Marca. — Atak. *Defensor.* — Wyciągnął rękę w stronę ekranu. — Portugalia biały, Ingles pasy. Źle.

Wszyscy trzej skrzywili się z niesmakiem na widok piłkarza w pasiastej koszulce, który właśnie minął obrońcę i strzelił gola. Arkadij był ciekaw, ile razy oglądali już ten mecz. Ze sto? Podczas długiej podróży ludzie mają skłonność do opowiadania tej samej historii po kilka razy. Tu miał do czynienia z tą samą torturą, tylko w wersji technicznie zaawansowanej.

Gdy Diego oderwał wzrok od ekranu, Arkadij podsunął mu pod oczy fotografię z Ziną i Dynką.

— Ukradłeś mi ją — oburzył się Sław.

— Zina — rzekł Arkadij, patrząc, jak wzrok rybaka obojętnie prześlizguje się z jednej postaci na drugą. Diego wzruszył ramionami, Arkadij pokazał fotografię pozostałym dwóm członkom załogi i zobaczył identyczną reakcję. Potem jednak pierwszy Diego wyciągnął rękę i ponownie przyjrzał się zdjęciu.

— *No baile* — powiedział. — *A loura da Russia. A mulher com os americanos.* — Nagle się ożywił. — *Entende? Com americanos.*

— Tańczyła z Amerykanami. Tak myślałem — powiedział na głos Arkadij.

— *Beba, beba.* — Diego dolał mu do szklaneczki.

— Dziękuję.

— *Muito obrigado* — poprawił go Diego.

— *Muito obrigado.*

— *Meo pracer.*

◆ ◆ ◆

Podczas jazdy na pokład drugiego trawlera Arkadij trzymał się środkowego pręta kosza. Sław wyglądał na coraz bardziej nastroszonego, jak ptak, którego zamknięto w jednej klatce z kotem.

— To nam rozwala cały harmonogram połowów.

— Potraktuj to jak niezaplanowany urlop — odrzekł Arkadij.

— Ha! — wykrzyknął nagle Sław, przypatrując się mewie, która w oczekiwaniu na spust kuchennych resztek zawisła nad otworem zęzowym w burcie „Gwiazdy Polarnej". — Już wiem, co kombinujesz.

— Mianowicie?

— Myślisz, że skoro stałem na estradzie, to widziałem, z kim Zina tańczy. No więc mylisz się. Jak stoisz i grasz, to reflektory świecą ci prosto w oczy. Spytaj innych członków zespołu, powiedzą ci to samo. Nikogo nie widzieliśmy.

— Sam ich spytaj — powiedział Arkadij. — Ty tu dowodzisz.

„Orzeł" był mniejszy od „Wesołej Jane", pomalowany na czerwono i biało, i leżał niżej na wodzie. Na pokładzie przy burcie stał tylko jeden żuraw i podnośnik suwnicowy z jednym bębnem. Od „Wesołej Jane" różniło go też to, że nikt nie wyszedł im na powitanie. Wyskoczyli z kosza na zupełnie pusty drewniany pokład, na którym walało się tylko kilka żałosnych resztek po ostatnim połowie — jakaś zapomniana płastuga i parę wyschniętych krabów.

— Nie rozumiem — zdziwił się Sław. — Zwykle zachowują się bardzo przyjaźnie.

— Też to poczułeś? — Arkadij kiwnął głową. — Wieje chłodem. A tak przy okazji, po jakiemu będziemy tu rozmawiać? Po szwedzku? Hiszpańsku? Z jakimi Amerykanami będziemy mieć do czynienia tym razem?

— Znowu chcesz mnie wprawić w zakłopotanie, tak?

Arkadij przyjrzał się Sławowi.

— Na nogach masz trampki, na tyłku dżinsy i wyglądasz jak obraz młodego komunisty. Myślę, że jesteśmy gotowi na spotkanie z kapitanem.

— Ładnego mam asystenta. Prawdziwy uchodźca.

— Gorzej. Ktoś, kto nie ma nic do stracenia. Ruszajmy.

Mostek „Orła" był mniejszy od sterówki „Wesołej Jane" i nie kłuł w oczy dywanami czy drewnem tekowym, za to bardziej pasował do wyobrażeń Arkadija na temat wyglądu mostka na amerykańskim trawlerze: prawdziwie kosmicznej kapsuły z kolorowymi monitorami otaczającymi fotel szypra. U góry ciągnął się pas ekranów radarowych i monitorów aparatury do namierzania ławic, które wyglądały na nich jak pomarańczowe chmury na zielonym tle. Z sufitu zwisały słuchawki radiotelefonów z rubinowymi cyferkami migającymi pod wpływem szumów statycznych otwartych kanałów, a chromowane obudowy kompasu i zegara lśniły jak kryształ. Właściwie wszystko tu lśniło i błyszczało, tyle że nie było zbędnego efekciarstwa.

Do obrazu pasował też mężczyzna siedzący na kapitańskim fotelu. Marynarze nierzadko noszą na sobie ślady dawnych spotkań z nożami czy innymi ostrymi przedmiotami, a ich ogorzałe twarze świadczą o długotrwałym przebywaniu na zimnie i kontakcie ze słoną wodą, ale kapitan Morgan miał wygląd kogoś, kogo los jeszcze bardziej doświadczył. Był tak szczupły, że wręcz chudy, włosy miał przedwcześnie posiwiałe. Ubrany był wprawdzie w bluzę, a na głowie miał kapitańską czapkę, ale i w nim, i w jego mostku było coś z klasztornej surowości, jak w mnichu, który jest najszczęśliwszy, gdy ma święty spokój. Na widok gości podniósł się z fotela i Sław z szacunkiem skłonił głowę. Arkadij pomyślał, że byłby z niego całkiem niezły pies.

— George, to jest marynarz Renko. Ale możesz mu mówić Arkadij. — Przenosząc wzrok na Arkadija, dodał: — Kapitan Morgan.

Kapitan krótko uścisnął dłoń Arkadija.

— Przykro nam z powodu Ziny Piszwili.

— Patiaszwili. — Sław wzruszył ramionami, jakby nazwisko tak czy tak brzmiało śmiesznie albo w ogóle nie miało znaczenia.

— Paszwili? Przepraszam — powiedział Morgan i zwracając się do Arkadija, dodał: — Nie mówię po rosyjsku. Łączność między naszymi statkami utrzymujemy za pośrednictwem przedstawiciela spółki na „Gwieździe Polarnej". Chyba też tu powinien być, bo marnujemy czas na rozmowy, zamiast łowić, a to oznacza straty finansowe. Mogę zaproponować coś do picia? — Na szafce z mapami stała taca z trzema szklaneczkami i butelką eksportowej radzieckiej wódki, znacznie lepszej od wódki pitej na lądzie przez zwykłych Rosjan. Uniósł butelkę tuż nad tacę, jakby nie chciał przesadzić z nachalnością. — Chyba że się spieszycie?

— Nie, dziękujemy — rzekł Sław, odczytując intencję gospodarza.

— A dlaczego nie? — obruszył się Arkadij.

— Przedtem wino, teraz wódka... — syknął Sław.

— Prawie jak na sylwestra, nie? — Arkadij się uśmiechnął.

Morgan nalał Arkadijowi pół szklaneczki i z wyraźnym ociąganiem także sobie. Sław odmówił.

— *Na zdrowija* — rzucił Morgan. — Tak się to mówi?

— Zdrówko — powiedział Arkadij po angielsku.

Wychylił zawartość trzema łykami, Morgan wypił całość jednym haustem i rozdziawił usta w uśmiechu, ukazując idealnie równe uzębienie.

— Do tego niepotrzebni nam przedstawiciele spółki — rzekł.

— Spróbujemy dać sobie radę bez nich. — Arkadij nie tęsknił do obecności Susan.

— No to pytaj, Arkadij.

Morgan wyglądał na tak pewnego siebie, że Arkadija zaciekawiło, czym można by go poruszyć.

— Ten kuter jest bezpieczny? — spytał.

Sław aż podskoczył.

— Renko, tego rodzaju...

— Jest okay — przerwał mu Morgan. — To dwudziestojednometrowy statek klasy Gulf, przystosowany do pływania po Morzu Północnym. Zbudowano go pierwotnie do obsługi platform wiertniczych w Zatoce Meksykańskiej, a potem w związku z boomem na połowy krabów przerobiono na kuter rybacki. Kiedy handel krabami padł, dołożyli mu podnośnik suwnicowy do trałowania i dodatkowe wzmocnienia kadłuba, żeby mógł pływać wśród lodów. Ale na szczęście prawdziwe pieniądze wydano na to, co się naprawdę liczy, czyli na elektronikę. Nie mamy tu takich bajerów, jak nasz jajogłowy przyjaciel i jego trzej krasnale na „Wesołej Jane", ale za to łowimy więcej ryb.

— Znał pan Zinę?

— Tylko z widzenia. Zawsze przyjaźnie do nas machała.

— A z zabawy?

— Nie miałem przyjemności z nią zatańczyć. Zabawę przesiedziałem nad mapami w mesie oficerskiej z moimi starymi druhami, Marczukiem i Thorwaldem.

— Podobają się panu wspólne połowy?

— Są ekscytujące.

— Ekscytujące? — Arkadij nigdy nie myślał o tym w tych kategoriach. — W jakim sensie?

— Po Holendrach przyjdzie nasza kolej na wpłynięcie w strefę lodu. Radzieccy kapitanowie są nieustraszeni. W zeszłym roku cała wasza flota rybacka, w sumie pięćdziesiąt statków, utknęła w lodach u wybrzeży Syberii i niewiele brakowało, żeby wszyscy zginęli. Straciliście statek przetwórnię, a jedynym powodem, dla którego wraz z nim nie poszła na dno cała załoga, było to, że udało im się uciec po lodzie.

— To były radzieckie statki — powiedział Arkadij.

— Zgadza się, a ja nie chcę skończyć jak radziecki statek. Nie zrozum mnie źle. Lubię Rosjan. Najlepiej się łowi właśnie z nimi. Koreańczycy kradną połowę każdej sieci, Japończycy są zbyt dumni, żeby oszukiwać, ale są zimniejsi od ryb. — Morgan należał do ludzi, którzy lubią uśmiechać się do swych myśli. — Arkadij, jak to możliwe, że nie pamiętam, bym cię kiedykolwiek widział na pokładzie „Gwiazdy Polarnej". Jesteś oficerem z dyrekcji floty czy z ministerstwa, czy skąd?

— Pracuję w przetwórni.

— Na śluzgawce — uzupełnił Sław.

— I do tego mówisz biegle po angielsku i prowadzisz śledztwa w sprawie wypadków? Rzekłbym, że jak na czyściciela ryb masz nieco za wysokie kwalifikacje. — Oczy Morgana szkliście połyskiwały, świadcząc, że uważa Sława i Arkadija za wierutnych kłamców. — Bo to był wypadek, prawda?

— Nie ma co do tego wątpliwości — zapewnił go Sław.

Morgan przez chwilę nie spuszczał wzroku z Arkadija, potem przeniósł go na wiszącą na suwnicy sieć i dwóch rybaków w nieprzemakalnych kombinezonach wchodzących po schodkach z dolnego pokładu, wreszcie powrócił wzrokiem do Arkadija.

— No dobra, złożyliście mi miłą wizytę towarzyską. Chciałbym tylko, byście pamiętali, że znajdujemy się na wodach amerykańskich.

Na ciasny mostek wcisnęło się dwóch amerykańskich rybaków. Od chwili gdy Lantz nazwał ich „gangiem motocyklowym", Arkadij bardzo chciał ich poznać. W Związku Radzieckim, gdzie dwa koła i łańcuch połączony z silnikiem spalinowym nabrały rangi symbolu osobistej swobody, jeżdżących grupowo motocyklistów nazywano rockersami. Władze uparcie próbowały ograniczać teren ich aktywności do torów motocyklowych, ale rockersi wymykali się spod kontroli, zjawiali znikąd jak koczownicze bandy Mongołów, opanowywali całe wioski i znikali przed przybyciem sił porządkowych.

Roślejszy z dwóch rybaków miał ziemistą cerę, zapadnięte oczy i silnie umięśnione, zwisające po bokach ramiona człowieka, który spędził lata na noszeniu koszy z krabami i ciągnięciu sieci. I na pewno nie zaliczał się do ludzi dbających o formy towarzyskie.

— O co tu, kurwa, chodzi? — warknął, obrzucając Arkadija ponurym spojrzeniem

— Chodzi o to, Coletti — wyjaśnił Morgan — że jest to nasze joint venture. A człowiek towarzyszący naszemu koledze Sławowi mówi wystarczająco dobrze po angielsku, żebyś mógł się od niego pouczyć. Więc załatwimy to szybko, ale porządnie.

— Renko, to jest Mike. — Sław wskazał ręką młodszego z rybaków, Aleutę o azjatyckich rysach i szerokiej twarzy. — Mike to zdrobnienie od Michail.

— Rosyjskie imię? — zdziwił się Arkadij.

— U nas jest dużo imion rosyjskiego pochodzenia. — Mike mówił cichym, jakby przepłoszonym głosem. — Swego czasu kręciło się tu mnóstwo zwariowanych Kozaków.

— Kiedyś całe Aleuty i cała Alaska należały do carów — wtrącił Morgan. — Powinieneś to chyba wiedzieć.

— I znasz rosyjski? — Ten mógł rozmawiać z Ziną.

— Nie. Ale używamy pewnych wyrażeń, czasem nawet nie wiedząc, co dokładnie znaczą. Tak jak człowiek odruchowo coś wykrzykuje, kiedy walnie się młotkiem w palec, łapiesz? Albo jak idziemy do kościoła, to część obrządku jest po rosyjsku.

— W Dutch Harbor nadal stoi rosyjska cerkiew — dodał Sław.

Aleuta zerknął niepewnie na Colettiego.

— Bardzo nam przykro z powodu śmierci Ziny. Aż trudno uwierzyć. Ile razy podpływaliśmy z siecią, tyle razy stała przy relingu rufowym i serdecznie do nas machała. Pogoda czy deszcz, dzień czy noc, zawsze tam była.

— Tańczyłeś z nią?

— Wszyscy z nią tańczyli — burknął Coletti.

— A po zabawie?

— Kiedy odpływaliśmy, zabawa jeszcze trwała. — Coletti przekrzywił głowę i nie spuszczał wzroku z Arkadija.

— I Zina wciąż tańczyła?

— Wyszła przed nami.

— Czy wyglądało, że coś jest z nią nie tak? Że jest pijana, oszołomiona, rozkojarzona? Albo zdenerwowana, zamyślona, wystraszona?

— Nie. — Coletti powiedział to tonem moskiewskiego milicjanta, który wprawdzie odpowiada, ale nie chce nic powiedzieć.

— Z kim wyszła? — spytał Arkadij.

— A kto ją tam wie? — wtrącił trzeci z członków załogi, który dopiero teraz wszedł na mostek schodkami z kambuza. Popatrzył po obecnych z ostentacyjnym oburzeniem, jakby zaczęli zabawę, nie czekając na niego. Lewe ucho zdobiła mu złota obrączka, długie włosy miał zebrane do tyłu i związane w kucyk, za to jego zarost na brodzie był wątły i rzadki jak u młodego aktora. Nie wyciągnął ręki na przywitanie, bo właśnie wycierał dłonie w zatłuszczoną szmatę.

— Jestem Ridley, mechanik — oświadczył. — Chciałem dołączyć swoje kondolencje. Zina była świetną dziewczyną.

— Rozmawiałeś z nią podczas zabawy? — spytał Arkadij.

— No więc... — Ridley zrobił przerwę, jakby lekko zmieszany. — Gdy tylko weszliśmy na pokład, wasz kapitan serdecznie nas ugościł. Wędliny, piwo, brandy. Potem odwiedziliśmy waszych Amerykanów, Susan i jej chłopaków. To nasi starzy znajomi, więc znów było piwo i wódka. O ile wiem, wasze przepisy zabraniają picia alkoholu na pokładzie, ale jeszcze nie zdarzyło mi się być na „Gwieździe", żeby wóda nie lała się strumieniami. Do tego doszła różnica czasu. Na „Gwieździe" macie czas jak we Władywostoku, czyli trzy godziny do tyłu w stosunku do nas. Zabawa zaczęła się o waszej dziewiątej, więc dla nas to już była północ. A o tej porze szybko padamy ze zmęczenia.

— Zabawa była udana?

— Grała najlepsza kapela rockowa na Morzu Beringa.

Sław potrzasnął głową, jak ogłuszony taką pochwałą.

— Jeśli mam być szczery — dodał Ridley ściszonym głosem, jakby wyjawiał tajemnicę — to te nasze wizyty na „Gwieździe", to chyba niezły obciach. Szybko się upijamy i zaczynamy rozrabiać, jak przystało na bandę dzikich Amerykanów.

— Nie, nie — obruszył się Sław.

— Tak, tak. Rosjanie są tacy gościnni. Upijamy się, a wy nic, tylko z uśmiechem zbieracie nas z podłogi. Tak się wtedy urżnąłem, że musiałem wcześniej wrócić.

W każdej załodze jest naturalny przywódca. Nawet w panującej na mostku ciasnocie dało się zauważyć, że Coletti i Mike przysuwają się bliżej mechanika.

— Czy myśmy się już kiedyś nie spotkali? — zapytał Arkadij.

— Ridley przez dwa tygodnie pływał na „Gwieździe Polarnej" — wtrącił Sław, a Ridley potakująco pokiwał głową.

— Podczas poprzedniego rejsu. Spółka wymaga, żeby się zapoznawać z radziecką techniką. Muszę powiedzieć, że po tych dwóch tygodniach pracy w radzieckiej maszynowni moja opinia o umiejętnościach radzieckich rybaków znacznie wzrosła.

Arkadij przypomniał sobie, że rzeczywiście pokazywano mu Ridleya.

— Mówisz po rosyjsku?

— Nie. Aż nas wtedy ręce bolały od rozmów na migi. Języki obce nie są moją mocną stroną. Coś wam opowiem. Miałem wujka, który z nami mieszkał. Wujek uczył się esperanto, tego międzynarodowego języka. W końcu natknął się na kobietę, która też się go uczyła. W całym stanie Waszyngton musiało być nie więcej niż pięć osób, które mówiły tym językiem. W końcu ta kobieta wybrała się do nas z wizytą. Wszyscy czekamy w salonie na wielką chwilę, kiedy tych dwoje się spotka i zacznie rozmawiać w esperanto. Czujemy się, jakbyśmy zaglądali w przyszłość. No i po dziesięciu sekundach wszyscy widzą, że się nic a nic nie rozumieją. Ona prosi o wino, on jej odpowiada która godzina. I tak wyglądały moje rozmowy z Rosjanami. Przepraszam, ale tak z czystej ciekawości: służyłeś może w Afganistanie?

— Byłem za stary na dopełnienie „międzynarodowego obowiązku" — odparł Arkadij. — A ty byłeś w Wietnamie?

— Byłem za młody. W każdym razie nawet nie pamiętam, żebym powiedział Zinie dobranoc. To co się stało? Zniknęła?

— Nie, już wróciła.

Ridleyowi wyraźnie spodobała się ta odpowiedź. Jakby natknął się na kogoś, z kim warto rozmawiać.

— Wróciła skąd?

— O ile wiem — wtrącił Morgan, chcąc naprowadzić rozmowę na właściwe tory — jej zwłoki dostały się do naszej sieci i trafiły z rybami na pokład „Gwiazdy Polarnej".

— Jezu, to musiał być widok — jęknął Ridley. — Wypadła za burtę?

— Tak — potwierdził Sław.

Coletti wystawił palec w stronę Arkadija.

— Chcę to usłyszeć od niego.

— Jeszcze na to za wcześnie — rzekł Arkadij.

— Pierdol się! — wybuchnął Coletti. — Nie wiemy, co się stało Zinie. Nie wiemy, czy ktoś jej pomógł, czy sama dała nura, ale wiemy, że zanim cokolwiek się zdarzyło, od dawna nas nie było na tej jebanej krypie.

— Coletti. — Morgan stanął tuż przed rybakiem. — Któregoś dnia rozwalę ci ten łeb tylko po to, żeby obejrzeć sobie twój malutki móżdżek.

Ridley bez wysiłku odsunął Colettiego.

— Słuchajcie, wszyscy jesteśmy przyjaciółmi. Bierz przykład z Arkadija. Zobacz, jak on spokojnie podchodzi do sprawy.

— Tak — podchwycił Morgan. — Przepraszamy. To, co się stało z Ziną, to tragedia, ale nie chcemy, żeby to negatywnie wpłynęło na nasze joint venture. Wszystkim nam na nim zależy.

— Bez niego bylibyśmy teraz bez pracy — dodał Ridley. — I lubimy poznawać nowych przyjaciół, lubimy słuchać gry Sława na saksofonie albo jego opowieści o pierestrojce i o tym, jak wszyscy w Związku Radzieckim myślą teraz po nowemu.

„Myślenie po nowemu" stało się ulubionym sloganem władców z Kremla. Zupełnie jakby mózg człowieka był płytką z obwodem drukowanym, którą można wymienić na nową.

— A ty już myślisz po nowemu? — zapytał Arkadija Ridley.

— Staram się.

— Człowiek twojego pokroju musi nadążać za zmianami.

— On tylko pracuje na śluzgawce — powiedział Sław.

— O nie — zaprzeczył bez namysłu Coletti, jakby miał dostęp do poufnego źródła informacji. — Kiedyś byłem gliniarzem i potrafię wyczuć kolegę. To gliniarz.

◆   ◆   ◆

Kadłub „Gwiazdy Polarnej", który mijali, sunąc w górę w koszu, był jak ściana ropiejącej stali.

Sław był wściekły.

— Zrobiliśmy z siebie durniów. To nasza wewnętrzna sprawa, która z nimi nie ma nic wspólnego.

— Na to wygląda — zgodził się Arkadij.

— Więc z czego się tak cieszysz?

— Pomyślałem sobie o tych wszystkich rybach, które mnie dziś ominęły.

— Tylko tyle?

Arkadij popatrzył przez pręty kosza na widoczny pod nimi trawler.

— „Orzeł" ma niski kadłub — powiedział. — Ja bym się nim nie wybrał w strefę lodu.

— A co ty możesz wiedzieć o trawlerach?

Arkadij pamiętał trawler, którym pływał u wybrzeży Sachalinu. Niewielki kuter zdobyty podczas wojny z Japończykami, miał kadłub z porowatego drewna, napędzał go staroświecki diesel, a spod łuszczącej się farby wyzierały groźnie wyglądające japońskie znaki. Nietrudno zaciągnąć się na statek, który już dawno powinien był zatonąć, zwłaszcza że jego kapitan kierował się tylko jedną przesłanką: łowić łososie do oporu, póki kuter nie zacznie nabierać wody. Jako nowemu wyznaczono mu miejsce pracy przy linie trałowej, co znaczyło, że w trakcie wyciągania sieci musiał skulony biegać w kółko i układać zwoje liny najeżonej odstającymi ostrymi drucikami. W miarę zapełniania się boksu liną robiło się coraz ciaśniej i mógł się poruszać już tylko na czworakach, biegając jak szczur w zamykającej się trumnie, po czym gramolił się na zewnątrz i pomagał opróżniać sieć. Po drugim dniu pracy nie mógł unieść ramion, jednak potem nabrał wprawy i po raz pierwszy od czasów służby wojskowej na rękach pojawiły się muskuły.

Podczas pracy na tym koszmarnym wraku nauczył się, że rybacy muszą umieć długo egzystować w ogromnej ciasnocie.

Cała reszta — umiejętność zarzucania, wyciągania i naprawiania sieci — nie była warta funta kłaków, jeśli nie umiało się znaleźć wspólnego języka z kolegami i budziło w nich agresję. Pomyślał, że jeszcze nigdy nie zetknął się z tak zantagonizowaną załogą, jak na zatłoczonym mostku „Orła".

Słowa Arkadija o rybach wyraźnie poruszyły Sława, bo cały kosz aż się zakołysał.

— Zrobiłeś sobie dzień wolny od pracy i tylko o to ci chodziło — prychnął.

— Było całkiem ciekawie — przyznał Renko. — Amerykanie to coś nowego.

— No więc możesz być pewien, że drugi raz nie uda ci się tak łatwo zejść z „Gwiazdy Polarnej". Co zamierzasz teraz robić?

Arkadij wzruszył ramionami.

— Podczas zabawy wiele osób pełniło różne funkcje. Popytam, czy ktoś z nich widział Zinę na pokładzie lub pod nim. Spróbuję się dowiedzieć, czy Amerykanie naprawdę opuścili statek. Porozmawiam z uczestnikami zabawy, z jej koleżankami, z którymi pracowała w kambuzie. Chcę też jeszcze raz pogadać z Karpem.

— Rozdzielimy się po rozmowie z kobietami — oznajmił Sław. — Ja zajmę się Karpem, a ty załogą zatrudnioną pod pokładem. Lepiej sobie z nimi poradzisz.

Kosz przefrunął nad burtą i rozpoczął opadanie na znany im zagracony pokład, pełen rupieci tak stłoczonych wokół komina, jakby się tam zbierały wypluwane przez morze w trakcie przypływu.

— Wkurzasz ludzi — ciągnął Sław. — Załoga „Orła" to normalnie bardzo fajni ludzie. Susan zazwyczaj jest aniołem. Dlaczego w twojej obecności wszyscy tak się pieklą? Jesteśmy na amerykańskich wodach.

— Radziecki statek to radzieckie terytorium. Mają powód do zdenerwowania.

Rozdział 7

Przy akompaniamencie fanfar granych na trąbkach z czerwonej gwiazdy wytrysnęły białe promienie. Natasza przytrzymała przycisk przewijania do przodu, aż na ekranie pojawił się obraz białej tarczy zegarowej na niebieskim tle, potem jeszcze trochę, aż ukazała się skośna plansza anonsująca dziennik *Novosti*. Na obrazie bez dźwięku siedzący w studiu mężczyzna zaczął czytać do dwóch mikrofonów od dawna nieaktualne wiadomości i taśma znów ruszyła szybko do przodu, by ostatecznie dotrzeć do miejsca, kiedy na ekranie ukazała się szczupła dziewczyna w przylegającym do ciała trykocie. Miała nos upstrzony piegami, w uszach kolczyki w kształcie dużych kół, splecione w warkocz włosy koloru miedzi i wyginała się jak witka wierzbowa na silnym wietrze.

W stołówce „Gwiazdy Polarnej" dwadzieścia kobiet w dresach i rozmaitych strojach gimnastycznych stało twarzami do ekranu telewizora z podłączonym magnetowidem, wyginając się bez entuzjazmu niczym masywne dęby pod naporem wiatru. Kiedy dziewczyna na ekranie zrobiła skłon do przodu i dotknęła nosem kolan, ćwiczące ledwo się pochyliły; kiedy dziewczyna rozpoczęła lekki trucht w miejscu, kobiety zaczęły tupać w podłogę jak przepędzane stado. Grupie przewodziła Natasza Czajkowskaja z przetwórni, ale tuż za nią ustawiła się Olimpiada Bowina, tęga szefowa kambuza z niebieską przepaską na czole przypominającą wstążeczkę, którą przewiązano wielkie pudło. Pot skapywał z przepaski, zbierał się wokół jej małych oczu i spływał wielkimi kroplami po policzkach, podczas gdy ona niezdarnie próbowała powtarzać pełne gracji ruchy gimnastyczki na ekranie.

Gdy Sław ją zawołał i kazał przerwać ćwiczenia, Olimpiada zrobiła żałosną minę godną masochistki. Usiedli w trójkę przy stoliku w głębi sali i zaczęli rozmawiać. Szefowa kambuza mówiła głębokim, lekko ochrypłym mezzosopranem.

— Biedna Zina. W kambuzie brak jej uśmiechu.

— Była dobrą pracownicą? — spytał Sław.

— Dobrą i pogodną. Pełną życia. I lubiła żartować. Nienawidziła mieszać makaronu. Bo wiecie, często gotujemy makaron.

— Tak, wiemy — powiedział Arkadij.

— I wtedy mówiła: „Hej, Olimpiada, chodź tu i pomieszaj. To dla ciebie dobre ćwiczenie". Będzie nam jej brakowało.

— Dziękuję wam, towarzyszko Bowina — wtrącił Sław. — Możecie już...

— Była osobą aktywną? — spytał Arkadij.

— No pewnie.

— Młoda i ładna. Trochę wiercipięta?

— Nie było sposobu, żeby ją utrzymać w jednym miejscu.

— Dzień po zabawie nie stawiła się do pracy. Wysłałaś kogoś, żeby jej poszukał? — pytał dalej Arkadij.

— Wszyscy byli potrzebni w kambuzie. Nie mogę dopuścić, żeby moje dziewczyny rozłaziły się po statku. Prowadzę poważną kuchnię. Biedna Zina. Pomyślałam, że jest chora albo przemęczona po wczorajszej nocy. Wiecie, kobiety są inne.

— A mówiąc o mężczyznach... — Arkadij zawiesił głos.

— Trzymała ich krótko.

— Kogo najkrócej?

Olimpiada zaczerwieniła się, zachichotała i zakryła usta dłonią.

— Posądzicie ją o brak szacunku. Nie powinnam nic mówić.

— Proszę — zachęcił ją Arkadij.

— Ale to ona tak powiedziała, nie ja.

— Proszę.

— Powiedziała, że zgodnie z wytycznymi zjazdu partii ma zamiar poddać swoje stosunki z mężczyznami procesowi demokratyzacji. Nazwała to „pierestrojką samców".

— Ale chodziło konkretnie o jednego czy dwóch? — spytał Arkadij.

— Na „Gwieździe Polarnej"?

— A gdzie?

— Nie wiem. — Olimpiada nagle nabrała wody w usta.

— Bardzo nam pomogłyście, towarzyszko Bowina — powiedział Sław.

Szefowa kuchni podreptała z powrotem na miejsce w szyku gimnastycznym. Dziewczyna na ekranie rozłożyła ramiona i zaczęła kręcić kółka. Wydawała się przy tym tak lekka i wiotka, jakby miała za chwilę odfrunąć. Dzięki potędze telewizji młoda tancerka stała się nowym wzorcem dla kobiet w całym Związku Radzieckim, skrzącą się i gibką ikoną nowych czasów. Zadbane Łotyszki, Azjatki w filcowych namiotach i osadniczki w Kazachstanie i rejonie Atłaju — wszystkie oglądały jej występy i starały się naśladować każdy ruch. Magnetowid pozwalał dołączyć do tego grona także kobietom z „Gwiazdy Polarnej", choć ich szerokie plecy i masywne ramiona bardziej się Arkadijowi kojarzyły z eskadrą startujących bombowców niż stadem zrywających się do lotu ptaków.

Magnetowid Panasonic stanowił pamiątkę po ostatniej wizycie statku w Dutch Harbor, choć wymagał przestrojenia dźwięku na częstotliwości stosowane w Związku Radzieckim. We Władywostoku kwitł czarny rynek magnetowidów szmuglowanych z Japonii. Nie znaczyło to, że radzieckie odtwarzacze — szczególnie flagowy wyrób marki Woroneż — były złe. Z radzieckimi taśmami wideo radziecki sprzęt współpracował zupełnie nieźle, ale nie można było nagrywać programów z telewizji. Poza tym tak jak radzieckie tory kolejowe są szersze od zachodnich po to, by zabezpieczyć kraj przed wrogiem, który chciałby najechać go pociągami, radzieckie kasety wideo były nieco większe od standardowych, co miało zapobiec zalaniu rynku przez zachodnią pornografię.

— Kobiety! — prychnął pogardliwie Sław. — Żeby tak strywializować ważne i szczytne zadania pierestrojki! I mam już dość tych twoich pytań, które odbiegają od tematu. Mam własną koncepcję i nie potrzebuję twojej pomocy.

Olimpiada obejrzała się przez ramię i zobaczyła, jak Sław dziarskim krokiem opuszcza stołówkę. Także Natasza na chwilę oderwała wzrok od ekranu i utkwiła w Arkadiju groźne ciemne spojrzenie.

◆ ◆ ◆

Jako dziecko Arkadij miał do zabawy kilka kompletów ołowianych żołnierzyków — bohaterskich, wywijających szablami kawalerzystów generała Dawidowa, szczwanych artylerzystów marszałka polnego Kutuzowa i odznaczających się zaciętymi minami grenadierów Wielkiej Armii Napoleońskiej. Wszyscy byli zakwaterowani we wspólnym pudle pod łóżkiem Arkadija i gdy chłopiec przystępował do zabawy, wyciągał je i wybierał z niego tych, którzy akurat byli mu potrzebni. Jak to na polu bitwy, wielu wojaków traciło swoje barwne mundury, a rysy twarzy zanikały. Starając się temu zaradzić, pacykował ich na nowo farbami, przez co coraz mniej przypominali pierwowzory.

Skiba i Ślezko przypominali mu tamtych wytartych grenadierów: ponure i groźne wejrzenia, plamiste różowo-szare twarze, złote plomby, podobni do siebie, jakby wyszli spod jednej sztancy, i tylko włosy Skiby były czarne, a Ślezka siwe. Spotkał ich na pokładzie na śródokręciu — dokładnie w miejscu, skąd podczas zabawy w stołówce obserwowali jazdy kosza, którym amerykańscy rybacy przybywali na pokład „Gwiazdy Polarnej" i wracali do siebie.

— „Wesoła Jane" była zacumowana do „Orła", a ten stał przy naszej sterburcie, czy tak? — upewnił się Arkadij.

— Wolimy odpowiadać na pytania trzeciego oficera — burknął Skiba.

— Mogę poinformować kapitana, że odmawiacie odpowiedzi na pytania.

Skiba i Ślezko rozejrzeli się po pokładzie, spojrzeli po sobie i jakby telepatycznie podjęli wspólną decyzję.

— Przejdźmy gdzieś, gdzie będzie spokojniej — powiedział Ślezko, ruszając schodkami do wnętrza statku. Minął maszynownię i otworzył drzwi do zawilgoconego mrocznego pomieszczenia ze zlewami i kabinami. Zlewy były brązowe od wody z przerdzewiałych zbiorników statku, w kabinach znajdowały się betonowe siedziska z dziurą w środku. Moskiewscy tajniacy zawsze na miejsca spotkań wybierali toalety publiczne. Nawet gdyby rzecz działa się na pustyni, tajniak i tak wyszukałby jakąś toaletę na spotkanie.

Skiba splótł ręce na piersiach i oparł się plecami o drzwi, jakby miał stawić czoło wrogowi.

— Na parę pytań możemy odpowiedzieć.

— Kutry Amerykanów stały tak, jak opisałem? — chciał wiedzieć Arkadij.

— Tak. — Ślezko zamknął wywietrznik.

— Licząc według naszego czasu, w jakiej kolejności i o której godzinie Amerykanie opuszczali pokład? — zapytał Arkadij i otworzył wywietrznik.

Skiba zajrzał do notatnika.

— Kapitan i załoga „Wesołej Jane" wrócili do siebie o dwudziestej trzeciej zero zero i natychmiast odpłynęli. Jeden załogant „Orła" wrócił do siebie o dwudziestej trzeciej dwadzieścia dziewięć; pozostali dwaj i kapitan wrócili o dwudziestej trzeciej pięćdziesiąt cztery. „Orzeł" odpłynął dziesięć minut po północy.

— Jak daleko odpłynęły? Sto metrów, dwieście? Zniknęły w ciemnościach?

— Było zbyt mgliście, żeby to ocenić — odparł Ślezko po chwili namysłu.

— Czy gdy Amerykanie opuszczali pokład, jacyś nasi ich żegnali?

Czekając, aż Skiba znajdzie odpowiedź w swoich notatkach, Arkadij spojrzał na upchane w kajutach gazety, z których z daleka krzyczały fragmenty tytułów: ODWAŻNA REFOR... i NOWA ERA GO...

Skiba odchrząknął.

— Szefowa Amerykanów Susan wyszła z nimi na pokład. Kapitan Marczuk pożegnał się z kapitanem Morganem i życzył mu dobrych połowów.

— Czyli bez zbędnych czułości — zauważył Arkadij. — Nikogo więcej nie było?

— Zgadza się — potwierdził Skiba.

— A kogo widzieliście na pokładzie po dwudziestej drugiej trzydzieści?

— Och. — Skiba ze złością zaczął kartkować notes. Wyglądało, że z góry zakładał, iż Arkadij zaskoczy go jakimś pytaniem. — O kapitanie już mówiłem. O dwudziestej drugiej czterdzieści Amerykanie Lantz i Day udali się na rufę. — Dla pewności przybliżył notatnik do światła. — O dwudziestej trzeciej piętnaście wyszła towarzyszka Taratuta. Rosjanka obsługująca kajutę kapitana i mesę oficerską.

— I gdzie poszła?

Ślezko uniósł najpierw lewą rękę, potem prawą, Skiba spojrzał na drzwi i odwrócił głowę.

— Szła od rufy... — zaczął Ślezko

— Aż na dziób — dokończył Skiba.

◆ ◆ ◆

— Myśleć po nowemu. Co to właściwie znaczy? — Gurij się zadumał. — Bo po staremu, to jak za Breżniewa...

— Nie — poprawił go Arkadij. — Mogą myśleć o Breżniewie, ale nazwiska się nie wymienia. Breżniew już nie istnieje. Istnieją tylko problemy związane ze starym stylem, obstrukcjonizm, nienadążanie za przemianami.

— Trudno się w tym połapać.

— I o to chodzi. Przynajmniej połowa z tego, co głosi dobry przywódca, ma być dla ludzi niezrozumiała.

Gurij od miesiąca ślęczał nad dwiema amerykańskimi książkami: *W poszukiwaniu doskonałości* i *Jednominutowy menedżer*, co z uwagi na bardzo słabą znajomość angielskiego dowodziło jego niezwykłego samozaparcia. Arkadij tłumaczył mu całe fragmenty tych kronik kapitalistycznej chciwości, co w mniemaniu Gurija czyniło z nich dwie pokrewne dusze.

Dziś Arkadij towarzyszył mu w testowaniu kondomów w kadzi z wodą. Tak zwane przez użytkowników kalosze były przez producenta przesypywane talkiem i pakowane po dwie sztuki w papierowe kopertki. Wzniecając chmury talku, Gurij nadmuchiwał kolejne kondomy, zawiązywał koniec i zanurzał w wodzie. Talku było tak dużo, że jego skórzana marynarka była cała obsypana białym proszkiem.

Na miejscu przeprowadzenia konsumenckiej kontroli Gurij wybrał pusty zbiornik po oleju. Wprawdzie zbiornik rzekomo wypłukano z resztek paliwa, jednak ze środka unosiła się gryząca woń, która groziła ostrym bólem głowy spowodowanym wdychaniem oparów substancji ropopochodnych. Z braku wódki wielu marynarzy przychodziło tu jednak celowo i wąchało opary, co kończyło się atakami niekontrolowanego śmiechu albo napadami euforii i walenia o ściany. Albo napadami myślenia po nowemu, pomyślał Arkadij.

Na widok wydobywających się z kondomów pęcherzyków powietrza, które jak bąbelki w szampanie pędziły ku powierzchni i przebijały się przez kożuch talku, Gurij prychał ze złością.

— Żadnej kontroli jakości. Całkowity brak nadzoru ze strony kierownictwa i rzetelności pracowniczej.

Rzucił kolejny kondom na kupkę przetestowanych i zdyskwalifikowanych, wyjął następny, nadmuchał i przytrzymał pod wodą. Podczas postoju w Dutch Harbor miał w planie nie tylko zakup kasetowców i tranzystorowych odbiorników radiowych, ale także większej partii baterii, które zamierzał owinąć w szczelne gumowe osłony i przeszmuglować ukryte w beczce z tranem.

Zaopatrzenie się w kondomy nie stanowiło dla Gurija problemu, ponieważ prowadził pokładowy sklepik, kłopot polegał natomiast na tym, że KGB miało na statku donosicieli, o których nawet Wołowoj nie wiedział. Zawsze znajdował się ktoś, kto potem informował o książce wetkniętej w wiadro z piaskiem czy nylonowych pończochach w luku kotwicowym. Chyba że to Gurij był tą dodatkową parą oczu i uszu na usługach Komitetu Bezpieczeństwa Państwowego. W każdym kolejnym miejscu pracy Arkadija otaczali kolejni szpicle. Tak było w Irkucku, w rzeźni, a nawet na Sachalinie. Gdy wchodził we Władywostoku na pokład „Gwiazdy Polarnej", z góry założył, że jeden z jego współlokatorów w kajucie okaże się informatorem, do dziś jednak nie wiedział, czy jest nim Gurij, Kola, czy Obidin. Paranoja podgryzająca przyjaźń ma jednak granice i teraz wszyscy trzej byli jak prawdziwi kumple.

— A jak przeszmuglujesz te baterie na pokład? — spytał Gurija. — Przecież każdy wracający z lądu jest rewidowany. Niektórych nawet rozbierają do naga.

— Coś wymyślę.

Gurij zawsze był kopalnią pomysłów. Jednym z najnowszych było napisanie książki, która w minutę nauczy wszystkich myśleć po nowemu.

— Ironia losu polega na tym — ciągnął — że skazano mnie za podjęcie przebudowy. Odchodziłem od centralnego planowania, stawiałem na inicjatywę...

— Skazano cię za przywłaszczenie państwowej maszyny do palenia kawy i dostarczanie na czarny rynek ziaren kawy wymieszanych pół na pół z fasolą.

— Za wcześnie poszedłem na swoje.

Łańcuszek bąbelków rozciągnął się w wodzie i dotarł do powierzchni.

— Zina kupowała u ciebie kondomy? — zapytał Arkadij.

— Zina nie była z tych, które lubią ryzykować. — Gurij wyjął z kadzi kolejny wadliwy egzemplarz i rzucił na stertę odrzutów. — W każdym razie nie tak.

— Kupowała je regularnie?

— Prowadziła aktywne życie.

— Z kim?

— A z kim nie? Co wcale nie znaczy, że była dziwką. Nie brała za to pieniędzy. Nie chciała żadnych zobowiązań. I to ona wybierała. Była nowoczesną kobietą. Aha! — Rzucił wyjęty z wody kondom na kupkę tych, które pomyślnie przeszły test. — Jakość nam się polepsza.

— Czy naprawdę do tego zmierza nasz kraj? — powiedział w zadumie Arkadij. — Do społeczeństwa ludzi przedsiębiorczych, którym radość sprawia dobieranie kondomów, samochodów, designerskich mebli?

— A co w tym złego?

— Gogol widział Rosję jako trojkę gnającą w zapamiętaniu przez śniegi wśród snopów iskier, gdy narody świata przyglądają się temu z nabożną trwogą. Ty ją widzisz jako ciężarówkę wypchaną sprzętem stereo.

— Po prostu myślę po nowemu. — Gurij się skrzywił. — A ty widocznie nie.

— Kto należał do grona przyjaciół Ziny?

— Faceci. Spała z kimś raz i więcej nie chciała, ale nie raniła przy tym jego uczuć.

— A kobiety?

— Dobrze rozumiała się z Susan. Rozmawiałeś z nią?

— Tak.

— Fantastyczna baba, nie?

— Jest w porządku.

— Jest piękna. Wiesz, jak czasem zostawiony przez statek ślad na wodzie iskrzy się bioluminescencją? Czasem, kiedy się z nią mijałem na pokładzie, na wodzie było widać takie iskrzenie.

— Bioluminescencja? Może dałoby się to butelkować i sprzedawać.

— Wiesz, co ci powiem? — rzekł Gurij. — Jest w tobie jakaś taka zajadłość, która mnie drażni. Kiedy się dowiedziałem, że byłeś kiedyś śledczym, popatrzyłem na ciebie innymi oczami. Jakby był w tobie ktoś jeszcze. Słuchaj, po prostu chcę zarabiać pieniądze. W Związku Radzieckim niedługo skończy się dziewiętnasty wiek i powstaną różne... — Zorientował się, że wymachuje przy tym kondomem, i z westchnieniem go odłożył. — Wszystko się zmieni. Bardzo mi pomogłeś przy lekturze tych książek. Gdyby dało się połączyć ich treść z zachętami partii...

Chcąc nie chcąc, Arkadij znał te wytarte komunały. Partia sypała nimi na prawo i lewo i wszyscy brodzili w nich po kostki, po kolana...

— Klasa robotnicza, przewodnia siła w dziele pierestrojki i naukowej analizy, która poszerza i pogłębia zakres ideologicznego i moralnego zwycięstwa, czy tak?

— Właśnie. Tylko nie tak, jak ty to mówisz. Osobiście wierzę w pierestrojkę. — Gurij zdał sobie sprawę, że znów zaczął wymachiwać kondomem. — W każdym razie czy nie sądzisz, że powinniśmy raz na zawsze wyzwolić się z oków stagnacji i zepsucia? — Zauważył, że Arkadij wpatruje się w kadź z wodą. — Nie, tego nie uważam za zepsucie, w każdym razie nie takie prawdziwe. Córka Breżniewa szmuglowała diamenty, organizowała orgie, rżnęła się z Cyganem. To jest prawdziwa demoralizacja.

— Zina nie miała jednego stałego partnera?

— Zaczynasz mówić jak prawdziwy śledczy i to mnie przeraża. — Gurij sprawdził następny kondom. — Powiedziałem ci, że Zina była demokratką. Różniła się od innych kobiet. Pozwól, że dam ci pewną radę. Wyśledź to, co chcą usłyszeć, i na tym poprzestań. Jeśli się zbytnio zaangażujesz, to cię ukrzyżują. Dlatego sobie odpuść.

Gurij mówił to takim tonem, jakby mu naprawdę zależało. Byli kolegami z jednego statku i z jednej kajuty i obaj mieli zaszarganą przeszłość. Bo jak się zastanowić, to jakie miał prawo wyśmiewać aspiracje innego człowieka w sytuacji, kiedy jego jedyną aspiracją było siedzieć cicho i starać się przeżyć?

Skąd u niego taka pryncypialność? Zdawało mu się, że już dawno się jej wyzbył.

— Dobra, masz rację — powiedział. — Zaczynam myśleć po nowemu.

— I bardzo dobrze. — Gurij westchnął, zanurzając kolejnego kondoma. — Tylko żeby to nowe ci się opłacało.

Arkadij postanowił od razu zacząć.

— A jakbyś zamiast starać się zamaskować zapach przed służbą graniczną, spróbował zupełnie odmiennego podejścia? — zaproponował. — Gdy wrócimy do Władywostoku, spróbuj odwrócić uwagę psów wąchających bagaże. Spowoduj, żeby wywęszyły coś innego. Zbierz trochę psiego lub kociego moczu i posmaruj nim inne bagaże.

— To mi się podoba. — Gurij się uśmiechnął. — Oto nowy Arkadij. Jeszcze będą z ciebie ludzie.

Rozdział 8

Gdy Arkadij wchodził do kajuty kapitańskiej, był już wieczór. Ściany w niebieskozielonym kolorze tworzyły odpowiednio morski nastrój. Przy biurku w otoczeniu całej baterii szklanek i butelek wody mineralnej siedział Marczuk, pierwszy oficer Wołowoj i ktoś trzeci o wręcz dziecinnym wzroście. Nieznajomy miał oczy podkrążone z niewyspania, czuprynę jak słomiany wiecheć i wygasłą marynarską fajkę w zębach, jednak Arkadija najbardziej zaskoczyło to, że nigdy wcześniej go nie widział.

Przy nogach Sława, który już zdążył rozpocząć relację, leżał brezentowy worek.

— Po wizycie na pokładzie „Orła" odbyłem naradę z pierwszym oficerem Wołowojem. Uznaliśmy, że przy udziale aktywistów partyjnych i ochotników zdołamy przepytać całą załogę „Gwiazdy Polarnej" i ustalić miejsce pobytu każdego w noc zniknięcia Ziny Patiaszwili. To ogromne zadanie wykonaliśmy w ciągu dwóch godzin. Ustaliliśmy, że nikt nie widział towarzyszki Patiaszwili po wyjściu z zabawy i nikt nie był świadkiem jej wypadnięcia za burtę. Szczególny nacisk położyliśmy na rozmowy z koleżankami z pracy towarzyszki Patiaszwili, i to zarówno po to, by uzyskać odpowiedzi na pytania, jak i żeby zdusić w zarodku wszelkie plotki. Niestety, są wśród nas tacy, którzy ze zwykłego wypadku próbują zrobić wielki skandal.

— Musieliśmy też uwzględnić naszą szczególną sytuację — wtrącił Wołowoj. — Chodzi o obecność w naszym gronie obcokrajowców, a także o to, że znajdujemy się na obcych wodach. Czy nadmierne spoufalanie się z obcokrajowcami mogło się przyczynić do tragicznej śmierci towarzyszki? Musieliśmy stawić czoło faktom i zadać wiele trudnych pytań.

Nieźle, pomyślał Arkadij. Ja latam po statku z wywieszonym językiem, a Sław i Inwalida siedzą i szykują swoją prezentację.

— Wszystkie podejrzenia zostały kolejno odrzucone — mówił dalej Sław. — Towarzysze, żadne zeznanie złożone przed socjalistycznym sądem nie ma takiego ciężaru gatunkowego jak relacje kolegów, którzy ramię w ramię z denatką dzielili codzienny trud. W kambuzie wciąż słyszałem powtarzane przez wszystkich opinie: „Patiaszwili była niestrudzoną pracownicą", „Patiaszwili nie opuściła ani jednego dnia pracy", a także — Sław z szacunkiem ściszył głos — „Zina była dobrą dziewczyną". Podobną opinię wyraziły jej współlokatorki z kajuty, cytuję: „Była rzetelną radziecką robotnicą, której będzie nam brakować". Tak powiedziała Natasza Czajkowskaja, członkini partii i przodownica pracy.

— Wszystkie dostaną pochwały za szczere wypowiedzi — wtrącił Wołowoj.

Jak dotąd nikt nie zareagował na pojawienie się Arkadija, który zaczął się nawet zastanawiać, czy nie należałoby rozpłynąć się w powietrzu lub zamienić w mebel. Dodatkowe krzesło bardzo by się przydało.

— Następnie ponownie porozumiałem się z towarzyszem Wołowojem — mówił Sław — i zadałem Fiodorowi Fiodorowiczowi pytanie: „Jakiego rodzaju osobą była Zina Patiaszwili?". Jego odpowiedź brzmiała: „Młodą i pełną życia, ale politycznie dojrzałą".

— Typową przedstawicielką radzieckiego młodego pokolenia — uzupełnił Wołowoj. Na spotkanie u kapitana włożył połyskliwy dres, typowy strój oficerów politycznych. Arkadijowi nigdy wcześniej nie przyszło do głowy, że ruda szczotka na głowie pierwszego oficera przypomina świńską szczecinę.

— Bosman połowowy, który pierwszy znalazł jej ciało, był wstrząśnięty — powiedział Sław.

— Chodzi o Korobeca — dodał Wołowoj. — On i jego brygada przewodzą w socjalistycznym współzawodnictwie.

— Przepytałem jego i brygadę. Chociaż towarzyszkę Zinę znał tylko z widzenia ze stołówki, także zapamiętał ją jako niestrudzoną pracownicę gotową zawsze służyć.

Ciekawe czym? Tłuczonymi ziemniakami? — przemknęło przez głowę Arkadijowi.

Jakby czytając w jego myślach, Inwalida obrzucił Arkadija wrogim spojrzeniem, po czym znów przejął pałeczkę.

— Niemniej musimy ostatecznie wyjaśnić wszystko, co się wydarzyło w noc jej śmierci. Nie tylko ze względu na nią, ale też dla dobra wszystkich towarzyszy, tak żeby mogli przestać zajmować się tym przykrym wydarzeniem i poświęcić całą energię zadaniom produkcyjnym.

— Właśnie. — Sław z entuzjazmem potrząsnął głową. — I to udało nam się dziś zrobić. Ustaliliśmy, że wieczorem Zina Patiaszwili była na zabawie w stołówce. Sam grałem w zespole i mogę poświadczyć, że w środku było duszno i bardzo gorąco. To podsunęło mi myśl, aby popytać inne towarzyszki uczestniczące w zabawie, czy w którymś momencie nie zrobiło im się słabo od tego gorąca. Kilka odpowiedziało, że tak i że musiały wyjść na pokład, żeby zaczerpnąć świeżego powietrza. Potem udałem się do izby chorych i spytałem lekarza, czy Zina

Patiaszwili uskarżała się na duszności lub bóle głowy. Lekarz potwierdził. Wcześniej doktor Vainu przeprowadził sekcję zwłok denatki. Spytałem go, czy zauważył na jej ciele jakieś obrażenia, które mogły nie być przypadkowe, a on odpowiedział, że nie. Spytałem, czy znalazł jakieś podejrzane ślady. Odpowiedział, że na ciele i na kończynach widoczne były odbarwienia i sine ślady na żebrach i biodrach w regularnych odstępach, których pochodzenia nie potrafi wyjaśnić. Również w okolicy żołądka znajdowała się niewielka rana cięta. Towarzysze, tajemnica śmierci Ziny Patiaszwili została wyjaśniona. Osobiście odtworzyłem jej ruchy w noc zniknięcia. Nie widziano jej ani w przejściach prowadzących do jej kajuty, ani na pokładzie trałowym. Jedynym miejscem, gdzie mogła się udać, była rufa. Gdyby wypadła za burtę wprost do wody, to rzeczywiście obrażenia na jej ciele byłyby trudne do wyjaśnienia. Ale była sama w ciemnościach i wcale nie wypadła za burtę, tylko przez poręcz przy schodkach nad pochylnią rufową, a spadając, uderzyła w coś tyłem głowy. Gdy zsuwała się po schodkach, doznała też obrażeń korpusu i kończyn.

Bardzo wygodne „też", pomyślał Arkadij. Patrząc na Marczuka z uwagą wczytującego się w leżący przed nim protokół sekcji zwłok, poczuł nawet coś na kształt współczucia. Wiktor Marczuk nie byłby kapitanem, gdyby nie należał do partii, a uzyskanie zgody na łowienie w towarzystwie Amerykanów musiało znaczyć, że zalicza się do grona zaufanych partyjnych aktywistów. Był więc kimś robiącym polityczną karierę, ale jednocześnie kapitanem, który dbał o swych marynarzy. Siedzący obok nieznajomy świadek rozmowy podpierał głowę ręką z taką miną, z jaką znawca muzyki słucha fałszywych tonów w występie pianisty amatora.

— Ale w połowie tych schodków jest podest — powiedział Marczuk.

— Otóż to — potwierdził Sław. — I właśnie tam Zina Patiaszwili przeleżała przez resztę wieczoru. Leżała dociśnięta do prętów barierki wokół podestu, co wyjaśnia regularnie rozmieszczone sińce na jej boku i biodrach. Później, kiedy po skończonej zabawie na statku zaczęła się znów praca i „Gwiazda Polarna" ruszyła pełną parą do przodu, jej ciało się stoczyło.

Jak wiecie, towarzysze, nasi projektanci robią wszystko, co w ich mocy, żeby zapewnić radzieckim załogom najbezpieczniejsze statki na świecie, ale, niestety, nie da się wszystkiego przewidzieć. Podest schodów od strony wewnętrznej nie jest chroniony barierką. Zina Patiaszwili przetoczyła się przez podest i spadła na pochylnię. Wyżej na pochylni jest bramka, która zabezpiecza przed osunięciem się z pokładu trałowcego, ale nie przed spadnięciem z podestu schodków. Nieprzytomna i niezdolna do wezwania pomocy Zina Patiaszwili zjechała po pochylni wprost do morza.

Sław wygłaszał swą prezentację z taką emfazą, jakby grał w słuchowisku radiowym. Wbrew przekonaniu Arkadij dał się wciągnąć i spróbował wyobrazić sobie tę sekwencję zdarzeń: ubrana w dżinsy, tleniona na blond dziewczyna z Gruzji wymyka się z dusznej i zadymionej stołówki, lekko oszołomiona wpatruje się w lepką zamgloną pustkę i robi nieostrożny krok do tyłu w stronę barierki przy schodach... Nie, szczerze mówiąc, nie potrafił sobie tego wyobrazić. Nie pasowało to do kogoś takiego jak Zina — dziewczyny chodzącej z damą kier w kieszeni. Ani samotność, ani te okoliczności.

Tak się nad tym zamyślił, że skierowane do niego pytanie kapitana Marczuka całkiem go zaskoczyło.

— A wy, towarzyszu Renko, co myślicie o tej teorii?

— Jestem pod wrażeniem.

Ale Sław jeszcze nie skończył.

— Nie muszę tak doświadczonym ludziom morza tłumaczyć,

jak krótko da się przeżyć w tak lodowatej wodzie. Pięć minut? Najwyżej dziesięć. Jedyną dotychczas niewyjaśnioną sprawą pozostaje rana cięta na brzuchu denatki, na którą zwrócił uwagę marynarz Renko. Ale Renko nie jest rybakiem, nie był szkolony i nie zna się na sprzęcie rybackim. Ciekaw jestem, czy kiedykolwiek widział, jak wygląda stalowa lina wystrzępiona od wleczenia czterdziestu ton ryb po kamienistym dnie?

No więc widział, pomyślał w duchu Arkadij, ale to jeszcze nie znaczy, że musi zepsuć trzeciemu oficerowi osiągnięcie triumfalnej kulminacji. Sław rozwiązał leżący na podłodze worek, wyjął kawałek grubej stalowej liny i uniósł przed sobą. W paru miejscach przerwane stalowe druty sterczały na boki jak szpikulce.

— Chodziło o taką linę, tak wystrzępioną — powiedział Sław. — Wiadomo, że ciało Ziny Patiaszwili zostało zgarnięte przez sieć. My, marynarze, wiemy, że sieć jest ciągnięta przez stare postrzępione liny. Wiemy też, że lina naprężona podczas wleczenia sieci wibruje, co sterczące druty zamienia w istne zęby piłek. I właśnie taki ząb skaleczył Zinę Patiaszwili. Tajemnica wyjaśniona. Dziewczyna idzie na zabawę, robi jej się duszno, samotnie wychodzi na pokład, żeby zaczerpnąć powietrza, wypada za burtę i, niestety, tonie. I na tym koniec. Nic więcej się nie wydarzyło.

Sław pokazał kawałek liny Wołowojowi, który przyjrzał mu się z udawaną ciekawością, potem obcemu, który lekceważąco machnął ręką, wreszcie Marczukowi, który zajęty był czytaniem dalszego ciągu dokumentu. Koncentrując się na czytanym tekście, kapitan miał zwyczaj masowania sobie podbródka porośniętego krótko przystrzyżoną czarną brodą.

— Z waszego raportu wynika, że jesteście przeciwni prowadzeniu dalszego śledztwa na statku i że wszelkie pozostałe kwestie mają wyjaśnić odpowiednie władze we Władywostoku.

— Tak jest. — Sław skinął głową. — Ale oczywiście decyzja należy do was, towarzyszu kapitanie.

— O ile pamiętam, raport zawiera też inne wnioski — odezwał się Wołowoj. — Miałem go w ręku tylko przez chwilę.

— Tak jest — rzekł Sław tonem służbisty. To naprawdę piękny spektakl, pomyślał Arkadij. Zupełnie jak dobry mecz w ping-ponga. — Jeśli z tego tragicznego zdarzenia da się wyciągnąć jakąś lekcję, to taką, że nigdy nie wolno nie doceniać spraw bezpieczeństwa. Zgłaszam dwa konkretne wnioski. Pierwszy, żeby podczas wszelkich imprez kulturalno-oświatowych obie burty pokładu rufowego były pilnowane przez dyżurnych ochotników. Drugi, żeby tego rodzaju imprezy w miarę możności organizować za dnia.

— To bardzo rozsądne wnioski — powiedział Wołowoj. — Jestem pewien, że zostaną z zainteresowaniem przedyskutowane na następnym zebraniu załogi. Cały statek jest wam wdzięczny za włożony trud, wszechstronne podejście i szybkość waszego dochodzenia, a także za oparte na faktach przejrzyste wnioski.

Arystokraci u Tołstoja posługiwali się kwiecistą francuszczyzną. Wnuki rewolucji używały rzeczowego rosyjskiego, jakby każde słowo miało wymierzoną w centymetrach długość, tak by zestawione razem mogły bez problemu doprowadzić do porozumienia. Wypowiadano je spokojnym i rzeczowym tonem, gdyż najważniejszym zadaniem radzieckiej demokracji jest to, by każda masówka kończyła się jednomyślnym uzgodnieniem stanowiska w każdej sprawie. I dlatego gdy robotnik wstawał na zebraniu rady zakładowej i martwił się, że fabryka produkuje samochody z trzema kołami, albo rolnik na zebraniu rady kołchozowej narzekał na rodzące się cielęta o dwóch głowach, doświadczone prezydium zachowywało spokój, wiedząc, że potrafi przekuć te wypowiedzi w jednomyślne rezolucje.

Marczuk łyknął ze szklanki, zapalił kolejnego papierosa — angielskiego playersa o bardzo zagranicznym aromacie — i pochylił głowę nad raportem. W tej pozycji wyraźnie było widać jego azjatyckie kości policzkowe. Kapitan wyglądał na pogromcę dzikiej tajgi, a nie urzędasa, który musi tracić czas na przegryzanie się przez biurokratyczne pustosłowie. Ubrany w tabaczkowy sweter nieznajomy uśmiechał się pobłażliwie, jakby zaplątał się tu niechcący, ale wcale nie garnął się do wyjścia.

Marczuk uniósł głowę znad biurka.

— Prowadziliście to dochodzenie razem z marynarzem Renko?

— Tak jest — odparł Sław.

— Ale pod spodem widzę tylko wasz podpis.

— Nie mieliśmy okazji spotkać się przed tym zebraniem.

Marczuk kiwnął ręką na Arkadija.

— Renko, macie coś do dodania?

Nastąpiła chwila ciszy.

— Nie — rzekł Arkadij po zastanowieniu.

— To możecie to podpisać? — Kapitan wyciągnął w jego stronę pióro wieczne Monte Cristo. W sam raz dla kapitana.

— Nie.

Marczuk cofnął rękę i zakręcił nasadkę. Widać szykowały się jakieś komplikacje.

Inwalida dolał sobie wody.

— Skoro Renko nie uczestniczył w większości prac, a wnioski zostały w całości sformułowane przez trzeciego oficera, jego podpis jest zbyteczny.

— Dobrze, zastanówmy się. — Marczuk spojrzał na Arkadija. — Nie zgadzasz się z wnioskiem, żebyśmy niewyjaśnione sprawy zostawili ludziom z Władywostoku?

— Zgadzam się.

— To z czym się nie zgadzasz?

— Po prostu... — Arkadij zawiesił głos, jakby szukał odpowiedniego słowa — ...z ustaleniami.

— Oho! — Facet w tabaczkowym swetrze po raz pierwszy poprawił się na krześle, jakby wreszcie usłyszał coś w znanym sobie języku.

— Przepraszam — pospiesznie wtrącił Marczuk. — Marynarzu Renko, to jest Hess, główny elektryk flotylli. Poprosiłem towarzysza Hessa, żeby wspomógł nas dziś swą wiedzą techniczną. Wyjaśnijcie nam, jak możecie nie zgadzać się z ustaleniami, a zgadzać z konkluzjami?

„Gwiazda Polarna" od sześciu tygodni nie miała żadnego kontaktu z flotyllą i tak miało być przez kolejne cztery. Arkadijowi przemknęło przez głowę pytanie, gdzie w tej sytuacji towarzysz Hess się ukrywał, zaraz jednak wrócił myślami do postawionego pytania.

— Zina Patiaszwili zginęła wieczorem w dniu zabawy — zaczął. — Ponieważ nikt jej nie widział w drodze do kajuty, prawdopodobnie poszła do jakiegoś innego pomieszczenia w tylnej nadbudówce albo, jak twierdzi trzeci oficer, wyszła na pokład rufowy. Jednak kiedy ktoś mdleje, po prostu zwala się z nóg, a nie dostaje takiego rozpędu, żeby się przewinąć przez barierę sięgającą Zinie do żeber. Utonięciu towarzyszą charakterystyczne objawy, których u Ziny nie było, a gdy we Władywostoku otworzą jej klatkę piersiową, okaże się, że w płucach nie ma śladów słonej wody. Widoczne na jej ciele obrażenia, jak posiniaczenie ramion, łydek, piersi i brzucha, pojawiają się dopiero po śmierci w wyniku ułożenia ciała przez dłuższy czas na czworakach, natomiast sińce na żebrach i biodrach nie powstały z powodu zetknięcia się ciała z prętami barierki, ale zostały odciśnięte przez coś twardego i wystającego. Zinę zabito na „Gwieździe Polarnej" i zwłoki ukryto gdzieś na pokładzie. A co do rany na brzuchu, powstała ona od ciosu ostrym nożem. Wokół rany nie było zadrapań i przecięć oraz wypłynęło bardzo mało krwi. Prawda jest taka, że przed wrzuceniem do morza ktoś zadał jej cios nożem, by zapobiec wypłynięciu ciała na powierzchnię. Kolejnym dowodem na to, że rana na jej brzuchu nie powstała w trakcie wleczenia sieci, jest to, że ciało opadło na dno na głębokość trzydziestu sążni i przebywało tam na tyle długo, by śluzice zdążyły przedostać się przez otwór w brzuchu i zagnieździć w środku.

— W waszym raporcie nie ma nic o śluzicach — obruszył się Marczuk. Jak każdy rybak, szczerze nienawidził tych stworzeń.

— Mam mówić dalej?

— Mówcie.

— Koleżanki z pracy mówią, że Zina Patiaszwili była bardzo sumienną pracownicą, jednak Amerykanie twierdzą, że ile razy „Orzeł" podpływał z siecią, to bez względu na porę dnia czy nocy Zina stała przy relingu burtowym i machała. Często pokrywało się to z jej wachtami, czyli Zina wymykała się z pracy o różnych porach, każdorazowo znikając co najmniej na pół godziny.

— Sugerujecie, że towarzysze radzieccy kłamią, a Amerykanie mówią prawdę? — Wołowoj powiedział to tak, jakby nie był pewien, na czym polega różnica.

— Nie. Zina bawiła się cały czas w towarzystwie Amerykanów z „Orła", tańczyła z nimi, rozmawiała. Nie sądzę, żeby kobieta odrywała się od pracy i biegała w środku nocy albo w lejącym deszczu na rufę po to, żeby pomachać czterem rybakom na trawlerze. Robiła to, żeby pomachać jednemu z nich. Amerykanie na pewno nie mówią nam w tej sprawie prawdy.

— Myślisz, że któryś z naszych mógł być o nią zazdrosny? — spytał Marczuk.

110

— To już brzmi jak oszczerstwo — obruszył się Wołowoj, jakby to kończyło sprawę. — Oczywiście jeśli w kambuzie były przypadki bumelanctwa, jeśli ktoś z pracowników nie przykładał się należycie do pracy, zostaną wyciągnięte surowe konsekwencje.

— Wody? — Kapitan wyciągnął butelkę w stronę Wołowoja.

— Proszę.

Bąbelki roztańczyły się w szklance Inwalidy. Uśmiech Marczuka był pełen ironii, ale jego słowa pozostawały spokojne i rzeczowe, jak przystało na człowieka radzieckiego.

— Problemem są Amerykanie — powiedział. — Będą nas sprawdzać, czy prowadzimy otwarte i rzetelne dochodzenie.

— I zrobimy to — zapewnił go Wołowoj. — We Władywostoku.

— Oczywiście. Ale sytuacja jest nietypowa i może wymagać podjęcia szybszych działań. — Poczęstował Inwalidę papierosem. Jak dotąd wszystko odbywało się zgodnie z regułami radzieckiej dyskusji. Zdarzały się sytuacje kryzysowe, kiedy na przykład pod koniec miesiąca wykonanie planu zależało od przestawienia produkcji na samochody z trzema kołami. Odpowiednikiem tego we flocie rybackiej bywały sytuacje, kiedy plan połowów dawało się wykonać dzięki przerobieniu zawartości sieci wraz z całym szlamem na mączkę rybną.

— Lekarz podziela zdanie towarzysza Bukowskiego. — Wołowoj nie dawał za wygraną.

— Lekarz — powtórzył Marczuk z udaną powagą. — O ile pamiętam, lekarz pomylił się nawet w ustaleniu czasu zgonu. Nasz lekarz jest bardzo dobry dla zdrowych, gorzej z chorymi lub martwymi.

— Być może w raporcie są pewne niedociągnięcia — spuścił z tonu Wołowoj.

— Wybaczcie, towarzyszu Bukowski, ale wasz raport jest gówno wart. — Kapitan powiedział to łagodnym, niemal przepraszającym głosem, po czym przeniósłszy wzrok na Wołowoja, dodał: — Ale jestem pewien, że chciał jak najlepiej.

Ostatnią radziecką jednostką, z jaką „Gwiazda Polarna" miała kontakt, był statek chłodnia, który przejął z chłodni „Gwiazdy" trzy tysiące ton płastug, pięć tysięcy ton mintaja, osiem tysięcy ton mączki rybnej i pięćdziesiąt ton tranu z rybich wątrób. W drugą stronę dostarczono na pokład „Gwiazdy" zapasy mąki, wędlin i kapusty, puszki z filmami, osobistą pocztę i czasopisma. Arkadij wraz z innymi był tego dnia na pokładzie, ale nie pamiętał, by wraz z zapasami spuszczono na pokład elektryka o dziecinnej posturze.

Połowę twarzy Antona Hessa wypełniało czoło, nad którym sterczała strzecha niesfornych włosów, podczas gdy cała reszta — zaokrąglone brwi, szpiczasty nos, wydatna górna warga i broda z dołeczkiem — ścieśniona była na południowej półkuli. Całości dopełniały przyjaźnie patrzące błękitne oczy. Wyglądał jak niemiecki dyrygent chóru, który osobiście współpracował z Brahmsem.

Pierwszy oficer postanowił przystąpić do ataku. Obojętnym tonem przedstawiciela radzieckiej władzy, który niechętnie przywołuje fakty, zwrócił się do Arkadija:

— Marynarzu Renko, dla porządku, czy to prawda, że wyrzucono was z pracy w moskiewskiej prokuraturze?

— Tak.

— Czy prawdą jest też, że usunięto was z partii?

— Tak.

Zapadło ponure milczenie, jakby wyznanie Arkadija oznaczało publiczne przyznanie się do dwóch wstydliwych, nieuleczalnych chorób.

— Czy wolno mi szczerze wyrazić swoje zdanie? — zwrócił się do kapitana Wołowoj.

— Proszę.

— Od początku byłem przeciwny dopuszczeniu tego człowieka do jakiegokolwiek dochodzenia, zwłaszcza w sprawie dotyczącej naszych amerykańskich kolegów. Już wtedy byłem w posiadaniu teczki z negatywnymi opiniami o marynarzu Rence. Teraz dodatkowo zwróciłem się drogą radiową do KGB we Władywostoku i by zapobiec podjęciu pochopnej decyzji, poprosiłem o więcej informacji. Towarzysze, mamy do czynienia z człowiekiem o bardzo niewyraźnej przeszłości. Nikt nie chce nam powiedzieć, co dokładnie wydarzyło się w Moskwie. Wiemy tylko tyle, że Renko był osobiście zamieszany w śmierć moskiewskiego prokuratora i ucieczkę za granicę byłej obywatelki radzieckiej. Uczestnictwo w morderstwie i zdradzie, oto życiorys człowieka, który tu przed wami stoi. To dlatego pętał się po Syberii, co chwila zmieniając pracę. Spójrzcie na niego: nigdzie mu się nie powiodło.

To akurat prawda, pomyślał Arkadij. Pokryte rybią łuską i zaschniętym śluzem gumowce trudno nazwać obuwiem człowieka, któremu się powiodło.

— Tak naprawdę — ciągnął Wołowoj, lekko się zacinając, jakby ujawnianie wszystkiego przychodziło mu z najwyższym trudem — w chwili, gdy zaciągał się na pokład „Gwiazdy Polarnej", na Sachalinie był już poszukiwany. Towarzysze nie chcieli mi powiedzieć za co. Ale mogło chodzić o milion rzeczy. Mogę szczerze?

— Absolutnie — zapewnił go Marczuk.

— Towarzysze, Władywostok nie będzie sprawdzał, co się przydarzyło jakiejś głupiej dziewusze, ale czy my jako kolektyw zachowaliśmy na statku polityczną dyscyplinę. I Władywostok nie zrozumie, dlaczego do tak delikatnej sprawy włączamy kogoś takiego jak Renko. Człowieka tak politycznie niepewnego, że nie wolno nam wypuścić go na ląd w amerykańskim porcie.

— To istotnie bardzo celna uwaga. — Marczuk skinął głową.
— Właściwie najrozsądniej byłoby nie puszczać na ląd nikogo. Do Dutch Harbor dopłyniemy za dwa dni i chyba najlepiej byłoby zatrzymać całą załogę na pokładzie. Twarz Marczuka spochmurniała. Dolewając sobie wody, nie odrywał wzroku od srebrzystego strumyka.

— Po czterech miesiącach na morzu? — powiedział. — Przecież po to się zaciągają. Dla tego jednego dnia w porcie. Poza tym nasza załoga nie stanowi problemu. I nie możemy Amerykanom zabronić zejścia na ląd.

— Reprezentanci spółki muszą złożyć sprawozdanie, zgoda, ale firma w połowie należy do nas. Ludzie ze spółki nie powiedzą ani słowa.

Marczuk zdusił niedopałek, a jego twarz okrasił uśmiech, w którym było więcej ironii niż radości. Wyglądało na to, że przestrzeganie zasad ma się ku końcowi.

— Obserwatorzy złożą raport władzom amerykańskim, a w tym czasie rybacy rozniosą pogłoski. A z pogłosek będzie wynikało, że ukrywam fakt morderstwa na pokładzie.

— Każda śmierć to tragedia — obruszył się Wołowoj — ale dochodzenie to decyzja polityczna. Dalsze prowadzenie dochodzenia na pokładzie byłoby błędem. W tej sprawie muszę dbać o interes partii.

Zapewne identyczny argument padał w tym samym momencie w tysiącach gmin, fabryk, uczelni i sal sądowych, jako że żadne poważne zebranie załogi ani żadna mowa prokuratorska nie mogły się obyć bez powołania się na interes partii. Przestawały wtedy obowiązywać wszelkie zasady dyskusji i nawet dym papierosowy opadał pod ciężarem tego ostatecznego i nieuchronnego argumentu.

A jednak tym razem Marczuk nie zamilkł i zwracając się do tajemniczego gościa, powiedział:

114

— Towarzyszu Hess, chcielibyście coś w tej sprawie dodać?

— No cóż — powiedział główny elektryk floty takim tonem, jakby dopiero teraz przyszło mu coś do głowy. Jego głos brzmiał tak, jakby wydobywał się z instrumentu dętego z pękniętym stroikiem. Hess zwracał się bezpośrednio do Wołowoja. — Wszystko, co mówicie, towarzyszu, byłoby dawniej słuszne. Wydaje mi się jednak, że sytuacja uległa zmianie. Mamy teraz nowe kierownictwo, które wzywa do wykazywania większej inicjatywy i do rzetelnej analizy popełnionych błędów. Kapitan Marczuk symbolizuje to nowe, otwarte kierownictwo. Myślę, że zasługuje na nasze poparcie. Co do marynarza Renki, ja też zwróciłem się drogą radiową o bliższe informacje. Nigdy nie został oskarżony ani o morderstwo, ani o zdradę. Wręcz przeciwnie, istnieje pisemny dowód na to, że pułkownik Pribłuda z KGB stanął w jego obronie. Być może Renko jest politycznie nierozważny, ale nikt nigdy nie kwestionował jego umiejętności zawodowych. A poza tym trzeba wziąć pod uwagę najważniejszą okoliczność. Uczestniczymy w wyjątkowym programie, który realizujemy wspólnie z Amerykanami. Nie wszyscy są zadowoleni z tego, że ludzie radziecki i Amerykanie z sobą współpracują. Co by się stało z naszą misją? Co by się stało ze współpracą międzynarodową, gdyby się rozeszło, że każdy obywatel naszego kraju, który zaprzyjaźni się z Amerykanami, skończy za burtą z rozprutym brzuchem? Powinniśmy podjąć szczerą i autentyczną próbę wyjaśnienia całej sprawy teraz, a nie dopiero we Władywostoku. Trzeci oficer Bukowski jest obdarzony wielką energią, ale nie ma w tych sprawach doświadczenia. Nikt z nas go nie ma z wyjątkiem marynarza Renki. Powinniśmy obdarzyć go większym zaufaniem i postarać się dowiedzieć, co tak naprawdę się wydarzyło.

Słowa Hessa tak zdumiały Arkadija, jakby na jego oczach ktoś powstawał z grobu. Po raz pierwszy ktoś spróbował podważyć nieodwołalność werdyktu Inwalidy.

— Czasem można przymknąć oko na wredne pogłoski — powiedział Wołowoj. — Ale tu mamy do czynienia z sytuacją, która wymaga wyciszenia, a nie rozgłosu. Bo zastanówmy się: jeśli, jak twierdzi marynarz Renko, tę Patiaszwili rzeczywiście zamordowano, to na pokładzie jest morderca. Jeżeli dopuścimy do wdrożenia śledztwa na statku, nieważne, czy prowadzonego fachowo, czy po amatorsku, to jaka będzie naturalna reakcja przestępcy? Zaniepokojenie i strach, a właściwie chęć ucieczki. Jeśli w tym momencie będzie we Władywostoku, pozbawimy go wszelkich szans. Śledztwo w porcie macierzystym dotyczyć będzie kogoś znajdującego się w naszych rękach. Jednak tu sytuacja wygląda zupełnie inaczej. Jesteśmy na otwartym morzu, wokół nas pływają amerykańskie statki i, co najbardziej niebezpieczne, czeka nas postój w amerykańskim porcie. Nadmierna gorliwość z naszej strony skłoni mordercę do desperackich kroków. Czy nie należy uznać za możliwe, a nawet prawdopodobne, że osobnik ten w obawie przed wykryciem odłączy się od swoich w Dutch Harbor i spróbuje zbiec przed radzieckim wymiarem sprawiedliwości pod pozorem wystąpienia o azyl polityczny? Czy nie to właśnie leży u podstaw postępowania wielu tak zwanych wybierających wolność? Amerykanie są nieprzewidywalni. Gdy tylko sprawa nabierze charakteru politycznego, wymknie nam się z rąk i zamieni w farsę, w której prawda będzie musiała walczyć z kłamstwami. Oczywiście w końcu przekazano by nam przestępcę, ale czy to właściwa linia postępowania dla załogi radzieckiego statku? Morderstwo? Skandal? Towarzysze, nikt nie przeczy, że w normalnych okolicznościach po czterech miesiącach ciężkiej pracy na morzu załodze należy się wizyta w porcie. Jednak nie chciałbym być na miejscu kapitana, który będzie musiał zaryzykować powodzenie naszej misji i prestiż całej floty tylko po to, by jego załoga mogła kupić sobie zagraniczne trampki czy zegarki.

Słuchając tak przekonującej argumentacji Inwalidy, Arkadij był pewien, że sprawa w tym momencie została ostatecznie pogrzebana. Hess jednak był innego zdania, bo bez wahania przystąpił do kontrataku.

— Spróbujmy przeanalizować wasze argumenty. Mówicie, że dochodzenie na pokładzie stworzy sytuację nienormalną, a nienormalna sytuacja uniemożliwi zejście na ląd w obcym porcie. Mnie się jednak zdaje, że jedno z drugim da się pogodzić. Do postoju w Dutch Harbor zostało nam jeszcze półtorej doby, a to dość dużo czasu, aby dojść do konkretniejszych ustaleń w sprawie śmierci tej nieszczęsnej dziewczyny. Jeśli za trzydzieści sześć godzin sprawa nadal będzie niejasna, wtedy możemy zadecydować o niepuszczeniu załogi na ląd. W przeciwnym razie pozwólmy ludziom spędzić uczciwie zapracowany dzień wolnego w porcie. Tak czy inaczej, nikt nam nie ucieknie, a po powrocie do Władywostoku i tak zostanie wszczęte dochodzenie.

— A jeśli to było samobójstwo? — wtrącił Sław. — Jeśli sama wyskoczyła za burtę albo na pochylnię, albo gdziekolwiek?

— Co wy na to? — zwrócił się do Arkadija Hess.

— Samobójstwo jest zawsze przypadkiem granicznym — powiedział Arkadij. — Bo samobójcą jest też ten, kto ujawnia nazwiska swoich kumpli przestępców, a potem zamyka się w garażu i uruchamia silnik. Albo ten, kto na ścianie w kuchni pisze „Jebać Związek Pisarzy Radzieckich", a potem odkręca gaz i wsadza głowę do piekarnika. Albo żołnierz, który mówi „Uważajcie mnie za dobrego komunistę" i otwiera ogień z pistoletu maszynowego.

— Chcecie przez to powiedzieć, że kontekst polityczny jest za każdym razem inny. — Hess pokiwał głową.

— To ja decyduję o kontekście politycznym — burknął Wołowoj. — Nadal jestem tu oficerem politycznym.

— Owszem — rzekł chłodno Marczuk. — Ale nie kapitanem.

— W tak delikatnej misji...

— Mamy tu więcej niż jedną misję — przerwał mu Hess.

Zapadło milczenie, jakby statek nagle zmienił kurs.

Marczuk poczęstował Wołowoja kolejnym papierosem i gdy przypalał go zapalniczką, można było dostrzec przekrwione oczy pierwszego oficera.

— Bukowski może opracować inny raport — powiedział Wołowoj, wypuszczając dym.

— Bukowski i Renko dobrze się uzupełniają, nie sądzicie? — odezwał się Hess.

Wołowoj schylił kark, jakby chciał pomóc osiągniętemu porozumieniu — celowi każdego radzieckiego procesu decyzyjnego — łatwiej się z niego stoczyć.

Kapitan zmienił temat.

— Nie mogę przestać myśleć o tej dziewczynie na dnie i zżerających ją od środka śluzicach. Renko, jaka waszym zdaniem była szansa na to, że sieć ją akurat zgarnie? Jedna na milion?

Wezwanie Arkadija na to spotkanie było nie lada wyróżnieniem — trochę tak, jakby palec u nogi zaproszono do udziału w konferencji mózgów. Zwracając się do niego z pytaniem, Marczuk jeszcze bardziej to podkreślił.

— Jedna na milion, czyli mniej więcej taka, jaką towarzysz Bukowski i ja mamy na to, że uda nam się coś ustalić. We Władywostoku mają prawdziwych śledczych i prawdziwe laboratoria, a tamtejsi specjaliści wiedzą, czego szukać.

— Ważne jest dochodzenie tu i teraz — powiedział Marczuk. — Opiszcie w raporcie fakty, jakie ustalicie.

— Nie. — Arkadij pokręcił głową. — Zgadzam się z towarzyszem Wołowojem. Zostawmy to specjalistom z Władywostoku.

— Masz opory i ja to rozumiem. — W głosie Marczuka było współczucie. — Ale dzięki temu będziesz mógł się zrehabilitować...

— Nie muszę się rehabilitować. Zgodziłem się poświęcić jeden dzień na zadawanie pytań i ten dzień już minął. — Arkadij ruszył do drzwi. — Dobranoc towarzyszom.

Marczuk zerwał się na nogi, kompletnie zaskoczony, a jego zdumienie szybko przerodziło się w urazę kogoś ważnego, kogo zlekceważono przez odrzucenie jego dobrych intencji. Wołowoj miał taką minę, jakby nie mógł uwierzyć w tak szczęśliwy obrót sprawy.

— Renko, twierdzicie, że ktoś tę dziewczynę zamordował, i nie chcecie się dowiedzieć kto? — zdziwił się Hess.

— Nie sądzę, żebym mógł. Nie jestem zainteresowany.

— Daję wam rozkaz — warknął Marczuk.

— A ja odmawiam.

— Zapominacie, że rozmawiacie ze swoim kapitanem.

— A wy zapominacie, że rozmawiacie z kimś, kto spędził rok na waszej śluzgawce. — Arkadij otworzył drzwi. — Co jeszcze możecie mi zrobić? Dysponujecie czymś gorszym?

Rozdział 9

Tuż nad powierzchnią morza wiatr stłoczył mgłę w jeden gęsty wał. Arkadij ruszył przez pokład z zamiarem udania się do łóżka, gdy niespodziewanie natknął się na stojącego przy relingu Kolę, współlokatora z kajuty. Jasna księżycowa noc zawsze wywabiała Kolę na pokład, jakby księżyc zapalano specjalnie dla niego. Spod wełnianej czapeczki wystawały zmierzwione loki, jego długi szpiczasty nos był skierowany ku morzu.

— Arkasza, przed chwilą widziałem wieloryba. Tylko ogon, ale poszedł pionowo w dół, więc to był humbak.

Arkadij podziwiał w Koli to, że będąc przepędzonym z lądu botanikiem, na morzu nadal gromadził dane naukowe. Była w nim zawziętość zakonnika, który przy całej swej łagodności jest gotów cierpieć tortury za wiarę. W jego dłoniach połyskiwał ukochany skarb wielkości rożka angielskiego: staromodny mosiężny sekstans.

— Skończyłeś już u kapitana?

— Tak.

Wrodzona dyskrecja nie pozwoliła Koli drążyć tematu i zadawać pytań w rodzaju: „Dlaczego nie przyznałeś się kolegom, że byłeś śledczym? Dlaczego już nim nie jesteś? Czego się dowiedziałeś o tej martwej dziewczynie?". Zamiast tego rzucił pogodnie:

— To dobrze. Więc możesz mi pomóc. — Wręczył Arkadijowi zegarek. Zegarek był plastikowy, cyfrowy i japoński. — Tym górnym przyciskiem podświetla się odczyt.

— Po co ty to robisz?

— Dla gimnastyki umysłu. Gotów?

— Gotów.

Kola przyłożył oko do lunetki, namierzył Księżyc i przesunął ramię po łuku kątomierza. Jak to kiedyś wyjaśnił Arkadijowi, sekstansy urzekały go swoją staromodnością i prostotą przy jednoczesnym skomplikowaniu pomiaru. W największym skrócie, para lusterek zamontowanych na łuku pozwalała sprowadzić obraz Księżyca na linię horyzontu i odczytać na kątomierzu wartość odchylenia pozycji Księżyca w stopniach od kąta prostego w stosunku do linii horyzontu.

— Czytaj.

— Dziesiąta piętnaście i trzydzieści jeden sekund.

— Dwudziesta druga piętnaście i trzydzieści jeden sekund — poprawił go Kola według czasu morskiego.

Jako pionier Arkadij bawił się kiedyś pomiarami nawigacji astronomicznej. Pamiętał, jak siedział obłożony almanachami żeglarskimi, tabelami danych, notatnikami, wykresami i przykładnicami. Kola miał to wszystko w głowie.

— Ile roczników astronomicznych znasz na pamięć? — zapytał Arkadij.

— Słońca, Księżyca i Wielkiej Niedźwiedzicy.

Arkadij spojrzał na niebo. Gwiazdy świeciły niezwykle jasno i były bardzo dalekie, a ich barwy i głębia stwarzały wrażenie, jakby nocne niebo płonęło.

— Widzę Małą Niedźwiedzicę. — Wyciągnął rękę pionowo w górę.

— Tu zawsze widać Małą Niedźwiedzicę — potwierdził Kola. — Na tej szerokości zawsze ma się ją nad głową.

Kiedy Kola przystępował do robienia obliczeń, jego oczy nieruchomiały i pokrywała je jakby mgiełka rozmarzenia. Arkadij wiedział, że w myślach odejmuje refrakcję Księżyca, dodaje wartość paralaksy i przechodzi do księżycowej deklinacji.

— Za długo tkwisz pod tą Małą Niedźwiedzicą — mruknął. — Całkiem ci spłaszczyła głowę.

Kola uśmiechnął się na dowód, że potrafi jednocześnie myśleć i rozmawiać.

— To nie jest trudniejsze od gry w szachy w ciemno.

— Koncepcja sekstansu opiera się na założeniu, że to Słońce obraca się wokół Ziemi. Nie przeszkadza ci to?

Kola na moment się zawahał.

— Ale w przeciwieństwie do niektórych innych ta koncepcja działa — odrzekł.

Deklinacja została wyliczona i Kola zaczął przeglądać tkwiące w pamięci tabele. Było to zadanie dla kogoś o nieco maniakalnej osobowości — kogoś, komu sprawiało przyjemność wypatrywanie wielorybów po ciemku. Choć może nie tak zupełnie po ciemku. Kładący się na falach blask księżyca sprawiał, że morze jakby równomiernie oddychało.

Podczas pierwszych miesięcy rejsu Arkadij spędzał dużo czasu na pokładzie, wypatrując delfinów, morsów i wielorybów tylko po to, by obserwować ich harce. Otwarte morze dawało złudzenie swobody. Dopiero po pewnym czasie dotarło do niego, że te poruszające się pozornie bezładnie stworzenia w rzeczywistości zdążają do konkretnego celu. I że on takiego celu nie ma.

Spojrzał znów na Małą Niedźwiedzicę i jej długi ogon zakończony Gwiazdą Polarną, zwaną też Gwiazdą Biegunową lub Polaris. Według ludowego rosyjskiego podania Polaris to wściekły pies uwiązany łańcuchem do Małej Niedźwiedzicy. Legenda mówi, że gdy uda mu się zerwać łańcuch, nastąpi koniec świata.

— Czy ciebie to nie złości, Kola? Ty, botanik, jesteś uwięziony setki kilometrów od najbliższego lądu.

— Ale tylko sto sążni od morskiego dna. A poza tym lądu nadal przybywa. Wyspy Aleuckie wciąż się rozrastają.

— Powiedziałbym, że to dość odległa perspektywa — rzekł Arkadij. Wyczuwał w koledze napięcie. Kola zawsze się denerwował, kiedy widział u Arkadija przygnębienie.

— Zastanawiałeś się kiedyś, ile Wołowoje tego świata nas kosztują? — Kola raptownie zmienił temat w przekonaniu, że dobra zagadka zawsze dobrze koi nerwy. — Ile nam płacą?

— Myślałem, że mierzysz do Księżyca.

— Mogę robić jedno i drugie. Ile nam płacą?

Odpowiedź nie była prosta. Płacę na „Gwieździe Polarnej" wyliczano przy użyciu współczynnika od 2,55 dla kapitana do 0,8 dla marynarza drugiej klasy. Do tego dochodził dodatek polarny w wysokości 1,55 za połowy w Arktyce, dziesięcioprocentowa premia za roczny staż, kolejne dziesięć procent za wykonanie planu i dodatkowa, sięgająca czterdziestu procent premia za jego przekroczenie. Plan produkcji był najważniejszy. Zdarzało się, że go podnoszono lub obniżano już po wypłynięciu statku z portu, tyle że do obniżania dochodziło znacznie rzadziej, bo wysokość premii szefa floty zależała od oszczędności poczynionych na płacach rybaków. Czas potrzebny na dopłynięcie na łowisko był określony w dniach i jeśli zdarzyło się wpaść w sztorm i opóźnić dotarcie na miejsce, cała załoga dostawała po kieszeni. To właśnie dlatego widywano radzieckie statki, które mimo mgły i sztormowej pogody pruły przed siebie na pełnej szybkości. W sumie system wyliczania płac radzieckich rybaków był tylko trochę mniej skomplikowany od astronomii.

— Mnie około trzystu rubli miesięcznie — ocenił Arkadij.

— Nieźle — pochwalił Kola. — A pamiętałeś, żeby uwzględnić współczynnik za pracę z Amerykanami?

Ponieważ na pokładzie byli Amerykanie, na „Gwieździe Polarnej" obowiązywały odmienne zasady pracy: plan produkcji był niższy, a tempo pracy wolniejsze, tak by goście mogli podziwiać humanitarne warunki panujące w radzieckim przemyśle rybnym.

— To powiedzmy, trzysta dwadzieścia pięć rubli.

— Marynarz pierwszej klasy dostaje trzysta czterdzieści rubli. Dla ciebie wypadnie dwieście siedemdziesiąt pięć. Pierwszy oficer w rodzaju Wołowoja dostaje czterysta siedemdziesiąt pięć.

— To śmieszne. — Arkadija naprawdę rozbawiła precyzja myślenia kolegi, ale Kola uśmiechnął się tylko wyzywająco jak żongler, który każe dodać jeszcze jedną kulę do już latających w powietrzu.

— Po morzach pływa blisko dwadzieścia tysięcy radzieckich trawlerów i statków przetwórni z oficerami politycznymi na pokładzie, zgadza się? Dla równego rachunku przyjmijmy, że ich miesięczna pensja wynosi tylko czterysta rubli. Łączny koszt tych całkowicie bezużytecznych trutni to osiem milionów rubli rocznie. A mówimy tylko o flocie rybackiej. Wyobraź sobie teraz cały Związek Radziecki...

— Łowimy ryby! Jesteśmy tu, żeby łowić ryby, a nie zajmować się matematyką, towarzyszu Mer!

Wołowoj wyłonił się z mroku i jego połyskliwy dres rozbłysnął w księżycowej poświacie. W jego ruchach było coś niemal triumfalnego i Arkadij pomyślał, że pierwszy oficer musiał wyjść z kajuty kapitana tuż za nim, by napawać się swym zwycięstwem. Jak zwykle Kola bezwiednie odwrócił wzrok.

Wołowoj wyciągnął rękę i wyjął mu z dłoni sekstans.

— Co to jest?

— To moje. Sprawdzałem położenie Księżyca.

Wołowoj spojrzał podejrzliwie na niebo.

— Po co?

— Żeby ustalić naszą pozycję.

— Pracujesz przy czyszczeniu ryb. Po co chcesz znać naszą pozycję?

— Z ciekawości. To stary sekstans, antyk.

— A gdzie masz mapy?

— Nie mam żadnych map.

— Chcesz wiedzieć, jak daleko jesteśmy od Ameryki?

— Nie. Chciałem tylko wiedzieć, gdzie się obecnie znajdujemy.

Wołowoj rozsunął suwak bluzy i schował pod nią sekstans.

— Kapitan wie, gdzie się teraz znajdujemy. To powinno ci wystarczyć.

Odszedł, nawet nie oglądając się na Arkadija. Nie musiał.

♦ ♦ ♦

Arkadij wreszcie dotarł do łóżka.

W kajucie było ciemno jak w grobie, co zresztą pasowało do całej reszty. Kola zwinął się w kłębek ze swymi doniczkami, Arkadij ściągnął gumowce i padł na koję, szczelnie opatulając się kocem. W powietrzu wisiała octowa woń zacieru Obidina, ale nie zdążył jej nawet dobrze wciągnąć w płuca, bo natychmiast zasnął. Utonął we śnie jak w mrocznej pustce, którą tak dobrze znał.

♦ ♦ ♦

Na moskiewskim Pierścieniu Sadowym, opodal dziecięcej biblioteki i Ministerstwa Oświaty, w budynku otoczonym szarym murem mieści się Instytut Psychiatrii Sądowej im. W. P. Serbskiego. Po górnej krawędzi muru biegnie niewidoczny z ulicy cienki drut kolczasty, przestrzeń między murem a budynkiem patrolują strażnicy z psami wytresowanymi tak, by nie szczekały. W mieszczącym się na drugim piętrze oddziale czwartym z wyłożonego parkietem korytarza wchodzi się do trzech sal wieloosobowych, na które Arkadij mógł tylko rzucić okiem w dniu przybycia na oddział i opuszczania go, ponieważ od razu poprowadzono go na sam koniec korytarza i umieszczono w izolatce z łóżkiem, ubikacją i jedną ciemną żarówką. Po przybyciu został wykąpany przez dwie starsze wiekiem salowe w bieli, po czym jeden z pacjentów starannie go wygolił — głowę, pod pachami i podbrzusze — tak by mógł przystąpić do badania jak czyste i pozbawione owłosienia niemowlę. Na koniec ubrano go w pasiastą piżamę i szlafrok bez paska. W izolatce brakowało okna, nie było więc w niej ani dnia, ani nocy. Zdiagnozowano u niego „syndrom przedschizofreniczny", jakby wydający werdykt lekarze mieli dar przewidywania.

Wstrzyknięto mu podskórnie kofeinę, by wywołać gadatliwość, a następnie dożylnie roztwór soli sodowej barbitalu, by obniżyć samokontrolę. Na białych stołkach rozsiedli się lekarze i pełni zatroskania zaczęli go nękać pytaniami: „Gdzie jest Irina? Kochałeś ją, więc musisz za nią tęsknić. Zaplanowaliście spotkanie? Co wiesz o jej obecnych losach? Jak sądzisz, gdzie ona może teraz być?". Najpierw wbijali mu igły strzykawek w ramiona, potem zajęli się żyłami w nogach, ale pytania oraz absurdalność całej sytuacji nie ulegały zmianie. Naprawdę nie miał zielonego pojęcia, gdzie jest Irina ani co teraz robi, więc chętnie i wyczerpująco odpowiadał na wszystkie pytania, oni zaś byli przekonani, że wie więcej, lecz to przed nimi ukrywa.

„Cierpią panowie na manię prześladowczą" — rzucił w pewnej chwili, co nie nastroiło ich zbyt przyjaźnie.

Frustracja lekarzy znajdowała ujście w poddawaniu go karnym zabiegom, z których najchętniej stosowanym było nakłucie lędźwiowe. Przywiązywano go pasami do łóżka, smarowano kręgosłup jodyną i jednym gwałtownym ruchem wbijano igłę. Nakłucie takie działało w dwójnasób: powodowało przeraźliwy ból w chwili wbicia igły, a potem przez wiele godzin wywoływało niekontrolowane skurcze, podobne do zabawnych podrygów żabiego udka poddawanego działaniu prądu elektrycznego.

Wszyscy ciężko nad nim pracowali. Po pewnym czasie zaczęli wkładać mu sam szlafrok, bo dzięki temu mieli łatwiejszy dostęp do żył. Lekarze też już pozdejmowali lekarskie kitle i zajmowali się nim tylko w samych mundurach — ciemnoniebieskich milicyjnych uniformach z czerwonymi pagonami.

Między przesłuchaniami zapewniali sobie jego spokój dawkami aminazinu. Był po nich tak wyciszony, że mimo podwójnych dźwiękoszczelnych drzwi słyszał dochodzące z korytarza szuranie kapci pacjentów za dnia i skrzypienie butów strażników nocą. Światła nigdy nie gaszono, a jedynym zauważalnym ruchem było otwieranie się i zamykanie judasza w drzwiach, sygnalizujące obchód lekarski.

— Lepiej porozmawiaj z nami i uwolnij się od tej paranoi. Inaczej wciąż będą cię dręczyć pytaniami i w najmniej spodziewanych momentach zaczną pojawiać się coraz to nowi śledczy, aż w końcu naprawdę zwariujesz.

I nie mylili się. Czuł, że coraz bardziej traci kontrolę. Czasem z ulicy dochodziły stłumione dźwięki milicyjnych lub strażackich syren i klaksonów samochodowych i wtedy czuł się jak nieboszczyk, któremu ktoś zakłóca grobowy spokój. Zostawcie mnie w spokoju!

Arkadij poprawił pozycję na tyle, na ile pozwoliły krępujące go pasy.

— Co to właściwie jest ten syndrom przedschizofreniczny?

Lekarz rozpromienił się, uznając zadanie pytania za obiecującą odmianę.

— Nazywają to też schizofrenią niemrawą.

— Brzmi okropnie — powiedział Arkadij. — Czym się to przejawia?

— Różnymi stanami. Podejrzliwością i brakiem komunikatywności. Coś ci to mówi? Może też apatią i gburowatością?

— Po zastrzykach tak — przyznał Arkadij.

— Kłótliwością i arogancją. Chorobliwym czepianiem się filozofii, religii i sztuki.

— A nadziei?

— W niektórych wypadkach. — Lekarz skinął głową. — Owszem.

Prawda była taka, że przesłuchania naprawdę dawały mu nadzieję, bo był pewien, że gdyby Irinie się nie udało, jego by tu nie trzymali. KGB najchętniej spisywało uciekiniera na straty jako „jeszcze jednego renegata, który teraz podaje gdzieś do stołu" albo takiego, który na własnej skórze przekona się, że „Zachód nie jest takim rajem, nawet dla kurew", albo kogoś, kogo „wyciśnięto jak cytrynę i wyrzucono na śmietnik, i on chciałby teraz wrócić, ale oczywiście jest już za późno". Gdy pytali go, czy próbuje nawiązać z nią kontakt, nadzieja wzrastała, bo to mogło znaczyć, że to ona próbuje z nim nawiązać kontakt.

Chcąc chronić Irinę, postanowił zmienić taktykę. Nie chciał więcej paplać, nawet w stanie największego rozkojarzenia, postanowił więc jak najmniej o niej myśleć, by w ten sposób wyrzucić ją z pamięci. W pewnym sensie lekarzom udało się spełnić przepowiednię i wprowadzić go w stan schizofrenii.

Chociaż myśl o tym, że Irinie się udało, podnosiła go na duchu, starał się jednocześnie wymazać ją z pamięci i zastąpić jej wizerunek białą plamą.

Poza szlafrokiem Arkadij miał jeszcze zielony emaliowany dzbanek, idealny przedmiot dla pacjenta — nie można go połknąć, okaleczyć się nim ani powiesić się na nim. Czasami stawiał dzbanek tuż pod drzwiami, tak by wchodzący lekarze musieli się o niego potknąć, a potem przez cały tydzień tego nie robił, wzbudzając tym uczucie niepewności w personelu. Wreszcie któregoś dnia wmaszerowali do niego całą grupą i zabrali dzbanek.

I podali mu insulinę. Insulina to najprymitywniejszy środek uspokajający, którym można doprowadzić do stanu śpiączki.

— Więc teraz coś ci powiemy. Wydała się za mąż. Tak, kobieta, którą tak chronisz, nie tylko żyje w luksusie, jakim otaczają tam zdrajców, ale też mieszka z innym mężczyzną. Już o tobie zapomniała.

— Ty, on nawet nie słucha.

— Ale nas słyszy.

— Spróbuj zaaplikować mu naparstnicę.

— Mógłby doznać zawału. Wtedy już nic byśmy nie mieli.

— Spójrz na barwę jego skóry. Za chwilę będziesz go reanimował.

— Tylko udaje. Renko, udajesz.

— Jest blady jak papier. To nie jest żadne udawanie.

— Cholera.

— Mówię ci, od razu mu to podaj.

— Dobra, dobra. Kurwa.

— Spójrz na jego oczy.

— Już mu podaję.

— Tacy jak on potrafią odwalić kitę na twoich rękach.

— Jebany skurwiel.

— Wciąż brak tętna.

— Jutro będzie jak nowy. Po prostu zaczniemy od początku, i tyle.

— Wciąż brak tętna.

— Jutro będzie skrzeczał jak papuga, zobaczysz.

— Brak tętna.

— Nadal myślę, że udaje.

— A ja myślę, że nie żyje.

♦ ♦ ♦

Żył, ale przebywał gdzieś bardzo daleko.

— On ledwo żyje — ocenił nowo przybyły. Jego rozpłaszczony nos zmarszczył się z odrazą, bo dotarł do niego cierpki zaduch wiszący w izolatce. — Zabieram cię z tej cieplarni tam, gdzie jest miejsce dla prawdziwych mężczyzn.

Arkadij poznał mówiącego po głosie i tylko dlatego podjął wysiłek skupienia wzroku na wielkiej słowiańskiej głowie z małymi świńskimi oczkami i tłustym podgardlem, które wylewało się z brązowo-czerwonego munduru z naszywką KGB, przedstawiającą gwiazdę i sztylet.

— Major Pribłuda?

— Pułkownik Pribłuda. — Przybyły wskazał na nowiutkie dystynkcje na epoletach, potem rzucił papierową torbą we wbiegającego pielęgniarza. — Ubierzcie go.

To zawsze podnosi na duchu, kiedy się widzi, jakie wrażenie robi łajdak ubrany w odpowiedni mundur, nawet na personelu medycznym. Arkadij był pewien, że trafił tu na zawsze i już nigdy się stąd nie wyrwie, ale Pribłuda potrzebował zaledwie dziesięciu minut, by znów znalazł się na ulicy. Stał ubrany w spodnie i marynarkę co najmniej o dwa numery za duże, gotów rozkoszować się śniegiem i świeżym powietrzem, ale Pribłuda pogardliwym gestem pchnął go w stronę samochodu.

Samochodem był mocno poobijany moskwicz bez wycieraczek i z urwanym bocznym lusterkiem, a nie wołga na rządowej rejestracji. Pribłuda od razu ruszył z miejsca, wyglądając przez otwarte okno, potem odrzucił głowę do tyłu i wybuchnął śmiechem.

— Niezły ze mnie komediant, co? A tak przy okazji ci powiem, że wyglądasz okropnie.

To go całkiem oszołomiło. Poczucie odzyskanej wolności i zmęczenie przejściem paru kroków wywołało zawrót głowy i Arkadij oparł się ciężko o drzwi.

— Nie miałeś nakazu zwolnienia?

— Nie na moje nazwisko. Nie jestem taki głupi, Renko. Ale nim się połapią, ciebie nie będzie już w Moskwie.

Arkadij ponownie przyjrzał się epoletom na ramionach Pribłudy.

— Dostałeś awans? Gratulacje.

— Dzięki tobie. — Żeby móc równocześnie prowadzić i rozmawiać, Pribłuda musiał co chwilę wyglądać przez boczne okno. — Kiedy wróciłeś, cały splendor spłynął na mnie. Niech sobie dziewucha ucieka i sprzedaje się na ulicach Nowego Jorku. Jakie państwowe tajemnice mogła znać? Ale ty okazałeś się przyzwoitym Rosjaninem. Zrobiłeś, co miałeś do zrobienia, a potem wróciłeś.

Płatki śniegu osiadały na włosach i brwiach Pribłudy, upodobniając go do klasycznego obrazu woźnicy.

— Problemem jest prokurator. Miał wielu przyjaciół.

— I też był z KGB.

Pribłuda zamilkł i przez chwilę siedział naburmuszony.

— No więc sam widzisz — powiedział w końcu. — Ludzie myślą, że masz jakieś informacje, i dla własnego bezpieczeństwa muszą cię wyżymać jak ścierkę. Chcą wycisnąć z ciebie wszystko do ostatniej kropli i niekoniecznie mówimy tu o wodzie.

— Gdzie jest Irina? — spytał Arkadij.

Pribłuda wystawił rękę i zgarnął śnieg z przedniej szyby. Jadący przed nimi enerdowski wartburg, wyglądem przypominający odwróconą wannę, zatańczył na szynach tramwajowych i wykonał obrót o trzysta sześćdziesiąt stopni.

— Faszystka! — Pułkownik wetknął w usta papierosa i zapalił. — Daj sobie z nią spokój. Dla ciebie ona już nie żyje, albo jeszcze gorzej.

— To musi znaczyć, że jest albo bardzo chora, albo bardzo zdrowa.

— Dla ciebie to już nie ma znaczenia.

Samochód wjechał w bramę i podskoczył na czymś, co wyglądało na nietypowe dla centrum Moskwy koleiny, i dopiero po chwili Arkadij zorientował się, że wjechali na bocznicę kolejową z rampami do załadunku i wyładunku ciężarówek. Na bocznicy stało kilka składów przysypanych śniegiem wagonów, głównie otwartych platform ze szpulami kabli, traktorami i betonowymi prefabrykatami. W oddali widać było rozmyte w sypiącym śniegu gotyckie wieże Dworca Jarosławskiego, moskiewskiej bramy Wschodu. Pribłuda zatrzymał samochód między dwoma pociągami pasażerskimi: jednym krótkim podmiejskim z lokomotywą z charakterystycznym hełmem na kominie, drugim złożonym z długich czerwonych wagonów Rossii — ekspresu transsyberyjskiego. Przez okna widać było moszczących się w środku pasażerów.

— Chyba żartujesz.

— W Moskwie otaczają cię wrogowie — powiedział Pribłuda. — Nie zdołasz się tu ukryć, a mnie drugi raz się nie uda, przynajmniej nie tutaj. To samo dotyczy Leningradu, Kijowa, Włodzimierza, gdziekolwiek blisko. Musisz pojechać tam, gdzie nikomu nie będzie się chciało jechać za tobą.

— Pojadą.

— Ale zrobi to jeden czy dwóch, a nie dwudziestu, ty zaś będziesz mógł się przenosić z miejsca na miejsce. Zrozum: tu nie masz życia.

— A tam będzie tak, jakbym już nie żył.

— To cię uratuje. Uwierz mi. Znam ich sposób myślenia. — Trudno było z tym dyskutować. Kreska oddzielająca Pribłudę od „nich" była cieniutka. — Tylko ze dwa, trzy lata. Pod rządami nowej władzy wszystko się zmienia, choć może z mojego punktu widzenia nie wszystko na lepsze. W każdym razie daj im o sobie zapomnieć i dopiero wtedy wróć.

— No cóż, nieźle zagrałeś — powiedział Arkadij — ale to moje zwolnienie za łatwo ci poszło. Musiałeś się z nimi dogadać.

Pribłuda zgasił silnik i przez chwilę słychać było tylko szmer osiadających płatków śniegu, który z wolna otulał całe miasto.

— Żebyś mógł wyjść z tego cało — powiedział z irytacją w głosie. — I co w tym złego?

— Co im obiecałeś?

— Brak kontaktu z nią. Brak choćby najmniejszej próby kontaktu z twojej strony.

— Istnieje tylko jeden sposób na „brak choćby najmniejszej próby kontaktu".

— Przestań odgrywać przede mną śledczego. Wszystko zawsze komplikujesz. — Malutkie, wyzierające spod daszka czapki oczy Pribłudy przypominały główki wbitych w ciało gwoździ. Dziwnie było widzieć w nich wyraz zmieszania. — Jestem twoim przyjacielem czy nie? Daj spokój!

Na każdym czerwonym wagonie widniały złocisty sierp i młot i tablica z trasą pociągu „Moskwa — Władywostok". Pribłuda musiał na rękach wnieść Arkadija po schodkach wagonu z „twardymi siedzeniami". Na ławkach porozkładano już maty, na których porozsiadali się pasażerowie o egzotycznym wyglądzie. Większość miała czapeczki na głowach, kolorowe chusty na ramionach i była obłożona sprzętami domowymi w fabrycznych kartonach, których poza Moskwą nie sposób było kupić. Zza zrolowanych zasłonek wyglądały śniadolice dzieci, kobiety już rozpakowywały tobołki z prowiantem, wypełniając przedziały zapachami pieczonej baraniny, kefiru i serów. Jadący w góry Uralu studenci rozkładali narty i gitary.

Pribłuda poszedł pogadać z konduktorką — piersiastą kobietą w krótkiej spódniczce i czapce przypominającej nakrycie głowy kapitana samolotu pasażerskiego — i wróciwszy, włożył do kieszeni płaszcza Arkadija saszetkę z biletem na przejazd, kopertą z plikiem rubli i niebieskim pozwoleniem na pracę.

— Wszystko zorganizowane — oświadczył. — W Krasnojarsku odbiorą cię koledzy i wsadzą w samolot do Norylska. Będziesz tam pracował jako dozorca, ale lepiej nie siedź tam zbyt długo. Ogólnie chodzi o to, że dopóki będziesz poza kręgiem polarnym, dopóty sprowadzenie cię z powrotem będzie zbyt kłopotliwe. To tylko parę lat, nie całe życie.

Arkadij nigdy nikogo nie nienawidził tak bardzo, jak kiedyś Pribłudy, wiedział przy tym, że ten odwzajemnia to z nawiązką. A jednak stali teraz obok siebie jak najlepsi przyjaciele. Życie jest jak podróż w ciemno w nieznane, podczas której ma się do przebycia krętą drogę raz pod górę, raz w dół. Ręka, która jednego dnia spycha cię do rowu, następnego pomaga ci się z niego wydostać. A jedyny prosty odcinek drogi wygląda jak... Jak ten pociąg!

— A tego twojego awansu — rzekł Arkadij — naprawdę szczerze ci gratuluję.

Na peronie rządek konduktorek wzniósł kolejarskie lizaki, sygnalizując gotowość do odjazdu. Maszynista zwolnił hamulce pneumatyczne i pociąg zadygotał. Mimo to pułkownik wciąż zwlekał z odejściem.

— Wiesz, jak mówią? — Uśmiechnął się.

— Powiedz mi, jak mówią. — Arkadija trochę to zaskoczyło, bo poczucie humoru nigdy nie należało do mocnych stron Pribłudy.

— Mówią, że niektóre wody są za zimne nawet dla rekinów.

* * *

O ile w szpitalu czuł się cały czas oszołomiony, o tyle w bazie samochodowej w Norylsku był jak sparaliżowany. By nie zamarznąć, silniki ciężarówek musiały przez całą noc pracować, spalając najtańszą na świecie syberyjską ropę. Jeśli pojazdy nie miały włączonych silników, należało rozpalić ognisko, uważając, by płomienic nie znalazły się za blisko przewodów paliwowych. Problem z paleniem ognisk polegał na tym, że podłoże stanowiła tylko cienka warstewka mchu i błota na wiecznej zmarzlinie i płomień powodował topnienie lodu, który później znów zamarzał, zamieniając cały plac w zlodowaciałe bagno.

Którejś nocy w drugim miesiącu pracy Arkadij akurat układał ognisko na czarnym spłachetku pod ogromnym dziesięciokołowym buldożerem wielkości szopy, gdy nagle dojrzał zbliżające się z przeciwnych stron placu sylwetki dwóch ludzi. Kierowcy ciężarówek chodzili w walonkach, kufajkach i futrzanych czapach na głowach, ci jednak ubrani byli w płaszcze i kapelusze i kroczyli niepewnym krokiem po lodowych muldach. Przechodząc obok sterty węgla, jeden z nich schylił się, podniósł kilof używany do rozbijania brył i trzymając go, ruszył w dalszą drogę. Kradzieże sprzętu — owej najświętszej własności państwowej — nie były niczym niezwykłym i właśnie po to zatrudniano dozorców jak Arkadij. Jemu jednak ani się śniło interweniować. Jak chcecie, to go sobie bierzcie, pomyślał. Obaj mężczyźni zatrzymali się w mroku parę kroków od niego i zamarli w bezruchu. Temperatura wynosiła około dwudziestu pięciu stopni poniżej zera i Arkadij czuł przenikliwe zimno. Wrażenie było podobne do przypiekania na rożnie i aby powstrzymać szczękanie zębami, wsadził do ust rękawicę. Mimo ciemności było widać, że obaj mężczyźni też dygocą z zimna i nerwowo drepcą w miejscu, zabijając ramiona, a ich zmrożone oddechy opadają ku ziemi. W końcu poddali się i na zesztywniałych z zimna nogach podeszli do puszki z płonącą ropą. Ten z kilofem z trudem odgiął palce trzymające trzonek, a gdy puszczony kilof uderzył go w kolana, mężczyzna nawet nie drgnął, jakby nic nie poczuł. Drugi był tak zmarznięty, że aż mu łzawiły oczy, a spływające po policzkach łzy zamarzały w błyszczące smugi. Spróbował zapalić papierosa, ale dłonie tak mu się trzęsły, że rozsypał połowę zawartości paczki po otaczającym puszkę lodzie. Ostatecznie zrezygnowali i przygięci do ziemi, jakby walczyli z naporem wichury, chwiejnym krokiem ruszyli z powrotem. Arkadij usłyszał jeszcze dochodzący z ciemności odgłos upadku i pełne bólu przekleństwo, po czym dobiegło go trzaśnięcie drzwi i warkot uruchamianego silnika.

Arkadij podpełzł do płonącej puszki i dolał do niej nafty, łyknął wódki, a po nocy nie wrócił już do hotelu robotniczego. Zamiast tego udał się na lotnisko i jak lis szukający schronienia w głębi gęstwiny wsiadł do samolotu lecącego na wschód, dalej w głąb Syberii.

Mimo wszystko czuł się dość bezpieczny. W tym rejonie brakowało rąk do pracy, toteż każdy osiłek gotowy układać podkłady kolejowe, wycinać bloki lodu czy zabijać renifery był mile widziany, dostawał podwójną zapłatę i nie musiał się z niczego spowiadać, jako że syberyjscy szefowie też mieli plany do wykonania. Człowiek, który z pokrytą szronem twarzą rżnął piłą łańcuchową bloki lodu, mógł być alkoholikiem, kryminalistą, włóczęgą lub świętym, a szanse, że ktoś go namierzy, były znikome. Po wykonaniu planu miejscowy aparatczyk sprawdzał wprawdzie nazwiska na liście osób poszukiwanych przez milicję lub KGB, ale każdy z tych syberyjskich zakładów pracy był tylko kropką na przepastnym obszarze, dwukrotnie większym od Chin. Wystarczyło porównać mizerne piętnaście milionów mieszkańców Syberii z miliardem Chińczyków, by zrozumieć, dlaczego siła robocza była tu tak cenna. Zanim agent służby bezpieczeństwa zdążył się pojawić, Arkadij znajdował się już gdzie indziej.

Ciekawostką było to, że choć Irina pochodziła z Syberii, w żadnej z odwiedzanych wiosek czy zakładów pracy nie udało mu się ani razu zobaczyć kobiety choć trochę do niej podobnej. Na pewno nie było takiej wśród Uzbeków czy Buriatów ani wśród kobiet obsługujących mieszalnie betonu, które krzątały się przy nich jak dojarki przy mlecznej krowie, ani wśród komsomolskich księżniczek, które przyjeżdżały, by przez sześć miesięcy pozować za kierownicą traktora i wrócić do domu jako ustawione do końca życia bohaterki ochotniczej pracy socjalistycznej.

Ale gdy go opadała tęsknota, potrafił stać na środku placu i wyobrażać sobie, że następna kobieta, która w rozpiętej kurtce, chustce na głowie i z pudełkiem na suchy prowiant w dłoni zeskoczy ze skrzyni ciężarówki, będzie Iriną. Że jakimś cudem Irina wróciła i dzięki serii niezwykłych zbiegów okoliczności trafiła do tego samego zakładu, w którym on pracuje. Serce podchodziło mu do gardła i tkwiło tam, póki przyjezdna nie unosiła głowy. Wtedy odwracał się, nie tracąc jednak przekonania, że Irina będzie następna. Zachowywał się jak dziecko.

Dlatego starał się o niej nie myśleć.

Pod koniec drugiego roku tułaczki, uciekając przed pogranicznikami na Sachalinie, przeprawił się na stały ląd

137

i wsiadł do jadącego na południe pociągu, który dowoził pasażerów do czerwonego ekspresu transsyberyjskiego. Był przesiąknięty smrodem ryb jak stara sieć rybacka, więc nie odważył się nawet wejść do przedziału i został na korytarzu. O zmroku dotarł do „Pana Oceanu", jak nazywano Władywostok, ważny radziecki port nad Pacyfikiem. Tonące w świetle ulicznych latarni chodniki pełne były dobrze odżywionych i modnie ubranych mieszkańców, na jezdniach ścigały się tabuny motocykli i autobusów. Na placyku przed dworcem stał pomnik Lenina z ręką wyciągniętą w stronę Złotego Rogu, zatoki, nad którą leży Władywostok, na dachu nad jego głową świecił wielki neon: NAPRZÓD DO ZWYCIĘSTWA KOMUNIZMU!

Naprzód? Po dwóch latach zsyłki Arkadij miał w kieszeni dziesięć rubli, bo resztę pieniędzy musiał zostawić na wyspie. Miejsce w marynarskim domu noclegowym kosztowało tylko dziesięć kopiejek za noc, ale musiał też coś zjeść. Podążając za przystankami autobusowymi, dotarł do budynku administracji portu, gdzie na tablicy przedstawiano aktualną lokalizację wszystkich cywilnych jednostek pływających, dla których Władywostok był portem macierzystym. Z rozpiski wynikało, że właśnie tego dnia wyszedł w morze statek przetwórnia „Gwiazda Polarna", jednak gdy Arkadij przeszedł się po nabrzeżu, stwierdził, że „Gwiazda" wciąż jeszcze stoi i trwa załadunek zaopatrzenia i paliwa. Rzęsiście oświetlone podnośniki suwnicowe przenosiły na pokład beczki skontrolowane przez pograniczników — wojskowych weteranów w granatowych mundurach służby granicznej KGB. Trzymane na smyczach psy obwąchiwały kolejno każdą beczkę, choć trudno było uwierzyć, by w powietrzu przesyconym wszechobecnym smrodem z silników Diesla i amoniakalnych oparów z urządzeń chłodniczych zwierzęta mogły cokolwiek wyczuć.

Następnego dnia rano Arkadij pierwszy stawił się w urzędzie

marynarskim, a siedzący za biurkiem gryzipiórek potwierdził, że „Gwiazda Polarna" wciąż jeszcze stoi i ma wakat na stanowisku czyściciela ryb. W pomieszczeniu morskiej sekcji KGB za stalowymi drzwiami przystawiono mu stempel na pozwoleniu na pracę i kazano podpisać druczek, że każda ucieczka marynarza radzieckiego stanowi zdradę ojczyzny. Na biurku funkcjonariusza stały dwa czarne telefony z bezpośrednimi łączami do miejscowych biur KGB i jeden czerwony, połączony z centralą w Moskwie. Zaskoczyło go to, bo przy połowach w strefie przybrzeżnej nie stosowano takich środków ostrożności. Czarne telefony nie stanowiły problemu, chyba że zdecydowaliby się zadzwonić do biura na Sachalinie. Wiedział jednak, że jeśli komuś przyjdzie do głowy sprawdzić go czerwonym telefonem, jego tułaczka dobiegnie końca.

— Będą tam Amerykanie — ostrzegł go dyżurny kapitan.

— Co? — Arkadij ukradkiem obserwował wszystkie trzy telefony.

— Na pokładzie są Amerykanie. Należy zachowywać się naturalnie i przyjaźnie, ale nie przesadnie przyjaźnie. Najlepiej w ogóle się nie odzywać. — Ostemplował pozwolenie na pracę, nawet nie czytając nazwiska. — Nie znaczy to, że macie się specjalnie chować.

Ale czy nie to właśnie robił od pewnego czasu? Czyż wciąż się nie chowa? Najpierw w zakamarkach psychiatryka, potem — po uwolnieniu przez Pribłudę — na Syberii i na morzu, otępiały i na wpół martwy?

♦ ♦ ♦

Śniąc na wąskiej koi, borykał się z pytaniem: Czy nie byłoby dobrze znów zacząć żyć?

Zinie Patiaszwili udało się wrócić, więc może jemu też się powiedzie.

Rozdział 10

Rano ogolił się, wziął prysznic i odbył długi spacer do białej sterówki „Gwiazdy Polarnej", w której mieściła się kajuta głównego elektryka floty.

— Miałeś szczęście — powiedział Anton Hess. — Złapałeś mnie akurat w przerwie między wachtami.

Kajuta nie różniła się wielkością od kajut załogi, tyle że dzięki przeznaczeniu jej dla jednego użytkownika zamiast trzech koi wygospodarowano miejsce na biurko i dużą ścienną mapę, na której zaznaczono rozmieszczenie wszystkich radzieckich flot rybackich na północnym pacyfiku. Na gumowej macie na biurku stał nie samowar, ale nowoczesny ekspres do kawy, jakiego nie powstydziłby się żaden elegancki apartament w Moskwie.

Hess kojarzył się Arkadijowi z marynarzami okrętów podwodnych, których widywał po powrocie z polarnego rejsu. Oczy przekrwione i zapadnięte, krok powłóczysty i niepewny. Włosy na głowie małego człowieczka były krótkie i rozwichrzone, jakby buszował w nich kot, a jego tabaczkowy sweter przesiąkł dymem z fajki. Kawa skapywała z dyszy ekspresu tłustymi czarnymi kroplami. Hess podstawił dwa kubki, dolał z butelki po sutej porcji koniaku i podał kubek Arkadijowi.

— Na pohybel Francuzom — powiedział zamiast toastu.

— Czemu nie? — Arkadij skinął głową.

Mocna kawa ożywiła mu serce, które zaczęło gwałtownie walić. Hess westchnął i powoli opadł na krzesło, a jego wzrok spoczął na metrowej szklanej rurze, która ustawiona pod ścianą na stojaku z przewodem zasilającym emitowała promienie ultrafioletowe, dając namiastkę światła słonecznego potrzebnego do wytwarzania przez organizm witaminy D. Podczas długich syberyjskich zim tego rodzaju promiennikami naświetlano dzieci.

Na bladej twarzy Hessa pojawił się uśmiech.

— Żona się uparła, żebym to z sobą wziął. Chyba próbuje sobie wmówić, że jestem na południowym Pacyfiku. Dobra herbata?

Kawa nazywana herbatą, Amerykanie nazywani Francuzami. To, że Hess tak bez zmrużenia oka się z nim droczy, wydawało się Arkadijowi całkiem na miejscu.

Stanowisko głównego elektryka floty naprawdę nie istniało, a tytuł wymyślono tylko po to, by umożliwić oficerom KGB lub wywiadu marynarki swobodne przenoszenie się ze statku na statek. Arkadij nie był pewien, którą z tych dwóch służb reprezentuje sympatyczny Anton Hess. Jednak pewną wskazówkę mogło stanowić zachowanie Wołowoja, który chociaż sam był oficerem politycznym, Hessa traktował z mieszaniną szacunku i wrogości. Ostatnio dbano o to, by w KGB pracowali głównie Rosjanie, więc ktoś noszący nazwisko Hess na pewno nie był w szeregach tej instytucji mile widziany. W marynarce bardziej stawiano na umiejętności i akceptowano wszystkich poza Żydami.

Na wiszącej na ścianie mapie Alaska jakby ciążyła ku Syberii, ale równie dobrze mogło być odwrotnie. W każdym razie całe morze od Kamczatki poprzez ciągnące się łukiem Wyspy

Aleuckie aż po wybrzeża Oregonu upstrzone było radzieckimi statkami. Arkadij nie zdawał sobie nawet sprawy, jak bardzo opanowano wybrzeże amerykańskie. Oczywiście we wszystkich wspólnych przedsięwzięciach radziecko-amerykańskich jednostki radzieckie pełniły funkcję statków przetwórni i ich flotylle obsługiwane były przez flotylle trawlerów amerykańskich. Tylko wielkie statki przetwórnie w rodzaju „Gwiazdy Polarnej" mogły sobie pozwolić na trzymanie oddzielnej grupy amerykańskich kutrów połowowych na swoje wyłączne potrzeby. Czerwona kropka oznaczająca „Gwiazdę Polarną" znajdowała się mniej więcej dwa dni na północ od Dutch Harbor i nigdzie w pobliżu nie było widać żadnych innych statków.

— Przepraszam, towarzyszu Hess, że zawracam wam głowę.

Hess potrząsnął głową ze znużeniem, jak ktoś zmęczony, ale wyrozumiały.

— Nic nie szkodzi. Jeśli mogę w czymś pomóc.

— Doskonale. No bo załóżmy — zaczął Arkadij — że Zina Patiaszwili nie zraniła się sama, nie pobiła i nie wypadła za burtę z własnej woli lub przypadkowo.

— A więc zmieniłeś zdanie. — Hess się ucieszył.

— I załóżmy, że pociągniemy to dochodzenie. Nie prawdziwe śledztwo z użyciem detektywów i laboratoriów kryminalistycznych, ale takie, na jakie pozwolą nam skromne środki, którymi dysponujemy.

— I ty sam.

— Należy więc liczyć się z tym, że naprawdę coś odkryjemy. Albo nawet nie coś, a mnóstwo różnych rzeczy, których wcale nie chcielibyśmy odkrywać. Szansa jest niewielka, ale wykluczyć się tego nie da i w tej sprawie potrzebuję waszej rady.

— Doprawdy? — Hess wychylił się do przodu jak człowiek, który uważnie słucha i wszystko rozumie.

— Bo, jak wiecie, jestem tylko zwykłym czyścicielem ryb

na śluzgawce i mam nikłe pojęcie o tym, co się wokół dzieje. Ale wy myślicie w kategoriach całego statku, może nawet całej flotylli. — Zwłaszcza trzymając się tak na boku, dodał w myślach. — Dlatego znane wam są dodatkowe czynniki i uwarunkowania, o których mnie nic nie wiadomo. Może nawet takie, o których nie powinienem nic wiedzieć.

Hess ściągnął brwi, jakby nic takiego nie przychodziło mu do głowy.

— Chcesz przez to powiedzieć, że mogą istnieć powody do niezadawania pewnych pytań? I że jeśli takie powody istnieją, to byłoby lepiej w ogóle takich pytań nie zadawać, niż wycofać je po zadaniu?

— Nie potrafiłbym lepiej tego wyrazić. — Arkadij kiwnął głową.

Hess potarł oczy, wyciągnął kapciuch z tytoniem, napełnił fajkę i ubił zawartość. Była to typowa fajka marynarska pomyślana tak, by nie przeszkadzała w studiowaniu map. Zapalił ją serią krótkich pyknięć.

— Nic takiego nie przychodzi mi do głowy. Wygląda na to, że ta dziewczyna była zwyczajną młodą, trochę rozwiązłą osóbką. Ale chcę ci zaproponować wyjście z twoich wątpliwości. Jeśli natkniesz się na coś niezwykłego, coś, co cię zaniepokoi, proponuję, żebyś bez wahania przyszedł z tym najpierw do mnie.

— Czasem może być trudno was znaleźć. — W końcu do wczorajszego wieczoru nawet nie wiedziałem, że w ogóle istniejesz, dodał w myślach Arkadij.

— „Gwiazda Polarna" to duży statek, ale to tylko statek. Kapitan Marczuk albo chief zawsze wiedzą, gdzie można mnie znaleźć.

— Chief, nie pierwszy oficer?

— Nie towarzysz Wołowoj, nie. — Hess aż się uśmiechnął.

Arkadij chętnie dowiedziałby się więcej o tym człowieku. Od wieków zachęcano kolonistów niemieckich do osadzania się nad Wołgą i zagospodarowywania terenów nadwołżańskich. Tak było aż do wybuchu wielkiej wojny ojczyźnianej, kiedy to Stalin, w obawie przed inwazją niemiecką, z dnia na dzień zarządził przesiedlenie całej niemieckiej społeczności w głąb Azji.

Widać było, że Hess też przygląda mu się badawczo.

— Jesteś synem generała Renko, prawda?

— Tak.

— Gdzie odbyłeś służbę wojskową?

— W Berlinie.

— Naprawdę? I co tam robiłeś?

— Siedziałem w szopie z radiem i podsłuchiwałem Amerykanów.

— Wywiad?

— To za duże słowo.

— Ale monitorowałeś ruchy nieprzyjaciela. I nie popełniłeś przy tym żadnych błędów.

— Nie doprowadziłem niechcący do wybuchu wojny.

— To najlepszy sprawdzian umiejętności wywiadowczych. — Hess przygładził sobie czuprynę, ale włosy natychmiast znów stanęły dęba. — Po prostu mów, czego ci potrzeba.

— Muszę zostać zwolniony z codziennych obowiązków.

— To oczywiste.

Arkadij starał się mówić spokojnym równym tonem, jednocześnie czując, jak z każdym wypowiadanym słowem przyspiesza mu tętno i budzi się krępujące podniecenie.

— Mogę współpracować ze Sławem Bukowskim, ale potrzebny mi będzie asystent, którego sam wybiorę. Będę też musiał przesłuchać członków załogi, w tym również oficerów.

— Nie widzę przeszkód, byle bez zbędnego rozgłosu.

— Jeśli będzie trzeba, także Amerykanów.

— Czemu nie? Nie ma powodu, żeby mieli nam w tej sprawie nie pomóc. W końcu chodzi tylko o wstępne ustalenie faktów dla późniejszego śledztwa we Władywostoku.

— Tylko że niezbyt dobrze się z nimi dogaduję.

— O ile wiem, kajuta ich szefowej znajduje się bezpośrednio pod moją. Możesz od razu z nią porozmawiać.

— Odnoszę wrażenie, że wszystko ją denerwuje.

— Jesteśmy tu wszyscy po to, żeby wspólnie łowić. Pogadaj z nią o morzu.

— O Morzu Beringa?

— Czemu nie?

Hess siedział z rękami złożonymi na brzuchu, jakby był niemieckim Buddą. Wyglądał na bardzo pewnego siebie, więc może jednak jest z KGB. Żeby się upewnić, czasem trzeba wystrzelić z grubej rury.

— Pierwszy raz w życiu usłyszałem o Morzu Beringa, gdy miałem osiem lat. W domu była encyklopedia. Któregoś dnia listonosz przyniósł nową wkładkę. Dostali ją wszyscy prenumeratorzy, łącznie z instrukcją, jak wyciąć stronę z hasłem „Beria" i zastąpić nową stroną z nagle ważnym hasłem „Beringa, Morze". Oczywiście działo się to już po egzekucji Berii, który przestał być Bohaterem Związku Radzieckiego. Był to jeden z tych rzadkich momentów, kiedy widziałem ojca naprawdę uszczęśliwionego. Tak radosne wydarzenie stanowiło dla niego skrócenie o głowę szefa tajnej policji.

Gdyby Hess należał do KGB, zgoda na śledztwo zostałaby w tym momencie cofnięta. Ale uśmiech na jego twarzy i tak był trochę skwaszony. Tak uśmiecha się człowiek, który właśnie stwierdził, że jego nowy pies umie jednak ugryźć.

— Zabiłeś moskiewskiego prokuratora, swojego przełożonego. Wołowoj miał w tej kwestii rację.

145

— W obronie własnej.

— Paru innych też straciło życie.

— Nie z mojej ręki.

— Jeden Niemiec i jeden Amerykanin.

— Ci tak.

— Paskudna sprawa. Pomogłeś też kobiecie w ucieczce za granicę.

— Niezupełnie. — Arkadij wzruszył ramionami. — Pomachałem jej tylko na pożegnanie.

— Ale sam nie uciekłeś. Kiedy się wszystko przewaliło, nadal byłeś Rosjaninem. I właśnie na to liczymy. Znasz się na fokach?

— Na fokach?

— Foki zimą. Wiesz, jak się kryją pod lodem w pobliżu przerębla i tylko co jakiś czas wystawiają głowy, żeby zaczerpnąć powietrza? Czy nie przypominają w tym trochę ciebie? — Odczekał chwilę, ale Arkadij milczał, więc kontynuował. — Nie powinieneś nas mylić z KGB. Przyznaję, że czasami działamy dość bezwzględnie. Kiedy byłem kadetem, jeszcze w czasach Chruszczowa, odpaliliśmy ładunek wodorowy na Morzu Arktycznym. Bombę o sile stu megaton, największą, jaką kiedykolwiek przedtem i potem zdetonowano. Naprawdę była to głowica bojowa o sile pięćdziesięciu megaton, ale umieszczona w osłonie uranowej, co dwukrotnie zwiększyło jej moc. Bardzo paskudna bomba. Nie uprzedziliśmy o tym ani Szwedów, ani Finów, ani tym bardziej naszych, którzy siedzieli i pili mleko w polu rażenia opadem radioaktywnym tysiąc razy gorszym od tego w Czarnobylu. Nie uprzedziliśmy też naszych rybaków łowiących na Morzu Arktycznym. Zaciągnąłem się jako trzeci oficer i moim zadaniem było wniesienie na pokład licznika Geigera, tak żeby nikt się nie zorientował. Gdy zmierzyłem jednego złowionego rekina, odczyt wyniósł czterysta rentgenów.

I co miałem powiedzieć kapitanowi? Że ma wyrzucić za burtę cały połów? Załoga zaczęłaby zadawać pytania i wszystko by się wydało. Ale powiadomiliśmy Amerykanów i w efekcie Kennedy tak się wystraszył, że usiadł do stołu i podpisał traktat o zakazie prób jądrowych.

Uśmiech na twarzy Hessa zamienił się w grymas, główny elektryk spojrzał na Arkadija tak, jak kat patrzy na syna, kiedy chce mu na chwilę ukazać swoje prawdziwe zawodowe oblicze. Potem twarz mu się wypogodziła i dodał:

— W każdym razie dla przeważającej większości załogi praca na „Gwieździe Polarnej" nie różni się niczym od pracy w zwykłym zakładzie na lądzie. Dodatkową atrakcją jest tylko wizyta w obcym porcie, dodatkową niedogodnością ataki choroby morskiej. Niektórzy mają jeszcze dodatkowe złudzenie wolności, które bierze się z przebywania na pełnym morzu. Znajdujemy się daleko od portu, pogranicznicy zostali na drugim końcu świata, a my jesteśmy częścią floty Pacyfiku.

— Czy to znaczy, że mam wasze wsparcie?

— Och, pewnie. Wsparcie i narastające zainteresowanie.

Gdy Arkadij opuszczał kajutę Hessa, zauważył szybko chowających się za róg Skibę i Ślezkę. Spokojnie, powoli, nie biegnijcie i nie połamcie sobie nóg, pomyślał. I żeby wam wargi nie popękały z emocji, kiedy będziecie informować Inwalidę, kto wychodził z kajuty głównego elektryka floty. Donieście mu to tak, jakbyście nieśli kubek herbaty Hessa. I nie urońcie ani kropli.

* * *

Susan siedziała w swojej kajucie w poetycko-tragicznej pozie z głową opartą na dłoni, w której trzymała palącego się papierosa. Takiej pozy nie powstydziłaby się żadna Rosjanka.

Dym opływał jej twarz i przenikał przez włosy, po drugiej stronie stołu siedział Sław. Przed obojgiem stały talerze z zupą, którą jedli, zagryzając chlebem. Arkadij domyślił się, że trzeci oficer musiał przynieść jedzenie prosto z kambuza.

— Nie przeszkadzam? — upewnił się. — Nie wchodziłbym, ale drzwi były uchylone.

— Kiedy są u mnie radzieccy koledzy, drzwi są zawsze uchylone — powiedziała Susan. — Nawet wtedy, kiedy przychodzą do mnie z dziwnymi śniadaniami.

Bez nieprzemakalnej kurtki i wysokich gumowców wyglądała bardzo młodo. Jej brązowe oczy i blond włosy oryginalnie kontrastowały, ale nie były niczym niezwykłym. Twarzy nie charakteryzował ani idealny owal, ani typowe dla Rosjanek słowiańskie kości policzkowe. Wargi miała pełne, wokół oczu rysowały się pierwsze zmarszczki, które nadają kobiecie bardziej realistyczny wygląd. Była przy tym wszystkim zdecydowanie za szczupła, jakby radziecki wikt jej nie służył. Istotnie, stojąca przed nią zupa wyglądała jak brejowata ciecz z wielkimi okami tłuszczu na powierzchni. Leniwie wyławiała z niej kostki i wrzucała z powrotem do miski.

— To czyste niesolone masło — uspokoił ją Sław. — Powiedziałem Olimpiadzie: żadnego czosnku. Koniecznie musisz przyjechać nad jezioro Bajkał. To olbrzymi zbiornik, zawiera szesnaście procent światowych zasobów słodkiej wody.

— Ile z niej trafiło do tej miski? — spytała Susan.

— Tak się zastanawiam... — zaczął Arkadij

Sław z sykiem wciągnął powietrze na znak, że jeśli Arkadij swoją namolnością zepsuje atmosferę kulturalnego posiłku, trzeci oficer odpowiednio się z nim policzy.

— Renko, jeśli miałeś jakieś pytania, należało je zadać wczoraj. Zdaje się, że cię potrzebują na śluzgawce.

— Zauważyłam, że wciąż się nad czymś zastanawiasz. Nad czym?

— Jak ci się podoba rybołówstwo?

— Jak mi się podoba rybołówstwo? Chryste, muszę je kochać, bo inaczej by mnie tu nie było, nie sądzisz?

— Wobec tego postępuj zgodnie z zasadami. — Arkadij wyjął jej łyżkę z dłoni. — Łów. Jeśli chcesz wyłowić kostki, to użyj zwykłej techniki i trałuj po dnie. Pamiętaj, że wszystko pływa na różnych poziomach. Kapusta i ziemniaki są nieco ponad dnem.

— W Bajkale występuje lokalny gatunek fok... ryby bez oczu... — Sław starał się nie dać odebrać sobie inicjatywy. — Także wiele gatunków...

— Ale wyłowienie cebuli jest dużo trudniejsze — ciągnął Arkadij. — W tym celu trzeba zastosować śródwodny trał pelagiczny. O! — Z triumfem wyłowił kawałeczek cebuli, jak przypaloną perełkę.

— A co z mięsem? — spytała Susan. — To ma być gulaszowa z mięsem.

— Teoretycznie. — Arkadij oddał jej łyżkę.

Susan włożyła do ust drobinkę cebuli.

Sław stracił cierpliwość.

— Renko, twoja zmiana jest teraz w pracy.

— Może to zabrzmi trochę śmiesznie — powiedział Arkadij, nie zwracając uwagi na Sława — ale jestem ciekaw, co miałaś na sobie podczas tamtej zabawy?

Susan tak to zaskoczyło, że parsknęła śmiechem.

— No, na pewno nie kreację z balu maturalnego.

— Kreację z balu maturalnego?

— Miałam wtedy krynolinę przystrojoną żywymi kwiatami. Nieważne, powiedzmy, że byłam ubrana w zwyczajną bluzkę i dżinsy.

— Białą bluzkę i niebieskie dżinsy?

— Tak. Czemu pytasz?

— Czy w którymś momencie poszłaś zaczerpnąć powietrza? Na przykład na pokład?

Susan zamilkła. Oparła się plecami o gródź i wlepiła w Arkadija spojrzenie pełne nieufności.

— Wciąż węszysz w sprawie Ziny.

Sław też się obruszył.

— Ta sprawa jest zakończona. Sam to przyznałeś wczoraj wieczorem.

— Ale dziś rano zmieniłem zdanie.

— Dlaczego tak się przyczepiłeś do Amerykanów? — spytała Susan. — Na tym statku są setki obywateli radzieckich, a ty ciągle wracasz do nas. Jesteś jak to moje radio. Działasz na odwrót. — Wskazała papierosem głośnik wbudowany w narożniku kajuty. — Z początku próbowałam dociec, dlaczego nie działa. A potem wlazłam na stołek, zajrzałam do środka i znalazłam mikrofon. Czyli działało, tylko nie tak, jak tego oczekiwałam. — Przekrzywiła głowę i wypuściła strużkę dymu, która jak strzała poszybowała w stronę Arkadija. — Ale niedługo wysiądę w Dutch Harbor i raz na zawsze skończę z udawanymi radiami i detektywami. I nigdy więcej. Jeszcze jakieś pytania?

— Nie miałem z tym nic wspólnego — pospiesznie zapewnił ją Sław.

— Zabierzesz z sobą swoje książki? — spytał Arkadij.

Na górnej koi wciąż leżała maszyna do pisania i pudło z książkami, którym przyglądał się z podziwem podczas poprzedniej wizyty. Radziecką poezję i radziecki papier toaletowy łączyło to, że jedno i drugie było nieosiągalne z powodu niewydolności radzieckiego przemysłu papierniczego, chociaż kraj posiadał największe na świecie obszary leśne.

— A co, chciałbyś którąś? Poza pracą na śluzgawce i zabawą w detektywa jesteś też miłośnikiem książek?

— Niektórych.

— I kogo lubisz? — spytała.

— Susan jest pisarką — wtrącił Sław. — Co do mnie, to lubię Hemingwaya.

— Z pisarzy rosyjskich — powiedziała Susan, nie spuszczając wzroku z Arkadija. — Jesteś Rosjaninem i masz rosyjską duszę. Wymień kogoś.

— Masz ich tak wiele. — Więcej dobrych książek niż w pokładowej bibliotece, dodał w myślach.

— Achmatowa?

— Oczywiście. — Arkadij wzruszył ramionami.

Susan zaczęła recytować:

Czego chcesz, spytałam
Być z tobą w piekle, odparł.

Arkadij dopowiedział za nią następną zwrotkę.

Uniósł szczupłą dłoń
I delikatnie pogłaskał kwiaty:
Powiedz, jak mężczyźni cię całują.
Jak ich ty całujesz.

Sław patrzył zdezorientowany, przenosząc wzrok z jednego na drugie.

— Wszyscy to znają — wyjaśnił Arkadij. — Kiedy nie można dostać książek, ludzie uczą się ich na pamięć

Susan wrzuciła niedopałek do talerza, wstała od stołu i chwyciwszy pierwszą z brzegu książkę z koi, rzuciła nią w Arkadija.

151

— To mój prezent pożegnalny. I żadnych więcej pytań, żadnego „zastanawiam się". Mam szczęście, że się napatoczyłeś dopiero pod sam koniec rejsu.

— No cóż — bąknął Arkadij. — Niewykluczone, że nie tylko w tym masz szczęście.

— Mianowicie?

— Byłaś ubrana jak Zina. Jeśli ktoś ją wypchnął za burtę, to masz szczęście, że cię z nią nie pomylił.

Rozdział 11

Atmosfera w kajucie Ziny Patiaszwili była trochę jak z sennych marzeń i po zapaleniu światła Arkadij poczuł się niczym intruz naruszający czyjąś prywatność.

Na przykład maskotka Uzbeczki Dynki miała postać dwugarbnego wielbłąda — baktriana z miniaturowej Samarkandy, który stał na poduszce na górnej koi. Na dolnej leżała cała sterta przesyconych wonią talku i pomadek haftowanych poduszek madame Malcewej, a jej albumik z zagranicznymi widokówkami zawierał widoczki minaretów i ruin świątyń. Trójwymiarowy portret Lenina strzegł koi Nataszy Czajkowskiej, ale tuż obok widniała fotografia matki nieśmiało uśmiechającej się do kwitnących słoneczników i błyszcząca fotka Julio Iglesiasa.

Wszystko tonęło w romantycznej czerwonawej poświacie od zasłaniającego iluminator szklanego wisiora, który podzwaniał poruszany prądem powietrza. Całość dzięki intensywnym barwom i rzucającym się w oczy kształtom, a także skłóconym i nachalnym jak kadzidło woniom — przejawom życia zamkniętego w stalowej klatce — mogła przyprawić o lekki zawrót głowy. W kajucie wisiało teraz więcej zdjęć, jakby odejście

Ziny uwolniło pozostałe trzy lokatorki od obowiązujących wcześniej ograniczeń. Na drzwiach szafy dostrzegł więcej połyskliwych zdjęć Uzbeków i robotników na syberyjskich placach budów, od których odbijały się drgające refleksy rzucane przez wisior na iluminatorze.

Natasza zastała go, gdy zaglądał pod pasiasty materac Ziny. Miała na sobie mokry od potu niebieski dres — uniwersalny strój wszystkich radzieckich sportowców. Krople potu zraszały jej też policzki, ale szminka na wargach była świeżo nałożona.

— Jesteś jak kruk — rzuciła cierpko w stronę Arkadija. — Prawdziwy padlinożerca.

— Celna uwaga. — Nie pociągnął tego jednak i nie powiedział, kogo ona mu przypomina, a do czego nawiązywało jej przezwisko Czajka. Zasapana czajka w niebieskim pokrowcu.

— Ćwiczyłam na pokładzie, ale mnie zawiadomili, że tu czekasz, bo chcesz porozmawiać.

Arkadij miał na dłoniach wzięte z izby chorych gumowe rękawiczki i całą swą uwagę koncentrował na dotyku. Gdy rozchylił rozcięcie pod spodem materaca, ze środka wysunęła się kaseta magnetofonowa z nazwą grupy Van Halen na etykiecie. Arkadij wsadził rękę w szparę i wymacał kolejne trzy kasety, a także podręczny słownik angielsko-rosyjski. Pobieżnie go przekartkował i stwierdził, że niektóre hasła podkreślono ołówkiem. Kreski były zamaszyste i wskazywały na asertywność użytkownika. Wszystkie podkreślone słowa miały jakiś związek z seksem.

— Przełom w śledztwie? — spytała Natasza.

— Niezupełnie.

— A podczas rewizji nie jest wymagana obecność dwóch osób?

— To nie jest oficjalna rewizja. Ja się tylko rozglądam.

Może twoja współlokatorka była ofiarą wypadku, może nie. Kapitan kazał mi to ustalić.

— Ha!

— No właśnie. Kiedyś pracowałem jako śledczy.

— W Moskwie. Tak, wszystko o tobie wiem. Byłeś zaangażowany w działalność antyradziecką.

— Niektórzy tak uważają. Ale istotne jest to, że od roku siedzę na tym statku. To oczywiście nie lada zaszczyt móc uczestniczyć w procesie zaopatrywania w ryby wielkiego rynku radzieckiego.

— Żywimy cały Związek Radziecki.

— I to jest pięknc hasło. Niestety, nie przewidziałem tego, co się zdarzyło, i nie zachowałem umiejętności śledczego.

Natasza zmarszczyła czoło, jakby nie bardzo wiedziała, jak się zachować.

— Jeśli kapitan postawił przed tobą zadanie, powinieneś to zrobić z radością.

— Tak, tylko że jest jeszcze jeden problem. Nataszo, oboje pracujemy na dole przy produkcji. Powiedziałaś kiedyś, że niektórzy z pracujących tam mężczyzn to mięczaki pozujące na inteligencików.

— Nie umieliby po ciemku znaleźć własnego kutasa.

— Dzięki. A sama pochodzisz z innego środowiska?

— Z dwóch pokoleń budowniczych hydroelektrowni. Matka pracowała na górnej zaporze brackiej, ja byłam brygadzistką w hydroelektrowni Boczugany.

— I nagrodzono cię za wydajną pracę.

— Orderem Pracy, tak — rzekła sucho Natasza.

— I należysz do partii.

— Mam ten zaszczyt.

— Jesteś inteligentna, wykazujesz inicjatywę i czujesz się niedoceniona przez kolegów.

Arkadij pamiętał, że gdy piła ucięła Koli palec i krew zaczęła lać się strumieniem, obryzgując ryby i wszystkich dookoła, to właśnie Natasza przejęła inicjatywę. Obwiązała mu nadgarstek swoim szalem, kazała położyć się z nogami w górze i troskliwie zaopiekowała się nim, aż ułożono go na noszach. Potem, gdy Kolę zabrano już do izby chorych, obeszła na czworakach podłogę i znalazła odcięty palec, by można go było przyszyć.

— Wystarczy, że partia mnie docenia. Po co mnie tu ściągnąłeś?

— Dlaczego zamieniłaś pracę na budowie na czyszczenie ryb? Na zaporach płacą dwukrotnie więcej, na niektórych dają jeszcze dodatek arktyczny. I pracuje się na zdrowym świeżym powietrzu, a nie w zaduchu pod pokładem.

Natasza skrzyżowała ręce, a jej policzki oblały się rumieńcem.

No tak, oczywiście, zrobiła to w poszukiwaniu męża. Na budowach pracowało więcej mężczyzn niż kobiet, ale proporcja płci nie była aż tak korzystna jak na statkach, gdzie ponad dwustu zdrowych mężczyzn przebywało miesiącami na niewielkiej zamkniętej przestrzeni w gronie może pięćdziesięciu kobiet, z których połowa i tak była już babciami. W rezultacie dawało to efektywną proporcję płci mniej więcej dziesięć do jednego. Natasza wiecznie krążyła po pokładzie w swoim niebieskim dresie, płaszczu wykończonym lisim futrem lub — gdy tylko pojawiała się nadzieja na nieco cieplejszy dzień — w kwiecistej letniej sukience, w której wyglądała jak wielka, groźna kamelia. Arkadij skarcił się w myślach za taki brak delikatności.

— Chciałam podróżować — bąknęła.

— To tak jak ja.

— Tylko że ty nie schodzisz na ląd w obcych portach. Zawsze zostajesz na statku.

— Jestem purystą.

— Nie, masz wizę drugiej klasy, to dlatego.

— Też. Co gorsza, moja ciekawość świata też jest drugiej klasy. Jestem tak zajęty pracą na śluzgawce, że nawet nie uczestniczę w życiu kulturalno-oświatowym na statku.

— Takim jak zabawy taneczne.

— Właśnie. Tak jakby mnie tu wcale nie było. I dlatego nie wiem nic o Amerykanach ani o tutejszych kobietach. W tym także o Zinie Patiaszwili.

— Była rzetelną radziecką robotnicą, której będzie nam brakować.

Arkadij otworzył szafę. Wiszące na wieszakach ubrania były pogrupowane według właścicielek: ubiory Dynki w dziewczęcych rozmiarach, pozbawione wyrazu suknie madame Malcewej, wielka czerwona suknia wieczorowa Nataszy, jej letnie sukienki i dresy w pastelowych kolorach. Zawiódł się na strojach Dynki, bo oczekiwał ubiorów ozdobionych barwnym uzbeckim haftem lub złocistych pantalonów, ale znalazł tylko chiński kaftan.

— Rzeczy Ziny już zabraliście — burknęła Natasza.

— Tak, bardzo ładnie je przygotowałyście.

Trzy szuflady zawierały bieliznę, pończochy, szale i tabletki, szuflada Nataszy nawet kostium kąpielowy. Czwarta była pusta. Wysunął kolejno wszystkie cztery i sprawdził, czy z tyłu lub pod spodem czegoś nie przyczepiono.

— Czego ty właściwie szukasz? — obruszyła się Natasza.

— Sam nie wiem.

— No to niezły z ciebie śledczy.

Arkadij wyjął z kieszeni lusterko i obejrzał od spodu zlew i ławę.

— A nie chcesz zdjąć odcisków palców? — zdziwiła się Natasza.

— Do tego dojdziemy później. — Oparł lusterko o książki

157

na materacu Ziny i obmacał spód koi. — Teraz potrzebny mi ktoś, kto zna załogę. Ale nie ktoś z kadry oficerskiej i nie ktoś taki jak ja.

— Jestem członkinią partii, nie szpiclem. Idź z tym do kogoś takiego jak Skiba albo Ślezko.

— Potrzebna mi asystentka, nie szpicel. — Arkadij ponownie otworzył szafę. — W kajucie nie ma wielu miejsc do ukrycia.

— Ukrycia czego?

Czuł w głosie Nataszy rosnące napięcie, zresztą dostrzegł je już wcześniej. Podeszła bliżej i gdy znów wysunął jej szufladę, aż się wychyliła do przodu. Oczywiście, pomyślał, chodzi jej o ten kostium kąpielowy: zielono-niebieskie bikini, którego majtek nie udałoby się jej przeciągnąć nawet przez kolana. Ten sam kostium, w którym tamtego ciepłego dnia Zina paradowała po pokładzie w okularach przeciwsłonecznych na nosie.

Kodeks moralny na statku przypomina reguły obowiązujące w więzieniu. Najgorszą zbrodnią — bardziej odrażającą niż morderstwo — jest kradzież. Z drugiej strony jest czymś zupełnie naturalnym, że więźniowie rozdzielają między siebie dobytek zmarłego. Niemniej przywłaszczenie sobie kostiumu kąpielowego i ukrywanie tego mogło Nataszę kosztować utratę jej drogocennej legitymacji partyjnej.

— W twojej kajucie na pewno jest tak samo jak w mojej — powiedział Arkadij. — Wszyscy od wszystkich pożyczają, co się da, prawda? Czasem nawet trudno się połapać, co jest czyje. Cieszę się, że to znaleźliśmy.

— Chciałam dać mojej siostrzenicy.

— Rozumiem.

Arkadij rozłożył bikini na koi i patrząc w lusterko, obserwował utkwiony w kostium wzrok Nataszy. Nie czuł wyrzutów sumienia z powodu lusterka; nie miał czasu ani środków na ściśle etyczne, profesjonalne śledztwo. Podszedł do Nataszy i zaczął ponownie przeglądać wiszące w szafie ciuchy. Uciekając się do pewnego uogólnienia, można stwierdzić, że Rosjanki z wiekiem przechodziły metamorfozę, w ramach której natura wyposażała je w obfite rubensowskie kształty na ciężkie północne zimy. Zina była Gruzinką z południa i jej ubrania mogłyby się przydać tylko drobnej Dynce, ale wśród garderoby tej ostatniej jedynym ciuchem w stylu Ziny był czerwony pikowany chiński kaftan. W większości obcych portów funkcjonowały magazyny oferujące tanie ciuchy, na jakie stać radzieckich marynarzy i rybaków. W portach widywano też załogantów radzieckich statków, jak piechotą przemierzają wielokilometrowe odległości, aby tylko zaoszczędzić na taksówce. Typowym sprawunkiem z zagranicznego portu mógł być właśnie taki czerwony kaftan ze złotymi orientalnymi smokami i kieszeniami na zatrzaski, sęk jednak w tym, że dla Dynki był to pierwszy w życiu rejs, a od wypłynięcia z Władywostoku nie zawijali do żadnych portów. Gdyby tylko trochę pomyślał, nie musiałby się uciekać do sztuczki z lusterkiem. Naprawdę było mu wstyd.

Zdjął kaftan z wieszaka i zauważył, że oczy Nataszy zaokrągliły się jak u dziecka, które po raz pierwszy ma do czynienia z magikiem.

— A to — powiedział — Zina pożyczyła Dynce jeszcze przed zabawą, tak?

— Tak. — Kiwnęła głową, po czym zdecydowanym tonem dodała: — Dynka nigdy niczego by nie ukradła. Zina ciągle pożyczała od nas pieniądze i nigdy nie oddawała, ale Dynka i tak nic by jej nie ukradła

— Właśnie to powiedziałem

— Zina nigdy tego nie nosiła. Wciąż coś z tym cudowała, ale ani razu tego nie włożyła i nie wyszła na pokład. Zawsze mówiła, że trzyma to na Władywostok.

Widać było, że z ulgą wyrzuca to z siebie, i już ani razu nie spojrzała na szafę.

— Cudowała?

— Wciąż coś tam przyszywała, naprawiała.

Arkadij pomyślał, że kaftan wygląda na zupełnie nowy. Obmacał pikowaną tkaninę i puchate krawędzie z przodu. Na metce fabrycznej widniał napis: „Hong Kong. Rayon".

— Masz może nóż?

— Zaraz. — Natasza sięgnęła do kieszeni fartucha wiszącego na drzwiach.

— Powinnaś go zawsze mieć przy sobie — przypomniał jej Arkadij. — Na wszelki wypadek.

Przejechał dłonią po materiale na plecach i rękawach i ścisnął zaszewki na kołnierzu i u dołu kaftana. Rozciął szew pośrodku dolnej zaszewki i ze środka wypadł mu na dłoń kamyk wielkości dropsa. Przejechał palcami wzdłuż zaszewki i na dłoń posypały się różnobarwne kamyki. Chwilę później garść wypełniła się czerwonymi, fiołkowymi i ciemnoniebieskimi, oczyszczonymi, ale nieoszlifowanymi ametystami, rubinami i szafirami. Były ładne, ale nie sprawiały wrażenia szczególnie cennych.

Wsypał kamienie do kieszeni kaftana, zacisnął zatrzask i ściągnął z dłoni gumowe rękawiczki.

— Mogą być pochodzenia koreańskiego, filipińskiego albo hinduskiego — powiedział. — W żadnym z tych miejsc nie byliśmy, więc Zina musiała je dostać od kogoś z innego statku. Cieszmy się tylko, że Dynka nie spróbowała przejść w tym kaftanie przez kontrolę graniczną.

— Biedna Dynka — jęknęła Natasza. Widać wyobraźnia podsunęła jej obraz koleżanki przyłapywanej na próbie przemytu. — A jak Zina chciała to przemycić?

— Pewnie by je połknęła, zaszyła kaftan i zgodnie z zapowiedzią zeszła w nim po trapie. A potem odzyskałaby kamienie.

Natasza skrzywiła się z odrazą.

— Wiedziałam, że Zina jest rozwiązła. Wiedziałam, że jest Gruzinką. Ale żeby coś takiego...

Arkadij postanowił kuć żelazo, póki gorące. Póki Czajka jest jeszcze pod wrażeniem jego umiejętności dedukcji i odniesionego sukcesu.

— No widzisz. A ja nawet nie wiedziałem, że była „rozwiązła". Nie wiem nic o innych członkach załogi. I dlatego, Nataszo, jesteś mi potrzebna.

— My razem?

— Już od sześciu miesięcy pracujemy razem przy jednej linii produkcyjnej. Wiem, że jesteś skrupulatna i odważna. Mam do ciebie zaufanie, ty też możesz mi zaufać.

Spojrzała na kaftan i rozłożony na koi kostium.

— A jak nie?

— To nic. Powiem, że znalazłem je schowane pod jej materacem. Trzeci oficer i ja powinniśmy znaleźć je wcześniej.

Natasza odgarnęła z oczu wilgotny kosmyk włosów.

— Ja się nie nadaję na donosiciela.

Miała ładne oczy, prawie tak czarne jak Stalin, tylko sympatyczniejsze. Pięknie kontrastowały z jej niebieskim dresem.

— Nie będziesz musiała na nikogo donosić. Będziesz tylko zadawać pytania i przekazywać mi odpowiedzi.

— Sama nie wiem.

— Kapitan chce wiedzieć, co się przydarzyło Zinie, i to zanim dopłyniemy do Dutch Harbor. Pierwszy oficer uważa, że załoga w ogóle nie powinna schodzić na ląd.

— To łajdak! Cała jego praca to puszczanie filmów. A my od czterech miesięcy bez przerwy czyścimy ryby.

— Została ci już tylko jedna zmiana przy linii produkcyjnej. Machnij na nią ręką. Od tej chwili będziesz pracować ze mną.

Natasza przyjrzała mu się uważnie, jakby ujrzała go po raz pierwszy.

— Ale bez żadnej antyradzieckiej agitacji, jasne?

— Wszystko zgodnie z normami leninowskimi — zapewnił ją.

Starczyło jej siły woli na jeszcze jedną, ostatnią próbę oporu.

— I naprawdę mnie chcesz? — spytała z powątpiewaniem.

Rozdział 12

Z kabiny operatora dźwigu roztaczał się naprawdę wspaniały widok na wypełnione sieciami i deskami górne pokłady, na wyłaniające się z mgły żółte suwnice bramowe i na stadko mew walczących z wiatrem. Arkadij widział rozpiętą na przedniej nadbudówce istną pajęczynę anten, które służyły do odbioru sygnałów radiowych niskiej częstotliwości, oraz chwiejące się na wietrze bicze dipolowe do odbioru krótszych fal. Dwa połączone z sobą kręgi pełniły funkcję radionamiernika kierunku, a anteny w kształcie gwiazd służyły do odbioru sygnałów z przemierzających niebo satelitów. Wbrew pozorom „Gwiazda Polarna" wcale nie była osamotniona.

— Bukowski zaakceptował moją kandydaturę? — spytała Natasza.

— Zaakceptuje. — Arkadij był w doskonałym nastroju, bo książka od Susan okazała się tomikiem Mandelstama, cudownego, bardzo miejskiego i posępnego poety, który zapewne nie trafiał do socjalistycznego sumienia Nataszy. I choć był to tylko wybór listów, i tak wymościł mu miejsce pod materacem z taką pieczołowitością, jakby miał do czynienia ze sztabką czystego złota.

— Bo właśnie tu idzie — zauważyła Natasza.

Rzeczywiście, chociaż trzeci oficer nie tyle szedł, ile pędził po pokładzie dziobowym, okrążając grupkę mechaników, którzy bez większego przekonania przebijali piłkę nad siatką.

— I nie wygląda na zbyt uradowanego — dodała.

Sław zniknął pod pokładem i Arkadijowi zdawało się, że aż tu słyszy walenie jego reeboków po schodach. Trzeci oficer w rekordowym czasie pokonał trzy piętra i wpadł do kabiny dźwigowej.

— Co to za historia z dodatkowym asystentem? — rzucił zdyszanym głosem. — I jakim prawem to ty wzywasz mnie? Kto tu dowodzi?

— Ty — odparł spokojnie Arkadij. — Pomyślałem tylko, że tu będziemy mieć spokój i świeże powietrze. A to rzadka kombinacja.

Kabina dźwigowa istotnie zapewniała maksymalną dyskrecję rozmów, ponieważ okna — popękane i spojone na śrubki z podkładkami — były nachylone do wewnątrz, co wymuszało wręcz intymną bliskość, gdy w środku przebywała więcej niż jedna osoba. Za to roztaczający się stąd widok nie miał sobie równych.

— Towarzysz Renko uważa, że mogę się przydać — wyjaśniła Natasza.

— Na towarzyszkę Czajkowską mam zgodę głównego elektryka floty i kapitana — dodał Arkadij. — Ale ponieważ ty tu dowodzisz, to pomyślałem, że też powinieneś wiedzieć. Chcę również ustalić wykaz wszystkich rzeczy Ziny.

— Już to zrobiliśmy — obruszył się Sław. — Obejrzeliśmy jej stare ciuchy, obejrzeliśmy ciało. Może lepiej poszukaj listu samobójczego.

— Ofiary zabójstw rzadko je zostawiają. Gdybyśmy coś takiego znaleźli, byłoby to mocno podejrzane.

Natasza parsknęła śmiechem, zaraz jednak umilkła i od-chrząknęła. Zajmowała połowę miejsca w kabinie i nie bardzo umiała zachować powagę chwili.

— I czym ty się masz zajmować? — burknął Sław, mierząc ją spojrzeniem.

— Zbieraniem informacji.

— No pięknie. Czyli dodatkowym podgrzewaniem atmo-sfery. To nie do wiary. Mój pierwszy rejs jako oficera, a oni robią ze mnie specjalistę związkowego. Co ja wiem o robot-nikach? Co ja wiem o morderstwach?

— Każdy musi kiedyś się podszkolić — rzekł Arkadij.

— Myślę, że Marczuk mnie nienawidzi.

— Powierzył ci bardzo ważną misję.

Trzeci oficer osunął się po ściance kabiny, krzywiąc się z żałości nad swym losem, a zmierzwione loki opadły mu na oczy.

— Też mi para detektywów ze śluzgawki. Renko, skąd się u ciebie bierze patologiczna chęć zaglądania pod każdy kamień? Wiadomo, że i tak Wołowoj napisze końcowy raport w tej sprawie. Wołowoj ma zawsze ostatnie słowo, więc uważaj!

Ściana pod kabiną dźwigową zadrżała od walnięcia piłką, która odbiła się i potoczyła po pokładzie pod nogi grających. Śledzący jej lot mechanicy unieśli głowy i wlepili wzrok w stłoczoną w kabinie trójkę.

— Widzisz? — powiedział Sław. — W załodze już się rozniosło, że zejście na ląd w porcie zależy od wyniku twojego tak zwanego dochodzenia. Będziemy mieć szczęście, jeśli sami nie skończymy z nożami w plecach.

Arkadij pamiętał, że suwnice bramowe bywają nazywane szubienicami. Rządek rysujących się we mgle jaskrawożółtych szubienic.

— Ale wiesz, co mnie najbardziej wkurza? — ciągnął

Sław. — Im jest gorzej, tym ty masz lepszy humor. Co za różnica, czy jest nas dwóch, czy troje? Naprawdę wierzysz, że uda nam się coś wyjaśnić w sprawie śmierci Ziny?

— Nie — przyznał Arkadij, po czym widząc, że pesymizm Sława zaczyna udzielać się Nataszy, szybko dodał: — Powinniśmy jednak brać wzór z Lenina.

— Z Lenina? — Natasza wyraźnie drgnęła. — A co Lenin mówił o morderstwie?

— O morderstwie nic. Ale o wahaniu powiedział: „Najpierw rób, potem patrz, co z tego wyniknie".

◆ ◆ ◆

Dłońmi w gumowych rękawiczkach Arkadij rozłożył na stole operacyjnym dobytek Ziny: dżinsy i bluzy opatrzone zagranicznymi metkami; książeczkę wypłat; słownik; zdjęcie chłopca wśród krzewów winogron; pocztówkę z grecką aktorką o świdrującym spojrzeniu; babskie precjoza: wałki i szczotki z przyczepionymi do nich utlenionymi włosami. Kasetowiec Sanyo ze słuchawkami i sześcioma kasetami z zachodnimi wykonawcami. Kostium bikini wykorzystany podczas jednego jedynego słonecznego dnia. Kołonotatnik. Kasetka ze sztucznymi perłami, kartami do gry i zwitkiem różowych dziesięciorublówek. Haftowany chiński kaftan z kieszenią pełną kamieni.

Książeczka wypłat: Patiaszwili, Z.P., urodzona w Tbilisi, Gruzińska Socjalistyczna Republika Radziecka. Ukończona szkoła zawodowa dla pracowników przemysłu spożywczego. Trzy lata pracy w kambuzach czarnomorskich statków z portem macierzystym w Odessie. Miesiąc w Irkucku. Dwa miesiące pracy w wagonie restauracyjnym na trasie Bajkał — Amur. Osiemnaście miesięcy pracy w restauracji Złoty Róg we Władywostoku. Rejs na „Gwieździe Polarnej" był jej pierwszą przygodą na Pacyfiku.

Arkadij zapalił biełomora i zaciągnął się gryzącym dymem. Po raz pierwszy znalazł się sam na sam z Ziną — nie z jej wystygłymi zwłokami, ale różnymi kobiecymi fidrygałkami, które zawierały wspomnienie żywej Ziny. Zapalenie papierosa pomagało nadać temu spotkaniu nieco bardziej towarzyski charakter.

Odessa od zawsze była zbyt bogatą światową metropolią. Tamtejsi przemytnicy nie zawracali sobie głowy drobnicą w rodzaju kamieni półszlachetnych. Woleli przemycać sztabki hinduskiego złota dla miejscowych i worki afgańskiego haszyszu na wysyłkę na północ do Moskwy. Dla dziewczyny pokroju Ziny Odessa powinna stanowić wymarzone miejsce do realizacji planów na przyszłość.

Irkuck? Do układania podkładów kolejowych i smażenia kiełbasek na syberyjskim pustkowiu zgłaszali się na ochotnika nawiedzeni komunistyczni zapaleńcy, ale nie ktoś taki jak Zina. A więc coś się w Odessie wydarzyło, co ją stamtąd wygnało.

Rozwinął zwitek dziesięciorublówek. Łącznie tysiąc rubli, bardzo dużo jak na potrzeby podczas takiego rejsu.

Władywostok. Podjęcie pracy kelnerki w Złotym Rogu było sprytnym posunięciem. Rybacy pili na umór, odbijając sobie stosunkowo bezalkoholowe miesiące na morzu, a ciężko zapracowane premie arktyczne parzyły im ręce i byli gotowi jak najszybciej się ich pozbyć w towarzystwie pierwszej z brzegu ciepłej kobiety. Musiało się tam jej nieźle powodzić.

Dziwka i szmuglerka. Zinę łatwo było spisać na straty, zależnie od zapatrywań i uprzedzeń etnicznych, jako pozbawioną zasad materialistkę lub typową Gruzinkę. Tyle że przemytem zwykle parali się tu mężczyźni, nie kobiety. Czyli od samego początku Zina trochę odstawała.

Rozłożył karty w wachlarzyk. Nie stanowiły pełnej talii i składały się z pojedynczych kart wyjętych z różnych talii:

małe radzieckie karty z zagiętymi rogami, na których z jednej strony widniały hoże wiejskie dziewoje z rumieńcami na policzkach, z drugiej wystylizowany snopek pszenicy z gwiazdą. Szwedzkie karty z nagimi dziewczynami. Brytyjskie z królową Elżbietą, wydane z okazji srebrnego jubileuszu panowania. Na wszystkich widniała jedna i ta sama figura — dama kier.

Arkadij już dawno nie słyszał Rolling Stonesów. Wsunął kasetę do odtwarzacza i nacisnął „play". Z głośników dobył się huk, jakby ktoś zrzucił Jaggera z dużej wysokości na zestaw perkusyjny, po czym rozległo się zawodzenie gitar. Pewne rzeczy nigdy się nie zmienią, pomyślał Arkadij. Zaczął przewijać taśmę do przodu. W połowie kasety nadal grali Stonesi. Przewinął dalej: Stonesi do końca taśmy. Odwrócił kasetę i znów zaczął słuchać.

Oddarł kawałek papieru z rolki elektrokardiografu i narysował odręczny plan statku. Naniósł stołówkę, gdzie odbyła się zabawa, kajutę Ziny i wszystkie możliwe trasy łączące oba punkty. Zaznaczył też pozycje wszystkich członków załogi, którzy mieli wtedy służbę, i punkt na pokładzie trałowym, gdzie stał kosz do transportowania gości.

Wyjął Stonesów i włożył The Police. „Jej bezcenne kasety — powiedziała ze złością Natasza. — Zawsze używała słuchawek. Nigdy nie dawała nam posłuchać".

Włączył szybkie przewijanie do przodu i odniósł wrażenie, jakby wraz z taśmą cały statek nabrał szybkości, jakby sunął na oślep po zaśnieżonej pochyłości. Nie było tego widać, ale wyraźnie to czuł.

Po co Zina zaciągnęła się na „Gwiazdę Polarną"? Dla pieniędzy? Mogła bez trudu wyciągnąć tyle od marynarzy w Złotym Rogu. Dla dostępu do zagranicznych towarów? Rybacy przywieźliby jej wszystko, czego by sobie zażyczyła. Z chęci podróżowania? Na Wyspy Aleuckie?

Wyjął The Police i włożył Dire Straits.

Zrobił szkic pokładu rufowego i zaznaczył klatkę schodową z zejściem na pochylnię. W wielu miejscach można ją było zabić, ale brakowało dobrego na ukrycie zwłok. Co ona miała w kieszeniach? Gauloisy, kartę z damą kier, kondom. Jej trzy wielkie przyjemności życiowe? Nigdy wcześniej nie widział takiej damy kier. Wcisnął klawisz przewijania i przy burcie „Gwiazdy Polarnej" dorysował „Orła".

Hasło „politycznie dojrzały" było etykietką, którą partia obdarzała każdego młodego człowieka, o ile tylko nie był skazańcem, dysydentem lub głośnym propagatorem zachodniej muzyki — dziedziny sztuki z założenia wywrotowej. Wciąż można było spotkać podstarzałych hippisów, którzy słuchali Beatlesów i wyjeżdżali w góry Ałtaju, by tam medytować i łykać LSD. Wśród młodzieży częściej jednak zdarzali się „brejkerzy" tańczący przy rapie i „metale" uwielbiający heavy metal i chodzący w skórach. A jednak mimo zachodnich gustów muzycznych, częstych nieobecności w kambuzie i beztroskiego sypiania z kim popadło, zdaniem tak konserwatywnego arbitra moralności jak Wołowoj, Zina nadal należała do „rzetelnych i politycznie dojrzałych".

Zważywszy na stojące przed pierwszym oficerem zadanie obserwowania zagranicznych prowokatorów, można to było zrozumieć tylko w jeden sposób.

A więc nie tylko dziwka i szmuglerka, ale także donosicielka. Prosty i krótki wniosek. Jak przesuwanie kulek na liczydle i wynik dodawania. Dziewczyna z Gruzji. Wykształcenie sprowadzone do umiejętności nalewania zupy. Awansuje do kręgów przemytniczych Odessy, kurwi się we Władywostoku i szpicluje na morzu. Beznadziejne życie, beznadziejnie zaczęte i beznadziejnie skończone. Pozbawione norm moralnych, przymiotów ducha i refleksji nad samą sobą. W każdym razie tak to wyglądało.

Arkadij zauważył, że na kasecie grupy Van Halen pasek chroniący przed skasowaniem został usunięty. Włożył taśmę do odtwarzacza i usłyszał kobiecy głos z silnym gruzińskim akcentem: „Zaśpiewaj mi to, po prostu zaśpiewaj". Głos należał do Ziny. Arkadij pamiętał go ze stołówki. Odtwarzacz miał w rogu wbudowany mikrofon.

Zabrzmiał męski śpiew z akompaniamentem gitary.

Możesz mi poderżnąć gardło
Możesz pociąć mi przeguby
Lecz nie ruszaj strun mej gitary.
Niech mnie wdepcą w błoto
Niech mnie wcisną pod wodę
Tylko niech zostawią moje struny.

Słuchając śpiewu, Arkadij zajrzał do szuflady biurka, znalazł łyżki i zaczął szukać krystalicznego jodu. Kryształków nie było, rozejrzał się więc za jodem w tabletkach. W sali stała zamknięta na kłódkę szafka z lekarstwami przeciwdziałającymi napromieniowaniu, czyli — inaczej mówiąc — na wypadek wojny. Wsadził w skobel śrubokręt i ukręcił kłódkę, jednak w środku znajdowały się tylko dwie butelki szkockiej whisky, broszura na temat zasad dystrybucji jodu i witamina E na wypadek ataku jądrowego. Jod znalazł w końcu w ogólnie dostępnej szafce.

— Zaśpiewaj jeszcze coś — powiedziała Zina. — Najlepiej tę złodziejską.

Mężczyzna na taśmie się roześmiał.

— Innych nie znam.

Arkadij nie poznawał jego głosu, ale piosenkę znał. Nie miała nic wspólnego z muzyką zachodnią, rockiem czy rapem. Słyszał ją w wykonaniu moskiewskiego aktora Wysockiego, który stał się sławny w całym Związku Radzieckim jako nieuznawany oficjalnie autor i wykonawca gorzkich, smętnych i jakże rosyjskich w nastroju pieśni o ludziach z marginesu i więźniach. Wysocki akompaniował sobie na siedmiostrunowej rosyjskiej gitarze, najłatwiejszym na świecie instrumencie do brzdąkania. Piosenki rozchodziły się po kraju w postaci magnatizdatów — dźwiękowej wersji samizdatów — a Wysocki zdobył sobie dodatkowy tytuł do chwały, pijąc w młodym wieku na umór, co go ostatecznie doprowadziło do śmierci na atak serca. Z radzieckiego radia płynęły bezmyślne kawałki w rodzaju „Kocham życie, kocham je znów i od nowa", na które — zdawałoby się — ludzie pozostaną głusi, prawda jednak jest taka, że żaden inny naród na świecie nie przejmuje się muzyką tak bardzo i nie jest od niej aż tak uzależniony, jak Rosjanie. Po siedemdziesięciu latach socjalizmu złodziejskie pieśni nabrały statusu antyhymnów Związku Radzieckiego.

Mężczyzną śpiewającym na taśmie nie był Wysocki, ale robił to całkiem nieźle.

Trwa polowanie, polowanie trwa bez końca
Na drapieżniki, co w rozpaczy szczerzą kły
Krzyczą myśliwi, psy szczekają. W blasku słońca
Na białym śniegu lśnią czerwone ślady krwi
Mamy ostre i kły, i pazury
Może stary odpowie mi wilk
Czemu jednak boimy się kuli
Czemu ludzki przeraża nas krzyk*.

Na końcu taśmy Zina powiedziała tylko: „Wiem, że nie znasz innych, ale tylko takie mi się podobają". Arkadija

---

* Przekład Marlena Zimna.

właściwie ucieszyło, że właśnie takie jej się podobały, i włączył następną taśmę, ta jednak okazała się całkiem odmienna. Zina mówiła na niej niskim, zmęczonym głosem:

„Modigliani malował Achmatową aż szesnaście razy. Tak się poznaje mężczyznę. Należy go zmusić, żeby cię namalował. Przy dziesiątym podejściu zaczynasz rozumieć, jak on cię naprawdę widzi. Tylko że ja przyciągam niewłaściwych mężczyzn. Nie malarzy. Trzymają mnie w garści i cisną, jakbym była tubką farby, a oni muszą ją jednym ruchem wycisnąć. Ale to nie malarze".

W obrębie jednego zdania Zina potrafiła mówić słodkim i ciepłym, a zaraz potem śmiertelnie zmęczonym głosem, jakby brzdąkała na własnych strunach głosowych.

„Na produkcji pracuje jeden mężczyzna, który wygląda interesująco. Jest bledszy od ryby, ma głęboko osadzone, jakby lunatyczne oczy. I w ogóle mnie nie zauważa. Byłoby ciekawie go przebudzić. Ale niepotrzebny mi jeszcze jeden mężczyzna. Bo jednemu się zdaje, że może mi mówić, co mam robić. Drugiemu się zdaje, że może mi mówić, co mam robić. Trzeciemu się zdaje, że może mi mówić, co mam robić. Czwartemu się zdaje, że może mi mówić, co mam robić. A tylko ja jedna wiem, co naprawdę zrobię". Zamilkła i po chwili dodała: „Oni mnie tylko widzą, ale nie słyszą moich myśli. Nigdy nie słyszeli tego, co myślę".

Ciekawe, co by zrobili, gdyby cię mogli usłyszeć, pomyślał Arkadij.

„Gdyby mógł usłyszeć, co myślę, toby mnie zabił — mówiła dalej Zina. — Mówi, że wilki łączą się w pary na całe życie. Myślę, że by mnie zabił, a potem zabiłby siebie".

Na piątej kasecie zabezpieczenie przed skasowaniem zostało usunięte, potem znów zaklejone. Nagranie zaczynało się od szelestu ubrań i stłumionych pojedynczych stuknięć, po czym męski głos powiedział „Zina". Głos brzmiał młodziej i nie należał do śpiewaka.

— Gdzie my jesteśmy?

— Zinuszka.

— A jak nas tu przyłapią?

— Szef śpi. To ja decyduję, kto tu może wejść. Tylko bądź cicho.

— Nie spiesz się. Zachowujesz się jak dzieciak. Jak ty to wszystko tu zebrałeś?

— Nie twoja sprawa.

— To telewizor?

— Zdejmij je.

— Spokojnie.

— Proszę.

— Nie rozbiorę się tu do naga.

— Jest ciepło. Dwadzieścia jeden stopni, czterdzieści procent wilgotności. To najfajniejsze miejsce na całym statku.

— Jakim cudem masz takie warunki? Moje łóżko jest takie zimne.

— Chętnie bym je zagrzał, Zinuszka, ale tu mamy więcej prywatności.

— A dlaczego tu jest koja? Sypiasz tu?

— Pracujemy po wiele godzin.

— Oglądając telewizję? I ty to nazywasz pracą?

— To praca umysłowa. Ale nieważne, Zinuszka. Chodź i zajmij się mną.

— Jesteś pewien, że nie powinieneś teraz wykonywać ważnej pracy umysłowej?

— Nie wtedy, gdy ciągną sieć.

— Sieć! Kiedy cię poznałam w Złotym Rogu, byłeś przystojnym porucznikiem. A teraz patrz, gdzie wylądowałeś. W ładowni ryb. Skąd wiesz, że teraz ciągną sieć?

— Za dużo gadasz, za mało całujesz.

— A tak lepiej?

— Lepiej.

— A tak?

— Dużo lepiej.

— A tak?

— Zinuszka.

Mikrofon włączał się automatycznie pod wpływem dźwięku, a ona najwyraźniej nie miała jak go wyłączyć. Kasetowiec musiał tkwić w kieszeni jej rybackiego skafandra i albo znajdować się pod nią, albo wisieć obok koi. Arkadijowi zostały jeszcze dwa papierosy. Płomień na zapałce niezauważenie zbliżał mu się do palców.

* * *

Miał wtedy pięć lat. Było lato, mieszkali na daczy na południe od Moskwy, noce były ciepłe i wszyscy spali na werandzie z pootwieranymi na oścież drzwiami i oknami. W domu nie było wtedy elektryczności i nocne ćmy zlatywały się i tańczyły nad lampami naftowymi, a on zawsze myślał, że za chwilę zajmą się ogniem jak strzępy papieru i spłoną. Paru kolegów ojca, tak jak on oficerów, przyszło do nich na kolację. Obowiązywały wówczas zwyczaje towarzyskie narzucone przez Stalina i przyjęcia zaczynały się o północy, a kończyły nad ranem w atmosferze alkoholowego stuporu. Ojciec Arkadija, jeden z ulubionych generałów Wodza Ludzkości, też te zwyczaje stosował, tyle że o ile jego goście po prostu się upijali, o tyle on natychmiast robił się coraz bardziej wojowniczy. W pewnym momencie nakręcał patefon i kazał wszystkim słuchać zawsze tej samej płyty — nagrania Państwowej Mołdawskiej Orkiestry Jazzowej, zespołu, który towarzyszył oddziałom generała Renki na Drugim Froncie Ukraińskim. Muzycy odziani w długie

174

wojskowe płaszcze dawali koncert na rynku każdego miasteczka następnego dnia po wyzwoleniu go spod jarzma niemieckich okupantów. Utworem na płycie było zawsze *Chattanooga Choo-Choo*.

Koledzy oficerowie przychodzili bez żon, więc generał kazał im tańczyć ze swoją. Robili to z wielką ochotą, bo żaden nie miał za żonę tak szczupłej, wysokiej i pięknej kobiety. „Katerina, bardziej się wczuwaj!" — rzucał rozkaz generał. Leżąc w łóżku, mały Arkadij czuł, jak cała podłoga aż chodzi pod ciężarem ich wojskowych buciorów, za to kroków matki nigdy nie słyszał. Mogło się wydawać, że podczas tańca wywijają nią w powietrzu.

Jednak najgorsze zaczynało się po odejściu gości. Rodzice kładli się do łóżka za parawanem na drugim końcu werandy, skąd najpierw dobiegały szepty: jeden cichy i proszący, drugi wysyczany przez zęby i rozkazujący, od którego serce stawało mu ze strachu. A potem cała weranda kołysała się jak huśtawka.

Następnego dnia rano Arkadij dostawał na śniadanie ciasto z rodzynkami i herbatę, które zjadał na dworze przy stole pod brzozą. Matka podawała mu je w koszuli nocnej z jedwabiu i koronek, którą ojciec przywiózł jej z Berlina. Na ramionach miała zarzucony szal dla ochrony przed porannym chłodem, a jej długie czarne włosy były luźno rozpuszczone.

— Czy słyszałeś coś ostatniej nocy? — pytała go.

— Nie, nic — zapewniał.

W drodze do domu zahaczyła szalem o gałązkę drzewa, szal zsunął się jej z ramion i wtedy zobaczył sińce zostawione przez palce. Lekko podniosła szal i zarzuciwszy go na ramiona, związała na supeł jego długie frędzle.

— W każdym razie już po wszystkim — rzuciła w jego

stronę. Miała przy tym tak radosne spojrzenie, że prawie jej uwierzył.

I teraz znów to słyszał: *Chattanooga Choo-Choo.*

◆ ◆ ◆

— Mówię poważnie, Zina. Szef urwałby mi głowę, gdyby się o tym dowiedział. I tobie też. Nie wolno ci nikomu powiedzieć.

— A o czym? O tym?

— Przestań, Zina. Staram się być poważny.

— O tym twoim gniazdku tutaj?

— Tak.

— A kogo to obchodzi? To jak chłopięca kryjówka na dnie statku.

— Nie wygłupiaj się.

Każda strona taśmy trwała po trzydzieści minut. Taśma zbliżała się do końca i Zina musiała zdawać sobie sprawę, że nie uda jej się wcześniej zatrzymać i jej towarzysz usłyszy pstryknięcie, gdy kasetowiec automatycznie się wyłączy.

— Najpierw słyszę: „Zinka, kocham cię", a już za chwilę: „Zina, nie wygłupiaj się". Pokręcony z ciebie facet.

— To tajna operacja.

— Na pokładzie „Gwiazdy Polarnej"? A co, ryby szpiegujesz? A może naszych Amerykanów? Bo są głupsi od ryb.

— Tak ci się tylko zdaje.

— To twoja działka?

— Lepiej uważaj na Susan.

— Dlaczego?

— Nic więcej ci nie powiem. Nie próbuję ci imponować. Chcę ci pomóc. Powinniśmy sobie pomagać. To długi rejs. Bez kogoś takiego jak ty, Zinka, chybabym zwariował.

— Ach, więc już możemy się powygłupiać.

— Gdzie idziesz? Mamy jeszcze czas.

— Może ty, ale nie ja. Moja zmiana pracuje, a ta suka Lidia tylko szuka okazji, żeby mnie zakapować.

— Jeszcze tylko chwilkę.

Rozległ się szelest materiału ocierającego się o mikrofon i stęknięcie koi, z której ktoś wstaje.

— Wracaj do swojej pracy umysłowej. Ja muszę zamieszać zupę.

— Cholera! Przynajmniej daj mi sprawdzić, czy nikogo nie ma.

— Masz pojęcie, jak komicznie w tej chwili wyglądasz?

— Dobra, droga wolna. Możesz iść.

— Dziękuję.

— Zinka, tylko nie mów nikomu.

— Nikomu.

— Jutro znowu?

Odgłos ostrożnie zamykanych drzwi i zaraz potem pstryknięcie. Koniec taśmy.

Druga strona zaczynała się od ciszy. Arkadij przewinął ją do przodu i kilkakrotnie sprawdził. Cała taśma była pusta.

Wziął do ręki kołonotatnik. Do pierwszej kartki przykleiła wyciętą skądś mapkę Pacyfiku i dorysowała oczy i usta, dzięki czemu Alaska pochylała się nad wstydliwą kobiecą Syberią jak brodaty satyr. Wyspy Aleuckie ciągnęły się w stronę Rosji, jakby wyciągały ku niej rękę.

Ostatnia kaseta zaczynała się nagraniami Duran Duran. Arkadij włączył przewijanie.

Do drugiej strony notesu przyklejono fotografię „Orła" stojącego w zatoce w otoczeniu ośnieżonych gór. Na trzeciej ten sam „Orzeł" płynął po spienionych falach.

— Robimy *baidarkę* — powiedział po angielsku męski głos na taśmie. — To coś jak kajak. Wiesz, jak wygląda kajak? No więc *baidarka* jest dłuższa, węższa i ma kwadratowo ściętą rufę. Kiedyś robiono je ze skór i kości słoniowej. Nawet złącza były z kości, więc *baidarki* wprost śmigały po falach. Kiedy Bering przybył z pierwszą rosyjską wyprawą, nie mógł uwierzyć, że łodzie mogą tak szybko pływać. Najlepsze *baidarki* zawsze pochodziły z Unalaski. Rozumiesz coś z tego?

— Wiem, co to jest kajak — odrzekła Zina niepewną angielszczyzną.

— Zaraz ci zademonstruję *baidarkę*, to sama zobaczysz. Opłynę nią „Gwiazdę Polarną".

— Powinnam ci zrobić zdjęcie.

— Chciałbym, żebyśmy mogli zrobić dużo więcej niż tylko zdjęcie. Chciałbym ci pokazać cały świat. Wszędzie z tobą pojechać: do Kalifornii, Meksyku, na Hawaje. Jest tyle wspaniałych miejsc. Byłoby jak we śnie.

„Kiedy go słucham — mówiła Zina na drugiej stronie taśmy — to słyszę głos mojego pierwszego chłopaka. Mężczyźni są jak złośliwe dzieci, ale ten jest jak mój pierwszy, naprawdę słodki. Może jest wodnikiem, dzieckiem morza. Na wzburzonym morzu i na wielkim statku. Wychylam się przez poręcz i widzę go w dole na tym małym kutrze, jak stoi pewnie na pokładzie i zachowuje idealną równowagę, prując fale. I raz po raz słucham jego głosu, kiedy mówi »byłoby jak we śnie«".

Kilkanaście kolejnych stronic zajmowały zdjęcia tego samego mężczyzny z prostymi ciemnymi włosami i ciemnymi oczami o ciężkich powiekach. Z twarzą o wydatnych kościach policzkowych, drobnych ustach i wąskim nosie. Amerykanina. Aleuty o rosyjskim imieniu. Mike'a. Michaila. Wszystkie zdjęcia zrobiono z góry i z pewnej odległości i wszystkie ukazywały go, jak obsługuje żurawia na pokładzie „Orła", stoi na dziobie, naprawia sieć, macha do obiektywu.

Arkadij zapalił ostatniego papierosa. Pamiętał Zinę leżącą na stole sekcyjnym w tym samym pomieszczeniu. Jej wymoczone w wodzie ciało i tlenione włosy. Ciało tak pozbawione życia jak muszelka na plaży. Ale głos na taśmie należał do żywej Ziny. Kogoś, kogo nikt na statku naprawdę nie znał. Miał wrażenie, jakby otworzyła drzwi, usiadła przy biurku z dala od światła lampy, zapaliła swego papierosa z zaświatów i postanowiła wszystko wyznać, by znaleźć wreszcie zrozumienie.

Oczywiście Arkadij wolałby mieć pod ręką moskiewskie laboratorium z całą gamą magicznych rozpuszczalników i odczynników czy przypominających wielkością moździerze niemieckich mikroskopów i chromatografów gazowych. Musiał się jednak zadowolić tym, co miał. Obok kołonotatnika rozłożył łyżki, tabletki i kartę z odciskami linii papilarnych, które Vainu zdjął denatce. Rozgniótł tabletki między łyżkami, uchwycił przez rękaw trzonek łyżki ze sproszkowanym jodem, drugą ręką zapalił zapałkę i przytrzymał pod główką łyżki. Przesunął ręce jak najbliżej kołonotatnika, tak by opary topiącego się proszku owionęły kartkę sąsiadującą z mapką. Metoda z oparami jodu w warunkach laboratoryjnych polegała na podgrzewaniu kryształków jodu nad palnikiem alkoholowym. Pocieszył się, że w duchu ogłoszonego na ostatnim zjeździe partii wezwania do myślenia po nowemu wszyscy sumienni ludzie radzieccy winni naginać teorię do praktycznych rozwiązań.

Opary jodu błyskawicznie wchodzą w reakcję z olejkami zawartymi w pocie i obecnymi w odciskach. Najpierw pojawił się sepiowy obrys lewej dłoni przypominający stare fotografie. Chwilę później obrys wypełniły odciski garści, nadgarstka, kciuka i czterech rozstawionych palców, które zostawiła osoba naklejająca mapkę i przytrzymująca kołonotatnik płasko ułożoną lewą dłonią. Zaraz potem zaczęły się uwydatniać szczegóły: spiralki, delty, rysy i promieniste pętle. Skupił się na obrazie palca wskazującego i porównał go z kartą. Podwójna pętla, identyczna. Wysepka przy prawej delcie pętli. Przerwa w lewej pętli. Odciski na karcie i na stronie kołonotatnika były identyczne. Notes i pozostawiony na nim odcisk dłoni niewątpliwie należały do Ziny, która jakby wyciągała do niego rękę. Na kartce w notesie widać też było dwa inne odciski — sądząc po wielkości, należące do mężczyzny. Lekko rozmazane, jakby zostawione w pośpiechu.

Zapałka zgasła i obraz dłoni zaczął blednąć, by po minucie zupełnie zniknąć. Arkadij poodkładał wszystko na miejsce. Na sto procent był pewien, że ślady zostawiła Zina. Teraz pozostało mu tylko zidentyfikować porucznika, który nazywał ją Zinuszką.

Rozdział 13

Pod pokładem wszystko jest podporządkowane rozmieszczeniu ładowni. Nawet arka Noego musiała mieć ładownię, a nazywając Piotra „rybakiem ludzi", Chrystus musiał doceniać zalety szczelnego pojemnika na ryby. Jeśli kosmonauci będą kiedyś żeglować w kosmosie i zbierać próbki galaktycznego życia, bez wątpienia nie zabraknie im czegoś w rodzaju ładowni.

A mimo to od dziesięciu miesięcy „Gwiazda Polarna" pływała z przednią ładownią wyłączoną z użytkowania. Wśród załogi krążyły różne pogłoski na temat przyczyn tego stanu rzeczy: pęknięcie rur systemu chłodniczego; zwarcie elektryczne w pompie cieplnej; trująca substancja pochodząca z plastikowej izolacji. Jakakolwiek była prawda, statki odbierające zamrożone ryby musiały podpływać częściej i uwalniać „Gwiazdę Polarną" od skrzyń stłoczonych w pozostałych dwóch ładowniach. Na dodatek dojście do nieużywanej ładowni zastawiono kozłami na puste beczki i stalowe płyty. Przejście między nimi robiło się coraz węższe i trudniejsze do pokonania i ludzie przestali z niego korzystać, wybierając dłuższą, ale wygodniejszą drogę przez pokład.

Przejście między grodzią a ładownią było oświetlone ciągiem żarówek i kończyło się wodoszczelnymi drzwiami z niewielką rampą, która umożliwiała przejazd wózkiem z ładunkiem mrożonych ryb nad dolną krawędzią drzwi. Koło ryglujące drzwi było zamknięte na łańcuch z wyjątkowo masywną kłódką. Z jednego boku drzwi znajdowała się pompa cieplna ze zdjętą obudową i bardzo przekonującą plątaniną rozłączonych przewodów, z drugiego stała beczka po oleju z wetkniętymi w nią długimi wałkami kabestanu. Z beczki dochodziły odgłosy harcującej wewnątrz gromady szczurów. Od wypłynięcia z portu we Władywostoku na statku ani razu nie przeprowadzono deratyzacji. Ciekawostką było to, że szczury zjadały chleb, ser, farbę, plastikowe rury, izolację kabli, materace i ubrania — praktycznie wszystko, z wyjątkiem mrożonych ryb.

Wyglądało na to, że istniały dwie zupełnie różne Ziny: Zina publiczna dziwka i Zina prywatna, zamknięta w sobie kobieta, żyjąca w świecie skrywanych fotografii i potajemnych nagrań. Tylko jedno z nich można było uznać za niebezpieczne: nagranie głosu kochliwego porucznika, który chwalił się temperaturą pokojową i czterdziestoprocentową wilgotnością w ładowni. Podczas całej swojej kariery zawodowej Arkadij jedynie raz natknął się na kogoś, komu chciało się sprawdzać wilgotność pomieszczenia, ale dotyczyło to sali komputerowej komendy milicji przy ulicy Petrowka w Moskwie.

No i dobrze. Arkadij nie miał nic przeciwko funkcjonowaniu wywiadu morskiego. W końcu każdy radziecki rybak łowiący na wodach Pacyfiku znał na pamięć opowieści o amerykańskich okrętach podwodnych, które bezustannie naruszają wody terytorialne jego kraju. Podczas ciemnych nocy wrogie peryskopy penetrowały Cieśninę Tatarską, a łodzie podwodne podpływały za radzieckimi okrętami wojennymi aż do portu we Władywostoku. Zdumiewało go tylko, jakim cudem stacja podsłuchowa w ładowni statku rybackiego miała coś usłyszeć. Echosonda informuje tylko o tym, co znajduje się prosto pod kadłubem, a przecież żaden okręt podwodny nie zapędzałby się pod statek rybacki. Wiedział, że pasywne sonary w rodzaju hydrofonów wychwytują wprawdzie fale dźwiękowe z pewnej odległości, ale poszycie kadłuba starego statku przetwórni uniemożliwiało stosowanie tej metody. Było ono tak cienkie, że pod wpływem fal dźwiękowych zaczynało drgać jak powłoka bębna, wginając się i wyginając pod działaniem kolejnych fal. Z tego punktu widzenia kadłub został niewłaściwie zespawany i znitowany zbyt małymi i przepalonymi nitami, i uszczelniony masą wywołującą łzawienie, a belki konstrukcji trzeszczały jak stare kości. Wszystko to niejako uczłowieczało statek i czyniło z niego godną zaufania łajbę na tej samej zasadzie, na jakiej cierpiący na różne dolegliwości weteran wielu bitew budzi większe zaufanie niż młody przystojny rekrut. W rezultacie „Gwiazda Polarna" bez wysiłku pruła morskie fale, ale towarzyszący temu hałas musiałby zagłuszyć szmery śledzących go okrętów podwodnych.

Gry wywiadowcze w ogóle Arkadija nie interesowały. Kiedy w ramach służby wojskowej musiał godzinami siedzieć w pomieszczeniu nasłuchowym na dachu hotelu Adler w Berlinie Wschodnim, zabijał nudę nuceniem Presleya, Prokofiewa i czegokolwiek, co mu akurat przyszło do głowy. Koledzy dziwili się, dlaczego nie bierze lornetki i nie obserwuje amerykańskiego pomieszczenia nasłuchowego na dachu hotelu Sheraton w Berlinie Zachodnim. Być może nie starczało mu wyobraźni. Żeby się kimś zainteresować, musiał go mieć przed sobą. Mimo tego, co usłyszał na taśmach Ziny, przednia ładownia wyglądała z zewnątrz po prostu jak każda inna ładownia.

Porucznik kazał Zinie się upewnić, czy nikt nie idzie, ale Arkadij nigdzie nie dostrzegł żadnego okienka czy judasza.

Drzwi w dotyku były zimne i oślizgłe i nie było w nich nic romantycznego. Przyjrzał się wałom w beczce po oleju i po chwili wahania chwycił jeden z nich. Zdawało mu się, że dźwiga pięćdziesięciokilogramowy łom. Pomyślał, że jeśli tylko uda mu się zarzucić go na ramię, bez trudu strąci szczury, które się go uczepią. Na samą myśl o tym poczuł zimny dreszcz, ale na szczęście żaden nieproszony gość się nie pojawił. Wetknął wał w skobel kłódki i obrócił. Skobel puścił jak za naciśnięciem sprężyny. Następny minus dla państwowej kontroli jakości, pomyślał. Koło na drzwiach nie dawało się obrócić i drgnęło dopiero wtedy, gdy zaparł się nogami o pompę i z całej siły pociągnął. Z głośnym skrzypieniem zaczęło się po kawałku obracać i w końcu drzwi stanęły otworem.

Ładownia ciągnęła się przez całą wysokość trzech pokładów, tworząc głęboką ciemną studnię, którą oświetlała jedna słaba żarówka wisząca na poziomie oczu Arkadija. Zazwyczaj ładownie przedziela się stropami na poziomach kolejnych pokładów i zostawia w nich tylko otwory do wyładunku skrzyń z niższych poziomów. Jedna wielka komora wysokości trzech pokładów wydawała się czymś niezwykłym. Zupełnie tak, jakby od początku nie była przeznaczona do składowania skrzyń z rybami. Na górze widać było wodoszczelną klapę na poziomie głównego pokładu, a cała ładownia przesiąkła zatęchłym smrodem ryb i solanki. Siatka rur na bocznych ścianach, normalnie służąca do rozprowadzania chłodziwa, została osłonięta drewnianymi listwami. Od wejścia ciągnęła się w dół długa drabina, która kończyła się na dnie ładowni dwa poziomy niżej. Arkadij postawił stopę na szczeblu i zamknął za sobą drzwi.

W miarę schodzenia wzrok mu się oswajał i zaczynał coraz lepiej widzieć. Parę razy dostrzegł szczury, które w popłochu rozbiegły się po rurach. Wiedział, że szczury nigdy nie próbują wejść do ładowni z włączonym chłodzeniem, co tylko świadczy o ich inteligencji. Przyszło mu do głowy, że gdyby wziął latarkę, świadczyłoby to o jego inteligencji. Wokół kręciło się tyle szczurów, że chrobot ich pazurków przypominał szum liści na wietrze. W ładowni powinny znajdować się nie tylko stropy, ale także wielokrążki i oszronione skrzynie. Prawidłowe zapełnienie chłodni to prawdziwa marynarska sztuka. Skrzynki z mrożonymi rybami należy nie tylko ustawić w równe sterty, ale także odpowiednio poprzedzielać deskami, co zapewnia właściwą cyrkulację zimnego powietrza. Tu niczego takiego nie było. Równo z pokładami widać było tylko zamknięte drzwi, wyłączniki światła i termostaty. W miarę schodzenia robiło się coraz ciemniej i gdy Arkadij dotarł do ostatniego szczebla i stanął na dnie chłodni, nic już prawie nie widział, chociaż wytężył wzrok. Jakby się znalazł w najgłębszym lochu, w samym środku ziemi.

Zapalił zapałkę. Podłoga zrobiona była z ułożonych desek, które osłaniały siatkę rur na betonowym podłożu. Wypatrzył kawałki skórki pomarańczowej, siedzisko z desek, puste puszki po farbie i koc. Ktoś przychodził tu chyba wąchać opary. Na podłodze leżał też objedzony kręgosłup w kształcie grzebienia, co wyjaśniało, gdzie podział się zaginiony okrętowy kot, nie było za to śladu porucznika wywiadu, koi, telewizora ani komputera. Pod podłogą w podwójnym dnie statku znajdowały się wgłębienia na zbiorniki wody i paliwa i zapewne wystarczająco dużo miejsca na ukrycie kontrabandy, ale nie na pomieszczenie całego pokoju. Wsunął ułamaną deskę między listwy na ścianie i podważył, ale nie otworzyły się żadne tajemne drzwi. Dał sobie spokój z subtelnością i z całej siły walnął deską w ścianę. Ładownię wypełniło dudniące echo uderzenia i piski protestujących szczurów nad głową, ale nie wyjrzał żaden oficer wywiadu.

Wspinając się po drabinie, Arkadij miał wrażenie wynurzania się na powierzchnię wody. Czuł się tak, jakby wstrzymując oddech, płynął ku światłu żarówki. Nagranie Ziny traciło sens. Może źle zrozumiał treść nagranej rozmowy. I może uda mu się znaleźć kropelkę wódki w gabinecie Vainu. Kieliszek wódki w czystym jasnym pomieszczeniu dobrze mu teraz zrobi. Dotarł do żarówki, otworzył drzwi i wyszedł na pokład. Kozły na puste beczki i rozebrana pompa cieplna tym razem wydały mu się czymś znanym i przyjaznym. Powiesił urwaną kłódkę na kole. Biznesmen Gurij na pewno pomoże mu zorganizować nową.

W chwili gdy ruszył w stronę przetwórni, zgasło światło najpierw nad grodzią, potem nad pompą, z mroku ktoś się wysunął i wymierzył mu cios w żołądek. Ból był przejmujący i w pierwszej chwili Arkadij pomyślał, że został dźgnięty nożem. Gdy zgięty wpół zaczął charczeć, w usta wpakowano mu zwiniętą w kulę wilgotną szmatę i obwiązano drugą wokół głowy. Potem na głowę zarzucono mu wór, który okrył go aż do stóp. Poczuł, że owijają mu czymś ramiona i że coś mocno uciska jego klatkę piersiową. Instynktownie odsunął ręce od ciała i odetchnął głęboko, ale natychmiast zaczął się krztusić, bo okazało się, że knebel jest nasączony benzyną. Wciskał mu się w usta z taką siłą, że język uciekł mu w głąb podniebienia i niewiele brakowało, żeby się nim udusił. Znów instynktownie wypuścił powietrze, chcąc uwolnić język, i wtedy ktoś jeszcze mocniej dociągnął opasującą go obręcz.

Czuł, że niesie go kilku ludzi, chyba trzech. Pewnie ktoś czwarty idzie przodem, pilnując, by nie wpadli na kogoś niepowołanego, być może kolejny stanowi straż tylną. Niosący go byli silni, bo wywijali nim bez wysiłku jak kijem od szczotki. Ściskał przełyk, starając się nie wdychać wyziewów benzyny — podczas długich rejsów zdarzało się, że marynarze skrzykiwali się i grupowo wdychali opary, by choć trochę się oszołomić — ale i tak do gardła wpadł mu gryzący opar.

Pomyślał, że mogli go po prostu wrzucić z powrotem do tej samej ładowni, bo przecież minęłoby wiele dni, zanim jego zwłoki zostałyby odkryte. Może więc to, że go pobili, zakneblowali i zapakowali w wór, stanowi jednak dobry znak. Podczas pracy w moskiewskiej prokuraturze nigdy nie został uprowadzony i nie miał doświadczenia w tej materii, ale jedno nie ulegało wątpliwości: napastnicy nie mieli zamiaru od razu go zabić. A może to tylko członkowie załogi podenerwowani tym, że grozi im zakaz zejścia na ląd w porcie? Jeśli nawet potrzymają go w tym worze, ale będą między sobą szeptać, może rozpozna ich głosy.

Droga trwała krótko. Zatrzymali się i usłyszał zgrzyt obracanego na drzwiach koła. Arkadij nie wyczuł, żeby gdzieś po drodze skręcali, więc czyżby zawrócili do ładowni? Jedyne wodoszczelne wejścia na tym poziomie prowadziły do ładowni. Drzwi otworzyły się z chrupnięciem pękającego oblodzenia. Z otwieranego pieca bucha ognisty podmuch; chłodnia, w której panuje temperatura minus czterdzieści stopni, wysyła znacznie powolniejszy obłok zmrożonej pary, ale Arkadij poczuł go nawet przez worek. Zaczął gwałtownie kopać i wyrywać się, ale nic już nie mógł zrobić. Wzięli zamach i wrzucili go do środka.

Uderzenie o twarde podłoże spowodowało rozerwanie naprężonego paska. Arkadij wstał, ale nim udało mu się ściągnąć worek, usłyszał odgłos zamykanych drzwi i ryglującego je koła. Okazało się, że stoi na drewnianej skrzyni. Po rozwiązaniu opaski i wypluciu knebla pierwszy łyk zmrożonego powietrza niemal oparzył mu płuca. To jakiś żart, pomyślał, głupi żart. Po listwach na ścianie chłodni spływała biała, niemal ciekła para, pod deskami podłogi widać było plątaninę oblodzonych rur. Wokół jego nóg zebrały się obłoczki mlecznej pary, włoski na rękach stanęły dęba i pokryły się warstewką szronu. Jego oddech natychmiast po opuszczeniu ust krystalizował się, iskrzył i zamieniał w śnieg.

Powstrzymał odruch szarpnięcia za koło na drzwiach, uzmysławiając sobie, że skóra od razu przymarznie mu do metalu. Owinął je workiem i dopiero wtedy zaczął ciągnąć, ale koło ani drgnęło. Zapewne ludzie po drugiej stronie drzwi trzymali je i nie miał cienia szansy, by pokonać opór rąk trzech lub więcej silnych mężczyzn. Zaczął krzyczeć, ale całą ładownię wyłożono dziesięciocentymetrową warstwą waty szklanej i nawet powierzchnia drzwi była nią pokryta. Nikt nie usłyszy jego wołania, chyba że akurat będzie tędy przechodził. By zapewnić właściwe wyważenie statku, od tygodnia skrzynie z mrożonymi rybami ładowano tylko do tylnej chłodni. Jeśli wrzucono go do środkowej, nie było żadnego powodu, aby ktoś miał kręcić się w pobliżu. Nad głową i daleko poza zasięgiem rąk mieściła się termoodporna i wodoszczelna klapa, przez którą też nikt go nie usłyszy. Pod dwiema warstwami skrzyń znajdował się wewnętrzny strop z klapą zamykającą dostęp do dolnej komory ładowni, z której można było wyjść na niższy pokład. Tyle że uniesienie dwóch ćwierćtonowych skrzyń z rybami nie wchodziło w rachubę. Wierzchnia była okryta pomiętym, zesztywniałym od mrozu brezentem z napisem: „Mrożona sola — produkt ZSRR". Może nie brzmiało to jak żart, ale było w tym coś komicznego.

Starzy bywalcy północy dobrze znają kolejne etapy zamarzania. Arkadij cały dygotał i był to dobry znak. Wpadając w śmiertelny dygot, ciało potrafi przez pewien czas utrzymywać temperaturę, jednak co dwie, trzy minuty temperatura ciała spada o jeden stopień. Wiedział, że gdy obniży się o dwa stopnie, ciało przestanie dygotać, a serce spowolni pracę i zmniejszy dopływ krwi do skóry i kończyn, starając się utrzymać odpowiednią temperaturę kluczowych narządów wewnętrznych. Tak powstają odmrożenia. Spadek temperatury ciała o jedenaście stopni powoduje zatrzymanie akcji serca, mniej więcej w połowie tego dystansu delikwent zapada w śpiączkę. Zostało mu piętnaście minut.

Był też jeszcze dodatkowy problem. Miał klasyczne objawy zatrucia, jakie widywał u marynarzy odurzających się oparami: gwałtowne mruganie powiekami, zawroty głowy, oszołomienie. Czasem wyli jak hieny, kiedy indziej wręcz chodzili po ścianach. Nie mógł powstrzymać śmiechu: wyruszył na morze, żeby umrzeć w tej lodowni? To zabawne.

Jego ramiona wykonywały niekontrolowane ruchy, jakby jakiś maniak wyginał mu kości. Zdarzało mu się przebywać w tak niskiej temperaturze, ale miał wtedy na sobie gruby watowany kombinezon, filcowe walonki i podbity futrem kaptur. Teraz szron tworzył białe futro na jego butach i mankietach. Zataczał się, uważając, by nie wpaść w wąskie szczeliny między skrzyniami. Wiedział, że jeśli się poślizgnie i wpadnie, już się stamtąd nie wydostanie.

Na wysokości jego klatki piersiowej znajdowała się tablica osłaniająca termoparę z drutu miedzianego i konstantanowego, ale nie był w stanie jej podważyć gołymi rękami. Oto przykład sytuacji awaryjnej, która uzasadnia potrzebę noszenia przy sobie noża, pomyślał.

Wyciągnął z kieszeni pudełko zapałek i od razu je upuścił. Bał się przewrócić, więc żeby je podnieść, z wysiłkiem wykonał skłon, jakiego nie powstydziłby się paryski dandys schylający się po upuszczoną przez damę chusteczkę. Zapałki znów wyślizgnęły mu się ze zgrabiałych palców i tym razem wylądował na czworakach, żeby je podnieść. Płomyczek zapałki był maleńką żółtą kulką, której ciepła prawie nie poczuł we wszechogarniającym zimnie, ale przytknięcie go do termopary spowodowało utworzenie się paru kropel bezcennej rosy. Niestety, jego dłonie tak się trzęsły, że nie mógł utrzymać płomyka w jednym miejscu dłużej niż sekundę.

Plan pozbycia się go wyglądał na szczególnie perfidny. Przypuszczał, że jego oprawcy chcą zamrozić go na śmierć, potem zostawią ciało w ukryciu do rozmrożenia, po czym przeniosą je gdzieś, gdzie ktoś je przypadkiem znajdzie. Wszyscy zdążyli się już zorientować, że Vainu nie jest najlepszym anatomopatologiem i że gdy dojdzie do ustalenia przyczyny śmierci, zapewne uczepi się obecności oparów benzyny w płucach i uzna je za dowód zgubnych skutków wąchania substancji ropopochodnych i przyczynę żałosnego końca ofiary nałogu. W rezultacie wrzucą jego ciało do tej samej chłodni, tyle że już za oficjalną zgodą kapitana, gdzie przeleży aż do powrotu do Władywostoku. Wyobraził sobie swój powrót do domu pod postacią bryły lodu.

Zapałki na szczęście były najwyższej jakości — prawdziwe, impregnowane woskiem drewienka z fosforowymi główkami — bo wyprodukowano je z myślą o przystosowaniu do ekstremalnych warunków pogodowych, jakie trafiają się na morzu. Świadczyła o tym etykieta, na której widniał statek z dziobem prującym rozbryzgujące się fale i kominem z nieodzownym sierpem i młotem. Arkadij cały dygotał tak gwałtownie, że z trudem udawało mu się trafić płomykiem w termoparę. Z niewiadomych przyczyn przyszedł mu do głowy jeszcze jeden przykład marynarskiego samobójstwa, drastyczniejszy od wspomnianych w rozmowie z Marczukiem i Wołowojem. Na Sachalinie jeden z marynarzy powiesił się, ale nie wszczęto śledztwa, bo chłopak zaczepił sznur o emblemat sierpa i młota na kominie. Ubrano go w papierowe papucie i pochowano zaraz następnego dnia, bo nikt nie chciał o nic pytać.

Arkadij przynajmniej przestał dygotać i mógł spokojnie utrzymać zapałkę. Spojrzał w dół i zobaczył, że obie nogawki spodni pokrywa gruba warstwa szronu. Dużą rybę w rodzaju halibuta da się zamrozić na kamień w ciągu półtorej godziny.

Pudełko z zapałkami wypadło mu z palców poruszających się coraz wolniej i bardziej niezdarniej a ich biel nabierała coraz bardziej niebieskawego odcienia. Kiedy ukląkł, aby podnieść zapałki, jego dłonie zawisły nad podłogą jak para rozczapierzonych szponów. Zapalił kolejną zapałkę, ale pudełko wyślizgnęło mu się z palców i wpadło w szparę między skrzynią a ścianą. Słyszał, jak odbija się od skrzyń i spada na podłogę.

W najwyższym skupieniu przybliżył chłodny płomyk do termopary, przyglądając się, jak ciepło rozchodzi się niczym gorący oddech po metalowej płycie. Była to jego ostatnia zapałka i trzymał ją tak długo, aż płomień zaczął przypalać mu paznokcie. Na dłoniach wciąż jeszcze musiał mieć ślady benzyny z knebla, bo nagle zajęły się ogniem i zaczęły płonąć jak dwie świeczki. Zupełnie nie czuł bólu. Wpatrywał się w płonące dłonie osłupiałym wzrokiem, bo nigdy czegoś takiego nie doświadczył, a doznanie było niemal mistyczne. Jego wzrok powoli powędrował ku nasączonemu benzyną kneblowi. Czy to od ryb przejął tak powolne myślenie? Gdy płomyk zapałki dotarł do końca drewienka, nie wypuszczając go z płonących palców, dotknął nim leżącej szmaty, która w mgnieniu oka rozkwitła pięknym jak kwiat płomieniem. Nogą przesunął płonącą kulkę pod tablicę termopary.

Zwinięta ciasno szmata zaczęła się rozwijać, płonąc jasnym płomieniem o fioletowych i niebieskich błyskach i wypluwając kłęby gęstego czarnego dymu. Wokół płonącej szmaty na skrzyni i listwach ściany utworzyła się wilgotna glazura z lodu, który pod wpływem ognia topniał, zaraz ponownie zamarzał i znów topniał. Arkadij usiadł tuż przy ogniu i wyciągnął ręce, grzejąc dłonie. Miał w pamięci pewną piknikową ucztę na Syberii, która składała się z zeskrobanych wiórków zamrożonej ryby, pociętego na paseczki zamrożonego mięsa renifera, ugniecionych na placuszki zamrożonych jagód i syberyjskiej wódki, którą trzeba było co chwilę zbliżać do ognia, obracając raz jedną, raz drugą stroną. Rok wcześniej przewodnik Inturistu zabrał grupę amerykańskich turystów do tajgi i zorganizował im jeszcze bardziej wystawny lunch na wolnym powietrzu, zapomniał tylko o podgrzewaniu butelki. Po wielu toastach gorącą herbatą za międzynarodową przyjaźń, wzajemne poszanowanie i lepsze zrozumienie przewodnik rozlał do szklaneczek gęstą, niemal zamarzniętą wódkę i postanowił pokazać swoim gościom, jak należy ją wypić jednym haustem. „O tak!" — powiedział, wlał całą zawartość do ust, przełknął i padł trupem. Nieszczęśnik zapomniał, że syberyjska wódka ma moc niemal stuprocentowego czystego spirytusu i zachowuje płynność w temperaturze, która zamraża przełyk i jak cios sztyletem zatrzymuje pracę serca. Sam szok termiczny wystarczył, by go zabić. Była to oczywiście bardzo smutna opowieść, ale jednocześnie nieodparcie śmieszna. Arkadij wyobrażał sobie grupę amerykańskich turystów, którzy siedzą przy ognisku, patrzą na martwego rosyjskiego przewodnika i pytają: „To tak wygląda syberyjski piknik?".

Płonąca kulka nie miała szans w nierównej walce z oblodzonym lochem chłodni pełnej zamrożonych ryb. Płomienie opadły i zamieniły się w pojedyncze punkty ognia, potem już tylko w języki żaru, aż wreszcie w strużkę czarnego dymu dobywającego się z kupki popiołu. Listwy i skrzynia były lekko osmolone, ale nawet nie nadpalone.

Benzyna była trochę jak syberyjska wódka. Z każdą chwilą czuł się coraz bardziej Sybirakiem. Wpadł w końcu w stan błogości. Mróz znów wędrował w górę jego nogawek i rękawów. Arkadij zaczął gwałtownie mrugać, by nie dopuścić do zamarznięcia powiek. Jednocześnie przyglądał się swojemu oddechowi, gwałtownie zamieniającemu się w kryształki lodu, które najpierw wznosiły się, by zaraz opaść białym obłoczkiem. Czyż nie tak oddychałby prawdziwy Sybirak? Czy nie mógłby być dobrym przewodnikiem? Tylko dla kogo?

Najwyższy czas się położyć. Pociągnął za leżącą na skrzyni plandekę, żeby sobie zrobić legowisko. Plandeka zsunęła się z warstwą lodu, ukazując leżące pod nią ciało Ziny Patiaszwili w przezroczystym plastikowym worku. Przezroczystym, ale pokrytym jakże wspaniałymi wzorami z kryształków lodu, skrzącymi się, jakby ktoś posypał ją garścią diamentów. Sama Zina też była zupełnie biała od szronu, we włosach miała grudki lodu. Jedno oko było otwarte, jakby chciała sprawdzić, kto do niej dołącza.

Arkadij zwinął się w kłębek jak najdalej od zwłok.

Tak naprawdę nie wierzył, że koło się obraca, póki nie zobaczył uchylających się drzwi, a szpary w drzwiach nie wypełniła masywna postać Nataszy Czajkowskiej. Na jej twarzy odmalowało się zdumienie na widok tlących się resztek, Ziny i wreszcie jego. Wpadła do środka i chwyciła Arkadija na ręce, unosząc go najpierw ostrożnie, by nie rozerwać skóry już przymarzniętej do lodu, potem z szarpnięciem, jak ciężarowiec przystępujący do wyciskania. Nigdy wcześniej nie zdarzyło mu się być niesionym przez kobietę, nic jednak nie powiedział, bojąc się, że Natasza może nie potraktować tego jak komplement.

— Rozpaliłem ogień — wyjaśnił. Widać wywołało to zamierzony skutek, temperatura na termoparze raptownie wzrosła i zadziałały precyzyjnie ustawione czujniki. — Usłyszałaś alarm?

— Nie, nie. Tu nie ma systemu alarmowego. Akurat przechodziłam i usłyszałam cię w środku.

— Krzyczałem? — Arkadij nawet tego nie pamiętał.

— Śmiałeś się. — Natasza podrzuciła go, poprawiając sobie chwyt przed przeciśnięciem się przez drzwi. Była trochę wystraszona, ale także zniesmaczona jak ktoś, kto musi użerać się z pijakiem. — Śmiałeś się do rozpuku.

Rozdział 14

W czasie gdy Izrail Izrailewicz delikatnie rozmasowywał palce rąk Arkadija, a Natasza robiła to samo z palcami stóp, ich pacjent przeżywał wstrząs hipotermiczny. Szef przetwórni z wyrazem niechęci i zawodu na twarzy wlepiał wzrok w oczy Arkadija, które pod wpływem oparów benzyny wyszły na wierzch i nabrały płomieniście czerwonej barwy.

— Innych bym mógł podejrzewać o chlanie i ćpanie, ale nie ciebie — powiedział z wyrzutem. — Zasłużyłeś sobie, żeby w tej chłodni zamarznąć na śmierć.

Najgorsze było to, że im bardziej odzyskiwał świadomość, tym bardziej czuł, jak cała skóra staje w płomieniach, pękają naczynia krwionośne, a ciałem wstrząsają potężne ataki dreszczy. Na szczęście gdy Izrail i Natasza przynieśli go i ułożyli na dolnej koi, w kajucie nie było żadnego ze współlokatorów. Najlżejszy dotyk był prawdziwą torturą i owinięcie kocami odczuwał tak, jakby nacierano mu skórę tłuczonym szkłem.

Na swetrze i w brodzie szefa przetwórni srebrzyły się rybie łuski, ponieważ wezwany na pomoc przez Nataszę przybiegł wprost z produkcji.

— Może mamy wziąć pod klucz całą benzynę i wszystkie rozpuszczalniki i farby, jakby to były drogie zagraniczne alkohole?

— Mężczyźni to mięczaki. — Natasza wzruszyła ramionami.

— Bo Rosjanie są jak gąbki. — Izrail się skrzywił. — Nie wiadomo, jaki naprawdę mają kształt, póki nie nasiąkną. Ale myślałem, że Renko jest inny.

Natasza chuchała na każdy palec z osobna, delikatnie go ugniatając, ale Arkadij i tak miał wrażenie, jakby wbijała mu rozżarzone igły pod paznokcie.

— Może powinniśmy go zanieść do doktora Vainu? — zasugerowała.

— Nie — wydusił z trudem Arkadij. Zatrucie oparami spowodowało, że wargi miał obrzmiałe i gumowate.

— Zwolniłem cię z pracy — mówił dalej Izrail — bo podobno miałeś prowadzić jakieś śledztwo dla kapitana, a nie po to, żeby ci odbiło.

— W ładowni widziałam Zinę — poinformowała go Natasza.

— A gdzie mamy ją trzymać? Mówisz, że rozpalił tam ogień? — W głosie Izraila słychać było troskę. — Nie rozmroził części ryb?

— Nawet siebie nie rozmroził. — Natasza skupiła się na palcu, który wciąż pozostawał siny.

— Bo jeśli zmarnował mi jakieś ryby...

— Z całym szacunkiem, ale pieprzyć te twoje ryby — burknęła.

— Ja tylko mówię, że jak chce z sobą skończyć, to nie w mojej chłodni z rybami. — Spojrzał spode łba na Arkadija i zabrał się do rozcierania drugiej dłoni.

Nataszy coś nagle przyszło do głowy, bo jej czoło pokryło się bruzdami.

— A może to ma coś wspólnego ze sprawą Ziny? — rzuciła.

— Nie — skłamał Arkadij. Chciałby też powiedzieć. „Zostawcie mnie już", ale przez dzwoniące zęby nie przecisnęło się więcej niż jedno słowo.

— Szukałeś tam czegoś? Albo kogoś? — nie dawała się zbyć.

— Nie. — Musiałby jej opowiedzieć o poruczniku, który może istnieje, a może nie. Najpierw przestanie dygotać i choć trochę uspokoi rozedrgane końcówki nerwowe. Dopiero potem wróci do zadawania pytań.

— Może powinniśmy zawiadomić kapitana? — zastanowił się Izrail.

— Nie — powtórzył Arkadij po raz trzeci i zaczął szykować się do wstania.

— Już dobrze, dobrze. Wygląda, że to jedyne słowo, jakie zapamiętałeś — powiedział Izrail. — Ale jeśli powiesz, że ktoś cię napadł, to się nie zdziwię. Osobiście się tym nie przejmuję, ale ludzie są bardzo wkurzeni pogłoskami, że chcesz im zakazać zejścia na ląd w Dutch Harbor. Jak ci się zdaje, po co oni pływają na tej zasranej łajbie? Żeby łowić ryby? Chcesz im zrujnować miesiące ciężkiej pracy tylko po to, żeby się dowiedzieć, co się przydarzyło Zinie? Na tym statku jest pełno głupich bab. Dlaczego tak ci zależy na tej jednej?

♦ ♦ ♦

Kiedy dreszcze w końcu ustały, Arkadij popadł w stan wyłączenia świadomości podobny do śpiączki. Wiedział, że go rozebrano z przemarzniętych ciuchów i ubrano w coś suchego i że zapewne zrobili to Izrail i Natasza, ale erotyzmu musiało być w tym tyle, co w rozbieraniu śniętej ryby. Wyobraził sobie nawet, jak rzucony na taśmę przenośnika sunie ku wirującemu ostrzu piły.

W tym czasie Obidin i Kola weszli na chwilę do kajuty, w milczeniu pogrzebali w swoich rzeczach i bez słowa wyszli tak, jakby go tu nie było i jakby nie leżał na nie swojej koi. Obowiązująca na statku etykieta wymagała, by nie przeszkadzać innym w spaniu.

* * *

Kiedy ponownie wydobył się z niebytu, ujrzał Nataszę siedzącą na przeciwległej koi. Gdy tylko zauważyła, że otworzył oczy, bez wstępów zapytała:

— Izrail Izrailewicz dziwił się, że tak ci zależy na Zinie. Znałeś ją?

W całym ciele czuł zabawną niemoc, zupełnie jakby podczas drzemki ktoś go pobił i zostawił na słońcu na spalenie. Przynajmniej dreszcze ustąpiły na tyle, że mógł w miarę normalnie mówić.

— Wiesz, że nie.

— Tak mi się zdawało, ale potem zaczęłam się zastanawiać, dlaczego tak ci na niej zależy. — Popatrzyła na niego, ale po chwili odwróciła wzrok. — Pewnie dla dobra pracy lepiej jest tak się angażować.

— Tak, to taka zawodowa sztuczka. Nataszo, co ty tu robisz?

— Pomyślałam, że może będą chcieli po ciebie wrócić.

— Kto miałby wrócić?

Założyła ręce na piersiach i spojrzała tak, jakby chciała powiedzieć: „Koleś, nie ze mną te numery".

— Zamiast oczu masz czerwone szparki.

— Dzięki.

— Wszystkie dochodzenia tak wyglądają?

Musiało mu się przez sen odbijać, bo cała kajuta śmierdziała jak garaż pełen oparów benzyny. Natasza uchyliła iluminator i wtedy z zewnątrz dobiegł ich smętny śpiew:

Gdzieście, wilki, niedawni królowie tych kniej?
Do mnie, bracia! W gromadzie umiera się lżej.

Kolejna złodziejska piosenka, znów o wilkach i znów śpiewana sentymentalnym głosem przez twardego rybaka, choć równie dobrze przez mechanika w poplamionym smarem kombinezonie lub gogusia jak Sław Bukowski. Złodziejskie piosenki śpiewali bowiem wszyscy, zwłaszcza robotnicy, brzdąkając przy tym na gitarach, zawsze prymitywnie nastrojonych według klucza: D-G-B-D-G-B-D.

To są psy, nasi krewni dalecy, te psy
Które wilczą bywały zdobyczą.

Ludziom z Zachodu Rosjanie kojarzą się z niedźwiedziami, ale sami Rosjanie widzą się jako wilki. Zwinne, dzikie i niedające się okiełznać. Widoku Rosjan stojących godzinami w kolejce po piwo nie da się zrozumieć bez próby zrozumienia ich wnętrza. Autorem piosenki znów był Wysocki, którego rodacy najbardziej kochali za jego ułomności — jego pijaństwo i szaleńcze rajdy samochodem. Mówiono o nim, że w tyłku ma „torpedę". Torpedą nazywano kapsułkę antabusu, który zaszyty w ciele powodował gwałtowne torsje po wypiciu choćby kropli alkoholu. Wysocki miał wszytą torpedę i pił dalej!

Co dzień staję przed nimi pyskiem w pysk, twarzą
*   w twarz*
Bezzębnymi ich straszę szczękami
Lecz na śniegu już wyrok dopisał się nasz
Nie jesteśmy już więcej wilkami!*.

---

* Przekład Michał B. Jagiełło.

Gdy Natasza zamknęła iluminator, Arkadij poczuł się już zupełnie rozbudzony.

— Otwórz go — polecił.

— Jest zimno.

— Otwórz go.

Ale było już za późno. Piosenka dobiegła końca i słychać było tylko ciężkie sapanie fal uderzających w burtę. Piosenkę śpiewał ten sam mężczyzna, którego słyszał na taśmie Ziny. Chyba ten sam. Jeśli jeszcze coś zaśpiewa, będzie można się upewnić. Ale dostał kolejnego ataku dreszczy i Natasza szczelnie domknęła iluminator.

♦   ♦   ♦

Na widok otwierających się drzwi Arkadij aż podskoczył i usiadł na koi z nożem w ręku. Natasza zapaliła światło i obrzuciła go pełnym troski spojrzeniem.

— Kogo się spodziewałeś?

— Nikogo.

— Całe szczęście, bo w swoim stanie nie wystraszyłbyś nawet myszy. — Odgięła mu palce z rękojeści noża. — A poza tym nie musisz się z nikim bić. Jesteś sprytny i potrafisz wszystkich przechytrzyć.

— A mogę sam siebie przechytrzyć i zniknąć z tego statku?

— Umysł to wspaniały dar. — Odłożyła nóż na bok.

— Zamiast umysłu wolałbym bilet powrotny. Jak długo spałem?

— Godzinę, może dwie. Opowiedz mi o Zinie. — Otarła mu pot z czoła i pomogła ułożyć się z powrotem na poduszce. Dłoń miał nadal kurczowo zaciśniętą od trzymania noża i Natasza zaczęła masować mu palce. — Nawet jeśli się mylisz, to chcę poznać twoje domysły.

— Naprawdę?

— To jak słuchanie czyjejś gry na fortepianie. Po co ona zaciągnęła się na „Gwiazdę Polarną"? Żeby przemycić te kamienie?

— Nie, są za tanie. Poproszę o ten nóż.

— Ale jej samej takie kamienie mogły wystarczyć.

— Radziecki przestępca rzadko działa sam. Na ławie oskarżonych prawie nigdy nie widzisz jednego. Siedzi pięciu, dziesięciu, dwudziestu równocześnie.

— Jeśli to nie był wypadek, choć nawet przez chwilę nie twierdzę, że nie był, to mogłaby to być zbrodnia w afekcie.

— Zbyt precyzyjnie wykonana. I zaplanowana. Żeby krew tak spłynęła jak u niej, przed wrzuceniem do wody musiano ją przetrzymać gdzieś na pokładzie co najmniej pół dnia. A to oznacza, że musiano przenieść jej ciało i ukryć, a potem znów je przenieść i wyrzucić za burtę. Ale wtedy trwał już połów, na pokładzie byli ludzie.

Arkadij przerwał, by zaczerpnąć powietrza. Gdyby ktoś go teraz spytał, czym się różni masaż terapeutyczny od wymyślnej tortury, z trudem by wymyślił odpowiedź.

— Mów dalej — ponagliła go Natasza.

— Zina zadawała się z Amerykanami, ale mogła to robić tylko za wiedzą Wołowoja. Była jego informatorką. Personel kambuza jej się nie czepiał, bo dostali polecenie, że mają przymykać oko na jej nieobecności. Zresztą prawdopodobnie i tak wkupywała się w łaski Olimpiady czekoladkami i brandy. Ale dlaczego stała na rufie zawsze wtedy, gdy z siecią podpływał „Orzeł", a nie było jej przy innych trawlerach? Żeby pomachać do mężczyzny, z którym raz na dwa, trzy miesiące miała okazję potańczyć? Czyżby zespół muzyczny Sława był aż tak dobry? A może należy odwrócić pytanie i zastanowić się, czego Amerykanie szukali w chwili dostarczania połowu?

Arkadij nie wspomniał, że na „Gwieździe Polarnej" może się mieścić stacja podsłuchowa. Z taśmy wynikało, że porucznik zaprosił Zinę w chwili, gdy na pokład wciągano sieć z połowem. Czy stacja działała tylko w przerwach między dostarczaniem kolejnych sieci? A jeśli tak, to czy chodziło o sieci, czy o obecność Amerykanów?

— W każdym razie wygląda na to — kontynuował — że Zinę wykorzystywało wielu ludzi: Amerykanie, kochankowie, Wołowoj. Wykorzystywało lub było przez nią wykorzystywanych. Nie trzeba być geniuszem, wystarczy zauważyć pewną prawidłowość.

Pamiętał głos Ziny na taśmie: „Jednemu się zdaje, że może mi mówić, co mam robić. Drugiemu się zdaje, że może mi mówić, co mam robić". Wymieniła ich aż czterech. Czterech mężczyzn ważnych w jej życiu, wśród których nawet ona dostrzegała zabójcę.

— Jakich ludzi? — spytała Natasza.

— Choćby pewien oficer, którego mogła skompromitować.

— Który? — spytała Natasza, lekko podnosząc głos.

Arkadij pokręcił przecząco głową. Jego dłonie miały jasnoczerwoną barwę, jakby je przed chwilą wyjął z wrzątku. Zresztą piekły go, jakby tam je trzymał.

— A co ty o tym myślisz? — spytał.

— Co do pierwszego oficera Wołowoja, to się nie zgadzam. Co do Amerykanów, to niech odpowiadają za siebie. Ale w sprawie Olimpiady i czekoladek możesz mieć rację.

◆ ◆ ◆

Gdy ponownie się obudził, Natasza siedziała przy ogromnym srebrnym samowarze z kranikiem, od którego biło przyjazne ciepło. Nalała im po szklance parującej herbaty i pokroiła okrągły bochenek chleba.

— Mama była kierowcą ciężarówki. Pamiętasz ciężarówki produkowane w czasach, kiedy plany produkcyjne przemysłu określało się w wadze brutto wyrobu? Nasze ciężarówki ważyły dwa razy więcej niż zagraniczne. Spróbuj jeździć taką po śniegu. Trasa wiodła przez zamarznięte jezioro. Matka była zawsze przodownicą pracy i z reguły prowadziła pierwszą ciężarówkę w konwoju. Wszyscy bardzo ją lubili. Miała album ze zdjęciami i pokazała mi w nim fotografię ojca. Też był kierowcą. Może nie uwierzysz, ale wyglądał jak inteligencik. Bardzo dużo czytał i mógł o wszystkim dyskutować. Nosił okulary. Miał jasne włosy, ale poza tym trochę przypominał ciebie. Mama mówiła, że miała z nim kłopot, bo był za wielkim romantykiem. Wciąż podpadał swoim szefom. Mieli się pobrać, ale podczas wiosennych roztopów pod jego ciężarówką załamał się lód i utonął. Dorastałam na budowach kolejnych zapór. Wszystkie je kochałam. Na świecie nie ma nic piękniejszego i bardziej pożytecznego dla ludzi. Koledzy planowali dalszą naukę w specjalistycznych instytutach, ale ja nie mogłam doczekać się końca szkoły, żeby móc wejść na stelaż z mieszalnikiem betonu. Kobieta może mieszać beton równie dobrze jak mężczyzna. Największą radość sprawia praca w nocy, kiedy świecą lampy zasilane prądem z elektrowni na zaporze, którą samemu się wcześniej budowało. Ma się wtedy uczucie, że jest się kimś. Ale większość mężczyzn to utracjusze. Kręcą się z miejsca na miejsce, bo tak dużo im płacą. Na tym polega problem. Zarabiają tak dużo, że muszą to przepijać albo wydawać na wypady nad Morze Czarne czy na pierwszą napotkaną dziewczynę jak Zina. Nie zakładają rodzin, ale to nie ich wina. To wina zawziętych kierowników budów, którzy zrobią wszystko, byle tylko ich budowa została zakończona pierwsza. Więc nie można się dziwić, że mężczyźni mówią sobie: „Po co mam siedzieć w jednym miejscu, skoro gdzie indziej mogę się sprzedać za więcej?". Taka jest dzisiejsza Syberia.

* * *

Sieć wpełzła po pochylni rufowej w krąg światła z lamp sodowych, podjechała w górę na linach bomu i zakołysała się jak żywa. Z plastikowych wąsów ściekały strużki wody, które, rozpływając się po pokładzie, tworzyły niewielkie falki. W sieci musiało być ze czterdzieści lub pięćdziesiąt ton ryb, może nawet więcej. Pół całonocnego planu połowu za jednym pociągnięciem! Kraby odbywały swój taniec na deskach pokładu, naprężone liny aż jęczały pod ciężarem, ale bosman połowowy błysnął ostrzem noża i jednym wprawnym ruchem jak skalpelem rozpruł cały brzuch saka. Zrobił to tak szybko, że cała sieć rozwarła się niemal równocześnie, spuszczając na pokład gęstą lawinę mlecznoniebieskawych, wijących się i drgających śluzic, które rozpełzły się po całym pokładzie, wypełniając go aż po górną krawędź nadburcia, aż po schodki prowadzące na pokład łodziowy...

Arkadij obudził się z krzykiem, jednym ruchem zrzucił z siebie koc, naciągnął na nogi gumowce i sięgnąwszy po nóż, rzucił się do drzwi. Chciał uciec z kajuty, ale nie był to atak zwykłej klaustrofobii, tylko paniczny strach przed pogrzebaniem żywcem. Samo zerwanie się z łóżka niewiele zmieniało, skoro nadal tkwił pod stalowym pokładem.

Światła lamp na zewnątrz rozmazywały się w nocnej mgle, przeświecając przez nią jak przez dym ogniska. Przespał całe popołudnie. Mijało półtorej doby od przywołania go po raz pierwszy do martwego ciała Ziny Patiaszwili i teraz sam był w niewiele lepszym stanie. Oznaczało to, że pozostało mu niespełna dwanaście godzin na dokonanie przełomu, który ku zadowoleniu wszystkich doprowadzi do rozwiązania tajemnicy śmierci Ziny Patiaszwili i pozwoli załodze zejść na ląd w porcie. Chwiejnym krokiem podszedł do relingu i zaczął powoli sunąć w stronę dziobu. Trawlery gdzieś się zawieruszyły i wokół nie było gwiazd ani żadnych świateł, na których mógłby skupić wzrok, by nie patrzeć na rozmyty blask lamp „Gwiazdy Polarnej".

Na pokładzie było zupełnie pusto, przypuszczalnie właśnie wydano kolację. Statek przestał już przyjmować sieci i ruszył pełną parą w stronę portu, a to znaczyło, że cała załoga funkcjonuje teraz według jednego harmonogramu. Musiał podpierać się łokciem o reling, żeby nie upaść. Wiedział, że tym razem nie będzie to zwykły dziarski spacer wokół statku i że będzie miał dużo czasu na rozmyślania o tonięciu i strachu leżącym mu na sercu niczym mokra szmata. Dotarł do zejścia do maszynowni, ale do mostka było wciąż daleko, jak do ginącego we mgle, trudnego do osiągnięcia celu.

— A oto i miłośnik poezji. — Arkadij odwrócił głowę w stronę głosu Susan, bo wcześniej nawet nie zauważył, że do niego podeszła. — Zrobiłeś sobie przerwę?

— Lubię pooddychać morskim powietrzem.

— Wyglądasz na takiego. — Oparła się o reling obok niego, zsunęła z głowy kaptur i zapaliła papierosa, potem zbliżyła palącą się zapałkę do jego twarzy. — Chryste Panie!

— Nadal różowa?

— Co ci się stało?

W mięśniach wciąż odczuwał skurcze i fragmenty jego ciała drętwiały, by po chwili palić jak przypiekane ogniem i znów drętwieć. Pozornie obojętnym ruchem przytrzymał się poręczy. Najchętniej by stąd odszedł, ale nie był pewien, czy zdoła się oddalić z należytą godnością.

— Po prostu starałem się patrzeć po nowemu. I tak mnie to zmęczyło.

— Ach, rozumiem — powiedziała Susan, rozglądając się. — To tu zdarzył się ten wypadek i dlatego tu jesteś. Bo wciąż mówmy o wypadku, prawda?

— W niewyjaśnionych okolicznościach. — Arkadij skinął głową.

— Jestem pewna, że je wyjaśnisz. Nie wybraliby cię, gdyby nie wiedzieli, że mogą na ciebie liczyć.

— Dzięki za zaufanie. — Czuł, jak uginają się pod nim kolana. Jeśli ma z niego drwić, to dlaczego po prostu sobie nie pójdzie i nie zostawi go w spokoju?

— Tak się zastanawiałam... — zaczęła Susan.

— Teraz ty się zastanawiasz? — wtrącił z przekąsem.

— No bo wypytywałeś rybaków na trawlerach, ale chyba wszyscy zeszli z pokładu „Gwiazdy Polarnej", zanim Zinie coś się stało, czy nie tak?

— Na to wygląda. — Chce mnie wysondować, pomyślał.

— Podchodzisz do sprawy poważnie, co? Słyszę, że Sław biega w kółko i szuka listu samobójczyni, ale ty się snujesz po statku tak, jakby ci zależało, żeby się dowiedzieć, co się naprawdę wydarzyło. Dlaczego?

— Bo to nasza wspólna tajemnica. — Chociaż w ustach wciąż miał smak benzyny, poczuł nagłą ochotę na papierosa i poklepał się po kieszeniach.

— Proszę — powiedziała Susan. Wetknęła mu w usta zapalonego papierosa i odsunęła się od relingu. Początkowo pomyślał nawet, że postanowiła go już wreszcie zostawić, i dopiero po chwili dostrzegł wyłaniającego się z mgły „Orła". Trawler podpływał coraz bliżej i Arkadij mógł już rozróżnić sylwetkę George'a Morgana na nieoświetlonym mostku. Na pokładzie widać też było dwóch rybaków w nieprzemakalnych kombinezonach, którzy szykowali pakunek z kawałków podartej sieci i odpadków, by wyrzucić go do morza. Arkadij z daleka rozpoznał ponure wejrzenie Colettiego i pogodną twarz Mike'a. Obraz Aleuty pasował do wizerunku utrwalonego na zdjęciu Ziny: prostolinijnego chłopaka bez trosk.

Pokład trawlera był mokry i zasłany płastugami i krabami, i choć „Orłem" bardziej kołysało niż „Gwiazdą Polarną", Amerykanie stali jak wrośnięci, lekko się tylko kołysząc na przygiętych nogach. Pomiędzy statkami fruwała chmara morskich ptaków, które jak zwykle pojawiły się znikąd. Na nieruchomo rozłożonych skrzydłach krążyło około setki rybitw z czarnymi czubkami i jaskółczymi ogonami, szarych petreli i mlecznobiałych mew. Wyglądało to tak, jakby ktoś opróżnił kosz z papierami, które zamiast opaść, zawisły w powietrzu i tak trwały. Jeśli któryś ptak sfruwał w dół, natychmiast burzył spokój całego stada, które reagowało trzepotem skrzydeł i głośnym skrzeczeniem.

Mike znowu pomachał i Arkadij dopiero wtedy uprzytomnił sobie, że do niego i Susan dołączył ktoś trzeci. Natasza pochyliła ku niemu głowę i szepnęła mu wprost do ucha:

— Jest ktoś, kto chce z tobą porozmawiać. Byłam w twojej kajucie, ale cię nie zastałam. Dlaczego wstałeś?

Zaczął coś mamrotać o zaletach świeżego powietrza, ale nie dokończył, bo nagły atak kaszlu zgiął go wpół. Miał wrażenie, jakby w środku zalegały w nim kawałki lodu, które pod wpływem kaszlu odrywają się i roztopione zalewają ciało falami odrętwiającego zimna.

Nie odrywając wzroku od Susan, Natasza odezwała się obojętnym tonem, jakby spotkali się przy relingu na filiżankę herbaty.

— Zaraz prowadzę szkolenie, ale potem możemy wpaść do mojej znajomej.

— Szkolenie? — Ton Susan świadczył, że z trudem wstrzymuje się od parsknięcia śmiechem.

— Jestem przedstawicielką załogi we Wszechzwiązkowym Towarzystwie Wiedzy.

— Jakże mogłam o tym zapomnieć? — żachnęła się Susan z udawaną skruchą.

Pewnie Natasza łatwiej by zniosła, gdyby jej rozmówczyni po prostu wybuchła śmiechem. Zdawała sobie sprawę, że Amerykanka z niej kpi, ale nie bardzo wiedziała dlaczego. Trochę jak kobieta, której z tyłu wystaje halka i która czuje, że się z niej śmieją, ale nie wie dlaczego. Nerwowym ruchem wyjęła papierosa z ust Arkadija.

— W twoim stanie to absolutnie niedopuszczalne — burknęła i kierując wzrok na Susan, dodała: — To najokropniejszy zwyczaj radzieckich mężczyzn. Palenie to dla mężczyzny najbardziej nienaturalne zachowanie.

Pstryknęła niedopałek za burtę, na co jedna z mew w mgnieniu oka złożyła skrzydła i śmignąwszy w dół, w locie chwyciła niedopałek, zaraz go jednak wypuściła. Jej manewr powtórzył jeden z petreli i przechwyciwszy spadającego peta, połknął połowę. Wypluty filtr spadł do wody, przykuwając uwagę rybitwy, która zaczęła mu się pilnie przyglądać.

— To muszą być rosyjskie ptaki — parsknęła Susan.

Zanoszącemu się kaszlem Arkadijowi nagle coś przyszło do głowy. Susan miała na sobie nieprzemakalny rybacki skafander. Taki sam skafander miała też Natasza, na czym zresztą kończyło się wszelkie podobieństwo obu kobiet. Cóż więc się stało z rybackim skafandrem Ziny? Wcześniej w ogóle się nad tym nie zastanawiał, bo przecież nikt nie zabiera skafandra na zabawę taneczną i jeśli nawet wychodzi na pokład zaczerpnąć powietrza, to bez problemu może chwilę wytrzymać w subarktycznym powietrzu. Szczególnie radzieckie kobiety nie zakładały żadnych skafandrów, żeby nie psuć przyjemności płynących z ewentualnych przytulanek. W ich obfitych kształ-

207

tach kryły się prawdziwie romantyczne dusze, które zrywały się do lotu przy najlżejszym podmuchu.

Arkadij dotrwał do końca ataku duszącego kaszlu i wyprostował się. Susan zapaliła następnego papierosa, ale jego już nie poczęstowała.

— Renko, ty w końcu jesteś śledczym czy ofiarą?

— On wie, co robi — powiedziała Natasza.

— I dlatego wygląda, jakby go wypluł rekin?

— Ma swoje sposoby.

Ciekawe jakie, pomyślał Arkadij.

Radiotelefon w kieszeni Susan zatrzeszczał i zabrzmiał głos Morgana.

— Spytaj Renki, co się przydarzyło Zinie. Wszyscy chcemy wiedzieć.

Mike na pokładzie „Orła" raz jeszcze zamachał do Nataszy, robiąc to w taki sposób, jakby zapraszał ją na pokład. Jej policzki pokryły się rumieńcem, ale z wystudiowaną obojętnością wzruszyła ramionami na znak, że bratanie się z obcymi należy do przeszłości.

— Musimy już iść na szkolenie — oznajmiła sucho.

— Ale oni chcą wiedzieć, co się przydarzyło Zinie — powiedziała Susan.

Nadal niepewny swych nóg, Arkadij ostrożnie wykonał próbny krok.

— To co mam im powiedzieć?

— Powiedz im... — Arkadij się zawahał. — Powiedz im, że nadal wiedzą więcej niż ja.

Rozdział 15

W szkoleniu o naukowym ateizmie, które w pomieszczeniu stołówki poprowadziła Natasza Czajkowskaja, członek korespondent Wszechzwiązkowego Towarzystwa Wiedzy, wzięła udział liczna grupa wolnych od służby członków załogi. Przy wejściu stał Wołowoj, który świdrującym spojrzeniem kontrolował nie tylko obecność na sali, ale także aktywność i zaangażowanie słuchaczy. Jakby tego było mało, w ostatnim rzędzie ławek siedzieli Skiba i Ślezko, służąc Inwalidzie dodatkowymi dwiema parami oczu. Dzień przed wpłynięciem do portu zawsze obfitował w emocje, ponieważ prawo do zejścia na ląd mogło być cofnięte z różnych przyczyn: bo za mało czasu, bo przekazy pieniężne nie doszły na czas, bo niekorzystny klimat polityczny.

Nastrój oczekiwania na wizytę w Dutch Harbor udzielał się wszystkim. Nie tylko po raz pierwszy od czterech miesięcy mieli postawić stopę na lądzie, ale też dla większości był to wymarzony cel całego rejsu. Błogosławione kilka godzin w amerykańskich sklepach z twardą walutą w garści. Gdyby któremuś z mężczyzn chodziło tylko o zarobek z łowienia ryb albo którejś z kobiet z ich czyszczenia, mogliby łatwo pływać na jednym z radzieckich trawlerów łowiących w strefie przybrzeżnej, a nie męczyć się przez pół roku na Morzu Beringa. Kobiety kręciły się w świeżo odprasowanych bluzkach w kwieciste wzory, mając na głowach fryzury najeżone szpilkami. Wygląd mężczyzn był bardziej zróżnicowany. Statek zwiększył szybkość, by ograniczyć do minimum stratę czasu na długim odcinku do Wysp Aleuckich, co poskutkowało większą ilością gorącej wody w prysznicach. W rezultacie połowa męskiej załogi paradowała wyszorowana do czysta i wystrojona w dziane koszule, druga, bardziej zachowawcza, nadal chodziła brudna i zarośnięta.

— Religia uczy — czytała Natasza ze swego konspektu — że praca nie jest dobrowolnym wkładem jednostki w dobro państwa, ale obowiązkiem narzuconym przez Boga. Obywatel wyznający taki pogląd nie kwapi się do oszczędzania surowców.

— A Bóg oszczędzał, kiedy tworzył niebo i ziemię? — wtrącił siedzący w środkowym rzędzie stolików Obidin. — Kiedy na przykład tworzył słonia? Więc może Bogu wcale nie zależy na oszczędności surowców.

— Państwowych surowców? — powiedziała ze zgrozą w głosie Natasza.

— Dlaczego jej przeszkadzasz? — Wołowoj stanął obok Arkadija. — To tylko prosta robotnica. Dlaczego próbujesz jej mącić w głowie?

Natasza uparła się, żeby Arkadij towarzyszył jej w trakcie szkolenia. Nie musiała go zresztą specjalnie namawiać, bo niemal bezwolnie poszedł za nią i stanął oparty o ścianę, bojąc się, że jak usiądzie, to może już nie wstać. Rękami złożonymi na piersiach próbował stłumić telepiące nim dreszcze.

— Cicho bądź! Słuchaj i ucz się! — rozległy się okrzyki pod adresem Obidina.

— Jeszcze dwa dni temu połowa załogi nawet nie wiedziała o twoim istnieniu — ciągnął Wołowoj. — A teraz stałeś się najbardziej znienawidzoną osobą na pokładzie. Sam się w tym pogubiłeś. Najpierw twierdziłeś, że Zinę Patiaszwili zamordowano, a teraz nie chcesz swoich kolegów wypuścić w porcie, jeśli nie zaświadczą, że tak nie było.

— Ktoś rozpuszcza plotki, że to ode mnie zależy — powiedział Arkadij.

— Plotka ma zawsze tysiąc języków — mruknął Wołowoj i spojrzał na zegarek. — No cóż, zostało ci jeszcze jedenaście godzin na podjęcie wiekopomnej decyzji: schodzimy na ląd w Dutch Harbor czy nie schodzimy? Przyznasz się do pomyłki czy będziesz próbował wywyższyć się ponad załogę? Niektórzy mogliby oczekiwać, że pójdziesz na kompromis. Nie znam cię za dobrze, ale znam takich jak ty. Myślę, że jesteś gotów zatrzymać całą załogę na kotwicy w Dutch Harbor i nie puścić nikogo na ląd, byle nie musieć się przyznać do pomyłki.

— Nauka dowodzi — mówiła dalej Natasza — że płomień kościelnej świecy ma moc hipnotyczną. W przeciwieństwie do nauki, która oświeca umysł.

— Bo w końcu, co masz do stracenia? — ciągnął Wołowoj. — Nie należysz do partii, nie masz rodziny.

— A ty masz rodzinę? — zainteresował się Arkadij. Wyobraził sobie mieszkanie Inwalidy w bloku we Władywostoku, niemrawą żonę i gromadkę małych Wołowojów w czerwonych pionierskich chustach, jak siedzą wpatrzeni w migający ekran telewizora.

— Moja żona jest drugim sekretarzem rady miejskiej.

Czyli wymazujemy z obrazka pozbawioną wyrazu żonę i zastępujemy ją kimś na wzór i podobieństwo męża, pomyślał Arkadij. Młot i kowadło do wykuwania następnego pokolenia komunistów.

— I mam syna — dodał Wołowoj. — Mam swój udział w przyszłości. A ty nie masz. Jesteś zgniłym jabłkiem i nie chcę, żebyś zaraził towarzyszkę Czajkowską.

Natasza przeszła od oświecania umysłu do ewolucji ciała, od *Homo erectus* do człowieka socjalistycznego. Szkolenie na temat ateizmu zarządzono ze względu na istnienie kościoła prawosławnego w Dutch Harbor, przywołując naukę do walki z przesądami.

— Skąd ci przyszło do głowy, że mógłbym ją czymś zarazić?

— Bo jesteś gładki i wygadany — rzekł Wołowoj. — Miałeś ważnego ojca i chodziłeś do specjalnych szkół w Moskwie. Miałeś to wszystko, czego nikt z nas nie miał. Więc możesz na niej, a może nawet na kapitanie robić wrażenie, ale ja cię przejrzałem i wiem, coś ty za jeden. Jesteś wrogo nastawiony do Związku Radzieckiego. Czuję to na odległość.

— Nie ma różnicy — mówiła Natasza — między wiarą w istotę najwyższą a modnymi mrzonkami o życiu w innych galaktykach.

— Jednak statystycznie rzecz biorąc — zaprotestował ktoś z sali — w innych galaktykach musi istnieć życie.

— Tylko że jakoś nikt nas dotąd nie odwiedził. — Natasza się skrzywiła.

— Skąd mamy o tym wiedzieć? — odezwał się czyjś głos. Oczywiście Kola, bo któż by inny, pomyślał Arkadij. — Jeżeli takim istotom udałoby się odbyć międzygalaktyczną podróż, to na pewno umiałyby się też odpowiednio zakamuflować.

Nikt nie irytował Nataszy bardziej niż Kola Mer. Nie miało znaczenia to, że pracują ramię w ramię przy jednej taśmie produkcyjnej, ani nawet to, że tylko ona pospieszyła mu z pomocą, kiedy obciął sobie palec. Po tym wypadku niechęć między nimi wręcz się nasiliła.

— A po co mieliby nas odwiedzać? — Nastroszyła się.

— Żeby się z bliska przyjrzeć naukowemu socjalizmowi w praktycznym zastosowaniu — odrzekł Kola, wywołując kilka pomruków poparcia wśród zebranych w stołówce słuchaczy.

W odczuciu Arkadija przypominałoby to podróż dookoła świata po to, żeby zobaczyć mrowisko.

— Poza tym jeszcze mnie nie odwiedziłeś — powiedział Wołowoj. — Nie raczyłeś mnie poinformować o postępach dochodzenia.

— Myślę, że jesteś wystarczająco dokładnie informowany — odrzekł Arkadij, mając na myśli Sława. — Zwróciłem się z prośbą o udostępnienie akt Ziny Patiaszwili, ale ty odmówiłeś.

— Zgadza się.

— Ale i tak się domyślam, co w nich jest. „Rzetelna pracownica, politycznie dojrzała, chętna do współpracy". Tylko że ona wcale dobrze nie pracowała. Była biedną zagubioną dziewczyną, która szła z każdym do łóżka, a ty o tym wiedziałeś. A to może znaczyć tylko jedno: była twoją informatorką. Nie szpiclem jak Skiba i Ślezko, ale informatorką. A jeśli nie, to znaczy, że z tobą spała.

— Czytałaś Biblię?! — zawołał Obidin.

— Niekoniecznie trzeba czytać Biblię. To tak, jakby powiedzieć, że człowiek musi zachorować, żeby mógł zostać lekarzem — odparła Natasza. — Ale znam strukturę Biblii, jej księgi, ich autorów.

— I cuda też? — spytał Obidin.

— Wstyd! Hańba! — Słuchacze siedzący w pobliżu Obidina wstali, żeby pokazać, że się od niego odcinają. — Ona wie, co mówi! Nie ma żadnych cudów!

Obidin też podniósł głos i zaczął krzyczeć:

— Mordują kobietę i wrzucają do morza, ona idzie na dno, a potem wraca na ten sam statek, gdzie ją zamordowano! I wy mówicie, że nie ma cudów?!

Kolejni słuchacze zerwali się z miejsc i zaczęli z wściekłością wygrażać pięściami.

— Kłamca! Fanatyk! Przez takie gadanie nie puszczą nas do Dutch Harbor!

Ślezko też wstał i wyciągnął palec w stronę Arkadija takim gestem, jakby go brał na muszkę karabinku.

— A to prowokator, który nie pozwala nam zejść w Dutch Harbor! — wykrzyknął.

— Cuda istnieją! — zawołał Obidin.

— Cud to będzie wtedy, gdy ci się uda zejść żywym z pokładu tego statku — mruknął Wołowoj. — Ale mam nadzieję, że się uda, bo bardzo bym chciał zobaczyć, jak po powrocie do Władywostoku schodzisz po trapie prosto w ramiona pograniczników.

◆ ◆ ◆

Lidia Taratuta nalała Arkadijowi kieliszek wzmocnionego wina. Rządząca mesą oficerską *bufecica* nie tylko cieszyła się przywilejem mieszkania w dwuosobowej kajucie, ale także wyglądało na to, że zajmuje ją sama. Czerwień musiała być jej ulubionym kolorem, bo na ścianie wisiał rozpięty w kształcie motyla ogromny ciemnoczerwony kilim w bogate orientalne wzory, w mosiężnych lichtarzach sterczały czerwone świeczki, a spod koi wystawały czerwone filcowe bambosze. W kajucie panowała atmosfera buduaru starzejącej się diwy, która z wiekiem staje się coraz bardziej wyzywająca. Poczernione henną włosy układały się w zbyt wymyślną fryzurę, a jej rozchylone wargi były nazbyt pełne. Do połowy rozpięta bluzka ukazywała obfity dekolt z bursztynowym wisiorem między piersiami. Rozpięte guziki przy bluzce miały świadczyć o nieprzykładaniu wagi do wyglądu i sprawiać wrażenie, jakby rozpięły się same. W radzieckiej flocie rybackiej kapitan nie dobiera sobie personelu — dowództwo floty przydziela mu statek wraz z oficerami i całą załogą — z jednym wszakże wyjątkiem: *bufecicę* wybiera sam. Marczuk dobrze ten przywilej wykorzystał.

— Chcesz wiedzieć, z jakimi oficerami Zina sypiała? Myślisz, że była dziwką? A kim ty jesteś, żeby ją osądzać? Dobrze, że sobie wziąłeś Nataszę do pomocy, bo widzę, że nie znasz kobiet. Może w Moskwie miałeś do czynienia z samymi kurwami. Nie znam się na życiu w Moskwie. Byłam tam tylko raz jako delegatka organizacji związkowej. Ale ty z kolei nie masz pojęcia o życiu na statku. Więc co jest gorsze: że nie rozumiesz kobiet czy że nie znasz tego statku? Cóż, możesz już nigdy nie chcieć pływać na innym statku. Jeszcze wina?

Ponieważ Natasza blokowała sobą drzwi na wypadek, gdyby Arkadij chciał zwiać, nie pozostało mu nic innego, jak przyjąć kolejną porcję. Zresztą co do znajomości kobiet, sam był gotów przyznać, że ich nie rozumie. A już na pewno nie ma pojęcia, po co Natasza go tu sprowadziła.

— On nie może opuścić statku — wyjaśniła Natasza. — Jest śledczym, ale ma jakieś tyły.

— Człowiek z przeszłością — domyśliła się Lidia.

— Krótki okres politycznej niepewności — powiedział Arkadij.

— Brzmi to jak krótki katar, nie przeszłość. Mężczyźni nie mają przeszłości. Nosi ich tylko z miejsca na miejsce jak suche liście. To kobiety mają przeszłość. Ja mam przeszłość. — Wzrok Lidii powędrował na chwilę ku oprawionej w ramkę fotografii wiszącej na drzwiach szafy, na której dwie dziewczynki w białych sukienkach i z białymi kokardami na głowach siedziały na jednym krześle, przytulone do siebie jak papużki nierozłączki. — Tak wygląda przeszłość.

— A gdzie ich tata? — spytał obojętnie Arkadij.

— To jest dobre pytanie. Nie widziałam go od chwili, kiedy zrzucił mnie ze schodów w szóstym miesiącu ciąży. Teraz mam dwójkę dzieci, które przebywają w ośrodku opieki w Magadanie. Mają tam jedną pielęgniarkę i jedną pomocnicę na trzydzieścioro dzieci. Pielęgniarka jest starą kobietą chorą na suchoty, pomocnica złodziejką. I one wychowują moje aniołki. Przez całą zimę dziewczynki chodzą przeziębione. No cóż, opiekunkom płacą po dziewięćdziesiąt rubli na miesiąc, to muszą kraść. Dlatego z każdego portu wysyłam pieniądze, bo chcę być pewna, że moje dziewczynki nie umrą z głodu albo na gruźlicę. Bogu dzięki, mogę jeszcze pływać i zarabiać, ale jeśli kiedyś spotkam ich ojca, to mu utnę kutasa i wrzucę do wody zamiast przynęty. I niech sobie po niego skacze, co nie, Natasza?

Z ust Czajki dobył się gardłowy chichot, jednak szybko się opanowała i przeniosła wzrok na Arkadija.

— Tylko z nim uważaj. On potrafi czytać w myślach — powiedziała.

— Możecie mi obie wierzyć, że nie pamiętam, kiedy mniej rozumiałem z tego, co się wokół mnie dzieje.

Lidia wygładziła sobie spódnicę na udach.

— No a co wiesz o swoich koleżankach z załogi? Na przykład o Dynce?

Pytanie zupełnie go zaskoczyło.

— Wygląda na miłą... — zaczął niepewnie.

— W wieku czternastu lat wyszła za alkoholika — wpadła mu w słowo Lidia. — Z zawodu taksówkarza. Problem w tym, że jeśli jej Mehmed zgłosi się do poradni antyalkoholowej na leczenie, automatycznie straci prawo jazdy na pięć lat. Dlatego Dynka musi zdobywać dla niego antabus na czarnym rynku. Tylko że w Kazachstanie nie ma szans na zarobienie takich pieniędzy, więc wyjeżdża i zaciąga się na statek. Albo ta starsza kobieta z kajuty Nataszy, Jelizawieta Fiodorowna Malcewa, która całymi dniami siedzi i szyje. Jej mąż był ochmistrzem we flocie czarnomorskiej, ale wsadził fiuta, gdzie nie trzeba, i pasażerka oskarżyła go o gwałt. Od piętnastu lat siedzi w łagrze, a ona liczy dni, łykając krople waleriany. Zwróćcie na nią uwagę w Dutch Harbor. Na pewno zrobi wszystko, żeby sobie kupić zapas valium. A to przecież to samo. Więc sam widzisz, towarzyszu, że otacza cię całe morze słabości. Kobiety z przeszłością, czyli dziwki.

— Nigdy tak nie twierdziłem. — Naprawdę to Natasza pierwsza nazwała Zinę dziwką, ale Arkadij pomyślał, że chyba nie ma sensu tego wyciągać w celu obrony. Zresztą i tak przestał już walczyć z kobiecą niekonsekwencją. Od dawna uważał, że o ile mężczyźni dobrze nadają się na policjantów, o tyle kobiety mogą być doskonałymi śledczymi. A w każdym razie innego rodzaju śledczymi. Takimi, którzy niekonwencjonalnymi metodami potrafią znaleźć niekonwencjonalne poszlaki, bo szukają ich z boku albo z tyłu, a nie jak pozbawieni polotu mężczyźni, którzy uparcie kroczą do przodu z góry wytyczoną drogą.

— Jego bardziej interesują Amerykanie — wtrąciła Natasza. — Niedawno spotkaliśmy na pokładzie Susan. Kpiła w żywe oczy.

— A jemu co, chory? — zainteresowała się Lidia.

Arkadij tak zdołał przywyknąć do trzęsących nim dreszczy, że prawie ich nie zauważał.

— Nie dba o siebie jak należy — odrzekła Natasza — Chodzi, gdzie nie powinien, i zadaje pytania, jakich nie powinien zadawać. Interesuje go Zina i oficerowie.

— Jacy oficerowie? — Lidia wyraźnie się nastroszyła.

— Ja tylko wspomniałem Nataszy, że oficerowie sypiają z członkiniami załogi — wyjaśnił pospiesznie Arkadij.

— To gruba przesada. — Lidia ponownie napełniła jego kieliszek. — Na statku spędzamy z sobą po sześć miesięcy. To więcej niż w gronie rodzinnym. Jesteśmy tylko ludźmi i oczywiście zdarza się, że nawiązują się bliższe kontakty. Jesteśmy normalni. Ale jeśli spróbujesz opisać to w swoim raporcie, możesz wielu zrujnować życie. Jak raz czyjeś nazwisko trafi do takiego raportu, już nigdy nie zostanie oczyszczone. Dla patrzącego z boku będzie to źle wyglądało. I nagle śledztwo w sprawie śmierci Ziny przemieni się w śledztwo w sprawie całego statku. W sprawie rozpustników i dziwek. Rozumiesz, co mówię?

— Chyba zaczynam — powiedział Arkadij.

— Zaczyna rozumieć — potwierdziła Natasza.

— Masz na myśli siebie — domyślił się Arkadij.

— Wszyscy wiedzą, kto to jest *bufecica* — powiedziała Lidia. — Prowadzę mesę oficerską, sprzątam kajutę kapitana i robię mu dobrze. Taki jest zwyczaj. Wiedziałam o tym w chwili podejmowania tej pracy. Wie o tym Ministerstwo Rybołówstwa, wie jego żona. Gdybym nie zajmowała się nim na pokładzie, po powrocie zgwałciłby ją w drzwiach domu, więc musi wiedzieć. Inni oficerowie też mają swoje układy. Robi to z nas ułomne ludzkie istoty, ale nie przestępców, rozumiesz? Jeśli choć napomkniesz o tym w swoim raporcie, zmusi to do działania ministerstwo i wszystkie żony na lądzie, te same, które wolą z utęsknieniem całować fotografie swoich mężów, niż pływać na „Gwieździe Polarnej" w ogóle wszyscy zażądają naszych głów.

Lidia eleganckim ruchem pociągnęła łyczek wina.

— Zina była inna. To nie znaczy, że była szczególnie rozpustna. Po prostu pójście z kimś do łóżka nic dla niej nie znaczyło. Nie było w niej czułości. Nie sądzę, żeby się z kimś przespała więcej niż raz. Taka już była. Oczywiście, jeśli w porę widziałam, co się święci, starałam się temu przeciwdziałać.

— To znaczy? — spytał Arkadij.

— Kiedyś pracowała w mesie oficerskiej i to ja ją przeniosłam do stołówki dla załogi.

— Wygląda to bardziej na dostarczanie okazji niż jej eliminowanie.

— W każdym razie dostała tam fioła na punkcie Amerykanów, więc jak widzisz, nie ma potrzeby, żeby w to mieszać naszych radzieckich mężczyzn.

— Fioła na punkcie Amerykanów czy konkretnie jednego? — spytał Arkadij.

— Widzisz, jaki jest bystry? — ucieszyła się Natasza.

Jednak Lidia zrobiła unik.

— Z Ziną nigdy nic nie było do końca pewne.

Arkadij poklepał się po głowie, jakby chciał pobudzić umysł do bardziej wytężonej pracy. Rozumiał sygnał wysłany przez Lidię — nie wymieniać w raporcie żadnych oficerów po imieniu — nadal jednak nie miał pojęcia, dlaczego to robi.

— On teraz myśli — wyjaśniła Natasza.

W rzeczywistości jego zabiegi wywołały tylko jeszcze ostrzejszy ból głowy.

— Uczestniczyłaś wtedy w zabawie? — zapytał.

— Nie. Tego wieczoru musiałam przygotować bufet dla Amerykanów. Nasze kiełbasy, pikle, różne inne smakołyki, których u siebie nie mają. Byliśmy zbyt zajęci, żeby mieć głowę do tańców.

— My?

— Kapitan Marczuk, kapitan Morgan, kapitan Thorwald i ja. Członkowie ich załóg poszli się bawić, ale kapitanowie ślęczeli nad mapami, a ja im podawałam i sprzątałam ze stołu.

— Przez cały wieczór?

— Tak. Znaczy nie. Zrobiłam sobie jedną krótką przerwę na papierosa na pokładzie.

Arkadij pamiętał, że o dwudziestej trzeciej piętnaście Skiba widział ją na pokładzie, szła w stronę dziobu.

— Ktoś cię widział.

Lidia bardzo starała się stworzyć wrażenie, że próbuje coś sobie przypomnieć. Mrużyła oczy, kręciła głową i nawet lekko wzdychała.

— To pewnie nie ma żadnego znaczenia — odezwała się w końcu. — Ale przy relingu rufowym widziałam Susan.

— Jak była ubrana?

Pytanie ją zaskoczyło.

— Nie wiem, chyba w białą bluzkę i dżinsy — powiedziała niepewnie.

— A Zina? Jak Zina była ubrana?

— W białą bluzkę i chyba niebieskie spodnie.

— Więc Zinę też widziałaś?

Lidia gwałtownie zamrugała jak ktoś, kto potknął się o niespodziewany schodek.

— Tak.

— Gdzie?

— Na pokładzie rufowym.

— A one cię widziały?

— Nie sądzę.

— Byłaś na tyle blisko, żeby zauważyć, jak obie były ubrane, a jednak żadna z nich cię nie widziała?

— Mam doskonały wzrok. Kapitan często powtarza, że chciałby mieć oficera z takim wzrokiem jak mój.

— Ile razy pływałaś pod dowództwem kapitana Marczuka?

Doskonały wzrok Lidii rozbłysnął jak dwie zapalone świeczki.

— To mój trzeci rejs z Wiktorem Siergiejewiczem. Już podczas naszego pierwszego wspólnego rejsu stał się czołowym kapitanem w całej flocie. Podczas drugiego przekroczył plan połowów o czterdzieści procent i dostał tytuł Bohatera Pracy Socjalistycznej. Wyznaczono go też na delegata na zjazd partii. Znają go w Moskwie i mają wobec niego wielkie plany.

Arkadij dopił wino i wstał. Stan jego nóg wciąż pozostawiał wiele do życzenia, ale mógł już chodzić. Również jego umysł zaczynał nabierać rozpędu.

— Dziękuję.

— Mogę zorganizować wędzoną rybę — zaproponowała Lidia. — Możemy się jeszcze napić wina, coś przekąsić.

Arkadij zrobił na próbę dwa kroki. Wyglądało na to, że uda mu się dotrzeć do drzwi.

— Arkadij — powiedziała Natasza. — Tylko patrz, gdzie rzucisz pierwszym kamieniem.

♦ ♦ ♦

Z wyjątkiem zielonkawej poświaty rzucanej przez ekrany radaru i loranu* oraz mdłego blasku nastawów radiowych, szklanej kuli żyrokompasu i tarczy telegrafu maszynowego, na mostku panowały ciemności. Przy stanowiskach sterowniczych na dwóch końcach konsoli stały dwie ciemne postacie: Marczuk po stronie sterburty, sternik za kołem sterowym. Patrząc na nich, Arkadij zdał sobie sprawę, do jakiego stopnia „Gwiazda Polarna" prowadzi się sama. Z cichymi pyknięciami automatyczny pilot konsekwentnie utrzymywał wcześniej ustawiony kurs, a jakby zawieszone w powietrzu wskaźniki przekazywały dane już po fakcie, informując tylko o decyzjach podjętych przez prujący fale statek przetwórnię.

— Renko. — Marczuk dostrzegł Arkadija. — Bukowski cię szuka. Skarży się, że nie składasz mu raportów.

— Skontaktuję się z nim. Towarzyszu kapitanie, możemy chwilę porozmawiać?

Arkadij zauważył, że na dźwięk jego głosu sternik aż ze-

---

* System nawigacji hiperbolicznej dużego zasięgu.

sztywniał. Nie było zwyczaju, by robotnicy z przetwórni wchodzili na mostek bez wyraźnego zaproszenia.

— Zostaw nas samych — polecił mu kapitan.

— Ale... — Przepisy wymagały, by na mostku zawsze przebywało dwóch oficerów lub oficer ze sternikiem.

— Nic się nie martw — uspokoił go Marczuk. — Ja przejmę ster, marynarz Renko będzie obserwował niebo i morze. Nic się nie stanie.

Kapitan zamknął drzwi za sternikiem i upewnił się, że pomieszczenie nawigacyjne jest puste, po czym stanął za sterem. Ścianka działowa za jego plecami mieściła tablicę czujników przeciwpożarowych i kasetkę z miernikami promieniowania, które miały się przydać w razie wybuchu wojny. Przy każdym pyknięciu autopilota w reakcji na działanie fal koło steru ledwo dostrzegalnie drgało i korygowało kurs.

— Towarzyszu kapitanie, czy przespaliście się z Ziną Patiaszwili? — spytał Arkadij.

Marczuk nie odpowiedział od razu i na mostku zapadła cisza. Ogromne wycieraczki zgarniały śnieg z przedniej szyby i przez oczyszczone okienka widać było sterczące na pokładzie dziobowym kołowroty kotwicowe i ułożone po obu stronach zwoje sklarowanych lin. Za nimi roztaczała się rozświetlona światłem szperacza pozornie nieprzenikniona ściana sypiącego śniegu. Na mostku panował przenikliwy chłód i Arkadij poczuł, że znów zaczyna dygotać. Na konsoli stał monitor radaru Foruna, produkcji japońskiej. Obracająca się po ekranie kreska była w paru miejscach przerwana przez opad śniegu i ukazywała dwa utrzymujące stałą pozycję rozbłyski — to zapewne „Orzeł" i „Wesoła Jane", domyślił się Arkadij. Echosonda marki Kalmar była produkcji radzieckiej i z jej wskazań wynikało, że „Gwiazda Polarna" płynie z szybkością czternastu węzłów w stosunku do dna, co znaczyło, że starą łajbę dodatkowo wspomaga ruch fal. Zgodnie z warunkami umowy o wspólnych połowach radzieckie statki nie mogły stosować echosond na obszarze amerykańskich wód terytorialnych, ale kapitanowie woleli nie ryzykować i włączali echosondę, gdy na mostku nie było Amerykanów.

— To tak prowadzisz to swoje dochodzenie? — rzekł w końcu Marczuk. — Rzucając ludziom w twarz dzikie oskarżenia?

— Z uwagi na bardzo ograniczony czas, tak.

— Podobno dobrałeś sobie do pomocy Czajkowską. Dziwny wybór.

— Nie dziwniejszy niż wasz wybór mnie.

— Na konsoli leżą papierosy. Zapal mi jednego.

Paczka marlboro. Arkadij przypalił papierosa, widząc, jak w świetle zapałki kapitan badawczo mu się przygląda. Stary numer. Stosowany przez silniejszego, który w ten sposób chce speszyć rozmówcę i dojrzeć w nim oznaki zmieszania.

— Masz gorączkę?

— Mam dreszcze.

— Sław nazywa ciebie i Nataszę „parą wichrzycieli". Jak ci się to podoba?

— Sławowi przydadzą się tacy wichrzyciele.

— Natasza coś o mnie mówiła?

— Nie, ale poznała mnie z Lidią.

— I Lidia ci powiedziała. — Marczuka wyraźnie to zaskoczyło.

— Bezwiednie. — Arkadij zdmuchnął zapałkę i powrócił wzrokiem do przedniej szyby, letargicznie omiatanej przez wycieraczki. Do padającego śniegu dołączała mgła. Jeśli mgła jest myślą, śnieg oznacza działanie. — Słyszała, że wypytuję o kontakty Ziny z oficerami. Zależało jej na waszej reputacji i dlatego wyznała, że macie już kochankę. Ją. Dlaczego? Twierdzi, że wszyscy, łącznie z waszą żoną, wiedzą, iż sypiacie ze swoją *bufecicą*. Nawet ja o tym wiedziałem. Próbowała mnie powstrzymać od dalszego drążenia tematu. Było to jak rzucenie się dla was pod pociąg, byle go tylko zatrzymać.

— Czyli tylko się domyślasz.

— Przedtem tylko się domyślałem. Kiedy to było?

Koło sterowe drgnęło w prawo, potem w lewo i jeszcze raz w lewo, utrzymując kurs. Odczyt na wskaźniku echosondy pokazywał głębokość dziesięciu sążni. Płytko.

Marczuk wydobył z siebie dźwięk będący albo odchrząknięciem, albo parsknięciem śmiechem.

— Jeszcze przed wypłynięciem. Strasznie wlokło się czekanie na remont statku. Wiesz, zwykle podczas remontu jest urwanie głowy, bo stocznie próbują wciskać szajs: niewłaściwą blachę, niedbałe spawy, popękane stelaże kotłów i różne takie. Dla marynarki wojennej mają dobre materiały, więc trzeba im od rana do wieczora patrzeć na ręce, żeby tobie też dali dobry mosiądz, miedź, alternatory. Ale tym razem wszystko szło jak po maśle. Krótko mówiąc, nudziło mi się, a żona na miesiąc pojechała do Kijowa. Słuchaj, to typowa ckliwa historyjka. Umówiłem się z paroma kolegami z marynarki wojennej, którzy chcieli pójść do prawdziwej knajpy marynarskiej. Poszliśmy do Złotego Rogu. Zina była tam kelnerką i wszyscy się do niej zalecali. Kiedy moi goście spili się na tyle, żeby paść do łóżek, ja wróciłem. To był jeden jedyny raz i nawet nie znałem wtedy jej nazwiska. Możesz sobie wyobrazić moje zdumienie, kiedy ją później zobaczyłem na pokładzie.

— Prosiła was o pomoc w dostaniu się na „Gwiazdę Polarną"?

— Prosiła, ale kapitan nie ma w tych sprawach nic do powiedzenia.

Opowieść brzmiała całkiem prawdopodobnie. I jeśli nawet Marczuk pomógł jej w załatwieniu miejsca, na pewno nie on ją umieścił pod rządami Lidii Taratuty.

— Widzieliście Zinę tego wieczoru, kiedy była zabawa?

— Byłem w mesie. Przygotowaliśmy bufet dla amerykańskich rybaków.

— Jakich rybaków?

— Z „Orła" i „Wesołej Jane". Członkowie załogi poszli na tańce, a kapitanowie zostali, żeby się pospierać nad mapami.

— Kapitanowie miewają odmienne zdania?

— Inaczej nie byliby kapitanami. Oczywiście różni ludzie mają różne kwalifikacje. Radziecki kapitan musi przez sześć lat studiować na akademii morskiej, potem odbywa dwuletnią praktykę na lądzie, później dwuletnią praktykę morską i dopiero wtedy uzyskuje stopień kapitana żeglugi pełnomorskiej. Zawsze znajdzie się paru takich, których nie wymienimy z nazwiska, a którym się wydaje, że wystarczy mieć ojca w ministerstwie, żeby zostać oficerem. Na szczęście nie ma ich wielu. Radziecki kapitan musi mieć dyplomy z nawigacji, elektroniki, budowy statków i prawa. W Ameryce facet kupuje sobie statek i zostaje jego kapitanem. Chodzi o to, że kiedy opuścimy Dutch Harbor, znajdziemy się w strefie lodu. Łowi się tam dobrze, ale trzeba wiedzieć, co się robi.

— I Lidia była z wami?

— Przez cały czas.

Wzmianka o strefie lodu specjalnie Arkadija nie ucieszyła. Niebo i tak było wiecznie zakryte mgłą, więc jak jeszcze wodę zakryje lód, biel lodu zleje się z bielą mgły i pozbawi świat za burtą jakichkolwiek punktów odniesienia. Nie mówiąc o tym, że serdecznie znienawidził zimno.

— Jak daleko jest z mesy na rufę? — zapytał.

— Około stu metrów. Sam powinieneś to wiedzieć.

— Bo ja tu czegoś nie rozumiem. Lidia mówi, że wyszła z mesy w sterówce i zobaczyła Zinę na pokładzie rufowym. Ale przecież stąd nie widać pokładu rufowego, nawet ktoś ma tak sokoli wzrok jak ona. Trzeba tam najpierw podejść, a to oznacza dwustumetrowy spacer tam i z powrotem przez cały statek. I Lidia odbywa taki spacer, żeby zapalić papierosa, i przypadkiem natyka się na młodą rywalkę, która tej samej nocy ginie. Dlaczego Lidia to zrobiła?

— Może dlatego, że jest głupia.

— Nie, myślę po prostu, że was kocha.

Marczuk zamilkł. Śnieg tworzył na szybie mokre placki, co znaczyło, że temperatura na zewnątrz musi być dodatnia. Gęsty śnieg wygładził też powierzchnię morza i „Gwiazda Polarna" bez wysiłku sunęła w ciemnościach.

— Poszła za mną — rzekł Marczuk. — Zina zostawiła mi kartkę pod drzwiami, że chce się ze mną zobaczyć. Na kartce było tylko napisane: „Spotkajmy się na rufie o dwudziestej trzeciej".

— Skąd wiedzieliście, że to od Ziny?

— Poznałem jej pismo.

— Czyli to nie była pierwsza kartka od niej.

— Nie, pisała kilka razy wcześniej. Lidia się zorientowała. Kobiety wyczuwają takie sprawy, w jakiś sposób wiedzą. Lidia jest o mnie bardziej zazdrosna niż moja żona. W każdym razie Zinie chodziło tylko o to, z kim zejdzie na ląd w Dutch Harbor. Nie chciała znaleźć się w grupie ze starymi babami. Powiedziałem jej, że listy do zejścia przygotowuje Wołowoj, nie ja.

— A tego wieczoru we Władywostoku poszliście do niej?

— Nie sądzisz chyba, że zabrałem ją do siebie.

— Opiszcie, proszę, jej mieszkanie.

— Mieszkała przy ulicy Ruskaja. Całkiem sympatyczne mieszkanko: afrykańskie figurki, japońskie obrazki, mnóstwo broni. Dzieliła je z mężczyzną, który gdzieś wyjechał. Właściwie powinienem donieść na ten jego skład broni, ale jak bym wyjaśnił, skąd o tym wiem? Szefostwo floty nie byłoby zachwycone, że jej czołowy kapitan donosi na faceta, z którego kobietą się zabawia. Nie wiem, po co ci to wszystko mówię.

— Bo i tak może pan wszystkiemu zaprzeczyć. Właśnie dlatego wybrał pan mnie. Będzie pan mógł odrzucić wszystko, co wyszperam, a co się panu nie spodoba. Natomiast nie bardzo rozumiem, po co w ogóle potrzebne było panu dochodzenie w tej sprawie, skoro z góry było wiadomo, że przy okazji wyjdą na wierzch różne brudy. To z pańskiej strony szaleństwo czy głupota?

Tym razem Marczuk zamilkł na długo i Arkadij zaczął podejrzewać, że kapitan nie dosłyszał pytania. Bądź co bądź, kapitan nie był pierwszym mężczyzną ulegającym żądzom.

Gdy wreszcie przemówił, w jego głosie pobrzmiewała odraza do samego siebie.

— Powiem ci co. Dwa lata temu pływałem jako kapitan trawlera łowiącego na Morzu Japońskim. Noc, sztormowa pogoda, wiatr o sile dziewięciu w skali Beauforta. Próbowałem wykonać plan połowów, bo dopiero co zaliczono mnie do kategorii czołowych kapitanów. Wezwałem ludzi na pokład i wtedy uderzyła w nas potężna boczna fala. To się zdarza. Po przejściu takiej fali zawsze sprawdza się stan załogi. Okazało się, że jednego brakuje. Jego gumowce zostały na pokładzie, ale faceta nie było. Nie wiedzieliśmy, czy fala zmyła go za burtę, czy ześlizgnął się do tyłu po pochylni rufowej. Oczywiście przerwaliśmy połów i rozpoczęliśmy poszukiwania. Zmyło go w nocy przy ogromnej fali do wody tak zimnej, że w ciągu paru minut musiał umrzeć na hipotermię. Albo zakrztusić się i od razu pójść na dno. Oczywiście nie znaleźliśmy go, połączyłem się więc przez radio z szefostwem floty we Władywostoku i przekazałem raport o wypadku ze skutkiem śmiertelnym. Kazali kontynuować poszukiwania i sprawdzić, czy na statku nie brakuje kamizelki ratunkowej i jakiegoś sprzętu pływającego. Kręciliśmy się w kółko przez pół dnia, przeszukując fale i jednocześnie myszkując po całym statku w poszukiwaniu brakujących kamizelek, boi, beczek i tym podobnych. Dopiero gdy zameldowałem, że niczego nie brakuje, szefostwo floty pozwoliło na nowo podjąć połów. Nigdy nie powiedzieli tego wprost, ale wszyscy wiedzieli, o co chodzi. O to, że znajdowaliśmy się zaledwie dwadzieścia mil morskich od wybrzeży Japonii. W głowach urzędasów z szefostwa zrodziła się myśl, że nasz rybak mógł wcześniej zaplanować ucieczkę i postanowił zrealizować swój plan po ciemku, w temperaturze bliskiej zera i w sztormową pogodę. Zupełny absurd. Musiałem kazać jego kolegom szukać ciała nie po to, żeby je znaleźć i oddać rodzinie, ale jakby chodziło o zbiega z więzienia. Jakbyśmy wszyscy byli więźniami. Zrobiłem, co mi kazano, ale przyrzekłem sobie wtedy, że już nigdy nie zostawię swoich ludzi na łasce Władywostoku. Zina nie była bez skazy? Ja też nie. A ty masz się dowiedzieć, co naprawdę się zdarzyło.

— Dla dobra załogi?

— Właśnie.

Sypiący śnieg potęgował wrażenie zagubienia i duszności. Monitor radaru miał pokrętła regulacji jasności, barwy i zakresu. Z wyjątkiem dwóch rozbłysków odbitych fal, ekran był zupełnie pusty.

— Ile mamy jeszcze do Dutch Harbor?

— Dziesięć godzin.

— Jeśli chce pan zrobić coś dla załogi, to proszę pozwolić im zejść na ląd. W ciągu dziesięciu godzin niczego nowego się nie dowiem.

— Zawarłem w twojej sprawie kompromis w Wołowojem. To on jest tu pierwszym oficerem. Słyszałeś, co powiedział.

— Ale pan jest kapitanem. Jeśli pan chce, żeby pańska załoga zeszła ląd, to proszę podjąć taką decyzję.

Marczuk znowu zamilkł. Papieros w jego ustach zdążył spalić się na popiół.

— Szukaj dalej — powiedział w końcu. — Może jeszcze coś znajdziesz.

Arkadij wyszedł na zewnątrz mostka. Widziany stąd Marczuk wyglądał, jakby był przykuty łańcuchem do steru.

Rozdział 16

W drodze powrotnej do kajuty Arkadij tak szczękał zębami, że postanowił wziąć byka za rogi. Wyjął ze swojej szafki ręcznik i zszedł poziom niżej do pomieszczenia z natryskami, gdzie w szatni z kołkami na ubrania wisiała tabliczka z napisem: „Uczciwy obywatel szanuje wspólną własność". Zrobiony ręcznie dopisek doradzał zabranie z sobą wszystkich cennych przedmiotów.

Rozebrał się, owinął nóż w ręcznik i wszedł do największego na „Gwieździe Polarnej" przybytku luksusu — prawdziwej łaźni parowej. Zbudowała ją sama załoga i choć łaźnia niezbyt odbiegała wielkością od komórki na szczotki, wykończono ją drewnem tui. Skrzynia mieściła stertę gładkich otoczaków, pod którymi przebiegały rury z przegrzaną parą z pralni, obok stało drewniane wiadro z wodą i drewnianą chochlą. W łaźni panowała miła sercu gorąca wilgoć i choć z górnej ławki zwisały dwie pary nóg, Arkadij uznał, że są zbyt patykowate, aby mogły należeć do zabójców.

Czy to pod postacią wytwornego salonu odnowy w Moskwie, czy prymitywnej szopy na Syberii, wszędzie w Rosji wierzono niezłomnie, że nic lepiej nie robi na wszelkie dolegliwości niż łaźnia. W powszechnym mniemaniu wilgotne gorąco pomagało na przeziębienia, artretyzm, choroby układu nerwowego i oddechowego, a już szczególnie na kaca. Maleńkiej łaźni na „Gwieździe Polarnej" ciągle używano i zawsze było w niej gorąco. Pory na skórze Arkadija zaczęły się otwierać i po skórze głowy i klatki piersiowej spłynęły szczypiące strumyczki potu. Wprawdzie jego ręce i stopy mocno piekły, ale na szczęście nie zbielały, co zawsze stanowi pierwszą oznakę odmrożenia. Czuł, że gdy tylko miną dreszcze, będzie mógł zacząć logicznie myśleć. Polewane wodą kamienie na moment przybierały lśniącą czarną barwę, by niemal natychmiast wyschnąć i zszarzeć, a unosząca się nad nimi przegrzana mgiełka raptownie gęstniała. W rogu stała rózga z witek brzozowych, którą skacowani chłostali się, by wypędzić z siebie alkoholową truciznę. Arkadij nie należał do zwolenników samobiczowania, nawet pod pozorem zabiegu zdrowotnego.

— Masz zamiar chapnąć trochę towaru? — dobiegło go z góry pytanie po angielsku. Głos należał do Lantza, obserwatora z ramienia władz amerykańskich. — Prochów czy innego szajsu? Bo za chwilę będziemy w Dutch Harbor. Powiem ci, że wiele kutrów robi po to lewe kursy aż do Kolumbii, do miasta Baja.

— Zostanę przy piwie — odparł drugi głos. Arkadij rozpoznał po nim Daya, jednego z reprezentantów spółki.

— Próbowałeś kiedyś cracku? Pali się to w fajce. Daje prawdziwego kopa. Od razu byś się wyluzował.

— Nie, dzięki.

— Łamiesz się? To ci załatwię skręty. Wyglądają jak zwykłe papierosy.

— Nie palę nawet zwykłych papierosów. Gdy tylko to się skończy, wracam na studia. Nie będę się w Jukonie truł crackiem. Odwal się.

— Ależ z ciebie pierdoła — mruknął Lantz, kiedy Day zeskoczył z ławki i w obłoku pary ruszył do drzwi.

Rozległ się dźwięk, jakby Lantz wycierał nos w ręcznik, po czym Amerykanin leniwie zsunął się na podłogę. Składał się z samej skóry i kości i przypominał bladą salamandrę na cienkich długich nóżkach. Jego wzrok wreszcie zarejestrował postać siedzącą na dolnej ławce.

— No proszę, kto się tu zakrada i podsłuchuje innych. A jak to jest z tobą, Renko? Weźmiesz swoje dolce i pójdziesz poszaleć w Dutch Harbor?

— Nie sądzę, żebym w ogóle zszedł na ląd.

— Nikt nie zejdzie. Mówią, że to przez ciebie wszystkim się zesrało.

— Niewykluczone.

— I słyszałem też, że jeśli nawet wszystkich innych wypuszczą, to ciebie i tak nie. Więc kto ty właściwie jesteś? Gliniarz czy więzień?

— Praca na statku pełnomorskim to bardzo pożądane zajęcie.

— Pod warunkiem że można odwiedzać porty, a nie siedzieć ciągiem na pokładzie. Biedny towarzysz Renko.

— Mówisz, jakbym nie wiadomo co tracił.

— Mówię, jakbyś dużo potrzebował. Ale ty będziesz tylko łaził z jednego końca pokładu na drugi i czekał, że ktoś ci przyniesie paczkę fajek. Żałosne.

— Prawda.

— To ja ci przyniosę baton czekoladowy i pasek gumy do żucia. Zobaczysz, to będzie twoja największa radocha w czasie całego rejsu.

Lantz wyszedł z łaźni, ciągnąc za sobą kłąb pary przez szeroko otwarte drzwi. Arkadij chlusnął na kamienie nową porcję wody i bezwolnie opadł na ławkę. Przeraziło go, że nawet Amerykanie wiedzą o jego kłopotach.

Przerażające też było to, jak mało z tego wszystkiego rozumiał. Przecież to zupełnie bez sensu, żeby Zina wychodziła z zabawy tylko po to, by spytać Marczuka, kto będzie jej towarzyszyć w zakupach w Dutch Harbor. I żeby potem już zostać na pokładzie rufowym. Według zapisków Skiby i Ślezki Lidia przeszła przez śródpokład o dwudziestej trzeciej piętnaście, czyli w chwili gdy Zina jeszcze żyła i stała oparta o reling rufowy. A także czternaście minut przed powrotem Ridleya na „Orła" i pięćdziesiąt pięć minut przed odbiciem „Orła" od burty „Gwiazdy Polarnej". Zina była za sprytna, żeby próbować ucieczki w chwili, gdy amerykański trawler stał zacumowany do radzieckiego statku przetwórni. Władywostok od razu by zażądał, a spółka w połowie należąca do Amerykanów i Rosjan niewątpliwie wyraziłaby zgodę, aby na „Orle" i „Wesołej Jane" przeprowadzono rewizję. Ze słów Marczuka wynikało, że podstawowym warunkiem dla udanej ucieczki z pokładu jest to, by nie można było dopłynąć wpław do jednostki amerykańskiej oraz by z pokładu „Gwiazdy Polarnej" nie zniknęły żadne urządzenia ratunkowe. Skoro więc ucieczka nie wchodziła w grę, o co mogło jej chodzić?

Pomyślał o piwie i poczuł drapanie w gardle. Załogi sachalińskich trawlerów dorabiały sobie, wyławiając przyczepione do pułapek na kraby kartony japońskiego piwa i zostawiając w zamian woreczki z ikrą łososi. Jakże napiłby się takiego piwa, lodowatego jak morska woda, a nie ciepłego bólu głowy w płynie, jaki oferował Obidin.

Drzwi łaźni otworzyły się i w obłoku pary wszedł ktoś w butach. Nowo przybyły był rosłym, silnie zbudowanym mężczyzną, zupełnie nagim, jeśli nie liczyć ręcznika obwiązanego wokół bioder. Dopiero po bliższym przyjrzeniu się Arkadij dostrzegł, że mężczyzna nie ma butów, tylko jego stopy i nogi mają siną, prawie czarną barwę. Były całe wytatuowane w wijące się esy-floresy, a tatuaż na palcach stóp układał się w zielone szpony. Swoisty kamuflaż ciągnął się w górę łydek aż po kolana. Mężczyzna reprezentował typ silnie umięśnionego osiłka nazywanego przez naukowców mezomorfikiem, a szerokość torsu była niemal równa jego grubości. Na udach widniały stare, mocno już wytarte tatuaże, ale Arkadij zdołał rozróżnić postacie oplątanych łańcuchami piersiastych kobiet, które wznosiły ręce ku czerwonym płomieniom wyzierającym spod ręcznika. Brzuch mężczyzny zasnuwały niebieskie chmury, po prawej stronie klatki piersiowej widniała krwawiąca rana z imieniem Chrystusa, po lewej sęp trzymał w szponach serce. Skóra na piersiach pokryta była licznymi bliznami, co wskazywało na dłuższy pobyt w łagrze. Jeśli naczelnikowi łagru nie podobał się jakiś tatuaż, usuwał go siłą, wypalając nadmanganianem potasu wraz z naskórkiem. Ramiona mężczyzny były pokryte zielonymi rękawami — prawe wyblakłymi sylwetkami smoków, lewe nazwami więzień, łagrów i obozów przejściowych: Włodzimierz, Taszkent, Potma, Sosnówka, Kołyma, Magadan i wiele innych — świadczyło to o bogatej przeszłości więziennej ich właściciela. Tatuaże kończyły się prostymi obrączkami wokół nadgarstków i szyi, przez co mężczyzna sprawiał wrażenie, jakby był ubrany w obcisły ciemny kombinezon z doczepionymi bladymi dłońmi i głową. Wszystko razem wskazywało, że ma się do czynienia z *urką*, zawodowym rosyjskim kryminalistą.

Bosman połowowy Karp Korobec uśmiechnął się szeroko i powiedział:

— Ale chujowo wyglądasz.

— Ja cię znam. — Uświadomienie sobie i wypowiedzenie tego głośno nastąpiło niemal jednocześnie.

— Od tamtej pory minęło już dwanaście lat. Kiedy zobaczyłem na korytarzu, jak zadajesz te wszystkie pytania, pomyślałem: Renko, Renko, skąd ja znam to nazwisko?

— Paragraf sto czterdzieści sześć, rabunek z bronią w ręku.

— Chciałeś mi dać czapę za morderstwo. — Karp się uśmiechnął.

Pamięć Arkadija już działała bez szwanku. Dwanaście lat temu Korobec był zwalistym wyrostkiem, który w szemranej moskiewskiej dzielnicy Zagajnik Marii zarządzał grupą dwukrotnie od siebie starszych prostytutek. Zwykle między alfonsami a milicją istniał układ, zwłaszcza w czasach, gdy prostytucja oficjalnie nie istniała, ale chłopakowi to zajęcie nie wystarczało i zaczął napadać klientów dziwek w chwili, gdy stali ze spuszczonymi do kostek spodniami. Jeden z nich — weteran wojenny z piersią pełną medali — zaczął się stawiać i Karp uciszył go młotkiem. Jego włosy były wtedy jaśniejsze, dłuższe i zaplecione w fantazyjne warkoczyki zatknięte za uszy. Arkadij widział go tylko raz na sali sądowej, gdzie pojawił się w roli eksperta w kwestii zabójstw. Był też jednak inny powód, dla którego nie od razu rozpoznał Korobeca. Twarz Karpa się zmieniła, a linia porostu włosów nad czołem wręcz się obniżyła. Jeśli więźniowie tatuowali sobie na czole jakieś antypaństwowe hasła w rodzaju „Niewolnik ZSRR", w łagrach chirurgicznie usuwano im cały płat skóry i skalp na głowie przesuwał się do przodu.

— Co tam miałeś napisane? — spytał Arkadij, wskazując na czoło Karpa.

— „Komuniści piją krew ludu".

— I wszystko ci się zmieściło na czole? — powiedział z podziwem Arkadij. Spojrzał na klatkę piersiową i dodał: — A tu?

— „Partia równa się śmierć". Wypalili mi to kwasem w Sosnówce. To potem napisałem „Partia to kurwa". Jak to też mi wypalili, skóra zrobiła się za bardzo chropowata i nie dało się już nic napisać.

— Krótka kariera pisarska. Cóż, Puszkin też młodo umarł. Karp zdmuchnął z twarzy obłoczek pary. Jego fiołkowo-niebieskie oczy osadzone były w głębokiej szczelinie biegnącej w poprzek nasady nosa. Przeczesał sobie palcami wilgotną czuprynę, która na radziecką modłę pleniła się bujnie na czubku głowy i była krótko przycięta na bokach jak u neandertalczyka. Pomazanego tuszem neandertalczyka.

— Powinnem ci podziękować — powiedział Karp. — W Sosnówce wyuczyłem się zawodu.

— Mnie nie masz co dziękować. Dziękuj ludziom, których rabowałeś i biłeś. To oni cię zidentyfikowali.

— Nauczyli nas robić szafki pod telewizory. Miałeś kiedyś zestaw Melodia? Całkiem możliwe, że to ja go zrobiłem. Oczywiście to było dawno temu, jeszcze przed moją socjalną rehabilitacją. Widzisz, jak się dziwnie w życiu plecie? Teraz ja jestem marynarzem pierwszej klasy, a ty drugiej. Stoję wyżej od ciebie.

— Morze to dziwne miejsce.

— Ciebie ostatniego spodziewałbym się spotkać na „Gwieździe Polarnej". Co się stało z potężnym i ważnym śledczym?

— Ląd to też dziwne miejsce.

— Teraz wszystko jest dla ciebie dziwne. Tak to bywa, gdy człowiek traci miejsce przy biurku i legitymację partyjną. Co robisz na polecenie tak zwanego głównego elektryka floty?

— Coś robię, ale na polecenie kapitana.

— Pieprzyć kapitana. Jak ci się zdaje, gdzie ty teraz jesteś? W centrum Moskwy? Na „Gwieździe Polarnej" jest około dziesięciu oficerów, reszta to załoga. Tu obowiązują nasze reguły i wszystko załatwiamy po swojemu. Znaczy, ja załatwiam. Dlaczego węszysz wokół Ziny Patiaszwili?

— Miała wypadek.

— Wiem, sam ją znalazłem. Ale to był tylko wypadek. Po co wciągnęli w to ciebie?

— Ze względu na moje doświadczenie. Znasz moje doświadczenie. A co wiesz o Zinie?

— Była dobrą pracownicą. Statek stracił na jej śmierci. — Karp rozdziawił usta w szerokim uśmiechu, ukazując złote trzonowe zęby. — Widzisz, też się nauczyłem pieprzyć te ich głodne kawałki.

Arkadij wstał. Byli podobnego wzrostu, tyle że Karp był znacznie masywniejszy.

— Wygłupiłem się, że cię nie poznałem — powiedział. — Ale ty się dwa razy bardziej wygłupiłeś, że się ujawniłeś.

Karp zrobił minę, jakby uwaga Arkadija sprawiła mu przykrość.

— Myślałem, że się ucieszysz, jak mnie zobaczysz takiego odnowionego. Wzór człowieka pracy. Miałem nadzieję, że zostaniemy przyjaciółmi, ale widzę, że ty się wcale nie zmieniłeś. — Pochylił się konfidencjonalnie do przodu, jakby wybaczał stare nieporozumienia i chciał służyć dobrą radą. — Mieliśmy w łagrze jednego kolesia, który mi ciebie przypominał. Był więźniem politycznym. Jako oficer odmówił wysłania swoich czołgów do Czechosłowacji przeciw kontrrewolucjonistom czy jakoś tak. Byłem jego blokowym, ale facet nie umiał wykonywać poleceń. Wciąż mu się zdawało, że on tu dowodzi. Zawozili nas na bocznicę kolejową, kazali ścinać drzewa i ładować na wagony. Taki kolektyw drzewny. Zdrowa, odświeżająca praca w trzydziestu stopniach mrozu. Trudny moment następuje po wrzuceniu pni na platformę, bo trzeba wtedy uważać, żeby się nie stoczyły. Śmieszne, że jedynym, któremu przydarzył się taki wypadek, był wykształcony facet, właśnie ten oficer. I nawet z samym wypadkiem też mu się coś pojebało, bo twierdził, że ktoś go przydusił do toru i połamał kości trzonkiem siekiery. Znaczy ramiona, ręce, dłonie, palce. Wyobrażasz sobie? Widywałeś trupy, to wiesz, że w ciele jest od cholery kości. Ale ja

237

byłem na miejscu i nic takiego nie widziałem. Tak bywa, jak się popełni błąd i cała platforma pni się na ciebie stacza. Facet zwariował i w końcu zmarł ze złamanym kręgosłupem. Założę się, że w tym momencie sam wolał umrzeć, bo inaczej do końca życia byłby jak zbita skorupka jajka. Wspominam o nim dlatego, że przypominał mi ciebie, a ty mi przypominasz jego, i że statek na pełnym morzu to cholernie niebezpieczne miejsce. Tylko tyle ci chciałem powiedzieć. Powinneś uważać. — Karp ruszył do wyjścia i już od drzwi rzucił: — I lepiej naucz się pływać.

Dreszcze na całym ciele powróciły ze wzmożoną siłą i szczękając zębami, Arkadij zadumał się, czy takie napady strachu zdarzały mu się, gdy był śledczym. Może tak już musiało być, że jego długa ucieczka z Moskwy zakończy się na statku z Karpem Korobecem na pokładzie. Dlaczego go nie skojarzył? Przecież jego imię nie należy do zbyt popularnych. Tylko wcale nie wiadomo, czy rodzona matka by go teraz poznała.

To Karp stał za wrzuceniem go do chłodni z rybami — to właśnie mówił mu nagły atak dreszczy nękających całe ciało. Niosło go trzech mężczyzn, jeden szedł przodem jako czujka i zapewne jeden jako straż tylna. Brygada bosmana połowowego Korobeca. Doskonale zgrani przodownicy w socjalistycznym współzawodnictwie pracy.

Pot spływał mu po ciele, pokrywając je połyskliwą warstewką strachu. Karp był szaleńcem, nie zwyczajnym „ociężałym schizofrenikiem". Ale nie był też głupcem, dlaczego więc postanowił ujawnić się wtedy, gdy Arkadij miał jeszcze coś na kształt chwilowej władzy?

Co mu Karp powiedział i czego nie dopowiedział? Nie wspomniał słowem o chłodni na ryby, ale po co miałby to robić? Jednak nie wspomniał też o Dutch Harbor. Wszyscy byli przejęci sprawą zejścia na ląd i bez przerwy o tym mówili, a Karp nie. Za to spytał go o Hessa. Ale i tak najbardziej zależało mu na zastraszeniu go i to mu się udało.

Drzwi łaźni znów się otworzyły, Arkadij dojrzał ciemną stopę i machinalnie sięgnął za siebie po nóż, jednak gdy zimne powietrze przerzedziło obłok pary, okazało się, że stopa jest obuta w granatowego reeboka.

— Sław, to ty?

Trzeci oficer ze złością zamachał rękami, chcąc rozpędzić oblepiającą go parę.

— Renko, wszędzie cię szukam. Znalazłem go! Znalazłem jej list!

Myśli Arkadija wciąż jeszcze krążyły wokół Karpa.

— Co? O czym ty mówisz?

— Kiedy ty się wysypiasz albo siedzisz w łaźni, ja pracuję. Znalazłem list Ziny Patiaszwili. Jednak go napisała. — Rysy twarzy Sława rozmywały się w zaparowanym wnętrzu łaźni. — List samobójczyni. Wszystko wyjaśnia. Schodzimy w porcie na ląd.

Część druga

ZIEMIA

Rozdział 17

Zatokę Dutch Harbor otacza pierścień zielonkawych klifów porośniętych gęstą, subarktyczną trawą. Nie rosną na nich drzewa ani nic wyższego od krzewów, ale gdy wiatr rozgarnia trawy, wzgórza zdają się falować i efekt jest wręcz magiczny. Wyspa naprawdę nazywa się Unalaska i w głębi zatoki leży aleucka wioska o tej samej nazwie — ciągnący się wzdłuż brzegu rząd parterowych domków, wśród których dominuje cebulasta kopuła białej drewnianej cerkwi. Samo miasteczko Dutch Harbor było z zatoki niewidoczne, ponieważ zasłaniała je gromada potężnych cystern i chroniący nabrzeże wysoki falochron, zbudowany ze zwalonych na kupę rdzewiejących klap trałowych, skorodowanych pomp i półtonowych metalowych klatek zwanych puszkami na kraby. Widać było natomiast kilkanaście stojących przy nabrzeżu trawlerów i jeden duży statek, używany jako fabryka konserw rybnych. Statek był zacumowany na stałe i jego kadłub unieruchomiono rzędem wbitych w dno pali. Nieco dalej zaczynały się wzgórza Unalaski, które szybko przechodziły w wyrastające spod trawy urwiste i zaśnieżone czarne skały pochodzenia wulkanicznego.

To dziwne, jak oczy tęsknią do kolorów, pomyślał Arkadij. Zachmurzenie nie było całkowite i po wodzie zatoki przesuwały się plamy światła słonecznego. Z niżej położonych skał co chwila odrywały się maskonury, wpadając do wody jak kamienie; z wyższych podrywały się do lotu orły i krążyły nad „Gwiazdą Polarną", jakby dokonywały inspekcji. Były ogromne, miały brunatne upierzenie, dumnie uniesione białe głowy i bursztynowe oczy. Człowiek czuł się tu jak na szczycie świata.

Amerykanie odpłynęli już na ląd pilotówką. Zuu-zan wracała do domu ubrana w sprezentowaną jej na pożegnanie kurtkę rybacką, którą zdobiła cała kolekcja pamiątkowych znaczków. Serdecznie pożegnała się z członkami załogi, ściskając ich i obsypując pocałunkami. Tryskała przy tym taką radością jak ktoś wypuszczany z więzienia. Z pilotem przypłynął też nowy główny przedstawiciel spółki, który przywiózł walizkę ze stoma tysiącami dolarów na wypłaty dla schodzących na ląd. Cała załoga w napięciu czekała na komisyjne przeliczenie pieniędzy, po czym gotówkę przeniesiono do kajuty kapitańskiej i raz jeszcze przeliczono.

Wreszcie po czterech miesiącach pracy na morzu współtowarzysze Arkadija mogli ustawić się w kolejce przy relingu na sterburcie i kolejno schodzić do spuszczonej na wodę szalupy, która miała ich i ich dolary dowieźć do portu będącego przez cały rejs przedmiotem ich marzeń. A jednak kiedy się na nich teraz patrzyło, nie bardzo to było po nich widać. Radziecki marynarz w stroju wyjściowym nie zawsze jest ogolony, za to ma wypucowane na glanc buty, przylizane włosy i sportową marynarkę w kratkę, nawet jeśli jej rękawy są nieco przykrótkie. Przybiera też maksymalnie obojętną minę, i to nie tylko z lęku przed oficerem politycznym, ale także dla dodania sobie otuchy. Nastrój oczekiwania można dojrzeć tylko w jego niespokojnych, lekko zmrużonych oczach.

Choć były też wyjątki. Pod daszkiem płaskiego, chłopskiego kaszkietu widać było gorejące oczy Obidina, który ani na chwilę nie odrywał wzroku od bielejącej na brzegu sylwetki cerkwi. Kola Mer w płaszczu z kieszeniami wypchanymi kartonowymi doniczkami rozglądał się po okolicznych wzniesieniach z taką miną, jaką musiał mieć Darwin, gdy lądował na wyspach Galapagos. Kobiety powkładały szykowne bawełniane sukienki, na które jak zwykle narzuciły kilka warstw swetrów i kubraków podbitych króliczym futrem. Przybierały maski obojętnych turystek, potem patrzyły po sobie i parskały nerwowym chichotem. Co chwila któraś kiwała ręką na stojącą obok Arkadija Nataszę, przyzywając ją do zejścia do nich.

Policzki Nataszy niewiele różniły się barwą od szminki na jej wargach, włosy miała upięte za pomocą aż dwóch grzebieni, jakby w Dutch Harbor coś im groziło.

— Będę pierwszy raz w życiu w Stanach Zjednoczonych — poinformowała Arkadija. — Ale stąd specjalnie się to nie różni od Związku Radzieckiego. Ty już tam byłeś, prawda? Gdzie?

— W Nowym Jorku.

— To co innego.

Arkadij na moment się zawahał.

— Tak.

— Więc przyszedłeś tu tylko, żeby mnie odprowadzić?

Natasza była tak podniecona czekającymi ją zakupami, że chętnie przefrunęłaby nad dzielącym ją od lądu kawałkiem wody. Tak naprawdę Arkadij wyszedł na pokład po to, by się upewnić, że Karp też odpłynie na brzeg, jednak jak dotąd bosman połowowy się nie pojawił.

— Odprowadzić i podziękować — potwierdził.

— To tylko parę godzin.

— Wszystko jedno.

Natasza spuściła wzrok i ściszonym głosem powiedziała:

245

— Praca z tobą, Arkadiju Kiryłowiczu, była dla mnie pouczającym doświadczeniem. Nie masz nic przeciwko temu, że będę na ciebie mówiła Arkadij Kiryłowicz?

— Możesz mówić, jak ci się podoba.

— Wcale nie jesteś głupcem, za jakiego cię miałam.

— Dzięki.

— I dotarliśmy do pomyślnego zakończenia.

— Tak, kapitan oficjalnie uznał dochodzenie za zakończone. Może we Władywostoku nie będzie już nawet dodatkowego śledztwa.

— Trzeci oficer Bukowski dobrze się sprawił, że znalazł jej list.

— Lepiej niż dobrze. Wręcz niewiarygodnie. — Arkadij dobrze pamiętał, że zaglądał pod materac Ziny dużo wcześniej, nim Sław znalazł tam ten list.

— Natasza! — dobiegło ich naglące wołanie. Kolejka wsiadających do szalupy posuwała się wzdłuż relingu i koleżanki upominały ją, by zajęła swoje miejsce.

Wszystko w wyglądzie Nataszy świadczyło o tym, że jest gotowa puścić się biegiem, a jak trzeba będzie, to popłynąć czy pofrunąć, i tylko pionowa kreska na jej czole wskazywała, że to wcześniejsze przeszukanie łóżka Ziny przez Arkadija jej też nie daje spokoju.

— Na zabawie nie wyglądała na specjalnie przybitą i milczącą — zauważyła.

— Nie — przyznał Arkadij. Rzeczywiście, oddawanie się tańcom i flirtom trudno uznać za przejawy depresji.

Zadanie ostatecznego pytania sprawiło Nataszy największą trudność.

— Naprawdę myślisz, że sama się zabiła? Że mogła zrobić coś tak nierozważnego?

Arkadij przez chwilę zadumał się nad odpowiedzią. Wiedział,

246

że od miesięcy żyła myślą o zejściu na ląd, ale jeśli jego odpowiedź jej nie zadowoli, poczucie obowiązku i lojalności może jej kazać zostać z nim na pokładzie.

— Myślę, że nierozważne jest pisanie takiego listu samobójczego. Ja bym tego nie zrobił — powiedział w końcu i wskazując ręką szalupę, dodał: — Lepiej się pospiesz, bo się nie zabierzesz.

— Co ci mogę przywieźć? — Zmarszczka na jej czole już się rozpłynęła.

— Kompletne wydanie Szekspira, kamerę wideo i samochód.

— Takich rzeczy nie dostanę! — odkrzyknęła już ze schodków prowadzących na dolny pokład.

— To starczy mi jakiś owoc.

Natasza przepchnęła się przez tłumek oczekujących i dołączyła do koleżanek. Są jak dzieci, pomyślał Arkadij. Jak moskiewskie dzieci, które w ciemne grudniowe poranki widuje się zbite w gromadkę, gdy opatulone od stóp do głów czekają przed wejściem do szkoły i z błyskiem szczęścia w oczach witają otwarcie drzwi. Chciałby być jak one.

Szalupa ratunkowa wyglądała jak łódź podwodna w wynurzeniu. Mogła pomieścić do czterdziestu rozbitków z tonącego statku i była pomalowana na tak zwany międzynarodowy pomarańczowy kolor. Na krótką wycieczkę do portu wodoszczelne klapy pozostawiono otwarte i sternik wraz z pasażerami mogli zażywać świeżego powietrza. Natasza raz jeszcze pomachała Arkadijowi, po czym przyjęła pozę pełnej godności radzieckiej obojętności. Stłoczony w jaskrawopomarańczowej łodzi tłumek pasażerów w szaroburych strojach mógł równie dobrze udawać się na pogrzeb, jak na piknik.

Do burty podpływała teraz „Wesoła Jane" po kolejną partię członków załogi „Gwiazdy Polarnej" i przy relingu ustawiła się już nowa kolejka. Wśród czekających był też Paweł z brygady

Karpa. Widząc, że Arkadij na niego patrzy, wymownym gestem przeciągnął sobie palec po gardle.

Ląd pachnie, pomyślał Arkadij. Unalaska pachniała jak ogród i Arkadij poczuł przemożną ochotę, by choć na godzinę opuścić pokład statku, na którym przyszło mu wegetować od dziesięciu miesięcy, i pochodzić po suchym lądzie.

Jak dotąd nikomu nie powiedział, że go zaatakowano. Bo właściwie cóż mógłby powiedzieć? Nie widział twarzy napastników i nie mógł niczego udowodnić. Ewentualna konfrontacja sprowadziłaby się do jego słów przeciw słowom szóstki politycznie pewnych marynarzy pierwszej klasy pod wodzą Karpa. Jedynym konkretem było to, że nawdychał się oparów benzyny i doznał halucynacji, wpadł w amok i próbował podpalić chłodnię z rybami.

Niebo nad Dutch Harbor zasnuwał dym. Jak duże jest to miasto? Strzępy mgły czepiały się zboczy gór, bo tym właśnie były okoliczne wzniesienia — górami wyrastającymi wprost z dna oceanu. Arkadij wyobraził sobie, jak przelatuje nad nimi i obniża lot nad zieloną doliną na tyle, by dojrzeć ukochane storczyki bagienne Koli Mera i zagarnąć dłonią garść pachnącej ziemi.

Szalupa płynęła teraz wzdłuż szpaleru aleuckich domostw, komponując się w piękny obraz: pomarańczowa łódź na tle białej sylwetki cerkwi. Arkadij wyobraził sobie, że jest na niej Zina.

— To jak ironia losu — usłyszał głos Hessa.

Główny elektryk stał obok ubrany w połyskliwy czarny skafander, dżinsy i syberyjskie filcowe buty. Arkadij nie widział go nigdzie od wczorajszego ranka. Hess rzeczywiście był niski, ale czy aż tak, by przeciskać się przez kanały kominowe i wentylacyjne i pozostawać niewidzialnym?

— Co mianowicie?

— To, że jedyny członek załogi, który miał okazję do ucieczki i którego lojalność została poddana próbie, jest jednocześnie tym, któremu nie pozwolono opuścić statku.

— W ironii jesteśmy mistrzami świata.

Hess się uśmiechnął. Wiatr rozwiewał mu czuprynę, ale on sam stał nieporuszony na lekko rozstawionych nogach jak wytrawny marynarz i rozglądał się wokół siebie.

— Ładny port. W czasie wojny Amerykanie mieli tu garnizon liczący pięćdziesiąt tysięcy żołnierzy. Gdyby Dutch Harbor należał do nas, nadal byłoby tu tyle samo wojska, a nie tylko garstka rybaków. No cóż, Amerykanie mogą sobie wybierać. Ocean Spokojny jest jak ich prywatne jezioro. Alaska, San Francisco, Pearl Harbor, Midway, Wyspy Marshalla, Fidżi, Samoa, Mariany. Wszystko to do nich należy.

— Schodzi pan na ląd?

— Żeby trochę rozprostować nogi. Może być ciekawie.

Może dla oficera wywiadu morskiego, ale nie dla głównego elektryka floty, pomyślał Arkadij. Tak, dla kogoś takiego spacer po głównym porcie Wysp Aleuckich może być bardzo pouczający.

— Pozwól, że pogratuluję ci rozwiązania tajemnicy śmierci tej biednej dziewczyny.

— Gratulacje należą się wyłącznie Sławowi Bukowskiemu. To on znalazł jej list. Ja wcześniej przeszukałem to miejsce i niczego nie znalazłem.

Gdy w końcu Sław przestał zachłystywać się swoim sukcesem, Arkadijowi udało się rzucić okiem na znaleziony list. Napisano go na połowie kartki w linię, która wyglądała na wydartą z kołonotatnika Ziny. Charakter pisma był jej, odciski palców należały do niej i do Sława.

— Ale to było samobójstwo?

— Odręczny list samobójcy jest mocnym dowodem. Tyle że

śmiertelna rana z tyłu głowy i zadane po śmierci rany kłute świadczą o czymś zupełnie innym.

Wydawało się, że Hess z uwagą obserwuje podpływający do „Gwiazdy Polarnej" trawler. Czyżby był oficerem liniowym? — zastanowił się Arkadij. Zważywszy na niechęć, z jaką podchodzono do awansowania wojskowych pochodzenia niemieckiego, Hess mógł być najwyżej kapitanem drugiego stopnia. Jeśli jednak jego kariera rozwijała się w należytej bliskości Leningradu i mieszczącego się tam dowództwa marynarki wojennej, mógł wykładać na którejś z akademii wojskowych i mieć nawet tytuł profesora. W wyglądzie Hessa było coś profesorskiego.

— Kapitanowi ulżyło, kiedy usłyszał, że zgodziłeś się z wnioskami Bukowskiego. Leżałeś chory w łóżku, bo inaczej sam by ci o tym powiedział. Wyglądasz już trochę lepiej.

Napady dreszczy zapędziły Arkadija do łóżka, ale rzeczywiście czuł się już lepiej. Na tyle dobrze, żeby zapalić biełomora i zacząć od nowa trucie organizmu. Pstryknął spaloną zapałkę za burtę.

— A wam, towarzyszu Hess? — zapytał. — Wam też ulżyło?

Hess pozwolił sobie na kolejny uśmieszek.

— Znalezienie tego listu wydało mi się zbyt poręczne, żebyś mógł mieć z nim coś wspólnego. Mogłeś się sprzeciwić Bukowskiemu i pójść z tym do kapitana.

— I przeszkodzić temu? — Arkadij patrzył, jak jeden z Portugalczyków pomaga madame Malcewej przejść po trapie. Starsza pani z szalem zarzuconym na ramiona wkroczyła na pokład trawlera z taką gracją, jakby wsiadała do gondoli. — Przecież oni dla tej chwili biorą udział w rejsie. Nie mam zamiaru psuć im tych dwóch dni w porcie. A Wołowoj zszedł na ląd?

— Nie, zszedł kapitan. Znasz regulamin. Na pokładzie musi

być zawsze albo kapitan, albo oficer polityczny. Marczuk popłynął z pilotem, żeby się upewnić, że sklepy w Dutch Harbor są przygotowane na nasz najazd. Słyszę, że handlowcy nie tylko są gotowi, ale też z utęsknieniem na nas czekają. — Wlepił wzrok w Arkadija. — Więc jednak morderstwo, tak? Czy to znaczy, że gdy wypłyniemy na morze, znów wrócisz do zadawania pytań? Bo dochodzenie zostało oficjalnie zakończone. Nie będziesz już mógł liczyć na wsparcie ze strony kapitana ani nawet na asystę Bukowskiego. Będziesz zupełnie sam. Samotnik zatrudniony przy produkcji gdzieś w głębi statku. To brzmi niebezpiecznie. Jeśli nawet wiesz, kto odpowiada za śmierć tej dziewczyny, może byłoby lepiej dać sobie spokój.

— Może. — Arkadij też się nad tym zastanawiał. — Gdyby był pan mordercą i zdawał sobie sprawę, że ja o tym wiem, pozwoliłby mi pan żywemu wrócić do Władywostoku?

Hess zamilkł i widać było, że rozważa słowa Arkadija.

— Czekałby cię bardzo długi rejs do domu — powiedział w końcu.

Albo bardzo krótki, pomyślał Arkadij.

— Chodź ze mną — rzucił Hess.

Kiwnął ręką i Arkadij podążył za nim do tylnej nadbudówki. Przypuszczał, że Hess chce go zaprowadzić do jakiegoś ustronnego miejsca, gdzie będą mogli swobodnie porozmawiać, ale on skierował się na pokład łodziowy i zatrzymał przy bakburcie. Z relingu zwisała drabinka linowa, jej koniec sięgał czekającej na wodzie łodzi z samym tylko sternikiem na pokładzie, który na ich widok przyjaźnie pomachał. Nie dla głównego elektryka floty zatłoczony pokład trawlera.

— Wybieram się na brzeg — powiedział Hess. — Płyń ze mną do Dutch Harbor. Dzięki tobie wszyscy mogą cieszyć się wizytą w porcie. Tobie też się coś należy.

— Wie pan, że nie mam wizy pierwszej klasy, która upoważnia do zejścia na ląd.

— Biorę to na siebie. — Hess powiedział to tak obojętnym tonem, jakby naprawdę wiedział, co robi.

Myśl o wizycie na lądzie trzeba było uczcić kieliszkiem wódki. Nagle cały widok zatoki uległ zmianie, domy, cerkiew i góry wyraźnie się przybliżyły. Muśnięcia wiatru na policzku Arkadija stały się intensywniejsze, uderzenia fal o burtę głośniejsze. Hess wciągnął na dłonie czarne rękawiczki z cielęcej skórki i Arkadij z niechęcią spojrzał na swe gołe dłonie, poplamioną drelichową kurtkę, wymiętoszone spodnie i gumowce do kolan.

Hess zauważył jego spojrzenie i uśmiechnął się.

— Za to jesteś ogolony — powiedział. — Ogolony mężczyzna nadaje się do wszystkiego.

— A co z kapitanem?

— Kapitan Marczuk wie, że branie inicjatywy w swoje ręce jest hasłem naszych czasów. A także okazywanie masom zaufania.

Arkadij zaczerpnął głęboko powietrza.

— A Wołowoj?

— Stoi na mostku i patrzy w drugą stronę. Zanim się połapie, będziesz już na miejscu. Powinieneś być jak lew, który dostrzega otwarte drzwi klatki. A ty się wahasz.

Arkadij musiał przytrzymać się relingu, by nie stracić równowagi.

— Bo to nie takie proste.

— Jest tylko jeden drobiazg. — Hess wyjął z kieszeni kartkę i rozpostarł ją na grodzi. Wypisane na nim było dwuzdaniowe oświadczenie, że podpisujący przyjmuje do wiadomości, iż ucieczka z radzieckiego statku jest przestępstwem wobec państwa, którego popełnienie narazi rodzinę zdrajcy na poważne konsekwencje. — Wszyscy to podpisują. Masz jakąś rodzinę? Żonę?

— Rozwiodłem się.

— Musi wystarczyć. — Arkadij podpisał i Hess powiedział: — Dobrze, i jeszcze jedno. W porcie żadnych noży. Arkadij wyjął z kieszeni kurtki nóż. Do wczoraj spoczywał bezczynnie w jego szafce; od wczoraj stali się nierozłączni.

— Przechowam ci go — obiecał Hess. — Niestety, nie dostałeś przydziału dewiz, bo twoja wizyta w porcie nie była planowana. Masz jakieś dolary?

— Nie, ani dolarów, ani franków, ani jenów. Nie były mi potrzebne.

Hess skrupulatnie złożył kartkę z oświadczeniem i schował do kieszeni, po czym jak ktoś lubiący improwizowane przyjęcia rzucił pogodnie:

— W takim razie będziesz moim gościem. Chodźcie, towarzyszu Renko, pokażę wam słynny Dutch Harbor.

Stanęli obaj w lukach otwartych klap, wciągając w płuca ostre morskie powietrze przesycone jedwabistą mgiełką ropy. Od dziesięciu miesięcy Arkadij nie był nawet blisko wody, a cóż dopiero na suchym lądzie. Przepływając wzdłuż szpaleru aleuckich domów, przyjrzał się z bliska, jak są ścieśnione na wąskim pasku ziemi między urwiskiem a linią brzegu i jak wszystkie podążają w dumnym szyku za białą świątynią z cebulastą kopułą. W oknach paliły się światła i przesuwały cienie mieszkańców, Arkadij pomyślał, że po niemal rocznym wpatrywaniu się w bezkształtną mgłę już same cienie żywych ludzi są czymś cudownym. I do tego jeszcze te oszałamiające zapachy: słona woń szarego piachu na plaży i mocny słodkawy aromat zielonych traw i mchu. Koło cerkwi widać było cmentarz z prawosławnymi krzyżami na grobach, jakby ludzi można grzebać w ziemi, a nie wrzucać wprost do oceanu.

Łódź była wyposażona w miniaturowy mostek, ale sternik — młody blondyn w grubym swetrze — stał przy zewnętrznym kole sterowym. Za jego plecami widać było krótki maszt z furkoczącą na wietrze radziecką chorągiewką, nie większą od czerwonej chusteczki.

— Zbudowana na potrzeby wojenne, potem zostawiona na pastwę losu — powiedział Hess, wskazując na budowlę sterczącą na samej krawędzi klifu. Połowa budynku już uległa zawaleniu, ukazując wewnętrzne schody i poręcze, niczym wnętrze rozłupanej muszli. Arkadij rozejrzał się i na szczytach innych wzniesień dojrzał kilka podobnych szarych budowli. — Mówię o wojnie, w której byliśmy sprzymierzeńcami — dodał Hess, zapewne na użytek młodego sternika.

— Tak jest, szefie — odrzekł służbiście sternik.

Woda w osłoniętej szerokim zakolem lądu zatoce portowej była idealnie spokojna i wyglądała jak lustrzane odbicie falującej zieleni, która otaczała ich ze wszystkich stron.

— Jeszcze cię wtedy nie było na świecie — powiedział Arkadij. Rozpoznał w chłopaku radiotechnika imieniem Nikołaj i pomyślał, że ktoś o takim wyglądzie powinien trafić na plakaty zachwalające służbę w marynarce: jedwabiste blond włosy, jasnoniebieskie oczy, rozłożyste bary i leniwy uśmieszek atlety.

— Mój dziadek na niej walczył — rzekł chłopak.

Arkadij od razu poczuł się staro, ale mimo to się nie zniechęcił.

— Gdzie służył dziadek? — zapytał.

— W Murmańsku. Dziesięć razy płynął do Ameryki i z powrotem. Dwa jego okręty zatonęły.

— Ty też wykonujesz trudną pracę.

— Umysłową. — Nikołaj wzruszył ramionami.

Arkadij już go poznał po głosie: porucznik z nagrania Ziny.

Mógł go sobie łatwo wyobrazić, jak z błyszczącymi gwiazdkami na pagonach i przekrzywioną na bakier czapką rządzi kelnerkami w Złotym Rogu. Arkadij uświadomił sobie — zresztą nie po raz pierwszy — że atak na niego nastąpił dopiero wówczas, gdy rozpoczął poszukiwania asystenta Hessa.

— Jak porządnie urządzony port — powiedział Hess z podziwem, prześlizgując się wzrokiem po cysternach, długim na półtora kilometra betonowym nabrzeżu i maszcie radiowym na szczycie wzgórza.

Może nikt nie zauważył mojego wejścia do łodzi, pomyślał Arkadij. A jeśli tak, to jak łatwo mogliby się mnie teraz pozbyć. Wrzucanie do morza przed wejściem do portu odpowiednio dociążonych worów z odpadkami było powszechnie stosowanym zwyczajem. W każdej szalupie ratunkowej jest przecież dodatkowa kotwica z łańcuchem...

Ale łódź niewzruszenie parła przed siebie po lśniącej powierzchni zatoki, mijając po drodze kutry rybackie w intensywnych barwach. Przepływali obok nich tak blisko, że widać było ludzi spłukujących wężami pokłady i rozkładających sieci w celu dokonania napraw. Z doków wcześniej zasłoniętych przez szarobłękitny kadłub statku fabryki konserw dobiegały pokrzykiwania pracujących tam ludzi.

Gdy zbliżyli się do brzegu na tyle, że widok nabrzeża zwęził się do wlotu do basenu portowego, Arkadij zaczął dostrzegać w trawie pierwsze kropki arktycznych kwiatów. Widać było wijące się wśród nich języky śniegu, w powietrzu pojawiła się drapiąca w gardle woń dymu z płonącego drewna. Minęli statek fabrykę konserw, wąski przesmyk przeszedł w rozległy basen portowy i przed ich oczami pojawiła się cała flotylla małych kutrów i łodzi rybackich wielkości zwykłych łodzi wiosłowych, a także leżące na wodzie dwa jednosilnikowe hydroplany i jaskrawopomarańczowa szalupa „Gwiazdy Polarnej", którą przypłynęła pierwsza grupa wycieczkowiczów. Wachtę na niej pełnił Sław Bukowski, u którego zaskoczenie na widok pasażerów drugiej łodzi szybko zamieniło się w konsternację. Za plecami Sława widać było psy obwąchujące sterty śmieci, orły czatujące na szczytach dachów i — co Arkadija najbardziej poruszyło — ludzi chodzących po suchym lądzie.

Rozdział 18

Syberyjskie storczyki poszły w zapomnienie i Kola stał przy końcu alejki sklepowej niczym wędrowiec na rozstaju, który ma trzy drogi do wyboru. Po lewej znajdował się regał z odbiornikami stereo z cyfrowym strojeniem, chromowanym pięciopasmowym korektorem dźwięku i czarnymi kolumnami głośnikowymi hi-tech; po prawej stały dwukasetowe magnetofony z systemem Dolby, które mogły nie tylko odtwarzać kasety, ale także rozmnażać je jak króliki; regał na wprost był pełen wielkich jak walizka radiomagnetofonów kasetowych w obudowie z wysoko udarowego tworzywa w różnych odcieniach różu, turkusu i kości słoniowej, które umożliwiały nagrywanie zachodniej muzyki wprost z radia. Kola wolał nie oglądać się za siebie, bo właśnie minął półki pełne kieszonkowych kasetowców, kółek do kluczy z breloczkami piszczącymi po klaśnięciu, pluszowych misiów mówiących z umieszczonej wewnątrz kasety, zegarków z kalkulatorami rejestrującymi przebyty dystans i mierzącymi tętno — całej oszałamiającej i wciąż rosnącej gamy wytworów współczesnej cywilizacji opartych na krzemowym chipie.

Kola potraktował nieznaną sobie sytuację z tradycyjną nieufnością radzieckiego nabywcy i zrobiwszy krok do tyłu, prześlizgiwał się wężowym spojrzeniem po kolejnych artykułach, jakby wypatrywał ukrytych usterek. W Związku Radzieckim uznano by to za zachowanie w pełni uzasadnione, ponieważ znajdujące się w tamtejszych sklepach oddzielne półki na artykuły „z reklamacji" bywały pełniejsze od półek z nowym towarem i żaden doświadczony radziecki klient nie wychodził ze sklepu bez uprzedniego wyjęcia zakupu z pudełka, włączenia go i upewnienia się, że działa. Radzieccy klienci mieli też zwyczaj sprawdzać podaną na metce datę produkcji, by wyszukać egzemplarz wyprodukowany w środku miesiąca. Powszechnie unikano dat z końca miesiąca, kiedy to kierownictwo zakładu starało się za wszelką cenę wykonać miesięczny plan produkcji i wypuszczało na rynek telewizory, magnetowidy czy samochody z licznymi usterkami. Podejrzane też były daty z początków miesiąca, kiedy robotnicy zjawiali się w pracy w stanie alkoholowego otępienia po świętowaniu wykonania miesięcznego planu. Tu jednak nie było ani półki pełnej wyrobów z wadami fabrycznymi, ani metek z datą produkcji, wskutek tego w tym wyśnionym raju sklepowym Kola i setka innych radzieckich klientów poczuli się kompletnie zagubieni w obliczu stert radioodbiorników, kalkulatorów i wszystkich elektronicznych cudeniek, o których od tak dawna marzyli.

— Arkadij! — Radość Koli na widok kolegi była autentyczna. — Bywałeś już wcześniej za granicą. Gdzie tu jest obsługa?

Rzeczywiście, nie było widać żadnych sprzedawców. Radziecki sklep jest zawsze pełen ludzi, bo zakup czegokolwiek odbywa się w trzech etapach: kupujący najpierw dostaje paragon, idzie z nim do kasy, żeby zapłacić, i wraca do kogoś trzeciego, by odebrać towar — przy czym wszyscy obsługujący są zbyt zajęci rozmowami na tematy osobiste lub przez telefon, by mieć głowę do zajmowania się byle przybłędą z ulicy. Nie mówiąc już o tym, że bardziej atrakcyjne towary — świeże ryby, nowe przekłady zagranicznej literatury, węgierskie biustonosze — radzieccy sprzedawcy z reguły chowają pod ladę lub na zaplecze, a ich duma zawodowa nie pozwala namawiać klientów do zakupu wyłożonych na półkach bubli. Po prostu wszystko to ich brzydzi.

— Spróbuj ją zapytać — odparł Arkadij.

Siedząca za ladą kobieta o wyglądzie dobrotliwej babci uśmiechała się do nich pogodnie. Miała na sobie moherowy sweter tak biały jak futro lisa polarnego, a na głowie fryzurę w niezwykłym srebrzystobłękitnym kolorze. Przed nią leżała taca z cząstkami pomarańczy, pokrojonymi jabłkami i krakersami posmarowanymi jakąś pastą, a kartka przyczepiona do elektrycznego podgrzewacza informowała po rosyjsku: „Kawa". Na stojącej obok elektrycznej kasie kobieta rejestrowała zakup i przyjmowała pieniądze od co bardziej obytych w świecie marynarzy, którzy po prostu zdejmowali towar z półki i nieśli do niej. Za jej plecami widniał duży napis po rosyjsku: „Dutch Harbor wita ››Gwiazdę Polarną‹‹!".

Odpowiedź Arkadija widać zadowoliła Kolę i dopiero po chwili to do niego dotarło.

— Arkadij, a co ty tu robisz? Przecież nie masz wizy.

— Ale mam specjalną dyspensę.

Arkadij wciąż jeszcze nie mógł się uporać z chodzeniem po nieruchomym podłożu. Nawet na dużym statku przetwórni pokład zawsze lekko się kołysze i po dziesięciu miesiącach pływania nogi nie potrafią od razu przestawić się na chodzenie po płaskiej, nieruchomej powierzchni. Świecące nad głową jarzeniówki i krzykliwe kolory na półkach i w gablotach zlewały się i wirowały w oczach.

— Miałem cię za robotnika z produkcji, a ty się zamieniłeś w śledczego — rzekł Kola. — Myślałem, że nie wolno ci zejść na ląd, a nagle tu jesteś.

— Sam też się trochę w tym wszystkim gubię — przyznał Arkadij.

Kola może miałby jeszcze parę pytań, ale jego wzrok padł na kasety magnetofonowe o obniżonym współczynniku zniekształceń, które całkowicie przykuły jego uwagę. Arkadij dostrzegł jeszcze kilka zdziwionych spojrzeń, które mu posłano, ale wszyscy byli zbyt zajęci krótką wizytą w raju, by tracić czas na zastanawianie się. Znalazł się jednak wyjątek i stojący w przejściu między regałami Ślezko aż się zachłysnął na jego widok. Twarz mu poszarzała, a w rozdziawionych ze zdumienia ustach błysnął złoty ząb. W ręku trzymał pudło z elektrycznymi wałkami do włosów — widomy dowód na to, że gdzieś jest też jakaś pani Ślezko.

— Mmm. — Mechanik z maszynowni aż się wzdrygnął po pierwszym kęsie krakersa. — Z jakiego mięsa jest ten pasztet?

— Z orzechów — odrzekł Izrail. — To masło orzechowe.

— Aa! — Mechanik ugryzł kolejny kawałek. — Niezłe.

— Renko, z ciebie jest istny Łazarz — powiedział Izrail, patrząc na Arkadija. — Wiecznie się gdzieś pojawiasz. Sprawa z Ziną jeszcze nie jest skończona, co? Widzę w twojej twarzy zawziętość i aż mi serce staje.

— Arkadij, więc jednak jesteś! — Natasza złapała go za rękę, jakby witała nieoczekiwanego gościa na balu. — To najlepszy dowód, że jesteś godnym zaufania obywatelem, bo inaczej by cię nie wypuścili. A co Wołowoj na to?

— Nie mogę się doczekać, żeby się dowiedzieć — mruknął Arkadij. — Co już kupiłaś?

Natasza się zaczerwieniła. Jedynym zakupem w jej siatce były dwie pomarańcze.

— Ubrania są na górze — powiedziała. — Dżinsy, stroje do biegania, buty.

— A także szlafroki i ranne pantofle — wtrąciła madame Malcewa.

Gurij włożył sobie na rękę duży zegarek dla polujących na safari, który w pasku miał umieszczony kompas. Idąc z nim do kasy, nie przestawał obracać się na wszystkie strony, jakby wykonywał solowy taniec.

— Jabłko? — zaproponowała kobieta z niebieskimi włosami, wyciągając ku niemu tacę.

— Yamaha — odrzekł Gurij, wypróbowując swą angielszczyznę. — Software, programy, czyste dyski.

Arkadij, który niczego nie kupował, czuł się trochę jak podglądacz i gdy obie kobiety ruszyły w kierunku schodów, on poszedł w drugą stronę. Przechodząc obok działu spożywczego, zauważył Lidię Taratutę, która właśnie upychała w siatce puszki z kawą instant. Dwaj mechanicy kupili sobie karton lodów na patyku i z lodami w dłoniach stali oparci o szafę chłodniczą jak para pijaczków. Ale jakże mogli się oprzeć? Radziecka reklama ograniczała się do wezwania: „Kupuj...", a opakowania były zwykle ozdobione czerwoną gwiazdą, flagą lub fotografią zakładu produkcyjnego. Natomiast amerykańskie opakowania aż kłuły w oczy kolorowymi wizerunkami nieziemsko pięknych kobiet i rozkosznych dzieci, zachęcających do kupna „nowych i ulepszonych" produktów. Lidia przeniosła się do regału z detergentami i zaczęła je ładować do wózka sklepowego.

Nawet Arkadij przystanął przy stoisku owocowo-warzywnym. Co z tego, że sałata, owinięta w celofan, miała trochę zwiędnięte liście, banany znaczyły plamki wątrobiane typowe dla podeszłego wieku, a wiele winogron ociekało sokiem i było popękanych, skoro były to pierwsze owoce nie w syropie z puszki, jakie widział od czterech miesięcy. Postał nad nimi przez dłuższą chwilę, by okazać im swój szacunek. A potem jako jedyny członek załogi „Gwiazdy Polarnej", który oparł się kapitalistycznemu blichtrowi, zawrócił i wyszedł na ulicę.

Popołudniowe światło dzienne zdążyło już ustąpić miejsca

wolno zapadającemu zmrokowi, który zaczynał dyskretnie skrywać zwały błota zalegającego centralny plac Dutch Harbor. Po jego jednej stronie mieścił się dom towarowy, po drugiej hotel. Zbudowano je z prefabrykowanych skorup ze ścianami z blachy falistej i przesuwnymi oknami i były tak nieproporcjonalnie długie w stosunku do wysokości, że odnosiło się wrażenie, jakby ich dolne kondygnacje zatonęły w błocie i zapadły się pod ziemię. U stóp wzniesienia przycupnęło zgrupowanie mniejszych budynków z prefabrykatów, stały też zamykane kontenery do transportu i magazynowania towarów oraz otwarte kontenery na odpadki, leżały również zwoje węży do podciśnieniowego wyładunku ryb. I wszystko tonęło w błocie. Jezdnie pokryte były zamarzniętymi koleinami błota i toczące się po nich zabłocone ciężarówki i furgonetki kołysały się na wybojach jak łodzie na falach. Wszystkie budowle wzniesione ręką ludzką utrzymane były w szaroburych odcieniach i stanowiły dowód na pogodzenie się z wszechobecnością błota. Nawet łachy leżącego śniegu zbrązowiały od błota, choć Arkadij i tak musiał zwalczyć w sobie chęć wytarzania się w nich.

Pod sklepem zebrała się grupka kilkunastu członków załogi, którzy albo świadomie odwlekali kulminacyjny moment wycieczki na ląd w postaci wizyty w sklepie, albo już w nim byli i nie wytrzymawszy napięcia, wyszli na papierosa ukoić nerwy. Utworzyli krąg, jakby uważali, że bezpieczniej jest zerkać na obce miasto nad ramieniem kolegi.

— Powiem wam, że to się wcale tak bardzo nie różni od domu — odezwał się któryś. — Równie dobrze moglibyśmy być na Syberii.

— Tylko że my budujemy z prefabrykatów betonowych — dorzucił inny.

— Ale najważniejsze, że jest tak, jak mówił Wołowoj. A ja mu nie wierzyłem.

— To tak wygląda typowe amerykańskie miasto? — zdziwił się kolejny.

— Tak jak mówił pierwszy.

— Nie tego się spodziewałem.

— My stosujemy beton.

— Nie o to mi chodzi.

Arkadij rozejrzał się i zauważył, że od placu odchodzą trzy drogi. Jedna prowadziła wzdłuż zatoki ku wznoszącym się w oddali cysternom, druga ciągnęła się w przeciwnym kierunku w stronę aleuckiego osiedla, trzecia skręcała w głąb wyspy. Jeszcze z pokładu statku Arkadij dostrzegł na wyspie kilka innych przystani i lotnisko.

Sejmik pod sklepem kontynuował rozmowy.

— To ich całe jedzenie, ta cała elektronika. Myślicie, że to normalne? W telewizji widziałem program na ten temat. W ich sklepach jest tyle żarcia, bo ludzie nie mają za co tego kupować.

— Nie żartuj.

— Naprawdę. Posner mówił o tym w telewizji. Lubi Amerykanów, ale tak powiedział.

Arkadij wyjął paczkę biełomorów, choć ten papieros jakby tu nie pasował. Zauważył, że w budynku sklepu na parterze mieści się też bank, a na piętrze jakieś biura. W zapadającym zmroku ich światła zdawały się promieniować ciepłem, jak buzujący w piecu ogień. Stojący po drugiej stronie placu hotel miał mniejsze i smutniejsze okna i tylko na parterze przechodniów wabiła jasno oświetlona, przeszklona witryna sklepu z alkoholami. Załogę uprzedzono, że ma tego miejsca unikać.

— U nas też jest taki dom noclegowy. Hotel marynarski z łóżkami po dziesięć kopiejek za noc. Ciekawe, ile tu kosztuje?

— I po ile łóżek stoi w pokoju.

Piętro hotelu wystawało poza obrys parteru, tworząc zadaszenie wzdłuż budynku, zapewne bardzo przydatne podczas ulewnych deszczów lub zamieci śnieżnych, które w zimie tworzyły wysokie zaspy. Tyle że z końcem sezonu połowowego w listopadzie liczba stałych mieszkańców Dutch Harbor spadała o połowę.

— Chodzi o to, że jak przez całe życie o czymś słyszysz, to wyobrażasz sobie nie wiadomo co. Jeden mój znajomy popłynął do Egiptu. Czytał o tych wszystkich faraonach, świątyniach i piramidach, a wrócił z takimi chorobami, że byś nie uwierzył.

— Cii. Właśnie jakaś idzie.

Do sklepu zbliżała się mniej więcej trzydziestoletnia kobieta. Włosy okalały jej głowę żółtawą postrzępioną aureolą, makijaż na twarzy sprawiał, że wyglądała jak nadąsana. Mimo panującego zimna miała na sobie tylko kusą kurtkę podbitą króliczym futrem, dżinsy i kowbojki. Krąg radzieckich dyskutantów wykazał tak nagłe zainteresowanie wodami zatoki, że mógłby obok nich przejść afrykański wojownik z dzidą, a żaden i tak nie odwróciłby wzroku. Dopiero gdy ich minęła, wszyscy jak jeden mąż unieśli głowy i spojrzeli za nią.

— Niezła.

— Nic specjalnego.

— Właśnie mówię. Wcale nie lepsza. — Mówiący kopnął w zadumie grudę błota, głęboko odetchnął i potoczył autorytatywnym spojrzeniem po ponurym budynku hotelu, wzgórzach i wodach zatoki.

— Podoba mi się tu.

Kolejno pogasili niedopałki, karnie utworzyli wyznaczone wcześniej czwórki i wzruszając dla kurażu ramionami oraz kiwając do siebie głowami, ruszyli do sklepu.

— Ciekawe — mruknął któryś — czy można tu dostać takie buty, jak ona ma.

Arkadij przywołał w pamięci zakończenie *Zbrodni i kary*, kiedy szukając odkupienia, Raskolnikow stoi nad brzegiem morza. Być może częściowo dał się uwieść stworzonemu przez Dostojewskiego wizerunkowi inteligentnego śledczego i dlatego sam został śledczym. Jednak teraz, na półmetku życia, dziwaczny splot okoliczności spowodował, że zamiast stać po stronie prawa, sam stał się przestępcą. Kimś w rodzaju nieskazanego skazańca, który jak Raskolnikow stoi na brzegu Pacyfiku, tyle że po drugiej stronie. Ile mu jeszcze zostało, zanim Wołowoj chwyci go za gardło, by go zawlec z powrotem na pokład? Czy przypadnie wtedy jak krab do ziemi i będzie się w nią wczepiał? Wiedział, że nie chce wracać. Tak dobrze było stać w cieniu wzgórza. Trwać nieruchomo, wiedząc, że w przeciwieństwie do fali to wzgórze nigdzie nie odpłynie. Że falująca na wietrze trawa będzie tak samo i w tym samym miejscu falować też jutro. Że wokół tych samych szczytów zbiorą się takie same chmury, a promienie zachodzącego słońca tak samo je rozpłomienią. Że zależnie od pory roku błoto będzie zamarzać lub się rozpuszczać, ale zawsze tu będzie.

— Zauważyłam cię i nie chciałam wierzyć własnym oczom. — Susan wyszła z hotelu i przeszła na jego stronę ulicy. Kurtkę, tę samą, w której zeszła z pokładu, miała krzywo zapiętą, włosy w nieładzie, oczy rozbiegane i wyglądała, jakby płakała. — A potem sobie powiedziałam: No pewno, że to on. Bo już prawie uwierzyłam, że ktoś pracujący na śluzgawce mógł być kiedyś, dawno temu, detektywem i mówić po angielsku. I rzeczywiście mógł popaść w takie tarapaty, że odmówiono mu wizy na ląd. Było to możliwe. A potem patrzę przez szybę w drzwiach i kogo widzę? Ciebie! Jak tu sobie stoisz z taką miną, jakby cała wyspa należała do ciebie.

W pierwszej chwili pomyślał, że jest pijana. Kobiety też piją, nawet Amerykanki. Ujrzał wychodzących z hotelu Hessa i Marczuka i podążającego za nimi George'a Morgana. Wszyscy trzej byli w samych koszulach, tyle że kapitan „Orła" miał na głowie kapitańską czapkę.

— To jaka jest wersja na dzisiaj? — spytała Susan. — Jak dziś wygląda operacyjna przykrywka?

— Zina popełniła samobójstwo.

— I w nagrodę wypuszczono cię na brzeg, tak? To według ciebie ma sens?

— Nie — przyznał Arkadij.

— To spróbujmy inaczej. — Wymierzyła w niego palec, jakby szpiczastym patykiem szachowała węża. — To ty ją zabiłeś i w nagrodę puszczono cię na brzeg. To brzmi dużo bardziej sensownie, nie uważasz?

Morgan pociągnął Susan za rękaw kurtki.

— Zastanów się, co ty mówisz — burknął.

— Dwaj łajdacy. — Wyrwała się z jego uchwytu. — Pewnie razem to obmyśliliście.

— Proszę cię tylko, żebyś się zastanowiła, co mówisz.

Spróbowała go wyminąć i wrócić do Arkadija, ale Morgan rozłożył ręce i zastawił jej drogę.

— Niezła z was para — prychnęła.

— Uspokój się. — Morgan starał się mówić łagodnie. — Susan, nie mów nic, czego potem wszyscy będziemy żałować. Bo może się zrobić nieprzyjemnie, wiesz o tym.

— Co za wspaniała para łajdaków. — Susan odwróciła głowę i wpatrzyła się w niebo. Arkadij znał tę sztuczkę. Tak stara się powstrzymać łzy.

Morgan zaczął mówić „Susan, przecież...", ale ona uniosła rękę i bez słowa ruszyła w stronę hotelu.

Morgan spojrzał na Arkadija z niepewnym uśmieszkiem.

— Przykro mi. Nie wiem, co ją napadło.

Susan przepchnęła się między Hessem a Marczukiem i weszła do budynku. Obaj przeszli przez jezdnię i dołączyli do Morgana i Arkadija. Po radzieckim kapitanie było widać, że wypił już parę drinków. Było na tyle zimno, że oddechy wszystkich czterech zamieniały się w obłoczki pary. Zapadło niezręczne milczenie, jak zwykle, gdy mężczyźni czują się zażenowani zachowaniem kobiety.

— Pewnie się wściekła — bąknął w końcu Morgan — bo właśnie się dowiedziała, że jej zmiennika odwołano pilnie do Seattle i będzie musiała wrócić na „Gwiazdę Polarną".

— To by mogło ją tłumaczyć. — Arkadij kiwnął głową.

Rozdział 19

Arkadij i obaj radzieccy oficerowie zasiedli przy stoliku z blatem z drewna sekwoi w osłonie z przezroczystego plastiku i zamówili po piwie. Gdy któryś z gości zatoczył się na przepierzenie oddzielające ich stolik od baru, Marczuk zauważył:

— Jak Amerykanie się upijają, to robią się coraz głośniejsi, a Rosjanie poważnieją. Piją na umór, aż padną z godnością jak ścięte drzewo. — Przez chwilę wpatrywał się w zawartość swojej butelki. — Ale ty nam nie zwiejesz?

— Nie — odrzekł Renko.

— Bo musisz pamiętać, że co innego zabrać człowieka ze śluzgawki i pozwolić mu się szwendać po całym statku, a co innego puścić go na ląd. Jak sądzisz, co zrobi kapitan, którego marynarz da nogę? I to taki, który puścił na ląd kogoś z taką wizą jak twoja? — Pochylił się do przodu i przygwoździł Arkadija wzrokiem. — No, powiedz, co?

— Pewnie w Norylsku zawsze potrzebują nocnych stróżów.

— To ja ci powiem. Odnajdzie cię i własnoręcznie zabije. Oczywiście w pełni cię popieram. Ale pomyślałem, że powinieneś wiedzieć.

— Zdrowie. — Arkadij zawsze doceniał szczerość.

— Gratulacje. — George Morgan przysunął sobie krzesełko, usiadł i trącił swoją butelką butelkę Arkadija. — Słyszałem, że rozwiązałeś zagadkę. Samobójstwo?

— Zostawiła list.

— Szczęście. — Morgan znów był wzorem spokoju i opanowania. Nie jak czarnobrody tygrys Marczuk czy gnom w rodzaju Hessa. W każdym calu profesjonalista, z gładką twarzą i przenikliwym spojrzeniem błękitnych oczu.

— Właśnie mówiliśmy, że Dutch Harbor to naprawdę niezwykłe miejsce — powiedział Hess.

— Bliżej stąd do bieguna północnego niż do reszty Stanów Zjednoczonych. — Morgan kiwnął głową. — Człowiek dziwnie się czuje.

Na pewno inaczej, pomyślał Arkadij. W radzieckim lokalu panuje spokój, bo siedzą w nim osowiali, zamroczeni alkoholem ludzie. Tu wszystko eksplodowało dźwiękami. Przy barze stał tłumek rosłych mężczyzn w kraciastych koszulach i czapkach z daszkiem na głowach. Wszyscy mieli długie włosy, brody i niewymuszoną swobodę zachowań, która przejawiała się poklepywaniem po plecach i piciem wprost z butelki, a całe zamieszanie powielało jeszcze długie lustro wiszące za baterią markowych alkoholi. W rogu sali paru Aleutów grało w bilard. Przy stolikach siedziało też trochę kobiet — dziewczyn z wymizerowanymi twarzami i nienaturalnie jasnymi włosami — ale prawie nikt nie zwracał na nie uwagi. Wyjątek stanowiła grupka, która otaczała rozochoconego Ridleya. Mechanik Morgana wyróżniał się z tłumu także tym, że miał na sobie aksamitną koszulę i dyndający na piersi złoty łańcuch. Prawdziwy książę wśród żebraków.

W pewnej chwili podszedł do stolika i zwrócił się do Arkadija.

— Panie są ciekawe, czy masz dwugłowego kutasa — parsknął.

— A co tu jest normą? — spytał.

— Tu nie ma żadnych norm. Rozejrzyj się. Tłum amerykańskich kapitalistów, których morski biznes jest całkowicie uzależniony od was, komunistów. Naprawdę. Banki trzymają rybaków za jaja, bo w czasie boomu krabowego wszyscy na potęgę pożyczali. Dlatego nawet takie kutry jak nasz, których miejsce jest w Zatoce Meksykańskiej, znalazły się tutaj. Kiedy kraby się skończyły, rybakom zaczęto zabierać łodzie, wyposażenie, samochody, domy. Gdybyśmy się tu nie przenieśli, przyszłoby nam pracować na stacjach benzynowych. A potem w siedemdziesiątym ósmym zjawili się Ruscy i zaczęli kupować wszystko, co złowiliśmy. Bogu niech będą dzięki za międzynarodową współpracę. Gdyby to zależało od rządu Stanów Zjednoczonych, wszyscy padlibyśmy na pysk. Chciałeś coś dziwnego, to masz.

— I ile teraz zarabiasz?

— Dziesięć, dwanaście kawałków miesięcznie.

Arkadij pomyślał, że w czarnorynkowym przeliczeniu jego zarobki wynoszą około stu dolarów.

— To rzeczywiście dziwne — przyznał.

W narożniku na stole oświetlonym zwisającą nisko lampą jarzeniową paru Aleutów w pobożnym skupieniu grało w bilard. Wszyscy mieli na głowach czapki, na sobie skafandry, na twarzach ciemne okulary. Wszyscy z wyjątkiem Mike'a, Aleuty z „Orła". Pohukując radośnie, patrzył, jak uderzona przez niego biała bila toczy się po stole, uderza w czerwoną, ta wpada do kieszeni, a biała w porę się zatrzymuje. Trzy Aleutki w puchatych kurtkach w pastelowych kolorach siedziały rządkiem pod ścianą, nachylając ku sobie głowy i rozmawiając. Pod drugą ścianą zasiadła samotna biała dziewczyna, która, ani na chwilę nie przestając żuć gumy, cały czas wodziła wzrokiem za Mikiem, tak jakby poza nim nikogo więcej tu nie było.

— Ta cała wyspa należy do Aleutów — mówił Ridley. — W czasie wojny przejęła ją marynarka wojenna i wszystkich wysiedlili, ale potem Carter zwrócił ją Aleutom, więc teraz nie muszą już nawet łowić. Mike łowi, bo po prostu kocha morze.

— A ty? — spytał Arkadij. — Też je kochasz?

Ridleya wyróżniały nie tylko strój i włosy zaczesane do tyłu, związane w kitkę i zaplecione w warkoczyki za uszami, ale także żar bijący z oczu i cierpki uśmiech.

— Ja go, kurwa, nienawidzę. Pływanie po wodzie na kupie żelastwa jest czymś zupełnie nienormalnym. Słona woda to wróg. Gryzie stal na wióry. I bez tego życie jest wystarczająco krótkie.

— Twój kolega Coletti pracował w policji?

— Ale był zwykłym posterunkowym, nie dwujęzycznym śledczym jak ty. Chyba że uwzględnisz włoski.

Przyniesiono butelkę szkockiej i Morgan nalał wszystkim.

— To, czego brakuje mi na morzu — ciągnął Ridley — to cywilizacja, bo cywilizacja to kobiety. Pod tym względem „Gwiazda Polarna" bije nas na głowę. Wsadź Chrystusa, Freuda i Karola Marksa do jednej łodzi i każ im pływać przez sześć miesięcy. Zobaczysz, że wszyscy zrobią się prymitywnymi gburami jak my.

— Masz filozofa za mechanika — powiedział Hess do Morgana. — Nawiasem mówiąc, w latach pięćdziesiątych u wybrzeży Kamczatki pływały nasze wytwórnie konserw, na których bywało blisko siedemset kobiet i kilkunastu mężczyzn. Robili konserwy z krabów. Proces technologiczny wymagał, żeby metal nie stykał się z mięsem kraba, używano więc specjalnej amerykańskiej powłoki ochronnej. Ale potem w ramach zimnej wojny wasz rząd wprowadził embargo na sprzedaż powłoki do wrogich komunistycznych puszek i nasz przemysł krabowy padł.

Arkadij pamiętał krążące wtedy opowieści. Na pokładach statków dochodziło do awantur, podczas których kobiety rzucały się na mężczyzn i wręcz ich gwałciły. Czyli kobiety na morzu to nie taka znów cywilizacja.

— Wypijmy za wszystkie joint ventures — powiedział Morgan, unosząc szklaneczkę.

W Związku Radzieckim nie gra się w bilard, ale Arkadij pamiętał żołnierzy służących w Niemczech i ich zafascynowanie tą grą. Wyglądało na to, że Mike wygrywa i w nagrodę dostaje całusy od żującej gumę dziewczyny. Ciekawe, czy gdyby car nie sprzedał Alaski, współcześni Aleuci graliby teraz w szachy?

Ridley podążył za wzrokiem Arkadija.

— Kiedyś Aleuci polowali dla Rosjan na kałany. Zabijali też lwy morskie, morsy, wieloryby. Dziś żyją z wynajmowania nabrzeży Exxonowi. Z amerykańskich tubylców zamienili się w kapitalistów. W przeciwieństwie do nas.

— Ciebie i mnie?

— Pewno. Bo prawda jest taka, że rybaków więcej łączy z sobą niż z ludźmi na lądzie. Na przykład ludzie na lądzie rozczulają się nad lwami morskimi, a jak ja patrzę na lwa morskiego, to widzę tylko złodzieja. Wybierz się kiedyś na wyspy w Cieśninie Szelichowa, to je zobaczysz. Wylegują się i bezczelnie na ciebie gapią. Zupełnie się nie boją i podpływają do samej sieci. Ale trudno się dziwić, skoro ważą po trzysta, trzysta pięćdziesiąt kilo. Są jak pieprzone niedźwiedzie.

— Chodzi o lwy morskie — wyjaśnił Hess Marczukowi, a ten przewrócił oczami na znak, że rozumie.

— Są podwójnie szkodliwe — ciągnął Ridley. — Po pierwsze, nie wykradają po prostu ryb z sieci i nie uciekają. Nie, rozszarpują brzuchy wszystkich ryb w sieci, a jeśli rybami są łososie, to na każdym ugryzieniu traci się pięćdziesiąt dolców. Po drugie, jak się skurwielowi w końcu znudzi ta zabawa, to chwyta ostatnią rybę i zanurza się w wodzie. I wiesz, co potem robi? Wypływa na powierzchnię z rybą w pysku i macha nią do ciebie, jakby mówił: „Mam cię w dupie, frajerze". Myślę, że chyba po to wymyślono magnum, bo nic mniejszego nawet go nie ruszy. A wy czego używacie?

Hess z namysłem przetłumaczył odpowiedź Marczuka: „Oficjalnie są chronione".

— No, ja też tak mówię. Na „Orle" mamy na nie cały arsenał. Trzeba je chronić. — Ridley kiwnął głową.

Arkadij pomyślał, że Ridley jest człowiekiem dwulicowym, który równocześnie potrafi być przymilnym czarusiem i zimnym łajdakiem, a przy tym przez cały czas udaje poetę. Mechanik przeniósł na niego wzrok.

— Po twojej minie widzę, że uważasz to za mordowanie.

— Kogo? — spytał Arkadij.

— Nie kogo, ale czego. Lwów morskich.

Marczuk uniósł szklaneczkę.

— Najważniejsze, że wszyscy jesteśmy rybakami, obojętne, czy radzieckimi, czy amerykańskimi, i że wszyscy robimy to, co lubimy. Za szczęściarzy!

— „Szczęśliwy ten, kto nie czuje bólu". — Ridley jednym haustem opróżnił szklankę i odstawił na stolik. — Teraz jestem szczęśliwy. Powiedz mi — dodał, zwracając się do Arkadija — jak sterczysz w zimnie na śluzgawce i babrzesz się w rybich flakach, też jesteś szczęśliwy?

— Na śluzgawce używamy innego powiedzenia: „Szczęśliwy ten, kto umie najlepiej godzić marzenia z realiami".

— Dobrze powiedziane. Wypiję za to. — Morgan się uśmiechnął. — To Tołstoj?

— Stalin. Radziecka filozofia jest pełna niespodzianek.

— Szczególnie jeśli chodzi o ciebie — powiedziała Susan. Arkadij nie zauważył, kiedy podeszła do ich stolika. Włosy miała zaczesane gładko do tyłu, jej policzki były wilgotne i blade, co dodatkowo podkreślało czerwień jej warg i głębię ciemnych oczu i nadawało twarzy wyraz jeszcze większej zaciętości.

◆ ◆ ◆

Ridley wyruszył z Colettim na poszukiwanie partnerów do partyjki kart, Marczuk wrócił na statek, by umożliwić Wołowojowi zejście na ląd. Arkadij czuł, że gdy pierwszy oficer go tu zobaczy, wpadnie w szał, ale i tak dwugodzinny pobyt na lądzie był lepszy niż nic. Nawet w zadymionym barze czuł, że znów oddycha.

Harmider w barze wciąż się wzmagał, ale Arkadij nawet tego nie zauważał. Susan siedziała na krześle z nogami podwiniętymi pod siebie, jej twarz ocieniała aureola złocistych włosów, a ścinająca ją zwykle maska odpychającego chłodu jakby pękła i ukazywała znacznie ciekawsze wnętrze.

— Nie znoszę Wołowoja, ale i tak łatwiej mi przychodzi wierzyć jemu niż tobie.

— Jestem, jaki jestem.

— I masz w głowie tylko prawdę, sprawiedliwość i radzieckie pryncypia.

— I mam w głowie tylko marzenie o urwaniu się ze statku.

— Chyba żartujesz. Oboje musimy wrócić, a ja nie jestem nawet Rosjanką.

— Machnij na to ręką.

— Nie mogę.

— A kto cię zmusza do powrotu?

Susan zapaliła papierosa, dolała whisky do kostek lodu w swojej szklance i zamilkła.

— No to będziemy się męczyć razem — rzekł Arkadij.

George Morgan i Hess nadal dzielnie zmagali się z zawartością butelki.

— Pomyśl — powiedział Hess — że moglibyśmy wszystko robić wspólnie.

— Naprawdę z sobą współpracować? — upewnił się Morgan.

— Pozbyć się podejrzliwości i przestać wzajemnie się podgryzać. Jakież by to było naturalne partnerstwo.

— My byśmy wzięli na siebie Japończyków, a wy Chińczyków?

— I dzielilibyśmy się Niemcami, póki się da.

— Jak sobie wyobrażasz piekło? — spytała.

Przez chwilę się zastanawiał.

— Jak zjazd partii. Czterogodzinny referat sekretarza generalnego. Nie, niekończący się referat. Rozpłaszczeni jak płastugi delegaci słuchają gadaniny, która nigdy się nie kończy.

— A dla mnie to wieczór z Wołowojem. Patrzę, jak podnosi ciężary i albo on jest nagi, albo ja. Tak czy tak, przerażające.

— Mówi na ciebie Zuu-zan.

— Ty też. A jakie imię lepiej ci się wymawia?

— Irina.

— Opisz ją.

— Jasnobrązowe włosy, ciemnobrązowe oczy. Wysoka. Pełna życia i charakteru.

— Ale na „Gwieździe Polarnej" jej nie ma?

— Nie.

— Została w domu?

Arkadij postanowił zmienić temat.

— Jesteś lubiana na „Gwieździe Polarnej" — powiedział.

— Lubię Rosjan, ale nie lubię podsłuchów w kajucie. Jeśli tylko wspomnę, że nie ma masła, natychmiast przynoszą mi cały talerz. Bernie wdaje się z marynarzem w dyskusję na tematy polityczne i marynarz za chwilę znika ze statku. Początkowo dusisz to w sobie i unikasz krytycznych uwag, ale po pewnym czasie dla własnego zdrowia psychicznego zaczynasz narzekać na Wołowoja i jego lokajów. Dla mnie „Gwiazda Polarna" to piekło. A dla ciebie?

— Tylko zwykłe szambo.

— Wszystko może być joint venture — mówił Hess. — Najkrótsza droga z Europy na Pacyfik prowadzi przez Arktykę. My moglibyśmy dostarczać lodołamacze. Przecierałyby drogę, tak jak „Gwiazda Polarna" robi to dla „Orła".

— Mielibyśmy oddać swój los w wasze ręce? — powiedział Morgan. — Chyba sprawy aż tak bardzo nie uległy zmianie.

— Lubiłaś Zinę — zauważył Arkadij. — Dałaś jej w prezencie swój kostium kąpielowy, pożyczałaś okulary przeciwsłoneczne. W zamian za to ty od niej... co dostawałaś?

Susan potrzebowała dłuższej chwili na odpowiedź. Rozmowa z nią przypominała chwytanie czarnego kota w ciemnym pokoju.

— Rozrywkę — powiedziała w końcu.

— Ty jej opowiadałaś o Kalifornii, ona tobie o Władywostoku? Taki handel wymienny?

— Była mieszaniną niewinności i przebiegłości. Taką rosyjską Normą Jean.

— Nie rozumiem.

— Norma Jean utleniła włosy i stała się Marilyn Monroe. Zina Patiaszwili utleniła włosy i pozostała Ziną Patiaszwili. Cel ten sam, rezultat odmienny.

— Byłyście przyjaciółkami?

Nalała do jego szklaneczki tyle whisky, że utworzył się menisk, potem wlała sobie tyle samo.

— To jest norweska zabawa alkoholowa — powiedziała. — Kto uroni kroplę, musi wypić do dna. Po drugiej przegranej siada na krześle, a partner wali go po głowie i próbuje przewrócić na podłogę.

— Bawmy się, ale bez walenia po głowie. Więc jak, byłyście przyjaciółkami?

— „Gwiazda Polarna" to zbiorowisko nieudaczników. Wiesz, jak rzadko spotyka się kogoś, kto sprawia wrażenie naprawdę żywego i samodzielnie myślącego? Wy w Związku Radzieckim macie dziwne wyobrażenie o przyjaźni. Wszyscy jesteście gorącymi bojownikami o pokój i przyjaźń na świecie, ale niech Bóg broni, żeby Amerykanin i obywatel radziecki zbytnio się do siebie zbliżyli. Ani się obejrzą, jak wasz człowiek trafi na statek pływający u wybrzeży Nowej Zelandii.

— Ziny nigdzie nie odesłano.

— Nie, i dlatego wiedzieliśmy, że na nas donosi, przynajmniej w pewnym stopniu. I byłam gotowa się z tym pogodzić, bo poza tym była pełna życia. Taka naiwna, zabawna, o tyle inteligentniejsza od innych.

— Z którym z waszych mężczyzn sypiała?

— Skąd wiesz, że z którymś sypiała?

— Bo sypiała ze wszystkimi. To był jej sposób na życie. Jeśli na pokładzie było czterech Amerykanów, musiała się przespać przynajmniej z jednym z nich.

— Z Lantzem.

Arkadij pamiętał Lantza — chudego flegmatycznego obserwatora, spotkanego w łaźni.

— A potem ją zniechęciłaś, tak? Bo przecież nie Wołowoj. — Arkadij upił łyczek ze swojej szklanki. — Dobra ta whisky.

Płyn zakołysał się, ale nie rozlał. Światło jarzeniówki odbijało się w nim jak księżyc.

— A z kim ty sypiasz na „Gwieździe Polarnej"? — spytała.

— Z nikim.

— To też jesteś nieudacznikiem. Twoje zdrowie.

Po raz pierwszy Morgan odwrócił głowę i spojrzał na nią, ale zaraz przeniósł wzrok na Hessa, który właśnie rozgadał się o najnowszej inwazji na Moskwę.

— Japończycy są wszędzie, w każdym razie we wszystkich najlepszych hotelach. Najlepsza knajpa w Moskwie to restauracja japońska, ale nie sposób się do niej dostać, bo zawsze w niej pełno Japończyków.

— Zina opowiedziała ci o sobie i kapitanie Marczuku, prawda? Czy dlatego nie powiedziałaś, że w trakcie zabawy widziałaś ich razem przy relingu rufowym? Bo nie chciałaś ich wsypać?

— Było ciemno.

— Kapitan nie uważa, żeby była w nastroju samobójczym. Ty też z nią wtedy rozmawiałaś. Myślisz, że była przygnębiona?

— A ty jesteś przygnębiony? Masz nastrój samobójczy?

Arkadij znów dał się zaskoczyć. Wyszedł z wprawy w prowadzeniu przesłuchań. Był za wolny, zbyt łatwo dawał się zbić z tropu jej pytaniami.

— Nie. Określiłbym siebie jako beztroskiego hulakę, który korzysta z życia. Oczywiście byłem jeszcze bardziej beztroski w czasach, gdy należałem do partii.

— Już to widzę.

— Kiedy człowiek ma legitymację w kieszeni, trudniej wpada w tarapaty.

— Naprawdę? Daj mi jakiś przykład.

— Na przykład przemyt. Bez legitymacji partyjnej to tragedia. Z legitymacją komedia.

— Jak to?

— Dramat. Załóżmy, że drugiego oficera przyłapują na przemycie. Staje przed resztą kolektywu oficerskiego i łka: „Towarzysze, nie wiem, co mnie napadło. Nigdy w życiu czegoś takiego nie robiłem. Proszę, dajcie mi możliwość odkupienia moich win".

— No i? — Susan dała się zwabić do światła.

Hess i Morgan zamilkli i zaczęli słuchać ich rozmowy.

— Odbywa się głosowanie i zapada decyzja o udzieleniu winnemu surowej partyjnej nagany. Mijają dwa miesiące i odbywa się następne zebranie.

— Tak? — Susan była już wyraźnie zainteresowana.

— Kapitan oświadcza: „Wszyscy zawiedliśmy się na naszym drugim oficerze i chwilami nawet czułem, że już nigdy nie chcę z nim pływać, ale teraz widzę jego szczerą chęć odkupienia winy".

— Na co oficer polityczny oświadcza... — podpowiedziała Susan.

— Na co oficer polityczny oświadcza: „Towarzysz drugi oficer raz jeszcze zaczerpnął z krynicy myśli komunistycznej. Biorąc pod uwagę jego duchową przemianę, proponuję, żeby wymazać z akt udzieloną mu naganę". No i czy może być coś bardziej komicznego?

— Zabawny z ciebie facet, Renko.

— On jest zły, nie zabawny — wtrącił Hess.

— Tak to się odbywa wśród członków partii — powiedział Arkadij. — Ale jeśli się nie jest w partii, jeśli się jest zwykłym robotnikiem i przyłapią cię na szmuglowaniu kaset wideo czy kamieni szlachetnych, to już nie jest ani komiczne, ani humanitarne. Wtedy lądujesz na pięć lat w łagrze.

— Powiedz mi coś więcej o Irinie — poprosiła Susan. — Zaciekawiła mnie. Gdzie jest teraz?

— Nie wiem.

— Gdzieś... — Rozłożyła ręce, obejmując nimi pół świata. — Gdzieś tam?

— Niektórzy już tacy są. Wiesz, że jest biegun północny

i biegun południowy, ale jest też coś takiego jak biegun niedostępności. Kiedyś uważano, że wszystkie lody na Morzu Arktycznym krążą wokół jednego punktu: mitycznego bieguna, który otacza dryfująca, niemożliwa do przebycia kra. Myślę, że właśnie tam teraz jest. — I nie robiąc przerwy, dodał: — Czy tego wieczoru, kiedy odbywała się zabawa, Zina wyglądała na przygnębioną?

— Nie powiedziałam, że z nią rozmawiałam.

— Jeśli ostrzegłaś ją przed brataniem się z Amerykanami z „Gwiazdy Polarnej", pewnie to samo zrobiłaś w odniesieniu do załogi „Orła".

— Wyznała mi, że znalazła prawdziwą miłość. A tego nie da się powstrzymać.

— Jak to dokładnie sformułowała?

— Że nikt jej nie powstrzyma.

— Jeśli masz na myśli Mike'a — wtrącił Morgan — to spotkali się jedynie parę razy na zabawach. Poza tym tylko do siebie machali. Zresztą wszyscy moi ludzie wrócili wcześniej na pokład „Orła", więc nie ma o czym mówić.

— Chyba że wcześniej ją zamordowano — powiedziała Susan.

Na twarzy Morgana pojawił się uśmieszek świadczący, że jego cierpliwość wobec upartych tępaków jest na wyczerpaniu. Arkadij odnosił wrażenie, że w ocenie kapitana do tej kategorii zaliczają się wszyscy poza Hessem.

— Zabrakło mi papierosów — rzekła Susan, patrząc na Arkadija. — W holu jest automat. Wolno ci stąd odejść?

Renko spojrzał pytająco na Hessa, a ten powoli skinął głową. Morgan pokręcił swoją przecząco, ale Susan go zignorowała.

— To potrwa tylko chwilę — rzuciła.

W maszynie był wybór kilkunastu gatunków, ale okazało się, że Susan nie ma przy sobie drobnych.

— Z tego, co wiem, ty też nie masz.

— Nie — potwierdził Arkadij.

— Mam papierosy na górze. Chodźmy.

Pokój Susan mieścił się na pierwszym piętrze, przy samym końcu rozbrzmiewającego kakofonią dźwięków korytarza. Z każdego mijanego pokoju dochodziły odgłosy głośnych rozmów lub muzyki. Po drodze Susan dwukrotnie oparła się ręką o ścianę i Arkadij pomyślał, że chyba jest nieźle wstawiona.

Otworzyła kluczem drzwi do pokoju niewiele większego od jej kajuty na „Gwieździe Polarnej", ale wyposażonego w podwójne łóżko, łazienkę z prysznicem, telefon i — zamiast radzieckiego kołchoźnika z dwoma programami — stojący na stoliku telewizor. Na biurku stała butelka whisky, plastikowy pojemnik na lód i biurowa lampa na giętkim pałąku. Łóżka stały pod oknem i choć szyby były pojedyncze i zachlapane, na Arkadija spłynęło poczucie wielkiego luksusu.

Za oknem słońce już zaszło i Dutch Harbor pogrążył się w ciemnościach. Po drugiej stronie placu widać było opuszczających sklep członków załogi „Gwiazdy Polarnej". Chociaż byli obładowani torbami plastikowymi i pakunkami, stanęli zbici w gromadkę, wyraźnie nie kwapiąc się do powrotu do portu. Wszyscy przywykli do stania godzinami w kolejce po jednego ananasa czy jedną parę pończoch, więc tak drobna niedogodność zupełnie im nie przeszkadzała. Czuli się tu i tak jak w raju. Błysnął flesz polaroida, uwieczniając ciasno zbitą gromadkę przyjaciółek w amerykańskim porcie. Natasza i Dynka, Lidia i Olimpiada. Na wzgórzu za cysternami płonął ogień, niczym punkt odniesienia. Ridley wspominał, że dzieci wciąż rozpalają ogniska i palą resztki drewnianych konstrukcji z czasów wojny. Z nastaniem ciemności mgła wyraźnie zgęstniała i blask płomienia rozmywał się w niej niewyraźną plamą światła.

Arkadij znalazł na ścianie wyłącznik i zapalił lampę.

— Co miałaś na myśli kiedy powiedziałaś, że Morgan i ja „razem coś obmyśliliśmy"?

— Kapitan Morgan niezbyt dba o to, z kim się zadaje. — Susan wyciągnęła rękę i zgasiła światło. — Zresztą ja pewnie też nie.

— Dwa dni temu ktoś próbował mnie zabić.

— Na „Gwieździe Polarnej"?

— A gdzieżby indziej?

— Dość już tych pytań. — Położyła mu dłoń na ustach. — Wydajesz się autentyczny, ale wiem, że musisz być nieprawdziwy, bo wszystko jest nieprawdziwe. Pamiętasz ten wiersz?

Jej oczy wydawały się tak ciemne i przepastne, że zastanowił się, czy sam za dużo nie wypił. Czuł na twarzy wilgoć jej włosów.

— Tak. — Wiedział, o który wiersz jej chodzi.

— Przypomnij mi.

— „Powiedz, jak mężczyźni cię całują".

Susan pochyliła się ku niemu i wspiąwszy się na palce, zbliżyła twarz do jego twarzy. To dziwne. Człowiek uważa się za prawie martwego, zimnego, bezwolnego, a potem zapala się odpowiedni płomyk i leci do niego jak ćma.

Jej wargi rozchyliły się na jego wargach.

— Gdybyś tylko był prawdziwy — szepnęła.

— Jestem równie prawdziwy jak ty.

Podniósł ją i zaniósł do łóżka. Ciemności za oknem rozświetlały ciągłe błyski fleszy, jakby odbywał się pokaz bezgłośnych sztucznych ogni. Jego uszczęśliwieni towarzysze niedoli robili sobie ostatnie pamiątkowe zdjęcia przed powrotem na statek. W błysku fleszy widać było stojącą na ulicy Nataszę, która pozowała do zdjęć w kokieteryjnie rozchylonej kurtce. Spod kurtki wyglądał naszyjnik ze szklanych paciorków, w uszach lśniły kryształowe kolczyki. Poczuł się trochę jak zdrajca, który podgląda ją z ciemnego okna hotelowego.

Arkadij stał pochylony nad leżącą na łóżku Susan, czując, że to jeden z tych momentów, które mogą zadecydować o reszcie życia. Przez okno dostrzegł Gurija i Nataszę, a także znieruchomiałego w błysku Aleutę Mike'a, który właśnie opuszczał hotel.

— O co chodzi? — spytała Susan.

W kolejnym błysku dojrzał uszczęśliwioną madame Malcewą z belą satyny pod pachą i wbiegającego do hotelu Wołowoja.

— Muszę iść — powiedział.

— Dlaczego?

— W hotelu jest Wołowoj. Szuka mnie.

— I wrócisz z nim na statek?

— Nie.

— Masz zamiar zbiec? — Susan usiadła na łóżku.

— Nie. Nawet gdybym chciał, nie mógłbym tego zrobić na tej wyspie. Jesteśmy tu zbyt potrzebni. Inaczej komu wasi rybacy sprzedawaliby ryby? I kto inny by tu przyjeżdżał, żeby kupować sterty aparatury stereo i butów? Gdyby ktoś z radzieckiego statku tu uciekł, wy pierwsi byście go złapali i odstawili na pokład.

— To dokąd się wybierasz?

— Nie wiem. Ale nie z powrotem na statek. Jeszcze nie.

Rozdział 20

Wspinając się na wzgórze, Arkadij czuł, jak sprężysta trawa pod stopami miękko się ugina i od razu znów prostuje. W dole za nim budynek hotelu był rozmazaną plamą światła, a rząd oświetlonych okien na piętrze jakby wisiał w powietrzu nad zadaszeniem, które stąd wyglądało jak świetlista kreska. Poruszająca się wzdłuż kreski ludzka postać posuwała się jakby urywanymi, zwolnionymi ruchami. Wołowoj, który uważnie rozgląda się na boki.

Ostatni klienci dołączali do grupki stojącej na ulicy, niektórzy przyjmowali funkcję przewodników stada i już wyruszali w stronę nabrzeża. Kilka osób zatrzymało się pod sklepem z alkoholami w oczekiwaniu na Lantza; po wyjściu obdzielił ich półlitrówkami wódki, które upychali po kieszeniach spodni. Z tyłu zostały też Natasza i Lidia, jakby chciały maksymalnie odwlec chwilę rozstania. Rozstania z Ameryką? Przy tym tłumie kręcących się po miasteczku Rosjan równie dobrze mogły znajdować się w rosyjskiej wiosce, na podwórkach mogły szczekać rosyjskie psy, a zbocza porastać rosyjska trawa. Arkadij wyobraził sobie Kolę wykopującego po ciemku delikatne sadzonki storczyków i Obidina idącego do cerkwi.

Po wyjściu z hotelu przeszedł na drugą stronę ulicy i przecisnął się między kontenerami na odpadki stojącymi za sklepem. Sklep miał okna tylko od frontu i z tyłu panowały zupełne ciemności. Niezauważony przez nikogo przeszedł obok domów z prefabrykatów u stóp wzniesienia — długich blaszanych baraków z aluminiowymi oknami, zza których dobywał się migotliwy blask ekranów telewizyjnych. Kilka psów, czarno-białych z jasnymi oczami, powitało go szczekaniem, ale żaden z mieszkańców nawet nie wyjrzał. Podwórka domów najeżone były pułapkami w postaci przysypanych śniegiem fragmentów samochodów i zwojów węży, ale udało mu się je omijać i w drodze do stóp zbocza potknął się tylko raz. Mike był daleko przed nim, parł do przodu, przyświecając sobie latarką, i jak dotąd ani razu się nie obejrzał.

Podłoże pod nogami — tonące w ciemnościach, ale równe i twarde — wręcz zapraszało do chodzenia. Chwilami czuł pod stopami miękkie poduszki z mchu i faceliowca, suche gałązki łubinu muskały mu dłonie. Nie tyle widział, ile wyczuwał obecność stromych urwisk wulkanicznych, wznoszących się przed nim jak otulone mgłą ściany. Na jednym z pagórków widać było blask ogniska, w dole za plecami migotały światełka zakotwiczonych w porcie statków i ledwo widoczne światła stojącej w głębi zatoki „Gwiazdy Polarnej".

A gdyby tak rzeczywiście zdecydował się zbiec? Na wyspie nie było żadnych lasów, gdzie mógłby się ukryć, i tylko garstka domostw, w których mógłby prosić o schronienie. Po drugiej stronie wyspy było wprawdzie lotnisko, ale co miałby tam zrobić? Uczepić się koła startującego samolotu?

Nierówności terenu ułatwiały podchodzenie. Zaspy śniegu trzymały się tylko na północnym zboczu i rozproszone światło barwiło je na niebiesko. Po dziesięciu miesiącach spędzonych na morzu roznosiła go taka euforia, jakby wspinał się wprost do nieba. Zimny, zwiastujący nadchodzącą zimę wiatr przesycony był wonią jagód, pietruszki i mchu. Wyglądało na to, że Mike też się nim rozkoszuje, bo sądząc po świetle jego latarki, poruszał się tak, jakby wybrał się na niespieszną przechadzkę.

Arkadij dotarł do miejsca, gdzie ścieżka łączyła się z bitym traktem, i stwierdził, że mgła coraz bardziej gęstnieje. Miejscami zbocze urywało się to z jednej, to z drugiej strony i wtedy różnicę między twardym podłożem a pustką można było wyczuć głównie dzięki morskiej bryzie, która wiała w górę zbocza. I tak wiedział, którędy iść, bo blask płonącego ogniska, choć rozmyty we mgle, był jak prowadząca go latarnia morska.

A potem nagle mgła się przerzedziła, uciekając gdzieś w bok, i Arkadij poczuł się tak, jakby wychynął na powierzchnię drugiego, sięgającego szczytu oceanu. Mgła leżała u jego stóp, ciężka, nieruchoma i pierzasta, nad głową rozpościerało się nocne niebo tak kryształowo przejrzyste jak przestrzeń kosmiczna. Górskie szczyty wystawały z morza mgły niczym wysepki czarnych skał i lśniącego w blasku gwiazd lodu.

Trakt urywał się przy płonącym ognisku i w jego blasku można było rozróżnić pozostałości po dawnym stanowisku artyleryjskim. Ziemne umocnienia zamieniły się w trawiaste pagórki, stalowe łoża dział pokryła rdza, wokół ciągnęły się fragmenty zasieków z drutu kolczastego. Blask płomienia wydobywał z ciemności porozrzucane kawałki drewna, stelaże łóżek ze sprężynami, kanistry po ropie i sparciałe opony. Mike otworzył umieszczone w boku pagórka ciężkie stalowe drzwi i wszedł do środka. Arkadij dopiero teraz zauważył, że Aleuta w ręku trzyma strzelbę.

Wydawało się, że gwiazdy wiszą tuż nad głową. Mała Niedźwiedzica była znów przykuta do Polaris, ramię Oriona ginęło za horyzontem, jakby wyciągnięte do gwiazd. W ciągu dziesięciu miesięcy na Morzu Beringa Arkadij ani razu nie widział tak krystalicznie czystego nocnego nieba. Ale tu, nad linią mgły, pewnie zawsze jest takie, pomyślał.

Obszedł ognisko i podszedł do pagórka. Grube stalowe drzwi były wmontowane w betonową framugę i wyglądały na typowe wejście do bunkra z czasów wojny. Beton był miejscami wyszczerbiony i pokryty rdzawymi liszajami, ale wytrzymał upływ czasu i zakusy wandali. Ze skobla zwisała nowa kłódka, drzwi na dobrze naoliwionych zawiasach łatwo się otwierały. Oznaczało to, że ktoś tego pomieszczenia używał i o nie dbał.

— Mike! — zawołał do wnętrza.

Za drzwiami na podłodze stała zapalona lampa naftowa i w jej świetle Arkadij ujrzał, że dużym nakładem pracy i inwencji bunkier zaadaptowano na przytulną kwaterę rybaka. Z sufitu zwisała fantazyjnie podwieszona sieć rybacka, ściany zdobiły zasuszone rozgwiazdy, skorupy morskich ślimaków i szczęki maleńkich rekinów. W kącie znajdowała się prycza, ze skrzynek po owocach zbudowano coś w rodzaju regału i zapełniono go czasopismami i kieszonkowymi wydaniami książek, na podłodze stały beczki z kawałkami sieci, pogiętymi sprzęgami holowniczymi i starymi korkami.

Arkadij zauważył rzuconą na pryczę strzelbę i odetchnął z ulgą.

— Mike?! — krzyknął ponownie.

Na stelażu ciągnącym się przez cały środek pomieszczenia stał największy kajak, jaki kiedykolwiek widział. Miał co najmniej sześć metrów długości, był niski i wąski, miał dwa okrągłe włazy dla pasażerów i choć do skończenia sporo mu jeszcze brakowało, już teraz rzucała się w oczy smukła, elegancka sylwetka. Arkadij zapamiętał głos na taśmie Ziny. Mężczyzna opowiadał o aleuckim kajaku zwanym *baidarką*, którym miał zamiar opłynąć „Gwiazdę Polarną". Im dłużej mu się przyglądał, tym bardziej czuł się teraz zafascynowany. Drewniana stępka była połączona na czopy z kości, a wręgi gięte z drewna i mocowane ścięgnami. W całej konstrukcji nie mógł się dopatrzyć ani jednego gwoździa i tylko poszycie łódki było wyrazem kompromisu z nowoczesnością: tkaninę wzmocnioną włóknem szklanym przyszyto nicią nylonową do zrębnicy tylnego włazu. Na warsztacie leżał cały zestaw dłut i pilników, igieł, szpagatu i pędzli, a także maska gazowa, elektryczna suszarka i dwulitrowe puszki z żywicą epoksydową. Żywica epoksydowa jest lotną i łatwopalną substancją i pewnie dlatego po obu końcach stołu stały wiadra z piaskiem, a w powietrzu czuć było drapiący w gardło zapach, który rozchodził się z próbki żywicy nałożonej na kawałek powłoki.

— Pokaż się! — zawołał. — Chcę tylko porozmawiać.

Patrząc na rozwidlony, wygięty do tyłu dziób łodzi, Arkadij mógł bez trudu wyobrazić sobie grację, z jaką *baidarka* ślizga się po falach. Mógł też łatwiej zrozumieć zachwyt Ziny, która nazwała Mike'a wodnikiem. Romantyka chcącego opłynąć z nią wszystkie zakątki Pacyfiku. Jakże pod tym względem różnił się od Arkadija, który marzył tylko o tym, by już na zawsze pozostać na lądzie.

Obecność elektrycznej suszarki musiała znaczyć, że w pomieszczeniu jest prąd. Zauważył ciągnący się po podłodze przedłużacz, który doprowadził go do zawieszonego na ścianie koca. Odchylił go i okazało się, że za nim znajduje się jeszcze jedno, mniejsze pomieszczenie. Pośrodku stał nieczynny generator na benzynę, którego rura wydechowa była wyprowadzona do kanału wentylacyjnego. Na podłodze leżał przewrócony kanister z benzyną, wszystko oświetlała rzucona na podłogę latarka.

Mike leżał na podłodze tuż przy wejściu z rozrzuconymi na boki rękami. Jego lewe oko było otwarte i lśniło jak odłamek czarnej wilgotnej skały. Arkadij dotknął leżącego i nie wyczuł ani oddechu, ani tętna, ale brak też było jakichkolwiek śladów krwi. Mike wszedł do bunkra zaledwie chwilę przed nim. Zdążył tylko zapalić lampę naftową i zapewne poszedł uruchomić generator. Zdarza się, że młodzi ludzie umierają na atak serca. Przekręcił chłopaka na plecy, rozpiął koszulę i zaczął ugniatać klatkę piersiową, czemu Mike ze spokojem przyglądał się swym jednym otwartym okiem.

— No, dalej! — popędził go Arkadij.

Mike miał na szyi medalik na łańcuszku z metalowych kulek. Medalik przesunął się na tył szyi i przy każdym naciśnięciu wydawał metaliczny brzęk. Ciało Mike'a było za ciepłe, a on sam za młody i silny, żeby mógł być martwy. No i jeszcze ta niedokończona łódka...

— Michaił! Nie wygłupiaj się!

Arkadij rozwarł mu usta, wdmuchnął haust powietrza i poczuł intensywną woń piwa. Raz jeszcze zabębnił w piersi, jakby próbował obudzić kogoś w środku. Medalik pobrzękiwał, Mike patrzył nieruchomym, tracącym blask okiem.

A może zawał, pomyślał Arkadij i wetknął palce w usta Mike'a, by odsunąć język. Palce dotknęły czegoś bardzo twardego, a gdy je wyjął, końce miał powalane krwią. Rozwarł usta Mike'a na całą szerokość i poświecił latarką. U nasady języka wystawało coś szpiczastego, jakby srebrzysty cierń. Delikatnie przekręcił głowę chłopaka na bok i rozgarnąwszy gęste czarne włosy u podstawy czaszki, dojrzał ukryte pod nimi dwa metalowe kółka, podobne nieco do staromodnego lornionu. Amerykańscy młodzieńcy uwielbiają przyozdabiać się różnymi kółkami: kolczykami, ciężkimi sygnetami, skórzanymi bransoletkami na długich plecionkach, ale te dwa kółka tkwiły bezpośrednio w głowie i były niczym innym, jak rękojeścią nożyczek, które ktoś fachowym ruchem wbił na całą długość do połowy czaszki, nie roniąc przy tym ani kropli krwi. To

289

właśnie o nią pobrzękiwał medalik Mike'a. Jedna ręka nie klaszcze, jeden kawałek metalu nie brzęczy, pomyślał sentencjonalnie Arkadij. Puścił głowę i ciało Mike'a niemal z wdzięcznością spoczęło na podłodze.

Do bunkra wkroczył Wołowoj, tuż za nim wsunął się Karp.

— Już nie żyje — powiedział Arkadij.

Pierwszy oficer i bosman połowowy wyglądali na bardziej zainteresowanych samym bunkrem niż leżącym na podłodze ciałem.

— Jeszcze jedno samobójstwo? — rzucił Wołowoj, rozglądając się.

— Można tak powiedzieć. — Arkadij wstał. — To Mike z „Orła". Szedłem za nim. Dotarł tu nie więcej niż minutę przede mną. Nie widziałem, żeby ktoś wychodził. Ten, kto go zabił, może wciąż tu być.

— No pewnie. — Wołowoj kiwnął głową.

Arkadij omiótł pomieszczenie światłem latarki. Poza ciałem Mike'a i generatorem dostrzegł tylko gołe ściany pokryte graffiti. W jednym z narożników na podłodze stała kałuża wody, nad nią ciągnęła się pokryta plamami rdzy rura, niknąca w betonowym stropie obok zamkniętej klapy. Klapa znajdowała się za wysoko, aby móc do niej sięgnąć, ale na ścianie widać było ułamane wsporniki, do których kiedyś zamocowane były schodki.

— Musiała tu być jakaś lina albo drabinka — powiedział. — Morderca wciągnął ją za sobą i zamknął klapę.

— Śledziliśmy cię. — Karp wziął z pryczy strzelbę i zaczął ją ze znawstwem oglądać. — Ale nie widzieliśmy, żeby ktoś stąd wychodził.

— Dlaczego śledziłeś Amerykanina? — spytał Wołowoj.

— Sprawdźmy na zewnątrz — zaproponował Arkadij.

Karp zagrodził mu drogę.

— Dlaczego go śledziłeś? — powtórzył pytanie Wołowoj.

— Żeby go spytać o Zin...

— Dochodzenie jest skończone — przerwał mu pierwszy oficer. — To niedopuszczalne, żeby z tego powodu kogoś śledzić. Albo schodzić z pokładu wbrew rozkazom, albo odłączać się od kolegów, albo samotnie szwendać się po zagranicznym porcie. Ale to mnie nie dziwi. W twoim zachowaniu już nic mnie nie dziwi. Przyłóż mu.

Karp najpierw dźgnął Arkadija lufą w plecy jak dzidą, potem wykonał precyzyjny zamach kosiarza i uderzył bokiem strzelby w tył kolan. Arkadij z jękiem padł na podłogę.

Wołowoj usiadł na pryczy i zapalił papierosa. Zdjął z półki mocno wystrzępiony magazyn, zajrzał na środkową rozkładówkę i z wyrazem niesmaku na różowej twarzy odrzucił go na bok.

— To tylko utwierdza mnie w przekonaniu — powiedział. — Z twoich akt wynika, że już raz zabiłeś. A teraz chcesz zbiec, przejść na drugą stronę, skorzystać z pierwszej nadarzającej się okazji i zniesławić kolegów i statek. Zasadziłeś się na najsłabszego z Amerykanów, tego miejscowego, a kiedy nie chciał ci pomóc, zabiłeś go.

— To nieprawda.

Wołowoj popatrzył na Karpa, a ten bez słowa walnął Arkadija w klatkę piersiową. Kurtka nieco zamortyzowała uderzenie, ale Karp był silny i pełen zapału.

— List pożegnalny napisany przez Zinę Patiaszwili został znaleziony w jej łóżku. Osobiście spytałem Nataszę Czajkowską, dlaczego nie przeszukałeś tego miejsca. Powiedziała, że przeszukałeś. A mimo to nie poinformowałeś mnie o znalezieniu listu.

— Bo go tam nie było.

Mimo panującego w bunkrze chłodu czoło pierwszego oficera było zroszone potem. No cóż, miał za sobą podejście pod górę, a Arkadij pamiętał jeszcze, jak wyczerpującym zadaniem może być przesłuchiwanie. Przystrzyżone na jeża włosy Wołowoja lśniły w świetle lampy jak druciana szczotka. Oczywiście Karp, na którego spadł cały fizyczny wysiłek, był zlany potem jak Wulkan w swojej kuźni.

— Śledziliście mnie obaj? — zapytał Arkadij.

Wołowoj się obruszył.

— Ja tu jestem od zadawania pytań. On chyba wciąż tego nie rozumie. — Spojrzał na Karpa.

Karp wymierzył Arkadijowi kopniaka w żołądek. Na razie wszystko odbywało się zgodnie z milicyjnymi regułami gry i należało to uznać za dobry znak. Pastwili się nad nim, lecz nie wydarzyło się nic takiego, z czym nie dałoby się dalej żyć. Ale właśnie wtedy bosman kolbą docisnął szyję Arkadija do podłogi i wymierzył potężnego kopniaka w brzuch. Takiego, który powinien przebić żołądek i złamać kręgosłup.

— Przestań — rozkazał Wołowoj.

— Bo co? — Jego bucior zawisł w powietrzu, gotowy do trzeciego kopnięcia.

— Wstrzymaj się. — Wołowoj uśmiechnął się wzgardliwie. Przywódca nie musi się tłumaczyć swoim fagasom.

Arkadij podniósł się na jednym łokciu. Wiedział, jak ważne jest, żeby nie trwać w zupełnym bezruchu.

— Spodziewałem się czegoś takiego — powiedział Wołowoj. — Pierestrojka może się sprawdzać w Moskwie, ale my jesteśmy daleko od Moskwy. Tu wiemy, że kto zagląda pod kamienie, ten znajduje węże. Mam zamiar zrobić z ciebie przykład.

— Przykład na co? — spytał Arkadij, próbując wciągnąć Wołowoja do rozmowy.

— Przykład na to, jak groźne może być folgowanie takim elementom jak ty.

Arkadij podczołgał się w stronę warsztatu. Nie próbował usiąść, żeby nie wyglądało, że dochodzi do siebie.

— Nie zauważyłem, żeby ktoś mi folgował — rzekł. — Masz na myśli proces sądowy?

— Tylko żadnych procesów — żachnął się Karp. — Nie widziałeś go przed sądem. Nie wiesz, jak potrafi kręcić.

— Nie zabiłem tego chłopaka. Jeśli wy też nie, to ten, kto to zrobił, spokojnie schodzi sobie teraz w dół zbocza.

Kątem oka dojrzał ruch Karpa i uchylił głowę, dzięki czemu kolba nie zgruchotała mu kości twarzy, tylko z hukiem zmiotła z warsztatu puszki z żywicą. To go zaniepokoiło, bo o ile był gotów pogodzić się z powszechnie stosowanym łomotem, który przesłuchujący utrzymują w rozsądnych granicach, o tyle tu sprawa chyba wymykała się spod kontroli.

— Towarzyszu Korobec! — powiedział ostrzegawczo Wołowoj. — Dość tego.

— Bez tego nie przestanie kłamać — burknął Karp.

— Korobec może nie należy do intelektualistów — rzekł Wołowoj, wlepiając wzrok w Arkadija — ale jest świetnym pracownikiem, posłusznym wytycznym partii. W przeciwieństwie do ciebie.

Poza białą kreską na niskim czole w miejscu, skąd wycięto płat skóry, cała twarz Karpa aż płonęła.

— Twoim wytycznym? — Arkadij ostrożnie przesunął się bliżej dłuta, które wraz z puszkami spadło z warsztatu.

— Przyłapaliśmy go na ucieczce, przyłapaliśmy go na morderstwie — upierał się Karp. — Nie musi żyć.

— Decyzja nie należy do ciebie — burknął Wołowoj. — Najpierw musimy sobie odpowiedzieć na parę ważnych pytań. Na przykład: kto, chociaż powszechnie wiadomo, jak niebezpiecznym i nieodpowiedzialnym osobnikiem jest Renko, namówił kapitana do wypuszczenia go na ląd w zagranicznym porcie? Albo co Renko knuł z tymi Amerykanami? Nowe myślenie jest niezbędne dla podwyższenia wydajności pracy, ale pod względem politycznej dyscypliny w naszym kraju nastąpiło rozluźnienie. Jeszcze rok temu nie miałby żadnych szans zejścia na ląd. I dlatego jest tak ważne, żeby posłużył za przykład dla innych.

— Nie zrobiłem nic złego — powiedział Arkadij.

Wołowoj się zamyślił.

— Przeprowadziłeś prowokacyjne dochodzenie — rzekł po chwili. — Próbowałeś przekabacić na swoją stronę ufnego kapitana i załogę „Gwiazdy Polarnej", próbowałeś zbiec, gdy tylko udało ci się postawić nogę na obcej ziemi. Kto wie, co jeszcze masz na sumieniu? Ale przeszukamy każdy zakątek na statku, zajrzymy za każdą gródź i do każdego zakamarka. Marczuk dostanie jednoznaczny sygnał. Wszyscy kapitanowie go dostaną.

— Przecież Renko nie jest przemytnikiem — obruszył się Karp.

— A kto to może wiedzieć? Poza tym na każdego można coś znaleźć. Zanim z nim skończymy, potniemy „Gwiazdę Polarną" na kawałki.

— I wy to nazywacie pierestrojką? — zdziwił się Karp.

To wystarczyło, by Wołowoj stracił cierpliwość.

— Korobec, nie mam zamiaru wdawać się w polityczne dyskusje z kryminalistą.

— Tak? To ja ci zaraz pokażę, jak kryminaliści rozmawiają — warknął Karp.

Podniósł z podłogi dłuto, zanim Arkadij zdążył je przechwycić, odwrócił się do pryczy i zatopił ostrze w gardle Wołowoja.

— Tak rozmawiają kryminaliści — mruknął, pociągając głowę Wołowoja i nadziewając ją na ostrze dłuta.

Wołowoj szarpnął głową i strumień krwi trysnął aż na ścianę. Twarz mu nabrzmiała, w oczach pojawił się wyraz niedowierzania.

— I co? Nie będzie już więcej przemówień — parsknął Karp. — Pierestrojka powinna spełnić oczekiwania... czyje? Nie słyszę cię! Mów głośniej. Spełnić oczekiwania klasy robotniczej! Sam powinneś to wiedzieć.

Człowiek może ćwiczyć z ciężarami, dbać o formę, ale to nie to samo co prawdziwy wysiłek fizyczny. Widać było, że mięśnie Wołowoja to ciasto w porównaniu z muskulaturą Karpa. Ciało pierwszego oficera zwiotczało, ale bosman nie wypuścił dłuta z ręki, cały czas cisnąc je jak dźwignię. Nauczył się tego w łagrze. Tam tak rozprawiano się z więźniami, których podejrzewano o donosicielstwo. Celem ataku zawsze było gardło.

— Oczekiwanie lepszej pracy? Naprawdę? — mówił Karp.

Twarz Wołowoja stawała się coraz ciemniejsza, oczy coraz bielsze, jakby wszystkie wyuczone na pamięć komunały nagle się w nim zakorkowały i zaczynały grozić wybuchem. Język wysunął mu się z ust i spoczął na brodzie.

— Wyobrażałeś sobie, że już zawsze będę cię lizał po jajach i całował w dupę?

Twarz Wołowoja jeszcze bardziej poczerniała, oparł się o ścianę za pryczą i wyrzucił przed siebie ręce. Wzrok nadal wyrażał niebotyczne zdumienie, jakby przyglądał się komuś innemu. Jakby to wszystko nie mogło się jemu przytrafić.

Nie, pomyślał Arkadij, Wołowoj już się nie dziwi. On już nie żyje.

— Powinien się przymknąć — powiedział Karp. Przekręcił dłuto najpierw w jedną, potem w drugą stronę, po czym zdecydowanym ruchem je wyszarpnął.

Arkadij najchętniej wyfrunąłby przez drzwi, ale zdołał jedynie z trudem wstać i chwycić z podłogi puszkę z żywicą.

— Chyba trochę cię poniosło.

— No — zgodził się Karp. — Ale pewnie dojdą do wniosku, że to twoja sprawka.

Wołowoj nadal siedział oparty o ścianę, jakby chciał się włączyć do rozmowy. Jego ciało sprawiało wrażenie, jakby od gardła po klatkę piersiową eksplodowało pod ciśnieniem krwi.

— Siedziałeś kiedyś na oddziale psychiatrycznym? — zapytał Arkadij.

— A ty? No widzisz. — Karp się uśmiechnął. — Zostałem wyleczony. Jestem nowym człowiekiem.. Ale chciałbym cię o coś spytać.

— Słucham.

— Podoba ci się Syberia?

— Co takiego?

— Jestem ciekaw twojej opinii. Czy podoba ci się Syberia?

— Jasne.

— Co to, kurwa, za odpowiedź? Ja kocham Syberię. Zimno, tajgę, polowania, wszystko. Ale najbardziej ludzi. Prawdziwych ludzi, tamtejszych miejscowych. Ludzie w Moskwie wyglądają na twardzieli, ale to żółwie. Wywieź ich na wschód i wyciągnij ze skorup, to dadzą się zadeptać. Syberia to najlepsze, co mnie spotkało. Tam czuję się jak w domu.

— To dobrze.

— Na przykład polowania. — Karp wytarł ostrze dłuta o rękaw Wołowoja. — Niektórzy wsiadają w helikoptery i walą z kałachów. A ja lubię dragunowy, karabiny snajperskie z lunetką. Czasem to nawet nie chce mi się strzelać. Na przykład zeszłej zimy tygrys przyplątał się do Władywostoku i zaczął zagryzać psy. Prawdziwy dziki tygrys w środku miasta. Milicja oczywiście go zastrzeliła, a ja ci powiem, że ja bym go nie zabił. Wywiózłbym go z miasta i puścił wolno. Tym się różnimy, ty i ja: ja bym tego tygrysa nie zabił. — Poprawił pozycję

Wołowoja, pewniej opierając go o ścianę. — Jak myślisz, jak długo może tak posiedzieć? Bo pomyślałem sobie, że warto by mu dodać towarzystwo. Wiesz, dla symetrii.

Symetria to zawsze ciekawy fetysz, przemknęło przez głowę Arkadija. Pamiętał, że na drzwiach bunkra wisiała kłódka. Gdyby udało mu się wyskoczyć na zewnątrz, mógłby zamknąć Karpa w środku.

— Ale to by źle wyglądało — powiedział Arkadij. — Przecież chyba nie chcesz zostawić tu trzech zamordowanych. To kwestia arytmetyki. Nie mogę też się stać ofiarą.

— Początkowo tak nie planowałem — przyznał Karp — ale z Wołowoja był taki straszny kutas. Przez całe życie musiałem słuchać kutasów jak on i ty, Zina...

— Zina?

— Zina mówiła takie rzeczy, że albo cię to wyzwalało, albo wkurwiało, albo wywracało flaki. Każde jej słowo, każdziutkie, było jak spluwa albo łańcuch, albo para skrzydeł. Nie umiałem jej rozgryźć. I ty też jej nie rozgryzłeś — dodał, patrząc na Wołowoja, który siedział z opuszczoną na ramię głową i wyglądał, jakby słuchał. — Inwalida nie chce dyskutować z kimś z łagru? Mogę coś powiedzieć o łagrach. — Spojrzał na Arkadija. — Dzięki tobie.

— Jeszcze cię tam poślę.

— Jeśli ci się uda. — Karp rozłożył ramiona na boki, jakby chciał powiedzieć: no i wreszcie dotarliśmy do sedna. Sedna, kiedy słowo staje się zbędne. Po czym, jakby wyciągał końcowy wniosek, dodał: — Powinneś zostać na pokładzie.

Arkadij rzucił w niego puszką z żywicą, ale Karp tylko lekko uniósł rękę, puszka odbiła się i potoczyła po podłodze. Arkadij dwoma susami znalazł się przy drzwiach i już je otwierał, ale Karp wyciągnął rękę i wciągnął go do środka. Arkadij uchylił się przed dłutem i chwycił Karpa za przegub, jakby brał go za

297

rękę na spacer. Chwytu nauczył go instruktor na kursie milicyjnym w Moskwie i u Karpa spowodowało to parsknięcie śmiechem w dowód uznania. Upuścił wprawdzie dłuto, ale jednocześnie pchnął Arkadija na regał z książkami. Książki sfrunęły z niego jak ptaki.

Gdy Arkadij ponownie szarpnął się w stronę drzwi, Karp uniósł go i rzucił nad *baidarką* o sąsiednią ścianę, w wyniku czego na podłogę bunkra posypały się szczęki rekina i połyskujące muszle. Odsunął na bok łódź i pewny swej siły przykucnął w ulubionej pozycji *urki* z dwoma palcami wycelowanymi w stronę oczu, co było sposobem walki nie całkiem obcym Arkadijowi. Przesunął się od wewnętrznej strony atakującej ręki i grzmotnął Karpa prosto w usta. Cios nie powstrzymał jego posuwania się do przodu, więc Arkadij poprawił walnięciem w żołądek. Ręka zabolała go tak, jakby uderzył w beton, jednak udało mu się trafić go łokciem w podbródek i Karp opadł na kolano.

Z rykiem rzucił się na Arkadija i rąbnął nim o jedną ścianę, potem o drugą. Zapewne powtórzyłby to jeszcze, ale Renko wczepił się w sieć zwisającą z sufitu i kiedy Karp siłą go od niej oderwał, pociągnął ją za sobą, zarzucił na głowę napastnika i podciął mu nogi. Rzuciwszy się po raz trzeci w stronę drzwi, potknął się o sterczące użebrowanie łodzi i zanim zdążył się pozbierać, Karp chwycił go za kostkę u nogi i powalił. Leżąc na podłodze, Arkadij nie miał szans wobec potężnej masy ciała przeciwnika. Nie zwracając uwagi na ciosy, Karp podciągnął się i całym ciężarem się na niego zwalił, i dopiero walnięcie go w głowę beczułką pełną szekli odniosło jakiś skutek.

Renko wysunął się spod przygniatającego go ciężaru i już otwierał drzwi, gdy ta sama beczułka świsnęła mu koło ucha i wyrżnęła w drzwi, ponownie je zatrzaskując. Karp oderwał go od klamki i rzucił na pryczę obok Wołowoja. Jakby w odruchu współczucia zwłoki pierwszego oficera przechyliły się na bok i oparły o ramię Arkadija. Napastnik sięgnął do kieszeni kurtki i wyciągnął nóż — rybacki obosieczny nóż, jaki członkowie załogi „Gwiazdy Polarnej" mieli obowiązek zawsze nosić przy sobie — ale Arkadijowi udało się w tym czasie wymacać na pryczy dłuto, które Karp wcześniej upuścił.

Karp był szybszy i jego cios powinien rozpruć Arkadija od pępka po szyję, tyle że w tym samym momencie ciało Wołowoja ostatecznie straciło równowagę i osunęło się, zasłaniając Arkadija. Nóż z impetem wbił się w pierwszego oficera, co spowodowało, że Karp — wychylony do przodu i nieco zdezorientowany tym, że trafił niewłaściwą ofiarę — odkrył się i przez krótki moment jego tors aż po szyję stał się łatwym celem. Arkadij zawahał się i to wystarczyło, by właściwy moment minął bezpowrotnie. Karp wywrócił pryczę i wcisnął Arkadija między nią a ścianę. Próbując się ratować, Arkadij wypuścił z ręki dłuto.

Karp wyciągnął go zza pryczy i przerzucił nad ciałem Mike'a do drugiego pomieszczenia. Bosman na moment zatrzymał się, by wyciągnąć nóż z ciała Wołowoja, po czym ruszył za swą ofiarą. Arkadij nie miał szans, by poruszyć generator, ale udało mu się unieść kanister z benzyną. Karp przewidział jego rzut i w porę się uchylił. Kanister przeleciał obok jego głowy, a on przeszedł nad zwłokami Mike'a i ruszył na Arkadija.

W bunkrze dał się słyszeć brzęk tłuczonego szkła. Musiało to nastąpić jeszcze przed wkroczeniem Karpa do mniejszego pomieszczenia, bo w pamięci Arkadija pozostał wyraz zdumienia na twarzy Karpa na tle oślepiającego błysku, jakby za jego plecami nagle wzeszło słońce. Eksplozji benzyny po zetknięciu z palącą się lampą naftową towarzyszył głośny świst w chwili, gdy zajęła się rozlana na podłodze żywica epoksydowa. Płonąca benzyna zaczęła się rozlewać, ogarniając falą ognia rozsypane po podłodze książki, które zajęły się ogniem jak pochodnie. Ogień objął też wymiętoszoną pościel na pryczy i narożnik warsztatu. Karp wprawdzie dźgnął jeszcze Arkadija, ale już bez przekonania, jakby miał co innego na głowie. Chwilę później rozległa się kolejna eksplozja, kiedy ogień dotarł do wiaderka pełnego żywicy i płomienie buchnęły aż pod sufit. Po ścianach zaczęły pełzać kłęby gęstego, brązowego, drapiącego w gardle dymu.

— Nawet lepiej — mruknął Karp. Po raz ostatni zamachnął się nożem, po czym odwrócił się i puścił biegiem przez płonące pomieszczenie. Demon uciekający z piekła. Dotarł do drzwi, otworzył je, po czym obejrzał się i gorejącym od płomieni wzrokiem raz jeszcze obrzucił Arkadija, zaraz jednak wyskoczył na zewnątrz i zamknął za sobą drzwi.

Baidarka płonęła i jej poczerniałe żebra pod przezroczystą powłoką zaczęły się pocić kroplami żywicy. Sufit już był zasnuty warstwą trującego dymu, który przetaczał się pod nim niczym chmura burzowa. Arkadij stanął nad ciałem Mike'a. Cóż za niesamowita sceneria, pomyślał. Burza, płomienie, Aleuta rozciągnięty na ziemi przy swej płonącej łodzi, Wołowoj na przewróconym stosie pogrzebowym, z jednym rękawem już lizanym przez płomienie. Przypomniał sobie hasełko reklamowe, jakie wyczytał kiedyś we francuskim przewodniku: „To trzeba zobaczyć!". Czasem w chwilach paniki umysł ludzki wyczynia dziwne harce. Miał do wyboru — spłonąć w jednym pomieszczeniu albo udusić się dymem w drugim.

Zakrywając usta dłonią, przebiegł przez płonące pomieszczenie, dopadł drzwi i runął na nie całym ciężarem. Lekko się ugięły. Nie były zamknięte na kłódkę, ale dociskane przez Karpa. Tak jak w ładowni na statku. Sprawdzone sposoby są najlepsze. Płomienie zbliżały się już do stóp Arkadija. Schylił się pod warstwę dymu, dysząc ciężko między atakami duszącego kaszlu. Jeszcze pięć minut, najwyżej dziesięć. Karp będzie mógł spokojnie otworzyć drzwi i nacieszyć oczy zwycięstwem. Arkadij zamknął wewnętrzną zasuwę na drzwiach. Znał kiedyś lekarza sądowego, który twierdził, że największym talentem Renki nie jest umiejętność wychodzenia z groźnych sytuacji, ale ich komplikowanie. Wstrzymując oddech, ruszył z powrotem przez objęty płomieniami pokój. Jego wzrok padł na stojącą pod ścianą beczkę, którą przeciągnął do drugiego pomieszczenia. Wewnątrz znajdowały się ścinki — odrzucone przez Mike'a kawałki sieci. Fachowym okiem rybaka wybrał najdłuższy fragment nylonowej siatki. Kałuża w rogu lśniła złociście w blasku płomieni z sąsiedniego pomieszczenia. Było od nich na tyle widno, że wyraźnie widział ułamane wsporniki — dwa rdzewiejące żelazne zaczepy pod klapą w suficie. Ustawił beczkę do góry dnem na kałuży i wdrapał się na nią. Wspiąwszy się na palce i wyciągnąwszy ręce, spróbował dosięgnąć siatką do wystających wsporników. Otwór nie był hermetycznie zamknięty i przedostający się do salki dym wyraźnie ciągnął w górę ku szparom wokół klapy. Udało mu się zarzucić sieć na zaczep, ale w tym momencie beczka pod jego nogami zachwiała się, przewróciła i potoczyła po podłodze. Wspinając się po sieci, usłyszał brzęk tłukących się butelek i narastający huk płomieni. Pchnął klapę i dym buchnął w górę, jakby chciał mu odciąć drogę i wciągnąć go z powrotem. On jednak był już na zewnątrz i turlał się po pagórku i po skąpanej we mgle trawie zbocza, staczając się coraz niżej ku morzu.

Część trzecia

LÓD

Rozdział 21

Pierwszym zwiastunem zbliżającego się jednolitego lodu były pojedyncze kry, gładkie i białe jak kawałki marmuru pływające w czarnej wodzie, i choć „Gwiazda Polarna" i cztery towarzyszące jej trawlery bez wysiłku pokonywały wiejący z północy wiatr, na pokładzie panowało napięcie i poczucie coraz większego osamotnienia. W pomieszczeniach pod pokładem pojawił się nowy dźwięk — szorowanie kry lodowej o burty statku. Stojący na pokładzie ludzie zadzierali głowy i wpatrywali się w urządzenia nawigacyjne zamontowane nad sterówką i suwnicami bramowymi: wolno obracające się ramiona radarów i anteny w kształcie gwiazd, biczów i rozciągniętych drutów, które zapewniały łączność radarową i radiową na falach UKF i krótkich oraz łączność satelitarną. Znaczenie kontaktu z dalekim światem rosło w miarę ustępowania kry i pojawiania się coraz większych i coraz liczniejszych bloków lodu, które — gładkie i obłe — zaczynały się łączyć i ciągnąć po horyzont. Trawlery towarzyszące „Gwieździe Polarnej" płynęły za nią w coraz ciaśniejszym szyku, co szczególnie dotyczyło „Orła", dla którego naturalnym akwenem była Zatoka Meksykańska, a nie Morze Beringa.

Z nadejściem zmroku wiatr wzmógł się, jakby mu było łatwiej hulać po lodzie niż po wodzie, a niesiona przez niego mżawka natychmiast zamarzała na szybie mostku. Przez całą noc załoga „Gwiazdy Polarnej" spłukiwała lód z pokładów, polewając je wężami z gorącą wodą z kotłów. Załogi trawlerów bardziej podatnych na zachwianie równowagi pod ciężarem lodu robiły to samo i w rezultacie cały konwój sunął w ciemnościach nocnych w gęstych obłokach pary.

Śruby napędowe „Miss Alaski" uległy skrzywieniu w wyniku uderzenia o krę i o świcie trawler zawrócił i popłynął z powrotem do Dutch Harbor. Pozostała trójka nadal parła do przodu, bo w wodzie roiło się od ryb. Z nastaniem poranka załogi stwierdziły, że kra zbiła się w jednolitą pokrywę. Przed „Gwiazdą Polarną" rozpościerała się biała bezkształtna równina pod niebieską kopułą nieba, za rufą ciągnęła się smuga czarnej jak smoła wody, do której rozstawione w milowych odstępach trawlery zarzuciły sieci. Z jakiegoś powodu ryby denne, w tym zwłaszcza sola, najchętniej trzymają się dna tuż za granicą jednolitego lodu, i tam było od nich aż gęsto. Z wody zaczęto wyciągać sieci z trzydziestoma, czterdziestoma tonami ryb, które na powierzchni natychmiast — podobnie jak sama sieć i plastikowe wąsy — pokrywały się lśniącą warstewką lodu. Wyglądało to tak, jakby z morza wyciągano wory pełne drogocennych kamieni. I w pewnym sensie tak właśnie było: Amerykanie się bogacili, radziecka załoga dwukrotnie przekraczała dzienne plany połowu.

Mimo to flagę na „Gwieździe Polarnej" opuszczono do połowy masztu, a cały dzienny urobek poświęcono pamięci Fiodora Wołowoja. Do rodziny wysłano telegram kondolencyjny, z dyrekcji floty we Władywostoku i z kierownictwa spółki w Seattle nadeszły telegramy z wyrazami współczucia i otuchy. Decyzją Podstawowej Organizacji Partyjnej obowiązki oficera politycznego powierzono przybitemu Sławowi Bukowskiemu. Drogę powrotną do domu Wołowoj miał odbyć w plastikowym worku w ładowni numer dwa, w towarzystwie Ziny Patiaszwili, którą przeniesiono tam z uwagi na coraz większy ścisk w chłodni z rybami. Po kątach szeptano, że gardło pierwszego oficera nie było tylko zwęglone. Jako delegat związku zawodowego, do którego obowiązków należało wypełnianie dokumentacji związanej ze śmiercią członka załogi, Sław starał się zaprzeczać tym plotkom, ale na jego barki zwaliła się taka masa nowych obowiązków, że trzeci oficer wyglądał raczej na przygnębionego niż uradowanego nowymi perspektywami. Po spotkaniu z pięściami i nogami Karpa Arkadij chodził mocno obolały, ale pocieszał się tym, że jego stan nie jest gorszy niż po upadku z bardzo wysokich schodów.

Co dziesięć minut pół tony żółtopłetwej soli spływało na śluzgawkę niekończącą się lawiną. Ryby należało wypatroszyć, umyć i oczyścić. Były pokryte tak grubą warstwą lodu, że Obidin, Malcewa, Mer i inni mieli dłonie zdrętwiałe z zimna. Jękowi pił i niezmiennie radosnym piosenkom płynącym z głośnika towarzyszyło zgrzytanie kawałów lodu o burtę statku. Masywny dziób „Gwiazdy Polarnej" zaprojektowano z myślą o kruszeniu pokrywy lodowej do grubości jednego metra, jednak kadłub i tak głośno protestował. Grodzie aż dygotały z wysiłku, a płyty poszycia uginały się i odskakiwały niczym skóra na bębnie.

Wsuwając kolejne ryby pod tarczę piły, Natasza co jakiś czas zerkała pytająco na Arkadija, ale ten wydawał się bez reszty pochłonięty wsłuchiwaniem się w odgłosy mozolnego wsuwania się dzioba na warstwę lodu, który z hukiem pękał pod jego ciężarem.

✦ ✦ ✦

Marczuk wyglądał tak, jakby wrócił z zimowej wspinaczki w górach. Mgła, która tak naprawdę ani na chwilę nie odeszła, powróciła pod postacią mżawki marznącej na szybie sterówki i kapitan musiał się przenieść na mostek zewnętrzny. Jego gruby płaszcz, walonki, pięciopalczaste rękawice i kapitańska czapka były pokryte warstwą lodu, a broda lśniła od topniejącego szronu. Gdy wszedł do kajuty i stanął przy biurku, spływający z niego lód natychmiast utworzył kałużę na podłodze. Czerwone od mrozu uszy świadczyły, że nie ugiął się jak inni i nie zamienił kapitańskiej czapki na futrzaną uszankę. Anton Hess w ogóle nie wychodził na pokład, ale i tak miał na sobie dwa swetry i rękawice jak Marczuk. Radzieckie statki są zwykle przegrzane — tradycyjnie chlubą rosyjskiego domu jest ciepło — ale w strefie jednolitego lodu nigdy nie jest ciepło. Pod rozwichrzoną czupryną i pooranym zmarszczkami czołem Hessa widać było zapadnięte ze zmęczenia oczy. Ci dwaj silni mężczyźni wyglądali na mocno zgnębionych, może nawet wystraszonych. Po raz pierwszy w życiu płynęli, nie czując na sobie czujnego oka partii. Co gorsza ten, który powinien mieć na nich oko, leżał martwy w ładowni.

Na dywanie obok Arkadija — ale na tyle daleko, by było jasne, że nie przyszli tu razem — stał Sław Bukowski. Zebrali się w kajucie kapitańskiej dokładnie w tym samym składzie co poprzednio, z jedną tylko oczywistą różnicą.

— Przepraszam, że nie zebraliśmy się zaraz po podniesieniu kotwicy — zaczął Marczuk — ale sytuacja była niejasna. Poza tym zawsze, kiedy zbliżamy się do pól lodowych, ani na chwilę nie odstępuję od radia. Amerykanie nie mają doświadczenia w pływaniu wśród lodów, więc muszę instruować ich załogi. Towarzyszu Bukowski, czytałem wasz raport, ale może inni też chcieliby się z nim zapoznać.

Sław wykorzystał to do zrobienia kroku do przodu i jeszcze wyraźniejszego odcięcia się od Arkadija.

— Swój raport oparłem na raporcie Amerykanów. Mam go przy sobie.

Sław otworzył teczkę i luźne kartki rozsypały się po dywanie. Arkadijowi przyszło do głowy, że gdyby Marczuk miał ogon, pewnie by nim teraz pomachał.

Trzeci oficer odnalazł szukaną kartkę i zaczął czytać: „Stosowne władze w Dutch Harbor...".

— Co to za stosowne władze? — przerwał Hess.

— Miejscowy szef straży pożarnej. Oświadczył, że pożar wyglądał na przypadkowy — ciągnął Sław. — Autochtona Michaila Krukova wielokrotnie ostrzegano o niebezpieczeństwie towarzyszącym stosowaniu łatwopalnych lotnych substancji przy budowie łodzi. Na miejscu pożaru znaleziono ślady po lampie naftowej, benzynie i alkoholu. Pożar wybuchł w betonowym bunkrze z czasów wojny, w którym nie było należytej wentylacji, a używany przez Krukova generator prądu nie był odpowiednio zabezpieczony. Okazuje się, że miejscowi bez zezwolenia przejęli w użytkowanie szereg wojskowych budowli z czasów wojny. Krukov był znany mieszkańcom jako szkutnik amator. Amerykanie przypuszczają, że chciał się pochwalić przed Wołowojem swoim dziełem, przy tej okazji opróżnili butelkę i w zamkniętym wnętrzu bunkra z nieznanych powodów doszło do nieszczęśliwego wypadku, w którego wyniku od stłuczonej lampy naftowej zapaliła się substancja toksyczna i następnie eksplodowała. Fiodor Wołowoj zginął na miejscu, poraniony wyrzuconymi w powietrze odłamkami szkła, natomiast gospodarz zmarł od oparzeń i zatrucia toksycznymi wyziewami.

— Michail Krukov? — Marczuk uniósł brwi. — To rosyjskie nazwisko.

— Nazywali go Mike.

— Upili się? — zapytał Hess. — Tak twierdzą stosowne władze?

— Podobnie jak nasi miejscowi są znani z nadużywania alkoholu — potwierdził Sław.

Marczuk spojrzał na Arkadija z miną skazańca, któremu opowiadają dowcipy po drodze na szubienicę.

— Wołowoj był abstynentem i nienawidził wszystkiego, co pływa. Skoro tak jest w raporcie, to taką wersję muszę przekazać do Władywostoku, ale podejrzewam, że mógłbyś coś do tego dodać.

Cały statek aż zadrżał od uderzenia w wyjątkowo dużą bryłę lodu i Arkadij odczekał, aż zgrzytanie ustanie.

— Nie — rzekł.

— Nic? — zdziwił się Marczuk. — A zawsze myślałem, że jesteś pełen niespodzianek.

Arkadij wzruszył ramionami i obojętnym tonem zwrócił się do Sława.

— Kto znalazł ciała?

— Karp.

— Karp Korobec, nasz bosman połowowy — wyjaśnił Hessowi kapitan. — Podjął poszukiwania Wołowoja w towarzystwie mechanika z „Orła".

— Ridleya — uzupełnił Sław. — To on zaprowadził Karpa do bunkra.

— O której je znaleźli? — spytał Arkadij.

— Około dwudziestej drugiej — odparł Sław. — Musieli wyłamać drzwi.

— Słyszysz? — Marczuk spojrzał na Arkadija i powtórzył z naciskiem: — Musieli wyłamać drzwi. Były zamknięte od środka. To mi się najbardziej w tym podoba.

— Karp i Ridley weszli razem do bunkra? — zapytał Arkadij. — I razem się w środku rozejrzeli?

— Pewnie tak.

Marczuk trzepnął czapką o but, żeby strząsnąć z niej wodę, i Sław aż podskoczył. Kapitan ponownie włożył czapkę i zapalił papierosa.

— Mów dalej — zachęcił Sława.

— Wołowoja znaleziono w głównym pomieszczeniu bunkra, Amerykanina w bocznej salce. W tej drugiej salce w suficie znajdowało się coś w rodzaju wyjścia awaryjnego z klapą, ale nie znaleziono żadnej drabiny.

— Czyli nie można się było wydostać ze środka — powiedział Marczuk — Brzmi to dość tajemniczo.

— Niewiele zobaczyłem w Dutch Harbor — rzekł Arkadij.

— Doprawdy? — zdziwił się Marczuk.

— Nie widziałem na przykład żadnych punktów opieki medycznej. Czy jakiś lekarz zbadał ciała?

— Tak — potwierdził Sław.

— W laboratorium?

— Nie. — Sław był już poirytowany jego pytaniami. — Nie ulegało wątpliwości, że doszło do eksplozji i pożaru, a ciała były zbyt zwęglone, żeby je ruszać.

— I Amerykanie to akceptują? — spytał Arkadij.

— Inaczej musieliby odesłać ciała na ląd do zbadania — wyjaśnił Marczuk — a my im Wołowoja nie wydamy. Jego zwłoki zostaną zbadane we Władywostoku. W każdym razie kapitan Morgan zaakceptował ten raport.

— A tak z ciekawości — rzekł Arkadij. — Kto następny po Korobecu i Ridleyu dotarł na miejsce wypadku?

— Morgan — odparł Sław.

— Pan też ten raport akceptuje? — zwrócił się Arkadij do Marczuka.

— Oczywiście. Ginie dwóch ludzi, jeden nasz i jeden ich, i wszystko wskazuje na to, że się upili i wywołali pożar, w którym się obaj usmażyli. O takich śmierdzących sprawach zarówno Amerykanie, jak i my chętnie zapominamy. Hasłem przewodnim dla firm w ramach joint venture jest współpraca. Kapitan przeniósł wzrok na Sława.

— Wołowoj był prawdziwym zasrańcem. Mam nadzieję, że z powodzeniem zajmiesz jego miejsce. — Pochylił się do przodu i ponownie wlepił wzrok w Arkadija. — Ale jak ci się zdaje, jak ja będę wyglądał, kiedy wrócę do Władywostoku z dwojgiem członków załogi w plastikowych workach? Zdajesz sobie sprawę, jaki się zrobi cyrk? I czym następnym będę dowodził? Barką na odpadki w Magadanie? Wciąż jeszcze spławiają bale drewna u brzegów Kamczatki. Może jeden zostawią dla mnie.

— Zszedłeś na ląd za moją zgodą — odezwał się Hess. — Przypuszczam, że nadal zbierałeś informacje w sprawie śmierci tej dziewczyny, Ziny Patiaszwili.

— Dziękuję. — Arkadij kiwnął głową. — Możliwość postawienia stopy na ziemi bardzo mnie podbudowała.

— Tylko że teraz mamy już trzy trupy zamiast jednego — ciągnął Hess — a ponieważ jeden z tej trójki był szczerym synem partii, po powrocie partia będzie miała wiele pytań.

— Jakoś... — powiedział Marczuk, nie spuszczając wzroku z Arkadija — jakoś wszystko to wiąże się z tobą. Wchodzisz na pokład i mamy pierwszego trupa. Schodzisz na ląd i umiera następnych dwóch. W porównaniu z tobą Jonasz był jak promyk słońca.

— Bo właśnie to jest pytanie: gdzie ty wtedy byłeś? — podjął myśl Hess. — Wołowoj wychodzi z hotelu, szukając ciebie. Przez pewien czas nikt nie wie, gdzie się obaj podziewacie, a potem okazuje się, że spalone zwłoki komisarza znajdują się w bunkrze na szczycie wzgórza, a obok leżą zwłoki Indianina...

— Aleuty — wtrącił Sław. — Zaznaczyłem to w swoim raporcie.

— Obojętne, kogoś miejscowego, z kim Wołowoj praktycznie nie zamienił wcześniej ani słowa. Jakim cudem niepijący Wołowoj upija się nagle ze szkutnikiem w jego warsztacie na szczycie wzgórza? I co tam robił, skoro wybrał się na poszukiwania ciebie? — Hess spojrzał na Arkadija.

— Chce pan, żebym spróbował się dowiedzieć?

Hess się uśmiechnął. Odpowiedź Arkadija rozbawiła go z czysto profesjonalnego punktu widzenia. Zachował się jak bramkarz, który piękną paradą broni strzał napastnika, a następnie wykopuje piłkę prosto do przeciwnej bramki.

— Nie, nie — żachnął się Marczuk. — Nie chcę od ciebie żadnej pomocy. Już widzę te miny we Władywostoku, kiedy próbujemy im wytłumaczyć, dlaczego tobie powierzyliśmy dochodzenie w sprawie śmierci Wołowoja. Zajmuje się tym towarzysz Bukowski.

— Znowu? Gratuluję — powiedział Arkadij do Sława.

— Już przesłuchałem marynarza Renko — rzekł Sław. — Twierdzi, że zostawił Susan, która się upiła i źle poczuła, wyszedł za hotel i tam stracił świadomość. Nie pamięta, co się z nim działo aż do chwili, kiedy spadł z nabrzeża do wody.

— Kierownik przetwórni Izrail mówił mi, że któregoś dnia się upiłeś i omal nie zamarzłeś na śmierć w chłodni z rybami. Nic dziwnego, że cię wyrzucili z partii.

— Najgorsi są pijacy, którzy się z tym kryją — zgodził się Arkadij. — Ale, towarzyszu kapitanie, sam pan przed chwilą powiedział, że przyjmuje amerykańską wersję o przypadkowym pożarze. To właściwie czego towarzysz Bukowski ma dochodzić?

— Zbieram własne dane — powiedział Sław. — To wcale nie znaczy, że prowadzę dochodzenie i przepytuję ludzi.

313

— To najlepszy rodzaj dochodzenia. — Arkadij skinął głową. — Prosta droga bez żadnych niebezpiecznych zakrętów. A przy okazji — dodał, przenosząc wzrok na Hessa. — Czy mógłbym dostać mój nóż? Zabrał mi go pan przed zejściem na ląd.

— Będę musiał poszukać.

— Bardzo o to proszę. To w końcu własność państwowa.

Marczuk zdusił niedopałek w popielniczce i popatrzył na iluminator pokryty grubą skorupą lodu.

— No cóż, twoje dni w roli śledczego ponownie dobiegły końca. Sprawa śmierci Ziny Patiaszwili jest zamknięta aż do powrotu do domu. A teraz, panowie, ryba czeka. — Wstał z miejsca, nasunął czapkę na oczy i wyjąwszy z popielniczki niedopałek, odpalił kolejnego papierosa. Od wizyty w Dutch Harbor wszyscy palili marlboro. — Polubiłem cię, Renko, ale muszę stwierdzić jedno: gdyby się okazało, że towarzysz Wołowoj nie zginął od ognia, tylko na przykład ktoś mu poderżnął gardło, byłbyś moim pierwszym podejrzanym. Nie potrafię sobie wyobrazić, jak mógłbyś zabić dwóch ludzi i samemu uciec przed ogniem, ale podoba mi się to stoczenie do wody z nabrzeża. Woda spłukałaby z ciebie smród spalenizny, a z butów resztki trawy. — Postawił kołnierz płaszcza. — Moi Amerykanie czekają. Praca z nimi jest jak przeprowadzanie małych dziewczynek przez zamarznięty staw.

Rozdział 22

Susan stała przy relingu rufowym i obserwowała przez lornetkę kilwater „Gwiazdy Polarnej". Miała na sobie zapiętą pod szyję kurtkę, rękawiczki z jednym palcem i wełnianą czapkę na uszy jak na narty.

— Widzisz tam coś? — spytał Arkadij.

— Patrzyłam na „Orła". Kutra z Zatoki Meksykańskiej w ogóle nie powinno tu być.

— Szukałem cię.

— To zabawne — parsknęła. — Bo ja cię unikałam.

Arkadij niemal podświadomie sprawdził, czy w pobliżu nie ma Karpa.

— To musi być trudne dla takiego statku.

— Pewnie tak.

— Mogę spojrzeć?

Podała mu lornetkę i Arkadij zaczął od przyjrzenia się wodzie, która wdzierała się na pochylnię „Gwiazdy Polarnej". Fale bijące o pokrytą rdzą rynnę miały niemal tropikalny błękit. Woda morska w tak niskiej temperaturze jest jak roztopiony metal. Zaczyna krystalizować w temperaturze minus jeden i siedem dziesiątych stopnia, jednak z uwagi na dużą zawartość

315

soli nie przechodzi od razu w stan stały, a czarne dotąd fale nabierają przezroczystego błękitu i w miarę zamarzania stopniowo szarzeją.

Trawlery musiały się trzymać blisko siebie. Patrzył przez lornetkę, jak „Wesoła Jane" przepływa obok „Orła" z wciągniętą na pokład brzuchatą, ociekającą wodą siecią. „Orzeł" był właśnie w trakcie zarzucania swojej i gdy unosił się na grzbiecie fali, Arkadij wyraźnie widział uwijających się na pokładzie dwóch rybaków w żółtych wodoodpornych strojach. Na amerykańskich kutrach nie było bramek ochronnych i fale bez przeszkód zalewały pochylnie i z nich spływały. Obaj rybacy poruszali się w tym samym rytmie i wskakiwali na szczeble suwnicy, gdy przez nadburcie przewalały się co potężniejsze fale. Przez lornetkę Arkadij dojrzał, że hydrauliczne dźwignie suwnicy obsługuje były policjant Coletti. Stojący tyłem drugi rybak wyrzucał za burtę pojedyncze kraby i dopiero gdy się odwrócił, po krzaczastych brwiach i uśmiechu Arkadij rozpoznał Ridleya.

— Mają tylko dwuosobową załogę? — zdziwił się. — Nie wzięli nikogo na miejsce Mike'a?

— Jak to kapitaliści. Jeden mniej do podziału.

Nawet w najbardziej sprzyjających warunkach — na spokojnym morzu i przy dużej ilości miejsca do manewrowania — zarzucanie sieci to skomplikowana operacja. „Aurora" zdążyła opłątać sobie śruby stalową liną trałową i musiała zawrócić i popłynąć z powrotem do Dutch Harbor. Ubrany w baseballówkę i puszysty skafander Morgan dwoił się w sterówce, obsługując na przemian przepustnicę i umieszczone za plecami nastawy wyciągarki.

— Dlaczego nie zostałeś ze mną w hotelu? — spytała Susan.

— Powiedziałem ci, że szuka mnie Wołowoj. Chciał mnie odstawić na statek.

— I może szkoda, że tego nie zrobił. Żyłoby dziś więcej ludzi.

Chwilę trwało, nim jej słowa do niego dotarły. Odjął od oczu lornetkę i spojrzawszy na Susan, stwierdził, że jej policzki są zaczerwienione nie tylko od zimna. Kim musiał się jej wydać, kiedy tak nagle ją zostawił? Tchórzem, uwodzicielem? Najprędzej bufonem.

— Przepraszam, że cię wtedy zostawiłem — powiedział.

— Teraz już za późno. Nie chodziło tylko o ucieczkę przed Wołowojem. Patrzyłam przez okno i widziałam, jak przechodziłeś przez ulicę. Śledziłeś Mike'a. — Para buchająca z ust była jak widomy znak jej pogardy. — Ty śledziłeś Mike'a, Wołowoj śledził ciebie. Teraz obaj nie żyją, a ty sobie pływasz po Arktyce.

Arkadij naprawdę miał zamiar ją przeprosić, ale jak zwykle wyrosła między nimi bariera, której nie umiał przekroczyć. A poza tym cóż mógł jej powiedzieć? Że gdy dogonił Mike'a, ten już nie żył? Że przodujący bosman połowowy rozorał gardło pierwszego oficera, teraz przedstawi świadków, że był zupełnie gdzie indziej, a Arkadij nie będzie mógł tego zrobić? Ani wyjaśnić, skąd się znalazł w wodzie?

— Możesz mi powiedzieć, co się naprawdę stało?

— Nie mogę.

— To pozwól, że ja ci powiem, co o tym wszystkim myślę. Myślę, że naprawdę kiedyś byłeś kimś w rodzaju śledczego. Udajesz, że starasz się rozwikłać zagadkę śmierci Ziny, ale tak naprawdę dano ci możliwość ucieczki ze statku, pod warunkiem że zwalisz winę na któregoś z Amerykanów. Miał nim być Mike, ale skoro nie żyje, musisz sobie teraz znaleźć kogoś innego. Natomiast nie pojmuję siebie samej. Bo w Dutch Harbor naprawdę ci uwierzyłam. Potem zobaczyłam, jak pędzisz za Mikiem.

317

Arkadij poczuł nagłe uderzenie gorąca.

— Mówiłaś komuś, że widziałaś, jak go śledzę?

Widać było, że jest wściekła, ale mimo to spojrzała w stronę „Orła", Arkadij zrobił to samo przez lornetkę. Trawler zniknął w głębokim rowie między grzbietami fal, a gdy znów się wynurzył, Ridley i Coletti stali wysoko uczepieni suwnicy, by uniknąć zalania wodą, która sięgnęłaby im do kolan. Stojący w sterówce Morgan też patrzył przez lornetkę, w rewanżu obserwując Arkadija.

— Będzie się trzymać blisko nas, prawda?

— Inaczej utknie w lodzie. — Susan skinęła głową.

— Myślisz, że jest aż tak zawzięty?

Fala jak potężna gładka skała ze spienioną grzywą wyrosła między statkami, nabrała rozpędu i z hukiem wtoczyła się na pochylnię „Gwiazdy Polarnej". Morgan ani przez moment nie oderwał lornetki od oczu.

— Myślę, że jest zawodowcem.

— Chciałaś wzbudzić w nim zazdrość? Dlatego wzięłaś mnie do pokoju?

Ręka Susan uniosła się, by wymierzyć mu policzek, ale w pół drogi znieruchomiała. Ciekawe dlaczego? — pomyślał Arkadij. Uznała, że policzek to zbyt banalne zachowanie? Zanadto burżuazyjne? Bzdura. W moskiewskim metrze w sobotnie wieczory aż dudni od walenia po twarzach.

Ożyły głośniki okrętowego radia. Wybiła godzina piętnasta, pora koncertu muzyki rozrywkowej Radia Floty. Koncert rozpoczął się od rumby przywołującej obraz kubańskich plaż i kołyszących się na wietrze palm. Socjalistyczne marakasy wybijały latynoski rytm.

— Ta muzyka mi przypomina, że przed Dutch Harbor wybierałaś się na urlop. Zuu-zan, po co wróciłaś na pokład radzieckiego statku, którego tak bardzo nienawidzisz? Z miłości do ryb? Dla satysfakcji z wykonania planu?

— Nie. Ale może być fajnie popatrzeć, jak znów gnijesz przy śluzgawce.

* * *

Radiowęzeł mieścił się zaraz za mostkiem, w pierwszej kabinie po stronie bakburty. Gdy Arkadij otworzył drzwi, Nikołaj, sternik szalupy, którą wraz z Hessem popłynęli do portu w Dutch Harbor, siedział rozparty za stołem i rozwiązywał krzyżówkę w „Radzieckim Sporcie". Na stole stało kilka radioodbiorników i wzmacniaczy oraz ustawione na sztorc kartonowe skoroszyty, w tym jeden z czerwonym paskiem oznaczającym, że skoroszyt zawiera tajne kody, ale i tak starczyło miejsca na kuchenkę elektryczną i czajnik. Z głośnika płynęła kolejna skoczna rumba, w pokoiku było miło i sympatycznie, i praca tu musiała być niezłą fuchą. Młodych poruczników po elektronice często przydzielano do floty rybackiej, bo pozwalało im to odwiedzać obce porty w roli cywilnych członków załogi. Nawet w miękkim dresie i ciepłych kapciach Nikołaj roztaczał wokół siebie aurę świeżo upieczonego oficera, którego jasna przyszłość lśni gwiazdkami i złotymi wężykami. Młodzieniec niechętnie uniósł głowę i spojrzał na Arkadija.

— Nie wiem, z czym przychodzisz, staruszku, ale jestem zajęty.

Arkadij obejrzał się, by sprawdzić, czy w korytarzu nie ma nikogo, zamknął za sobą drzwi, wykopnął chłopakowi krzesło spod siedzenia i postawił mu stopę na piersi.

— Przerżnąłeś Zinę Patiaszwili. Zabrałeś ją do punktu nasłuchu wywiadowczego. Jeśli twój szef się o tym dowie, wylądujesz w wojskowym łagrze i będziesz miał szczęście, jeśli w chwili wyjścia zostaną ci jeszcze jakieś zęby albo włosy.

Padając na plecy, Nikołaj nie zdążył nawet wypuścić ołówka

z dłoni i tylko jego oczy przypominały dwa idealnie okrągłe krążki błękitu.

— To kłamstwo.

— To porozmawiajmy z Hessem.

Arkadij czuł, że młodzieniec u jego stóp jest sparaliżowany panicznym strachem, jaki zwykle towarzyszy spadaniu z wysokości, a dotychczas przyjazny i pełen obietnic świat zamienia się w przepaść bez dna.

— Skąd pan wie? — wymamrotał.

— Tak już lepiej. — Arkadij zdjął z niego nogę i pomógł mu wstać. — Podnieś krzesło i siadaj.

Nikołaj bez chwili wahania wykonał polecenie, a to zawsze dobrze rokuje. W głośniku rumbę zastąpiła bułgarska piosenka ludowa, którą Arkadij puścił trochę głośniej.

Porucznik usiadł sztywno wyprostowany i Arkadij przez chwilę zamyślił się nad najlepszym sposobem przeprowadzenia tego przesłuchania. Czy udać byłego kochanka Ziny Patiaszwili, wystąpić w roli szantażysty, czy też postraszyć go, że nadal prowadzi oficjalne dochodzenie? Chciał znaleźć klucz do pewnego siebie porucznika wywiadu marynarki wojennej. Taki, który go otworzy i spowoduje, że chłopak poczuje się zagubiony i tak się wystraszy, jakby dostał się w łapy najbardziej znienawidzonego wroga. Celowo użył słów, od jakich KGB zwykle rozpoczynało swe niby-przyjazne pogawędki.

— Uspokój się. Jeśli nie masz nic na sumieniu, nic ci nie grozi.

Nikołaj aż się w sobie zapadł.

— To był tylko ten jeden raz, nic więcej. Pamiętała mnie z Władywostoku. Myślałem wtedy, że jest zwykłą kelnerką. Skąd miałem wiedzieć, że spotkam ją na pokładzie? Może powinienem komuś o tym powiedzieć, ale ona błagała, żeby nie, bo ją przy pierwszej okazji odeślą do domu. Poczułem litość i od tego się zaczęło. A potem już jakoś samo poszło.

— I doprowadziło do twojego łóżka.

— Nie planowałem tego. Na statku nie da się zapewnić dyskrecji. Tylko ten jeden raz.

— Nieprawda.

— Naprawdę!

— A Władywostok? W Złotym Rogu?

— Była wtedy obserwowana?

— Opowiedz mi o tamtym spotkaniu.

Opowieść Nikołaja nie różniła się zbytnio od historii Marczuka. Poszli do Złotego Rogu z kolegami z bazy i wszyscy zwrócili uwagę na Zinę, ale ona zdawała się patrzeć tylko na niego. Po zamknięciu knajpy poszli do niej, słuchali muzyki, tańczyli, kochali się, potem wyszedł i nigdy więcej się nie spotkali. Zobaczył ją dopiero na pokładzie „Gwiazdy Polarnej".

— Myślałem, że dochodzenie w sprawie jej śmierci zostało zakończone. Słyszałem, że wrócił pan do pracy w przetwórni.

— Była dobrą kelnerką?

— Najgorszą.

— O czym rozmawialiście?

Arkadij czuł, jak umysł radiowca kuli się niczym królik kombinujący, którędy by tu czmychnąć. Nie tylko można mu było zarzucić zdradę tajemnicy służbowej na statku, ale także rozmowa niebezpiecznie zahaczała o przeszłość i mogła doprowadzić do postawienia mu kolejnego zarzutu, nawet jeśli nie działał z premedytacją. Najgorszym z możliwych scenariuszy byłoby, gdyby Zina dokonała świadomej infiltracji Floty Pacyfiku nie raz, ale dwukrotnie, i to przy jego pomocy. Niekoniecznie zresztą jako agentka obcego wywiadu. Wszyscy wiedzieli, że KGB usilnie stara się penetrować struktury wojskowe, i wywiad morski z obsesyjną skrupulatnością testował czujność swoich oficerów, upewniając się, że należycie przestrzegają zasad bezpieczeństwa.

Jak wielu, którzy znaleźli się w podobnej sytuacji, Nikołaj postanowił przyznać się do lżejszego z popełnionych przestępstw i w ten sposób udowodnić swoją dobrą wolę.

— We Władywostoku dysponuję najlepszymi na świecie urządzeniami odbiorczymi. Mogę słuchać audycji radia amerykańskich sił zbrojnych emitowanych z nadajników w Manili i Nome. Zresztą czasem prowadzę nasłuch, więc przy okazji nagrywam sobie muzykę. Tylko do własnego użytku, nigdy na handel. Jedną taką taśmę dałem Zinie i powiedziałem, że powinniśmy pójść gdzieś razem i posłuchać. Dobrze, to był tylko pretekst, ale naprawdę nie rozmawialiśmy o niczym innym poza muzyką. Chciała, żebym przegrywał swoje taśmy, a ona zajmie się ich sprzedażą. Zina była prawdziwą Gruzinką. Odmówiłem, pojechaliśmy do niej, posłuchaliśmy razem taśm, i to wszystko.

— Niezupełnie wszystko. Osiągnąłeś swój cel i przespałeś się z nią.

Arkadij kazał mu opisać mieszkanie Ziny i opis znów z grubsza pokrywał się z relacją Marczuka. Prywatne mieszkanie w stosunkowo nowoczesnym bloku, zapewne spółdzielczym. Telewizor, wideo, wieża stereo. Na ścianach japońskie obrazki i samurajskie miecze. Drzwi i barek wykończone czerwonym plastikiem. Zamknięta na klucz gablotka z kolekcją broni. Nigdzie nie było fotografii, ale nie ulegało wątpliwości, że Zina mieszkała tam z mężczyzną. Nikołaj założył, że musi to być ktoś ważny i bogaty: albo czarnorynkowy rekin, albo ktoś na wysokim partyjnym stanowisku.

— A ty należysz do partii? — zapytał Arkadij.

— Do Komsomołu.

— Opowiedz mi o tym sprzęcie.

Nikołaj z ulgą zostawił temat Ziny Patiaszwili i zagłębił się w sprawy techniczne. Radiowęzeł „Gwiazdy Polarnej" wyposażony był w radionadajnik UKF o zasięgu około pięćdziesięciu kilometrów, który służył do komunikowania się z trawlerami, oraz w dwie silniejsze jednozakresowe radiostacje o większym zasięgu. Jedna była zwykle ustawiona na nadajnik floty, drugiej używano do organizowania radiokonferencji z innymi radzieckimi jednostkami na Morzu Beringa, a także do utrzymywania łączności z bazą we Władywostoku i dyrekcją spółki w Seattle. Przez resztę czasu radiostację wykorzystywano do monitorowania kanału awaryjnego, na którym wszystkie statki prowadzą stały nasłuch.

W kabinie znajdowała się też krótkofalówka, pozwalająca odbierać zarówno Radio Moskwa, jak i BBC.

— Coś panu pokażę — powiedział Nikołaj, wyciągając spod blatu odbiornik niewiele większy od grubej książki. — To radio CB. Ma bardzo krótki zasięg, ale to jego używają załogi trawlerów do rozmów między sobą, kiedy nie chcą, żebyśmy ich słyszeli. Dlatego tym bardziej musimy go słuchać. — Nikołaj włączył odbiornik i z głośnika popłynęły słowa wypowiadane z silnym norweskim akcentem: Thorwald, kapitan „Wesołej Jane". „...Pierdoleni Ruscy najpierw wytrzebili pierdolony George Bank, a teraz trzebią pierdolone wybrzeże Afryki, aż tam też zabraknie pierdolonych ryb. Przynajmniej mamy z tego jakieś pierdolone pieniądze...".

Arkadij wyłączył odbiornik.

— Powiedz mi coś więcej o Zinie — rozkazał.

— Nie była prawdziwą blondynką. Ale była dość namiętna.

— Nie chodzi mi o seks. O czym rozmawialiście?

— O taśmach. Już panu mówiłem. — Na twarzy Nikołaja pojawił się wyraz zmieszania jak u studenta, który chciałby się wykazać, ale nie jest pewien, czego profesor od niego oczekuje.

— O pogodzie? — podsunął Arkadij.

— Dla niej wszędzie poza Gruzją było za zimno.

— O Gruzji?

— Mówiła, że Gruzini rżną wszystko, co się tylko wypnie.

— O pracy?

— Miała antyradzieckie podejście do pracy.

— O zabawie?

— O tańcach.

— O mężczyznach?

— O forsie — parsknął Nikołaj. — Nie wiem, dlaczego tak mówię, bo ode mnie żadnej forsy nie chciała. Ale potrafiła patrzyć na człowieka tak, jakby się było najprzystojniejszym, najbardziej pożądanym facetem na świecie. Bardzo erotycznie, po czym chwilę później jej oczy nabierały takiego wyrazu, jakby człowiek nie miał szans sprostać jej wymaganiom. To głupie, ale gdy patrzyłem na nią, zawsze miałem wrażenie, że u niej uczucia i pieniądze nigdy nie idą w parze. Mówiłem na przykład: „Dlaczego tak zimno na mnie patrzysz?", a ona odpowiadała: „Bo wyobrażam sobie, że nie jesteś marynarzykiem, tylko Afgańcem, żołnierzem wysłanym do walki z Allahem i jego szaleńcami, właśnie wróciłeś do domu w ocynkowanej trumnie i na myśl o tym robi mi się smutno". Różne takie okrutne uwagi, i to nawet w trakcie seksu.

— A co z tą bronią w jej mieszkaniu? Mówiła coś?

— Nie. I czułem, że jeśli zapytam, to w jej oczach wyjdę na mięczaka. Mówiła za to, że ten facet, z którym mieszka, śpi ze spluwą pod poduszką. Pomyślałem wtedy: Cóż, typowy Sybirak.

— Wypytywała cię o coś?

— Pytała tylko o moją rodzinę, o dom, czy jestem dobrym synem, czy często pisuję do domu i wysyłam rodzinie paczki z kawą i herbatą.

— O ile wiem, marynarka wojenna ma własny system dystrybucji przesyłek, tak żeby paczki nie trafiały do adresata w stanie rozkładu miesiąc po wysłaniu, czy tak?

— Marynarka wojenna dba o swoich ludzi.

— I dlatego Zina poprosiła cię o wysłanie paczki w jej imieniu?

Oczy radiowca nabierały coraz bardziej cielęcego wyrazu.

— Tak.

— Z herbatą?

— Tak.

— Paczka była zapakowana, gotowa do wysyłki?

— Tak. Ale w ostatniej chwili zmieniła zamiar i wyjechałem bez niej. To też była jedna z tych chwil, kiedy obrzuciła mnie takim dziwnym spojrzeniem, którego nie rozumiałem.

— Kiedy spotkaliście się na „Gwieździe Polarnej" opowiedziała ci, jak załatwiła sobie pracę na statku?

— Powiedziała tylko, że miała dość knajpy i Władywostoku, a właściwie całej Syberii. Kiedy spytałem, jak zdobyła książeczkę marynarską, roześmiała mi się w twarz i powiedziała, że oczywiście ją kupiła, bo jakżeby inaczej? Przepisy w tych sprawach są znane, ale wyglądało, jakby Ziny nie dotyczyły.

— Była inna?

Nikołaj przez chwilę szukał odpowiednich słów, w końcu się jednak poddał.

— Trzeba ją było znać.

Arkadij postanowił zmienić temat.

— Jaki zasięg mają te twoje jednozakresowe radiostacje? — zapytał.

— Zależy od pogody. Kapitan może potwierdzić. Jednego dnia udaje nam się złapać Meksyk, następnego nic. Ale członkowie załogi często rozmawiają przez radio z rodzinami aż w Moskwie. To ważne dla morale załogi.

— Czy inne statki mogą słuchać tych rozmów?

— Jeśli akurat monitorują odpowiedni kanał, to mogą usłyszeć to, co do nas mówią, ale nie to, co my mówimy.

— To dobrze. Połącz mnie z komendą milicji w Odessie.

— Nie ma sprawy. — Nikołaj był gotów zrobić wszystko, żeby tylko się przypodobać. — Oczywiście wszystkie połączenia muszą wcześniej uzyskać zgodę kapitana.

— To połączenie odbędzie się bez zgody kapitana, a nawet bez wpisywania do książki połączeń. Bo podsumujmy. — Radiotechnik był młodym człowiekiem i Arkadij uznał, że dobrze będzie silniej go umotywować. — Jako oficerowi marynarki za samo wpuszczenie Patiaszwili do stacji nasłuchowej na „Gwieździe Polarnej" grozi ci oskarżenie o złamanie dyscypliny w najświętszej sprawie. Z racji powtarzających się kontaktów powstaje podejrzenie udziału w spisku z zamiarem popełnienia zbrodni zdrady państwa. Nawet jeśli próbowałeś zupełnie niewinnie uwieść obywatelkę naszego kraju, i tak możesz stanąć przed sądem za działania uwłaczające wysokiej randze kobiety radzieckiej, za niepoinformowanie władz o nielegalnym składzie broni, za kradzież własności państwowej w postaci taśm magnetofonowych i za rozpowszechnianie propagandy antyradzieckiej w postaci zachodniej muzyki. Tak czy owak, będzie to koniec twojej oficerskiej kariery w marynarce wojennej.

Słuchając słów Arkadija, Nikołaj wyglądał, jakby mu przyszło połknąć rybę w całości.

— Nie ma sprawy — wyksztusił. — Może potrwać z godzinę, zanim uzyskam połączenie z Odessą, ale zrobię to.

— A tak na marginesie. Skoro jesteś takim miłośnikiem muzyki, to gdzie byłeś podczas tamtej zabawy?

— Miałem inne obowiązki. — Nikołaj spuścił wzrok, co miało oznaczać, że był wtedy pod pokładem na stanowisku nasłuchowym. Stanowisku, którego Arkadijowi jak dotąd nie udało się zlokalizować. — Ale to dziwne, że wspomina pan o muzyce. Te kasety, które Zina miała w domu we Władywostoku, pamięta pan? Na niektórych był rock, ale większość to były magnatizdaty. Wie pan, ze złodziejskimi piosenkami.

— „Możesz mi poderżnąć gardło, lecz nie ruszaj strun mej gitary"?

— Właśnie! Czyli znał ją pan.

— Teraz już tak.

Po wyjściu z radiowęzła Arkadij przyznał sam przed sobą, że potraktował chłopaka ostrzej, niż to było konieczne, ale wkurzył go ten nonszalancki „staruszek" na powitanie. Przejechał dłonią po twarzy. Naprawdę tak staro wygląda? Bo wcale staro się nie czuł.

Rozdział 23

Pod koją Gurija leżała nowa nylonowa torba pełna plastikowych łupów: walkmanów Sony, zegarków Swatcha, głośników Aiwa, szczoteczek do zębów WaterPik, paczek Marlboro i telefonów z Myszką Miki. Na szafie przybyło przyklejone taśmą polaroidowe zdjęcie Obidina, jak stoi przed drewnianą cerkwią w Unalasce z wyczesaną i przygładzoną brodą i miną tak wniebowziętą, jakby unosił się na chmurze obok swego Pana. Wewnątrz stały rzędy słoików z domowymi przetworami owocowymi ze sklepu w Dutch Harbor i gdy ktoś otwierał szafę, w nozdrza bił słodki aromat brzoskwiń, wiśni i mandarynek. Jednak najbardziej kolorowo i egzotycznie wyglądał kącik botaniczny Koli, na który składało się kilka półek okazów zebranych przez niego na wyspie i przytachanych do portu w kartonowych pudłach: leżący na zwilżonej stronie „Prawdy" kamień porośnięty kosmatym mchem; miniaturowy krzaczek z maleńkimi fioletowymi jagodami; karłowaty irys z cienkimi jak papier liśćmi w kształcie sierpa; *Castilleja* zwana indiańskim pędzelkiem, z zachowanym ostatnim, krwistoczerwonym kwiatkiem.

Kola przystąpił do objaśniania Nataszy swych zbiorów, które

jakby na przekór pokrytemu lodem iluminatorowi przypominały ogródek szklarniowy, i Natasza po raz pierwszy wyglądała na przejętą.

— Wszyscy naukowcy podróżnicy wracali tak objuczeni — mówił Kola. — Na przykład Cook albo Darwin. Ich małe stateczki miały ładownie wypełnione okazami botanicznymi, w komorach łańcuchowych umieszczono bulwy, okazy chlebowca rosły na pokładzie. Bo życie jest wszędzie. Płyty lodowe pod spodem pokryte są glonami, które stanowią środowisko naturalne dla planktonu, a ten z kolei przyciąga ryby. Oczywiście za rybami podążają drapieżniki: foki, wieloryby, niedźwiedzie polarne. Wszędzie dookoła toczy się walka o życie.

Myśli Arkadija zajęte były botaniką innego rodzaju. Siedział przy wąskim stoliku i rozkoszując się papierosem od Gurija, myślał o uprawach konopi. Tysiącach hektarów porośniętych przez bujne mandżurskie konopie, aż ciężkie od narkotycznych substancji, których kwiaty i liście ścieliły się po dzikich azjatyckich ostępach jak bezpańskie ruble. Co roku jesienią wybuchała tak zwana przez Sybiraków gorączka traw i ludzie ciągnęli na pola jak partyjniacy do czynu społecznego (jeśli nie bardziej), by rozpocząć żniwa. Często nie musieli wcale podróżować, bo chwasty rosły wszędzie — w przydrożnych rowach, na kartofliskach, wśród upraw pomidorów. Roślinę nazywaną przez miejscowych *anasza* pakowano w worki i wysyłano na zachód do Moskwy, gdzie palono ją w postaci skrętów lub tytoniu w fajkach.

Prócz *anaszy* był też *plan*, czyli haszysz. *Plan* sprowadzano w kilogramowych kostkach z Afganistanu lub Pakistanu i na różne sposoby przesyłano dalej: część wojskowymi ciężarówkami, część promami przez Morze Czarne i Kaspijskie do Gruzji, a stamtąd na północ do Moskwy.

— Niedźwiedzie polarne przemierzają setki kilometrów pól lodowych — opowiadał Kola. — Nikt nie wie, w jaki sposób odnajdują drogę. Polują na dwa sposoby: albo czają się przy przeręblach i czekają, aż foki wypłyną, żeby zaczerpnąć powietrza, albo chowają się pod lodem i czekają na pojawienie się cienia foki na lodzie.

Albo takie maki, myślał Arkadij. Ciekawe, ile gruzińskich kołchozów przekracza plany upraw tych magicznych kwiatów? I ile słomy makowej znika podczas młócki, ile podlega wysuszeniu i sprasowaniu i ile zostaje przerobione na morfinę, którą potem wiatry niosą aż do Moskwy?

Z punktu widzenia śledczego Moskwa była jak niewinna Ewa żyjąca w pełnych pokus ogrodach, którą bez przerwy kuszą przewrotne gruzińskie, afgańskie i syberyjskie węże. „Herbatą", którą Zina chciała przekazać Nikołajowi do wysłania do domu, była niewątpliwie kostka konopi, *anaszy*. W ostatniej chwili się wycofała, dlatego że cała operacja była niewiele warta, ale pozwoliło jej to ustanowić potencjalny kanał przerzutowy.

— I znalazłeś te wszystkie kwiaty przy drodze i w sklepie? — zdziwiła się Natasza.

— Trzeba wiedzieć, gdzie szukać. — Kola się uśmiechnął.

— Zaczątki piękna są wszędzie. — Natasza miała włosy zaczesane do tyłu, dzięki czemu było widać jej nowe kryształowe kolczyki kupione w Dutch Harbor. — Nie sądzisz, Arkadij?

— Bezsprzecznie.

— Widzisz, o ile bardziej konstruktywnie towarzysz Mer wykorzystał swój pobyt na lądzie. Nie upił się jak świnia i nie wylądował w wodzie.

— Kola, składam hołd twojej naukowej pasji. — Arkadij zauważył, że kołonotatnik Koli w szarej plastikowej okładce z wytłoczonym wzorkiem krokodylowej skóry pochodził z okrętowego sklepiku. Dokładnie taki sam miała Zina. — Mogę? — Przerzucił kartki, na których Kola opisywał poszczególne rośliny, podając ich potoczną nazwę, nazwę łacińską oraz miejsce i datę zebrania okazu.

— Byłeś sam, gdy wpadałeś do tej wody? — spytała Natasza.

— Przynajmniej zaoszczędziłem sobie wstydu.

— Nie było z tobą Susan?

— Nikogo.

— Mogłeś się nieźle załatwić — rzekł ze współczuciem Kola. — Nawalony, zimna woda, ciemna noc.

— Ciekawe, co zrobisz we Władywostoku — zastanowiła się Natasza. — Towarzysz Wołowoj uważał, że możesz mieć kłopoty ze strażą graniczną. Głosy poparcia ze strony kolegów, zwłaszcza członków partii, mogłyby ci pomóc. Potem mógłbyś gdzieś wyjechać. Na Jeniseju zaczyna się budowa paru pięknych hydroelektrowni. Wypłacają arktyczne dodatki, dostaje się miesiąc urlopu do spędzenia w dowolnym miejscu. Przy twoich zdolnościach bez trudu nauczyłbyś się obsługiwać dźwig.

— Dzięki. Zastanowię się.

— Ilu byłych śledczych z Moskwy może powiedzieć, że zbudowali zaporę?

— Niewielu.

— Moglibyśmy trzymać krowę. Znaczy, mógłbyś trzymać krowę, gdybyś tylko chciał. Każdy, kto chce mieć krowę, może ją mieć. Na prywatnej działce przydomowej. Albo świnię. Albo nawet kury, chociaż dla ptactwa trzeba mieć jakieś ciepłe miejsce na zimę.

— Krowę? Kury? — Arkadij potrząsnął głową. O co jej chodzi?

— Jenisej to ciekawe miejsce — wtrącił Kola.

— Bardzo ciekawe — potwierdziła radośnie Natasza. — Przepiękna tajga sosnowo-modrzewiowa. Jelenie i kuropatwy.

— I jadalne ślimaki.

— Ale można też mieć krowę, jeśli ktoś chce. Miejsce na motor też jest. Można sobie urządzać pikniki nad rzeką. W mieście pełno młodych ludzi, dzieci. A ty...

— Zina znała się trochę na statkach? — wtrącił Arkadij. — Znała terminologię, wiedziała, jak się nazywają poszczególne miejsca na statku?

Natasza zrobiła minę, jakby nie mogła uwierzyć własnym uszom.

— Zina? Znowu?

— Co mogła rozumieć pod nazwą „ładownia ryb"?

— Zina nie żyje, sprawa skończona.

— Samą ładownię czy może coś w pobliżu?

— Ziny nie interesowały statki, nie interesowała praca, nie interesowało nic poza nią samą i Zina już nie żyje — powiedziała z naciskiem Natasza. — Skąd u ciebie ta ciągła fascynacja? Kiedy jeszcze żyła, w ogóle nie zwracałeś na nią uwagi. Co innego, gdy kapitan kazał ci przeprowadzić dochodzenie, a co innego teraz. Twoje zainteresowanie nią jest chore, bezsensowne i obrzydliwe.

Arkadij zaczął wciągać buty.

— Całkiem możliwe, że masz rację. — Kiwnął głową.

— Przepraszam, Arkasza. Nie powinnam tak mówić. Proszę, wybacz mi.

— Nie przepraszaj za szczerość. — Arkadij sięgnął po kurtkę.

— Nienawidzę morza — rzuciła z goryczą Natasza. — Trzeba mi było pojechać do Moskwy. Mogłam znaleźć pracę w fabryce i tam poszukać sobie męża.

— Praca w fabryce to straszna mordęga. I musiałabyś

mieszkać w hotelu robotniczym, oddzielona tylko parawanem od następnego łóżka. Za wielki tam ścisk. Szybko byś to znienawidziła. Duży kwiat zasługuje na dużo miejsca.

— No, to prawda. — Chyba to porównanie jej się spodobało.

♦ ♦ ♦

Rumor pod pokładem w części dziobowej był taki, jakby „Gwiazda Polarna" nie tyle przedzierała się przez lód, ile przeorywała całe pola, przewracając przy okazji domy i drzewa i wyrywając z ziemi potężne kamienie. Arkadija nie zdziwiłoby, gdyby przerdzewiałe poszycie statku nagle się rozwarło i w wyrwie ukazało się łóżko czy gałąź. Ciekawe, co o tym myślą szczury? Opuściły stały ląd wiele pokoleń wcześniej. Czy ten hałas budzi w gryzoniach zakodowane wspomnienia i powraca w sennych majakach?

Zina wspomniała o „ładowni ryb", ale musiała się pomylić i nazwać tak komorę łańcuchową obok ładowni. Usytuowane najniżej i wysunięte najbliżej dziobu pomieszczenie na statku było nieregularnym schowkiem na rupiecie, w którym zwykle trzymano zwoje cum i łańcuchów kotwicznych. Wyjątkowo skrupulatny chief mógł do niego zajrzeć ze dwa razy podczas całego rejsu i tylko umieszczony w hermetycznej klapie judasz sugerował, że przeznaczenie pomieszczenia zostało zmienione. Nim zdążył zapukać, klapa otworzyła się z lekkim pyknięciem, jakie wydaje korek wyciągany z butelki. Wszedł do środka, klapa natychmiast się za nim zamknęła i Arkadij poczuł w uszach ucisk.

Zawieszona na suficie czerwona żarówka oświetlała Antona Hessa, który siedział rozparty na obrotowym fotelu. W tym oświetleniu jego niesforna czupryna wyglądała na jeszcze bardziej rozczochraną. Hess odwrócił twarz od trzech monitorów ukazujących obrazy z głównej echosondy na mostku. Na ekranach widać było zieloną wodę nad pomarańczowym dnem i Hess przypominał alchemika, który wpatruje się w kolby z fluorescencyjnymi cieczami. Obok stały dwa ustawione na sobie monitory loranu ze świetlnym układem współrzędnych, dające odczyt dokładnej pozycji statku w stopniach szerokości i długości geograficznej. Obrazy na ekranach przypominały papierowe wykresy, jakie Arkadij widział na „Orle", a precyzja pomiaru przebijała wszystko, czym Marczuk dysponował na mostku. Na drugim końcu stołu stał oscyloskop z konsolą przypominającą wyglądem stół mikserski inżyniera dźwięku, łącznie z parą słuchawek. Wyżej znajdował się monitor z czarno--białym obrazem z kamery monitorującej przejście między ładownią a komorą, którym Arkadij chwilę wcześniej przeszedł. Na stole stał też niewielki profesjonalny komputer i mnóstwo innego sprzętu, którego w mrocznej czerwonej poświacie nie potrafił zidentyfikować. Wszystko to łącznie z fotelem i koją było stłoczone w pomieszczeniu niewiele większym od szafy. Ktoś przywykły do pływania okrętem podwodnym musiał się tu czuć jak w domu.

— Dziwię się, że tyle ci zajęło znalezienie mnie — powiedział Hess.

— Ja też.

— Siadaj. — Hess wskazał ręką koję. — Witam w moim małym królestwie. Niestety, nie wolno tu palić, bo wymiana powietrza praktycznie nie istnieje. To jak ze spadochroniarzem: sam sobie składasz swój spadochron. Sam to wymyśliłem, więc nie mogę do nikogo mieć pretensji.

Pomieszczenie było nie tylko małe, ale i przytulne. Arkadij uzmysłowił sobie, że takie wrażenie tworzy dźwiękoszczelna okładzina, jaką wyłożony był każdy kawałek powierzchni. Nawet pod nogami miał sztuczną podłogę, którą od właściwego pokładu oddzielała gruba warstwa izolacyjna, skutecznie tłumiąca zgrzytanie bloków lodu o stalowe płyty poszycia. Przyzwyczaiwszy wzrok do panującego mroku, Arkadij dostrzegł jeszcze coś: w narożniku z podłogi wystawała biała kopuła metrowej średnicy, wyglądająca na pokrywę czegoś znacznie większego, co wpuszczono w dno statku.

— Fascynujące — powiedział.

— Nie, żałosne. To dramatyczna próba uporania się ze słabościami geografii i ciężarem historii. Dostęp do wszystkich głównych radzieckich portów bywa korkowany przez zatory lodowe, a niektóre porty mogą być skute lodem przez sześć miesięcy w roku. Po wypłynięciu z Władywostoku nasza flota musi przepłynąć albo przez Cieśninę Kurylską, albo Koreańską. W warunkach działań wojennych najprawdopodobniej ani jednemu okrętowi nie udałoby się opuścić portu. Bogu dzięki, są jeszcze okręty podwodne.

Arkadij obserwował na trzech ekranach pomarańczowe odwzorowanie dna, którego falowanie sygnalizowało ruchy wyruszających na żer ryb dennych. Nikt nie ma pojęcia, dlaczego ryby tak lubią złą pogodę. Hess wyciągnął w stronę Arkadija coś połyskliwego: piersiówka z brandy o temperaturze ciała.

— Pod wodą nasze szanse się wyrównują?

— Jeśli nie liczyć tego, że mają dwukrotnie więcej głowic bojowych. Oraz tego, że do patrolowania mórz mogą wykorzystać sześćdziesiąt procent swojego arsenału bojowego, a my z trudem osiągamy piętnaście. A także tego, że ich okręty są cichsze, szybsze i mogą schodzić głębiej. I tu właśnie zaczyna się ironia losu. Wiem, Renko, że ty też potrafisz to docenić. Jedynym miejscem, gdzie nasze okręty podwodne mogą bezpiecznie się ukryć, są wody pod arktycznym lodem, a jedyna droga, którą Amerykanie mogliby tu przypłynąć za nami z Pacyfiku, prowadzi przez Morze i Cieśninę Beringa. A tu to my dla odmiany możemy ich zakorkować.

Obaj spełnili toast za geografię. Arkadij wrócił na koję, która głośno pod nim skrzypnęła, a on wyobraził sobie leżącą na niej Zinę. Tylko wtedy niczego jej nie objaśniano.

— To wy też macie swoisty plan połowów — powiedział.

— Niczego nie łowimy. Wyłącznie słuchamy. Wiesz, że „Gwiazda Polarna" przeszła remont w suchym doku.

— Zastanawiałem się nawet po co. Bo trudno zauważyć jakieś ulepszenia z zakresu rybołówstwa.

— Dodano jej uszy. — Hess wskazał głową wystającą z podłogi białą kopułę. — To tak zwany sonar holowany. Pasywny system nasłuchowy, czyli podwodny kabel z hydrofonami, który rozwija się z elektrycznego bębna pod tą kopułą. Na okrętach podwodnych taki bęben umieszcza się przy rufie, ale na „Gwieździe Polarnej" zamontowaliśmy go w części dziobowej, żeby nie zaplątał się w amerykańskie sieci.

— I musicie go zwijać przed każdym wciągnięciem sieci — domyślił się Arkadij. To dlatego Nikołaj miał czas na igraszki z Ziną, bo właśnie ciągnięto kolejną sieć z rybami.

— System na głębokich wodach nie bardzo się sprawdza, ale tu mamy płytkie morze. Okręty podwodne, nawet amerykańskie, nienawidzą płytkich mórz. Chcą jak najszybciej dostać się do cieśniny, a im szybciej płyną, tym więcej robią hałasu i bez trudu daje się je usłyszeć. Każdy okręt brzmi trochę inaczej. — Hess obrócił się z fotelem ku stelażowi z komputerem, monitorem i stertą miękkich dyskietek. — Mamy tu dźwiękowe autografy pięciuset okrętów podwodnych, ich i naszych. Na podstawie dźwięku możemy monitorować ich trasy i podejmowane misje. Oczywiście robimy to także na naszych okrętach podwodnych i jednostkach hydrograficznych, ale przed nimi umieją się ukryć. A „Gwiazda Polarna" jest tylko zwykłym statkiem przetwórnią na środku Morza Beringa.

Arkadij przypomniał sobie mapę na ścianie kajuty Hessa.

— Jednym z pięćdziesięciu naszych statków przetwórni wzdłuż ich linii brzegowej?

— Otóż to. Nasz jest prototypem.

— Brzmi to dość wyrafinowanie.

— Wcale nie — zaprzeczył Hess. — Wiesz, co można uznać za wyrafinowanie w dziedzinie elektronicznego zbierania danych wywiadowczych? Amerykanie rozmieszczają urządzenia monitorujące z napędem jądrowym wzdłuż wybrzeża Syberii. Kontenery zawierają po sześć ton aparatury nasłuchowej i zapas plutonu pozwalający jej działać bez ograniczeń i nadawać tuż pod naszym nosem. Ich okręty podwodne wpływają do portu w Murmańsku i umieszczają hydrofony bezpośrednio na kadłubach naszych jednostek. Kochają zdobywać trofea. Gdyby tylko udało im się przechwycić nasz kabel, od razu by go zaprezentowali w Waszyngtonie na jednej z tych medialnych konferencji, które z takim zapałem organizują. Zupełnie jakby nigdy wcześniej nie widzieli puszki na drucie.

— A wasz kabel tak wygląda? Jak puszka na drucie?

— Ściśle mówiąc, jak ciąg mikrofonów na trzystumetrowym kablu. — Hess pozwolił sobie na słaby uśmieszek. — Ciekawostką jest za to oprogramowanie, z którego korzystamy. Opracowano je w Kalifornii z myślą o nasłuchu wielorybów.

— Zdarza wam się pomylić łódź z wielorybem?

— Nie. — Hess wyciągnął rękę i rozczapierzył palce na okrągłym ekranie oscyloskopu, jakby dotykał kryształowej kuli. Urządzenie wyglądało dość topornie, jakby zostało ręcznie zmontowane przez amatora. Skomplikowana aparatura naukowa, jaką wytwarzano w resorcie Ministerstwa Urządzeń Elektrycznych, często miała taki wygląd. — Wieloryby i delfiny wydają dźwięki, które docierają do nas jakby z głębi przestrzeni kosmicznej. Czasem daje się usłyszeć wieloryby z odległości niemal tysiąca kilometrów. Głębokie basowe dźwięki, fale

337

długie o bardzo niskiej częstotliwości. Potem jest cała gama odgłosów innych stworzeń morskich: ryb, fok goniących za rybami, morsów grzebiących kłami w dnie morskim. Przypomina to orkiestrę, która bez końca stroi instrumenty przed występem. A potem nagle słyszy się obcy szmer, którego nie powinno być.

— Jest pan muzykiem? — zapytał Arkadij.

— Jako chłopiec wyobrażałem sobie, że gra na wiolonczeli wyznaczy moją karierę zawodową. Cóż za naiwność!

Arkadij przeniósł wzrok na monitory, na których wciąż falowały pomarańczowe ławice ryb na jaskrawozielonym tle morza. Biała kopuła miała na obwodzie klamry służące do otwierania. Logiczne. Gdyby umieszczony w środku bęben z kablem wymagał naprawy, Hess musiał mieć do niego dostęp. W przeciwnym razie musiałby pewnie wzywać nurka.

— Jak myślisz, dlaczego postanowiłem cię wycofać ze śluzgawki? — ciągnął Hess. — Bo dotarło do mnie coś niepokojącego. Że ta Zina Patiaszwili biega na rufę za każdym razem, kiedy podpływa „Orzeł" z siecią z rybami. Po to, żeby pomachać chłopakowi z załogi? Bądźmy poważni. Jedynym rozsądnym wytłumaczeniem było to, że pod tym pozorem informowała kapitana Morgana o naszym kablu: wypuszczony czy nie.

— Da się go zobaczyć?

— W trakcie nasłuchu nie, ale ona musiała widzieć coś prócz sieci Morgana.

— Mówią, że Morgan to dobry rybak.

— George Morgan łowił już w Zatoce Tajlandzkiej, a także w pobliżu Guantamo i Grenady. Powinien się znać na łowieniu. Dlatego zależało mi na przeprowadzeniu śledztwa. Im wcześniej dotrze się do prawdy i wytropi zdrajcę, tym lepiej. Ale muszę powiedzieć, Renko, że w rezultacie mamy trochę za dużo trupów. Najpierw ta dziewczyna, teraz Wołowoj i Amerykanin. A ty wijesz się jak wąż to tu, to tam, to tu, to tam.

— Chcę poznać prawdę o Zinie.

— I naszym upieczonym pierwszym oficerze? Nie, zostawmy to specjalistom we Władywostoku. Nagromadziło się już zbyt wiele wątpliwości. W tym także co do twojej roli.

— Ktoś próbował mnie zabić.

— To mi nie wystarczy. Mnie interesuje łańcuszek Zina--Susan-Morgan. Zajmij się tym, a zapewnisz sobie moje poparcie. Reszta mnie nie obchodzi.

— Jest panu obojętne, co naprawdę przydarzyło się Zinie?

— Samo w sobie, oczywiście, że nie.

— A byłby pan zainteresowany dowodami na organizowanie przemytu?

Hess roześmiał się z udanym przestrachem.

— Boże święty, skąd! W ten sposób zaprosilibyśmy KGB do wetknięcia nosa w sprawy wywiadu. Renko, spróbuj spojrzeć dalej. Zapomnij o zwykłych przestępstwach kryminalnych i daj mi coś naprawdę ważnego.

— Na przykład co? — spytał ostrożnie Arkadij.

— Na przykład Susan. Obserwowałem cię w Dutch Harbor. Wygląda na to, że w jakiś niepojęty sposób musisz być dla niej atrakcyjny, bo jest tobą zainteresowana. Zbliż się do niej. Przysłuż się swojemu krajowi i samemu sobie. Znajdź coś na nią i Morgana, a ja specjalnie dla ciebie zamówię okręt, który cię stąd zabierze.

— Chodzi o jakieś poufne notatki, tajne szyfry?

— Możemy albo założyć u niej nowy podsłuch, albo tobie dać nadajnik.

— Można to zrobić na wiele różnych sposobów.

— Zrobimy to tak, jak ci będzie najwygodniej.

Zapadła cisza, jakby Arkadij się zastanawiał.

— Chyba jednak nie — powiedział w końcu. — Właściwie to przyszedłem tu w zupełnie innej sprawie.

— Mianowicie?

Arkadij wstał z koi, żeby móc lepiej rozejrzeć się po kątach.

— Chciałem sprawdzić, czy tu mogło być przetrzymywane ciało Ziny.

— No i?

Mimo panującego mroku nie było wątpliwości, że brakowało na to miejsca.

— Nie — przyznał.

Mężczyźni spojrzeli sobie w oczy. We wzroku Hessa widać było zawód, że okazane Arkadijowi zaufanie i wyrażona chęć pomocy zostały przez niego niedocenione.

— Chodzi o to, że zwykłe przestępstwa kryminalne to moja pasja — powiedział Arkadij przepraszającym tonem.

Hess zdalnie zwolnił blokadę klapy wejściowej i klapa odskoczyła.

— Czekaj — rzekł, gdy Arkadij zrobił krok ku wyjściu. Otworzył szufladę, chwilę w niej grzebał i wyciągnął jakiś błyszczący przedmiot. Nóż. — Państwowa własność, tak? No cóż, to powodzenia.

Wychodząc, Arkadij zerknął jeszcze za siebie. Pod czarno--białym monitorem siedział zmęczony życiem człowiek i otaczające go kolorowe ekrany sprawiały wrażenie niestosownie radosnych, jakby dostrojonych do szczęśliwszych fal. W ich poświacie sterczące z podłogi kopuła była jak czubek delikatnego jajka, z którym głównemu elektrykowi floty przyszło obwozić się po całym świecie.

Rozdział 24

Deszcz siekł „Gwiazdę Polarną" i krople tworzyły miękki, gąbczasty lód. Załoga pracowała w świetle lamp, spłukując pokład wężami z gorącą parą z kotłów, przez co cały pokład trałowy dymił, jakby się palił. W poprzek pokładu poprzeciągano liny, które na kołyszącym się śliskim pokładzie pozwalały utrzymywać jako tako równowagę. Wszyscy mieli na głowach kaski ochronne wciśnięte na podbite futrem kaptury skafandrów i wyglądali jak syberyjska brygada budowlana. Wszyscy z wyjątkiem Karpa, który uwijał się w samym swetrze, jakby warunki pogodowe jego nie dotyczyły.

— Spokojnie — powiedział do zbliżającego się Arkadija i jakby nigdy nic wyciągnął rękę. Do paska miał przytroczony radiotelefon. — Zażywaj orzeźwiającej pogody Beringa.

— Jakoś przestałeś na mnie nastawać. — Arkadij na wszelki wypadek policzył wzrokiem członków brygady Karpa, upewniając się, że ma ich wszystkich w zasięgu wzroku. Umieszczone po obu stronach pokładu skrzynie były po brzegi wypełnione mintajami. Tonące w kłębach parującej mgły i mokre od marznącej mżawki ryby lśniły w świetle lamp jakby zakutane w srebrzystą zbroję.

— I tak nie masz gdzie uciec. — Karp ściągnął liną wielokrążek i zaczął czyścić z lodu kółko pasowe, obstukując je rękojeścią noża. Operator suwnicy bramowej opuścił kabinę, bo fatalna pogoda uniemożliwiała połów i w pobliżu nie było trawlerów. Cały pokład zasnuwały gęste kłęby pary. — Ale powinnem cię teraz zepchnąć do wody. Nikt by nawet nie zauważył.

— A gdybym upadł na lód i nie utonął? — rzekł Arkadij. — Trzeba zawsze wszystko dobrze przemyśleć. Działasz zbyt porywczo.

— Jaja masz z mosiądzu — parsknął Karp. — To ci muszę przyznać.

— Co ci takiego Wołowoj powiedział, że go załatwiłeś? Zagroził, że po powrocie do Władywostoku każe zdemontować statek na kawałki? Jeśli tak, to zadźganie go niczego nie załatwia. Po powrocie KGB i tak nas wszystkich prześwietli.

— Ridley poświadczy, że cały wieczór byłem z nim. — Karp zeskrobał nożem ostatni kawałek lodu. — Lepiej nie mów nic o Wołowoju, bo to się obróci przeciw tobie.

— Chuj z Wołowojem. — Arkadij wytrząsnął z paczki papierosa. Gatunek zwany *papieroskami* był odporny na deszcz, deszcz ze śniegiem i śnieżną zamieć. — Mnie wciąż interesuje tylko Zina.

Wzdłuż relingu podeszła do nich postać unurzana do pasa w kłębach pary — Paweł z wężem tryskającym gorącą wodą — ale Karp jednym ruchem ręki go odprawił.

— Coś się tak uczepił Ziny? — spytał.

— Cokolwiek tu kombinowała, nie robiła tego sama. Nigdy nie działała samotnie. Rozejrzałem się po załodze i doszedłem do wniosku, że jej wspólnikiem mogłeś być tylko ty. Ale Sławowi powiedziałeś, że prawie jej nie znałeś.

— Po prostu pracowaliśmy na jednym statku, nic więcej.

— Szeregowa robotnica jak ty, tak?

— Nie, ja jestem przodownikiem pracy. — Widać było, że Karpowi imponuje ten tytuł. Rozłożył ramiona. — Nic nie wiesz o robotnikach, bo naprawdę się do nich nie zaliczasz. Zdaje ci się, że praca na śluzgawce jest ciężka? — Dla podkreślenia swych słów postukał rękojeścią noża w pierś Arkadija. — A robiłeś kiedyś w rzeźni?

— Tak.

— W rzeźni reniferów?

— Tak.

— Brodziłeś we wnętrznościach w gumowym fartuchu na ramieniu?

— Tak.

— Nad Aldanem? — Taką nazwę nosiła rzeka we wschodniej Syberii.

— Tak.

Karp się zawahał.

— Kierownikiem był Koriak nazwiskiem Sinaneft i jeździł na kucyku?

— Nie, kierownikiem był Buriat, nazywał się Korin i jeździł moskwiczem z nartami zamiast przednich kół.

— Ty naprawdę tam robiłeś. — Karp był wyraźnie rozbawiony. — Korin miał dwóch synów.

— Córki.

— Ale jedna była wytatuowana. Śmieszne, nie? Przez wszystkie lata w łagrach, przez cały pobyt na Syberii mówiłem, że jeśli istnieje sprawiedliwość na świecie, to jeszcze kiedyś się spotkamy. I przez ten cały czas los mi sprzyjał.

W górze nad ich głowami operator dźwigu powrócił do kabiny z parującym kubkiem w dłoni, kawałek dalej po pokładzie kroczył Amerykanin Bernie. Był ubrany w futrzany skafander, przy każdym kroku przytrzymywał się liny i zachowywał tak, jakby przyszło mu uprawiać wysokogórską wspinaczkę. Radiotelefon Karpa zachrypiał głosem Thorwalda, który informował, że „Wesoła Jane" podpływa z siecią pełną ryb. Bosman połowowy schował nóż do pochwy i czynności na pokładzie uległy gwałtownemu przyspieszeniu. Węże pozakręcano, do pochylni przyciągnięto liny.

— Nie jesteś głupi facet, tylko nigdy nie myślisz dalej niż jeden krok do przodu — powiedział Arkadij. — Trzeba było siedzieć na Syberii albo zająć się szmuglem taśm wideo czy dżinsów. Drobnicą, niczym poważnym.

— A teraz ja coś powiem o tobie — odrzekł Karp, zdrapując warstewkę lodu z kurtki Arkadija. — Jesteś jak taki pies, którego wyrzucili z domu. Na razie żywisz się resztkami znalezionymi w krzakach i myślisz, że będziesz biegał z wilkami. Ale naprawdę chcesz załatwić jednego wilka, żeby cię znów wpuścili do domu. — Zdjął kryształek lodu z włosów Arkadija i szepnął: — Tylko że ty już nigdy nie wrócisz do Władywostoku.

◆ ◆ ◆

Ludzie przeistaczali się w zimowe stwory i zasiadali do jedzenia bez zdejmowania futrzanych kurtek. Na środku długiego stołu stał gar kapuśniaku, od którego bił zapach jak z pralni, stołownicy go jedli, przegryzając ząbkami czosnku i dopychając gulaszem z pajdami ciemnego chleba. Popijali to wszystko herbatą tak gorącą, że w stołówce było parno jak w łaźni. Izrail przysiadł na ławce obok Arkadija. Szef przetwórni jak zwykle miał rybie łuski w zmierzwionej brodzie i wyglądał, jakby zajrzał do stołówki wprost z produkcji.

— Nie możesz tak bumelować. Migać się od socjalistycznych obowiązków — szepnął do ucha Arkadijowi. — Masz się zabrać do pracy razem z towarzyszami, bo inaczej poskarżę się na ciebie.

Siedząca po drugiej stronie stołu Natasza miała na głowie wysoki biały toczek, który miał chronić włosy przed rozbryzgującymi się drobinami ryb na linii produkcyjnej.

— Słuchaj Izraila Izrailewicza — powiedziała do Arkadija. — Myślałam, że może jesteś chory. Zajrzałam do twojej kajuty, ale cię nie było.

— Kapuśniak Olimpiady to jest to. — Arkadij sięgnął do gara, jakby chciał jej dolać następną porcję, ale Natasza pokręciła głową. — A co u niej? Bo jakoś ostatnio jej nie widziałem.

— Złożę na ciebie skargę u kapitana, w komórce związkowej i w partii — powiedział Izrail.

— Jakbyś złożył u Wołowoja, toby dopiero było coś. Natasza, nie chcesz gulaszu?

— Nie.

— Może chociaż kawałek chleba?

— Dziękuję, starczy mi herbata. — Napełniła niedużą filiżankę.

— Sprawa jest poważna, Renko. — Izrail nalał sobie zupy i sięgnął po chleb. — Nie możesz się włóczyć po statku tak, jakbyś miał specjalny glejt z Moskwy. — Przegryzł ząbek czosnku i nagle się zawahał. — A może masz?

— Odchudzasz się? — zwrócił się Arkadij do Nataszy.

— Ograniczam się.

— Dlaczego?

— Mam swoje powody. — Włosy schowane pod toczek uwydatniły jej kości policzkowe, a ciemne oczy sprawiały wrażenie większych i łagodniejszych.

Siedzący obok Obidin nałożył sobie na talerz porcję gulaszu i zaczął w nim grzebać w poszukiwaniu kawałków mięsa.

— Wiem, że panuje opinia, iż nie powinniśmy jeść ryb z morza, w którym znaleźliśmy Zinę — powiedział. — Z szacunku dla zmarłych.

— Nonsens! — Wzrok Nataszy stwardniał na wzmiankę o Zinie. — Nie wszyscy jesteśmy fanatykami religijnymi. Żyjemy w nowoczesnych czasach. Słyszałeś coś podobnego? — zwróciła się do Izraila.

— A ty słyszałaś kiedyś o Kurejce? — odrzekł Izrail, kryjąc uśmiech w swej bujnej brodzie. — To miejsce, gdzie Stalin przebywał na zesłaniu z rozkazu cara. Potem, kiedy już Stalin doszedł do władzy, wysłał do Kurejki armię więźniów z rozkazem wyremontowania jego starej chałupy i obudowania wielką halą. Hala była rzęsiście oświetlona i reflektory przez całą dobę świeciły na chatę i ustawiony przed nią olbrzymi marmurowy pomnik Stalina. Którejś nocy, wiele lat po jego śmierci, po cichu zabrano stamtąd pomnik i zatopiono w rzece. Potem statki łukiem omijały to miejsce, żeby nad nim nie przepływać.

— Skąd ty wiesz takie rzeczy? — zdziwił się Arkadij.

— Jak myślisz, jak Żyd może zostać Sybirakiem? Mój ojciec pracował przy wznoszeniu hali. — Izrail przygryzł sobie kosmyk włosów z brody i konfidencjonalnym tonem dodał: — Od razu cię nie zakapuję. Dam ci jeszcze ze dwa dni.

◆ ◆ ◆

Po drodze do radiowęzła Arkadij usłyszał śpiew, który bardzo przypominał głos z taśmy Ziny. Piosenka śpiewana przy akompaniamencie gitary dochodziła zza drzwi izby chorych, ale tęskny głos nie należał do doktora Vainu.

Na dalekim spienionym morzu
Korsarska brygantyna żagle stawia.

Była to stara pieśń włóczęgowska, choć włóczęga musiał być nieźle urżnięty i ledwo stać na nogach, żeby zawodzić coś równie ckliwego.

Piracka bandera powiewa na wietrze,
Kapitan Flint ze swoimi też śpiewa.
Dzwoni w naszych dłoniach szkło,
My też zaczynamy naszą śpiewkę.

Arkadij wszedł do izby chorych i śpiew raptownie się urwał.

— Jasna cholera, myślałem, że zamknąłem — warknął doktor Vainu. Zrobił kilka szybkich kroków, by zagrodzić drogę Arkadijowi, ale nie zdążył zasłonić sobą czerwonego zadka Olimpiady Bowiny, która pośpiesznie skryła się w gabinecie lekarskim. Lekarz miał lekko zmierzwione włosy i był ubrany w cywilne ciuchy i kapcie, które w pośpiechu pomylił i założył lewy na prawą i odwrotnie. Arkadij pomyślał, że Bowina i Vainu tworzą parę jak walec parowy i wiewiórka.

— Nie możesz tak sobie tu wchodzić — zaperzył się Vainu.

— Ale już wszedłem. — W poszukiwaniu śpiewaka Arkadij zajrzał do sali operacyjnej. Stół operacyjny był przykryty prześcieradłem, na blacie wciąż stało pudło z rzeczami Ziny.

— Tu jest punkt pomocy medycznej — oświadczył nieodstępujący go na krok Vainu, który nerwowo sprawdził sobie suwak przy spodniach.

Przy stole stała stalowa taca ze zlewką i dwiema szklaneczkami. Sądząc po gryzącej woni w powietrzu, w zlewce był jakiś mocny alkohol, obok leżał niedojedzony baton czekoladowy z kremowym nadzieniem. Arkadij położył dłoń na prześcieradle. Było jeszcze ciepłe. Jak maska samochodu, którym przed chwilą jeżdżono.

— Nie możesz się tak tu wdzierać — powtórzył Vainu ze słabnącym przekonaniem. Oparł się plecami o blat i dla uspokojenia nerwów zapalił papierosa. Na blacie obok pudła z rzeczami Ziny stał nowiutki japoński magnetofon kasetowy z miniaturowymi kolumienkami. Arkadij nacisnął klawisz „rewind", potem „play". „...bandera powiewa na wietrze". Nacisnął „stop" i bąknął „przepraszam".

Głos na pewno nie należał do tamtego śpiewaka.

* * *

Z pomocą kabli telefonicznych i fal radiowych tubalny głos pułkownika Pawłowa-Załygina bez trudu pokonywał tysiące kilometrów dzielące Odessę od „Gwiazdy Polarnej". Brzmienie jego spokojnego barytonu uzmysłowiło Arkadijowi, że nawet jeśli jednolity lód rzeczywiście przesuwa się po Morzu Beringa w kierunku południowym, w Gruzji wciąż trwa wyciskanie moszczu z winogron, a po Morzu Czarnym kręcą się jeszcze statki wycieczkowe z ostatnimi turystami sezonu.

Pułkownik był chętny do pomocy koledze z Dalekiej Północy, mimo iż wymagało to pogrzebania w starych aktach.

— Patiaszwili? Znałem tę sprawę, tylko szefowie zrobili się ostatnio strasznie nieufni. Prawnicy we wszystko wtykają nos, oskarżają nas o nadużycie władzy i chcą kwestionować najuczciwsze wyroki. Wierz mi, kolego, że na morzu masz lepiej. Zajrzę do papierów i oddzwonię.

Arkadij pamiętał, że inne statki monitorujące ten kanał słyszą wszystko, co mówi pułkownik. Uznał, że im mniej będzie tych rozmów, tym lepiej, nie mówiąc już o tym, że nie było gwarancji, iż jego rozmówca dotrzyma obietnicy. Nikołaj wpatrywał się w wahające się wskaźniki sygnału, czemu towarzyszyło narastanie i opadanie siły głosu pułkownika.

— To przez tę pogodę — wyjaśnił. — Odbiór się pogarsza.

— Nie mam na to czasu — powiedział Arkadij do słuchawki.

— Doszło do tego, że kryminaliści piszą do gazet, a te drukują ich listy — poskarżył się Pawłow-Załygin. — Na przykład „Litieraturnaja Gazieta".

— Patiaszwili nie żyje — rzekł Arkadij.

— No cóż — powiedział z wahaniem pułkownik. — Daj mi pomyśleć.

Każde przejście z odbioru na nadawanie dzieliła czterosekundowa przerwa, co jeszcze bardziej utrudniało porozumienie. Zamiast mikrofonu radio było wyposażone w zwykłą słuchawkę telefoniczną z mikrotelefonem ozdobionym staromodnym wizerunkiem stokrotki. Patrząc na nią, Arkadij pomyślał, że wszystko, co nowoczesne w elektronice „Gwiazdy Polarnej", mieści się w pakamerze Hessa.

— Tak naprawdę nie była o nic oskarżona — powiedział w zadumie Pawłow-Załygin. — Nie znaleźliśmy niczego, z czym można by pójść do sądu. Przeszukaliśmy jej mieszkanie, potrzymaliśmy ją w areszcie, ale nie udało nam się zebrać wystarczająco dużo, żeby ją postawić w stan oskarżenia. Ale poza tym cała akcja zakończyła się pełnym sukcesem.

— Jaka akcja?

— Pisali o tym w gazetach, nawet w „Prawdzie" — powiedział z dumą pułkownik. — To była międzynarodowa operacja. Pięć ton gruzińskiego haszyszu miało popłynąć radzieckim frachtowcem z Odessy do Montrealu. Wysokiej jakości towar sprasowany w cegiełki, które załadowano do kontenerów z „wełnianym runem". Nasi celnicy wykryli narkotyk jeszcze w porcie. Zwykle w takich sytuacjach od razu dokonujemy aresztowań i niszczymy towar, ale tym razem zapadła decyzja o włączeniu w to Kanadyjczyków i przeprowadzeniu aresztowań po obu stronach.

— Coś w rodzaju joint venture.

— Właśnie. Akcja zakończyła się wielkim sukcesem. Musiałeś chyba... o tym.

— Tak. Ale jaki to miało związek z Ziną Patiaszwili?

— Mózgiem całej operacji był jej kochaś. Przez sześć miesięcy pracowała w kambuzie tego frachtowca. Tak naprawdę był to jedyny statek, na jakim w ogóle pracowała. Widziano ją na nabrzeżu w chwili załadunku towaru, ale...

Trzaski wzmogły się, a wskazówka mocy sygnału na moment opadła do końca skali.

— ...do prokuratora. Mimo to kazaliśmy jej wynieść się z miasta.

— A pozostali oskarżeni nadal siedzą?

— W łagrach o zaostrzonym rygorze, tak. Wiem, była amnestia, ale nie taka jak za czasów Chruszczowa, kiedy wszystkich się wypuszczało. Nie, kiedy...

— Tracimy łączność — odezwał się Nikołaj.

— Powiedziałeś, że tylko sześć miesięcy pracowała na frachtowcu, ale z jej książeczki marynarskiej wynika, że trzy lata pływała na statkach floty czarnomorskiej.

— Wtedy nie była zatrudniona w kambuzie. Wtedy... ona... rekomendacje i wszystkie tytuły...

— To co tam robiła?

— Pływała. — Nagle głos pułkownika zabrzmiał głośno i czysto. — Jako reprezentantka floty czarnomorskiej brała udział w różnych zawodach. Wcześniej pływała w reprezentacji swojej szkoły zawodowej. Niektórzy nawet mówili, że gdyby umiała narzucić sobie właściwy reżim, to miała szansę wystartować na olimpiadzie.

— Niewysoka, ciemne włosy tlenione na blond? — Arkadijowi trudno było uwierzyć, że rozmawiają o tej samej dziewczynie.

350

— Ta sama, tylko wtedy miała po prostu ciemne włosy. Atrakcyjna... tani... zagraniczne... Halo...? Powt...

Głos pułkownika był jak statek, który podczas sztormowej pogody ukazuje się i znika, by ostatecznie rozpłynąć się we mgle.

— Połączenie zerwane — powiedział Nikołaj, wpatrując się w drgającą wskazówkę.

Arkadij odłożył słuchawkę i rozparł się na krześle, porucznik wlepił w niego pełne niepokoju spojrzenie. I trudno było się dziwić. Co innego, kiedy jurny radiotechnik wprowadza na tajne stanowisko nasłuchu uczciwą obywatelkę po to, by ją uwieść, a co innego, kiedy udostępnia je zdeklarowanemu wrogowi klasowemu.

— Przepraszam — wyjąkał drżącym głosem. — Chciałem zawołać pana wcześniej, kiedy odbiór był dużo lepszy, ale zrobiło się straszne zamieszanie wokół utraconego trału i trzeba było łączyć się z Seattle i z szefostwem floty. Chodziło o ostatnią sieć z „Wesołej Jane".

— Thorwald?

— Ten Norweg, tak. Obwinia nas, a my jego, bo próbował nam przekazać sieć z ładunkiem ryb przekraczającym górną granicę bezpieczeństwa. Urwało się wszystko wraz z osprzętem. Podobno przy tym stanie morza nie ma szans na odzyskanie, a w dodatku „Wesoła Jane" musi wrócić do Dutch Harbor.

— Czyli został nam już tylko „Orzeł"?

— Spółka już wysłała trzy nowe trawlery, które mają do nas dołączyć. Nie dopuszczą, żeby taka przetwórnia jak nasza musiała polegać tylko na jednym kutrze.

— Zina opowiadała ci o swoim pływactwie?

Nikołaj odchrząknął nerwowo.

— Powiedziała tylko, że umie pływać.

— Czy wtedy w Złotym Rogu widziałeś kogoś, kogo później spotkałeś na statku?

— Nie. Proszę pana, chciałbym spytać o pański raport. Co pan o mnie napisze? Bo wygląda na to, że pan wszystko wie.

— Gdybym wszystko wiedział, tobym nie zadawał pytań.

— Tak, tak, ale czy wymieni mnie pan w swoim raporcie? — Nikołaj pochylił się do przodu. Arkadij pomyślał, że pewnie należał do tych, którzy w szkole próbują odczytywać swoje oceny do góry nogami w dzienniku klasowym. — Nie mam prawa prosić, ale błagam, żeby wziął pan pod uwagę to, co się ze mną stanie, jeśli w raporcie znajdą się oskarżenia pod moim adresem. Nie chodzi tylko o mnie. Matka pracuje w fabryce konserw. Wysyłam jej bele sukna marynarskiego, a ona z tego szyje spodnie i spódnice i sprzedaje znajomym. Dzięki temu jakoś sobie radzi. Żyje tylko dla mnie i taka sprawa by ją zabiła.

— Chcesz mi powiedzieć, że jeśli matka umrze przez twoje złamanie dyscypliny służbowej, będzie to moja wina?

— Skąd, oczywiście, że nie, nic podobnego.

Po powrocie do Władywostoku i tak przesłuchają taśmy Ziny, i to bez względu na to, co się stanie z Arkadijem. Już za samo wprowadzenie jej do komory łańcuchowej porucznikowi groził areszt.

— Myślę, że przed powrotem do domu powinieneś szczerze porozmawiać z Hessem — powiedział. Miał już dość i chciał jak najszybciej stąd wyjść. — Zobaczymy, jak to się skończy.

— Pamiętam jeszcze coś w sprawie pieniędzy — dodał pospiesznie Nikołaj. — Zina nigdy o nie nie prosiła, za to zawsze prosiła o kartę, o damę kier. Nie jako zapłatę, ale...

— Pamiątkę?

— Poszedłem do oficera rozrywkowego i poprosiłem o talię kart. Nie uwierzy pan, ale na całym statku jest tylko jedna talia.

I brakowało w niej damy kier. Ale po tym, jak się wtedy uśmiechnął, domyśliłem się, że wie.

— A kto jest u nas oficerem rozrywkowym? — spytał Arkadij. Wiedząc, że to najniżej notowane stanowisko oficerskie na statku, właściwie z góry znał odpowiedź.

— Sław Bukowski.

No oczywiście.

Rozdział 25

Sław siedział na górnej koi w swojej kajucie, na uszach miał słuchawki walkmana i grał na ustniku saksofonu, wybijając rytm bosymi stopami. Arkadij usiadł cicho przy stoliku, jakby był spóźnionym słuchaczem, który wchodzi na salę w trakcie koncertu. W kajucie świeciła się tylko jedna osłonięta abażurem lampka na biurku i w jej blasku widać było wyposażenie oficerskiej kwatery: biurko, regał z książkami, sięgająca do pasa lodówka i zegar w hermetycznej obudowie, jakby kajucie Sława w pierwszej kolejności groziło zalanie. Arkadij postanowił nie okazywać Sławowi nadmiernego lekceważenia, pamiętając, że jak dotąd tylko jemu udało się ukryć związek z Ziną. Na regale stała typowa literatura oficera rozrywkowego: opisy popularnych gier towarzyskich i śpiewniki z lubianymi piosenkami, ale także opasłe tomy z myślami Lenina i broszury o napędach dieslowskich. Dzielący ze Sławem kajutę drugi oficer szykował się do egzaminu na patent pierwszego oficera.

Sław wydymał policzki, przymykał oczy i kołysząc się do taktu, wydobywał z ustnika skrzekliwe dźwięki. Na ścianie wisiał kalendarz, fotografia grupy chłopców otaczających motocykl z przyczepką i siedzącym w niej Sławem oraz lista tegorocznych haseł pierwszomajowych. Hasło numer czternaście o treści: „Zatrudnieni w sektorze rolno-przemysłowym! Waszym patriotycznym obowiązkiem jest pełne zaopatrzenie kraju w żywność w możliwie najkrótszym czasie!" było podkreślone.

Trzeci oficer ściągnął z uszu słuchawki, wydobył z ustnika ostatni żałosny skrzek, wyjął go z ust i dopiero teraz spojrzał na Arkadija.

— *Back in the USSR* — powiedział. — Beatlesi.

— Rozpoznałem. — Arkadij skinął głową.

— Potrafię zagrać na każdym instrumencie. Wymień jakiś instrument.

— Cytra.

— Jakiś typowy instrument.

— Lutnia, lira, stalowy werbel, sitar, fletnia pana, chiński czong czai?

— Przecież wiesz, o co mi chodzi.

— Akordeon?

— Umiem. Umiem też na syntezatorze, na perkusji, na gitarze. — Sław obrzucił Arkadija podejrzliwym spojrzeniem. — Czego chcesz?

— Pamiętasz to pudło z rzeczami Ziny, które zabrałeś z jej kajuty? Miałeś okazję przejrzeć jej notatnik?

— Nie. Nie miałem czasu, bo tego samego dnia musiałem przesłuchać setkę ludzi.

— Pudło nadal leży w izbie chorych. Właśnie skończyłem badać jej notatnik pod kątem odcisków palców i zrobiłem to dokładniej niż za pierwszym razem. Są w nim odciski Ziny i twoje. Porównałem je z odciskami na znalezionym przez ciebie liście pożegnalnym.

— To pewnie zajrzałem do jej durnego notatnika. Ale żałuj, bo należało mnie zapytać przy świadku. A w ogóle to co ty sobie myślisz, włócząc się po statku i nie pokazując w pracy?

— Nie ma tam teraz zbyt wiele do roboty. Załoga nawet tego nie odczuje.

— Dlaczego kapitan na to pozwala?

Arkadija też to zastanawiało.

— To trochę jak z *Rewizora*. Pamiętasz sztukę o cwaniaku, który przyjeżdża do miasteczka i wszyscy go biorą za carskiego wysłannika? Także morderstwo wszystko zmienia. Nikt nie bardzo wie, jak się zachować, zwłaszcza od kiedy zabrakło Wołowoja. Dopóki nie zacznę otwarcie działać wbrew poleceniom, mogę je przez jakiś czas ignorować. Przynajmniej dopóki ludzie nie będą pewni, co naprawdę wiem. Wszyscy się boją.

— Czyli rzecz sprowadza się do niepoddania się twojemu blefowi?

— W dużej mierze.

Sław wyprostował się na koi.

— Zatem mogę teraz pójść na mostek i zameldować kapitanowi, że pewien marynarz drugiej klasy obija się i nęka załogę pytaniami, których nie wolno mu zadawać, czy tak?

— Wygodniej ci się pójdzie, jak włożysz buty.

— Masz to jak w banku.

Sław schował ustnik do kieszonki koszuli i lekko zeskoczył na podłogę. Arkadij wyciągnął rękę i patrząc, jak trzeci oficer wciąga buty, przysunął bliżej stojącą na biurku popielniczkę

— Będziesz tu czekał?

— Nie ruszę się stąd.

Sław zarzucił na ramiona bluzę od dresu.

— Mam coś jeszcze mu powiedzieć?

— Opowiedz mu o sobie i Zinie.

Sław trzasnął drzwiami i Arkadij został sam.

Wyjął z kieszeni spodni papierosa i sięgnął po kartonową paczuszkę zapałek w pojemniku na ołówki. Na paczuszce widniało fantazyjnie owinięte szarfą słowo „Prodintorg". O ile pamiętał, centrala handlu zagranicznego Prodintorg zajmowała się eksportem zwierząt i produktów pochodzenia zwierzęcego: ryb, krabów, kawioru, koni wyścigowych, bydła rzeźnego i zwierząt do ogrodów zoologicznych, hurtowo podchodząc do cudów natury. Ledwo zdążył zapalić, gdy drzwi się otworzyły i stanął w nich Sław.

— O co ci chodziło z tą Ziną?

— O twój związek z nią?

— Znów coś zmyślasz.

— Nie.

Lata zginania karku przed władzą na każdym odciskają swe piętno. Ze Sława uszło powietrze, usiadł na górnej koi i ukrył twarz w dłoniach.

— O Boże! Jak mój ojciec się o tym dowie...

— Nie musi, ale ty musisz opowiedzieć mnie.

Sław uniósł głowę, zamrugał oczami i zaczął głośno i głęboko dyszeć jak ktoś, kto nie może złapać tchu.

— On mnie zabije.

Arkadij postanowił przyjść mu z pomocą.

— Myślę, że raz czy dwa próbowałeś mi o tym powiedzieć, ale ja nie byłem na tyle mądry, żeby cię usłyszeć. Nie mogłem na przykład dojść, jak to się stało, że Zinie udało się trafić na ten statek. Bo posiadanie takich chodów w kierownictwie floty to coś niezwykłego.

— Och, na swój sposób próbował mi pomagać.

— Twój ojciec? — Arkadij uniósł paczuszkę zapałek.

— Jest wiceministrem. — Sław zamilkł i na chwilę zapadła cisza. — Zina uparła się, że musi się dostać na ten statek, bo chce być blisko mnie. Żałosne! Gdy tylko wypłynęliśmy z portu, wszystko się skończyło. Zachowywała się tak, jakbyśmy się w ogóle nie znali.

— Najpierw załatwił twoje zamustrowanie na „Gwieździe

357

Polarnej", a potem, na twoją prośbę, użył swoich wpływów, żeby wcisnąć też Zinę, czy tak?

— Ojciec nigdy niczego nie nakazuje. Dzwoni do kapitanatu portu i pyta, czy coś stoi na przeszkodzie, żeby takiego a takiego umieścić tu i tu, i czy nie dałoby się czegoś w tej sprawie zrobić. Mówi tylko, że ministerstwo interesuje ta sprawa, i wszyscy wiedzą, o co chodzi. Tak było ze wszystkim: odpowiednią szkołą, odpowiednim nauczycielem, służbowym samochodem do odwożenia mnie do domu. Powiem ci, że po raz pierwszy potknął się o pierestrojkę, kiedy nie udało mu się umieścić mnie we flocie bałtyckiej i musiał zgodzić się na flotę Pacyfiku. To dlatego Marczuk tak mnie nie znosi. — Sław zapatrzył się w mrok, jakby widział siedzącego przy biurku ducha z baterią telefonów pod ręką. — Nigdy nie miałeś takiego ojca.

— Miałem, tylko ja swojego zawiodłem wcześniej i w większym stopniu — uspokoił go Arkadij. — Wszyscy popełniamy błędy. Nie mogłeś wiedzieć, że już sprawdzałem pod materacem Ziny, gdzie rzekomo znalazłeś ten jej list pożegnalny. Czy może należałoby powiedzieć: gdzie podrzuciłeś notkę, którą wydarłeś z notatnika zabranego z innymi rzeczami. Coś mnie zaćmiło, że od razu na to nie wpadłem. Czy w notatniku było coś jeszcze, czego nie widziałem?

— Więcej notek samobójczych. — Sław zachichotał nerwowo. — Po dwie, trzy na każdej stronie. Wszystkie wyrzuciłem. Bo ile razy można się zabijać?

— I potem grasz na zabawie ze swoim zespołem i patrzysz, jak kobieta, której pomogłeś dostać pracę na pokładzie, tańczy z amerykańskim rybakiem, zupełnie cię ignorując.

— Nikt o tym nie wiedział.

— Ale ty wiedziałeś.

— Byłem wściekły. Podczas przerwy poszedłem na papierosa do kambuza, żeby jej nie spotkać. Kiedy siedziałem w kambuzie, Zina weszła i wyszła, ale nawet na mnie nie spojrzała. Nie mogła mnie już wykorzystać, więc przestałem dla niej istnieć.

— W twoim raporcie tego nie było.

— Nikt nas nie widział. Któregoś razu zaczepiłem ją w mesie, bo chciałem z nią porozmawiać, a ona oświadczyła, że jeśli jeszcze raz się do niej zbliżę, pójdzie na skargę do kapitana. Dopiero wtedy się kapnąłem, że między nimi coś jest. Między naszym wielkim kapitanem a Ziną. A jeśli mu o mnie opowiedziała? Nie byłem taki głupi, by rozgłaszać, że mogłem być ostatnim, który ją widział żywą.

— A byłeś?

Sław rozkręcił ustnik i przyjrzał się stroikowi.

— Pęknięty. Najpierw człowiek się natrudzi, żeby kupić saksofon, a jak już się uda, to nigdzie nie można dostać stroików. Tak czy inaczej, trzymają cię w garści. — Ostrożnie wpasował stroik w ustnik, jak jubiler montujący drogocenny kamień. — Nie wiem. Widziałem, jak z gara na zupę wyjęła jakąś plastikową torbę. Była cała oklejona taśmą. Schowała ją pod kurtkę i bez słowa wyszła. Dużo się nad tym zastanawiałem. Myślę, że ludzie na pokładzie widzieli ją już później, ale nikt nie wspomniał ani o kurtce, ani o torbie. Żaden ze mnie detektyw.

— Jak duża była ta torba? W jakim kolorze?

— Z tych większych. Czarna.

— No widzisz, to zapamiętałeś. Jak ci idzie pisanie raportu w sprawie Wołowoja?

— Właśnie nad nim pracowałem, kiedy tu wszedłeś.

— Po ciemku?

— Ma to jakieś znaczenie? Co ja tam mogę napisać, żeby wszyscy uwierzyli? O ile wiem, jest jakiś sposób na sprawdzenie zawartości płuc. Można się wtedy przekonać, czy śmierć naprawdę nastąpiła w wyniku pożaru, prawda? — Parsknął ironicznym śmiechem. — Marczuk mówi, że jeśli się dobrze sprawię, to poprze moją kandydaturę do szkoły partyjnej, a to nic innego jak danie mi do zrozumienia, że nigdy się nie dochrapię stopnia kapitana.

— Może dla ciebie lepiej. A do ministerstwa byś nie chciał?

— Żeby podlegać ojcu? — Ton, jakim to powiedział, starczył za odpowiedź.

— A muzyka?

Zapadło milczenie i dopiero po chwili Sław zaczął mówić.

— Zanim przenieśliśmy się do Moskwy, mieszkaliśmy w Leningradzie. Znasz trochę Leningrad?

Nigdy wcześniej nie dotarło do Arkadija, jak obco musi się czuć Sław. Siedzący przed nim młodzieniec był ukształtowany do pracy w wyłożonym dywanem gabinecie z widokiem na Newę, nie na północny Pacyfik.

— Tak.

— Znasz zespół boisk do koszykówki w pobliżu Newskiego? Nie? No więc kiedy miałem pięć lat, na jednym z tych boisk zobaczyłem czarnych Amerykanów, grających w kosza. Nigdy w życiu czegoś takiego nie widziałem. Równie dobrze mogli być przybyszami z innej planety. Wszystko, co robili na boisku, było jakieś inne. To, z jaką łatwością trafiali do kosza, jak głośno i serdecznie się śmiali, że aż musiałem zatykać sobie uszy. I nawet nie byli drużyną koszykówki. Byli muzykami, którzy mieli wystąpić w Domu Kultury, ale ich koncert odwołano, bo okazało się, że grają jazz. Więc zamiast grać koncert, poszli pograć w koszykówkę. Patrzyłem na nich i wyobrażałem sobie, jak muszą grać na instrumentach. Jak czarne anioły.

— A jaką muzykę ty grałeś?

— Rocka. W liceum mieliśmy szkolny zespół. Pisaliśmy własne piosenki, ale wszystkie były cenzurowane w Domu Twórczości Artystycznej.

— Musiałeś być popularny.

— Byłem dość zbuntowany przeciw władzy. Zawsze byłem liberałem. Ale idioci na tym statku nie potrafią tego pojąć.

— I tak poznałeś Zinę? Na zabawie? Czy może w restauracji?

— Nie. Znasz Władywostok?

— Z grubsza, tak jak Leningrad.

— Władywostoku nienawidzę. Koło stadionu jest plaża, gdzie latem wszyscy się kąpią. Wiesz, jak to wygląda. Pomost pełen ręczników, nadmuchiwanych materacy, szachownic, olejków do opalania i przykładów ludzkiej anatomii, których wolałbyś nie oglądać.

— To nie dla ciebie?

— Nie, dziękuję. Wypożyczyłem sześciometrową żaglówkę i wybrałem się na zatokę. Ze względu na wyznaczony tor wodny dla marynarki wojennej trzeba się trzymać dość blisko plaży. Oczywiście większość kąpiących nie wchodzi do wody dalej niż do pasa i nie wypływa dalej niż do boi, a już na pewno nie wykracza poza linię łodzi ratowników. Na brzegu hałas jest taki, że można zwariować: wrzaski kąpiących się, chlapanie wody, gwizdki ratowników. Dlatego wypłynięcie na zatokę stanowiło ucieczkę od tego wszystkiego. Ale w wodzie była też jedna pływaczka, pływająca z taką swobodą i wypływająca tak daleko, że nie sposób było jej nie zauważyć. Żeby ominąć ratowników, musiała przepłynąć niezły kawał pod wodą. Tak się na nią zapatrzyłem, że zgubiłem wiatr i żagiel zaczął łopotać. Z bocznej burty zwisał kawałek liny i ta pływaczka uczepiła się jej i wgramoliła na pokład. Zupełnie jakby to było wcześniej uzgodnione. Potem położyła się na pokładzie i zdjęła czepek. Wtedy miała bardzo ciemne włosy, prawie czarne. Wiesz, jak kropelki wody potrafią błyszczeć w słońcu? Na niej błyszczały tak, jakby cała była obsypana diamencikami. Śmiała się przy tym tak, jakby wejście na łódkę kogoś zupełnie nieznajomego było najzwyklejszą rzeczą pod słońcem. Pływaliśmy przez całe popołudnie, potem powiedziała, że chce ze mną pójść do dyskoteki, tylko że spotkamy się już na miejscu. Nie chciała, żebym po nią przyjeżdżał. Potem dała nurka do wody i tyle ją widziałem. Po dyskotece poszliśmy trochę połazić po górkach. Nigdy nie chciała, żebym po nią przyjeżdżał albo ją odwoził do domu. Sądziłem, że pewnie wstydzi się biedy. Po akcencie wiedziałem, że jest Gruzinką, ale w niczym mi to nie przeszkadzało. Mogłem jej wszystko mówić i wszystko rozumiała. Gdy myślę o tym teraz, to uprzytamniam sobie, że w ogóle nie mówiła nic o sobie. Powiedziała tylko, że ma książeczkę marynarską i chciałaby popłynąć ze mną na „Gwieździe Polarnej". Wystrychnęła mnie na dudka, a ja sam się o to prosiłem. Wszystkich wywiodła w pole.

— Kto, według ciebie, ją zabił?

— Nie wiem, ktoś. Ja się tylko bałem, że dochodzenie prędzej czy później wskaże na mnie, a to znaczy, że jestem nie tylko głupcem, ale i tchórzem. Nie sądzisz?

— Sądzę. — Arkadijowi trudno było się nie zgodzić. — A ta woda w zatoce była zimna?

— Tam gdzie pływała? Lodowata. — Siedząc w mroku na górnej koi, Sław wyglądał jak zawieszony w powietrzu.

— Powiedziałeś, że to dopiero twój drugi rejs w życiu — rzekł Arkadij.

— Tak.

— Poprzedni też pod dowództwem kapitana Marczuka?

— Tak.

— Czy na „Gwieździe Polarnej" jest ktoś, z kim już wcześniej pływałeś?

— Nie. — Sław się zawahał. — Znaczy nikt z oficerów. Z innych tylko Karp i Paweł. Będzie z tego smród?

— Obawiam się, że będzie.

— Nigdy wcześniej nie brałem udziału w żadnych aferach. Brakło mi odwagi. To dla mnie coś zupełnie nowego, całkiem nieznany teren. Co masz zamiar teraz zrobić?

— Pójść spać.

— Jest jeszcze wcześnie.

— Cóż, kiedy ma się kłopoty, nawet położenie się do łóżka może być ekscytujące.

* * *

Po wyjściu na pokład Arkadij poczuł, że statek płynie z wiatrem, co znaczyło, że Marczuk odprowadził „Wesołą Jane" do krawędzi pola lodowego i zmienił kurs na północny, znów w głąb jednolitego lodu. Padający deszcz powodował, że bryły lodu wokół „Gwiazdy Polarnej" lśniły niebieskawo, jakby były pod prądem. Arkadij stanął w cieniu, odczekując na oswojenie się wzroku.

Sław najwyraźniej nic nie wiedział o pracy Ziny w Złotym Rogu ani o jej mieszkaniu, dokąd zabrała Nikołaja i Marczuka. Wynikało z tego, że Sława od początku traktowała inaczej. Nie dla niego była hałaśliwa marynarska knajpa i mieszkanie z nielegalnym arsenałem, który mogłyby wystraszyć ostrożnego trzeciego oficera. Przed wejściem na jego żaglówkę mogła go nigdy wcześniej nie widzieć, ale na pewno znał go bosman połowowy.

Arkadij miał świadomość, że Karp w każdej chwili może zaatakować, skacząc skądś z góry lub wyskakując z jakiejś dziury. „Spokojnie", powiedział mu na powitanie. Dlaczego jeszcze go nie zabił? Bo nie z racji jego sprytu czy szczęścia. Oficerowie kręcili się w pobliżu sterówki, ale mroczne korytarzyki i zakamarki oraz śliskie pokłady stanowiły teren bosmana i Karp mógł bez trudu spowodować, że Arkadij nagle zniknie bez śladu. Każdy dzień życia od opuszczenia Dutch Harbor był właściwie dniem podarowanym. Arkadij sądził, że żyje tylko z jednego powodu: śmierć trzeciego członka załogi byłaby dla Władywostoku nie do przełknięcia i „Gwiazdę Polarną" zapewne wezwano by do natychmiastowego powrotu do portu macierzystego. Kiedy jakiś statek wracał z rejsu w aurze podejrzeń, po zawinięciu do portu władzę na pokładzie przejmowała straż graniczna. Całą załogę trzymano w kajutach w areszcie domowym, a statek poddawano drobiazgowej kontroli. Ale jednocześnie Arkadij wiedział, że Karp musi się go pozbyć. Na chwilę obecną dylemat bosmana połowowego sprowadzał się do tego, czy już załatwić Arkadija, czy jeszcze poczekać. Na razie czekał, najwyraźniej doszedł do wniosku, że nie musi się spieszyć. W końcu cóż takiego może Arkadij opowiedzieć Marczukowi, by jednocześnie nie skierować podejrzeń na siebie? W dodatku Karp miał świadków, którzy zeznają, że w chwili śmierci pierwszego oficera był zupełnie gdzie indziej. I dlatego, mimo owego „spokojnie", Arkadij przemykał po pokładzie od jednej plamy światła do następnej, jakby łączył punkty na rysunku.

Załoga już udała się na spoczynek i w kajucie Arkadija tylko Obidin jeszcze nie spał.

— Mówi się, Arkadij, że mają przysłać po ciebie statek. Mówią, że jesteś z Czeka. — Czeka była zasłużoną poprzedniczką KGB. — Niektórzy myślą, że ty sam tego nie wiesz. — Broda Obidina była przesiąknięta wonią domowego piwa, jak oset zapachem pyłku.

Arkadij ściągnął buty i wspiął się na swoją koję.

— A ty jak myślisz? — zapytał.

— To głupcy, oczywiście. Tajemnicy ludzkiego losu nie da się określić w kategoriach politycznych.

— Nie przepadasz za polityką, co? — rzekł Arkadij, ziewając.

— Czarnej duszy polityka nie da się naprawić. Ale Kreml wkrótce dołączy do innego szatana.

— Jakiego innego szatana? Masz na myśli Amerykanów, Chińczyków, Żydów?

— Papieża.

— Zamknijcie się tam — zabrzmiał głos Gurija. — Ludzie próbują spać.

I całe szczęście, pomyślał Arkadij.

— Arkadij — odezwał się po chwili Kola. — Śpisz?

— Nie, a co?

— Zwróciłeś ostatnio uwagę na Nataszę? Jakoś bardzo wyładniała.

Rozdział 26

W marzeniu sennym Arkadij patrzył, jak Zina Patiaszwili wypływa w morze z plaży we Władywostoku. Było dokładnie tak, jak to opisał Sław, i tylko plażowiczami były foki, które wylegiwały się w słońcu, wyciągając głowy i patrząc na niego swymi orientalnymi oczami o długich rzęsach. Zina miała na sobie ten sam kostium kąpielowy, w którym paradowała po pokładzie tamtego słonecznego dnia. Te same ciemne okulary i jasnoblond włosy bez cienia odrostów. Dzień był piękny, sznury z bojami wytyczały fragment przeznaczony dla dzieci, z pobliskich nabrzeży ładunkowych nadpłynęły kawały drewna, na których chłopcy pływali jak na kajakach, staczając z sobą walki.

Daleko od brzegu widać było Zinę, która płynąc, mijała żaglówki, by po chwili przekręcić się na plecy i przyglądać porośniętemu zielenią brzegowi, biurowcom i rzymskim łukom stadionu Dynama. W każdym radzieckim mieście musiało być Dynamo, Spartak lub Torpedo. Czemu nigdzie nie występują takie nazwy jak Apatia czy Inercja?

Zina zanurkowała w spokojniejszej i chłodniejszej wodzie, gdzie promienie światła wpadały do wody pod kątem, jakby przedostając się przez żaluzje w oknie. Dotarła do głębi, gdzie woda była przejrzysta i czarna zarazem, i kilkoma silnymi pociągnięciami ramion osiągnęła miękkie i ciche dno zatoki. Tuż przed twarzą przemykały pojedyncze ryby, po bokach towarzyszyły jej całe ławice śledzi skrzących się jak sypiące się monety, błękitne smugi karboneli i rozpięty między dwiema wiązkami światła ruchomy cień, który zbliżał się z łoskotem pędzącego pociągu. Stalowa deska trałowa orała dno morskie, podrywając chmury brudu. Światła umieszczone na górnej krawędzi oślepiały, ale i tak było widać, jak przed dolną krawędzią dno eksploduje gejzerami mułu i falami ryb dennych, które próbują umknąć przed nacierającym z rykiem trałem. Prąd wody najpierw ją odepchnął, ale zaraz potem wciągnął w potężny wir i pchnął ku dudniącej tubalnie gardzieli z kotłującą się wewnątrz masą mułu i srebrzystych łusek.

Arkadij przebudził się i usiadł w ciemnościach tak zlany potem, jakby to on przed chwilą pływał w morzu. Powiedział Nataszy, że wystarczy widzieć to, co się ma przed oczami, i że nie potrzeba do tego geniusza. Jak można przemycać na otwartym morzu? Co naprawdę wciągano i oddawano po dwadzieścia razy dziennie? I gdzie Karp chował to, co dostawał? Odpowiedź znów nasunęła się sama: a gdzie na „Gwieździe Polarnej" go napadnięto?

◆ ◆ ◆

Tym razem Arkadij zabrał z sobą latarkę. Szczury uciekały przed światłem, chowając się w szpary między deskami, i podczas wędrówki po drabince otaczały go tylko czerwone punkciki ich oczu. Rury systemu chłodniczego w przedniej ładowni aż dzwoniły od setek biegających po nich szczurzych łapek. Dzięki latarce przynajmniej schodzenie było dużo sprawniejsze.

Ostrożnie zszedł na dno ładowni. Przypomniał sobie, jak

367

przy pierwszej bytności walił kawałkiem deski w ściany w nadziei, że w ten sposób wypłoszy z kryjówki tajemniczego porucznika wywiadu morskiego. Nie zdawał sobie sprawy, że robiąc to, zapewne stał na wieku skrzyni skarbów. W świetle latarki dojrzał ten sam kawałek deski, te same puszki po farbie i koc i ten sam szkielet kota co wtedy. Tyle że za pierwszym razem szkielet leżał na środku podłogi, teraz zaś szurnięto go w kąt. Na podłodze widać było ślady i zadrapania. Schylił się i ich dotknął. To nie były żadne zadrapania, tylko plamy wilgoci.

Pokrywa włazu w podłodze uniosła się i w otworze ukazała się głowa Pawła z brygady pokładowej Karpa. Chłopak ubrany był w kask ochronny i ociekającą wodą kurtkę, wysunął się do połowy, osłaniając sobie oczy przed blaskiem latarki Arkadija.

— Jeszcze tu jesteś? — zdziwił się.

W tym momencie musiał się jednak zorientować, że coś jest nie tak, bo szybko cofnął się, zamykając za sobą pokrywę. Słychać było, jak pospiesznie rygluje ją od środka.

Arkadij wszedł po drabinie na wyższy poziom, ale klapa była na głucho zamknięta. Czując, że serce mu wali jak więźniowi, który ostatkiem sił pokonuje kolejne szczeble do wolności, wspiął się na najwyższy poziom i rzucił do wyjścia. Kopnięciem otworzył klapę, dobiegł do schodów i ruszył nimi w dół. Gdy dotarł do klapy na poziomie dna ładowni, Pawła już nie było, ale widoczne na metalowym pokładzie mokre ślady wyraźnie wskazywały jego drogę ucieczki. Obok ciągnęły się też ślady pozostawione przez drugą parę mokrych butów.

Renko puścił się biegiem, starając się dogonić uciekających. Ślady kierowały się ku rufie, mijały ładownię numer dwa i ginęły na środkowej klatce schodowej, prowadzącej na pokład trałowy. Wyszedł nią tuż obok przedniego dźwigu, ale Paweł i jego towarzysz zdążyli już gdzieś się schować, a deszcz spłukał z pokładu ślady ich butów. Arkadij schował latarkę i wyjął z kieszeni nóż. Główne oświetlenie wyciągarki było wyłączone, palące się lampy na suwnicy bramowej oblepiała gruba warstwa lodu i majaczące przy końcu pokładu zejście na pochylnię rufową tonęło w mroku.

Teraz nie potrzebował już żadnych wskazówek, mimo że po raz pierwszy znalazł się w bezpośredniej bliskości pochylni. Lampy na suwnicy wydobywały z mroku chropowatą fakturę ścian bocznych i skorupę lodu na górnej krawędzi pochylni. Z każdym krokiem robiło się jednak coraz mroczniej, a kąt nachylenia pochylni stawał się coraz ostrzejszy. Gdzieś daleko w przodzie dziób statku walnął w wielką bryłę lodu i cała „Gwiazda Polarna" aż zadygotała, a w głębi części rufowej dźwięk uległ wzmocnieniu jak w pudle rezonansowym i zamienił się w przeciągły jęk. Na pochylnię wdarła się fala i cofając się z westchnieniem, zademonstrowała ten sam efekt audiomechaniczny, który powoduje, że muszla szumi, a ucho wewnętrzne odmierza bicie serca.

Gdyby Arkadij się poślizgnął, jedynym ratunkiem mogła być tylko bramka bezpieczeństwa, za którą pochylnia opadała wprost do wody. Wczepiony ze wszystkich sił w boczną ścianę, nagle poczuł, że podłoże pod jego nogami zaczyna opadać. Wysoko nad głową świeciła blado druga lampa i w jej blasku dostrzegł, że zaczepiony o hak na ścianie łańcuch połączony z bramką bezpieczeństwa napręża się i bramka zaczyna się otwierać. Nie zdążył uchwycić haka i zaczął się zsuwać. Początkowo niemal niedostrzegalnie, kiedy pierwszy milimetr tylko sygnalizuje grożące niebezpieczeństwo, potem jednak, w miarę zaostrzania się kąta, tempo zsuwania rosło. Z ramionami rozrzuconymi na boki i opuszczoną głową próbował rozpaczliwie wczepiać się palcami w lodową pokrywę, nie spuszczając wzroku ze zbliżającej się nieuchronnie spienionej linii wody. Usłyszał chrobot, jaki wydał jego zsuwający się nóż. Za

369

krawędzią pochylni rozciągała się zlewająca się z niebem czerń kilwateru, z dołu dochodził odgłos śrub, po bokach ciągnęły się lite okładziny z lodu. Wpatrzony w zbliżającą się wodną kipiel, nagle namacał dłonią biegnącą przy ścianie linę. Udało mu się owinąć ją sobie wokół przegubu, przestał się zsuwać i wtedy poniżej siebie dostrzegł mężczyznę w butach do kolan. Mężczyzna stał pewnie na stromiźnie pochylni jak wysokogórski wspinacz nad przepaścią i był przewiązany w pasie tą samą liną ratunkową.

Karp miał na sobie ciemny sweter i wełnianą czapkę zsuniętą nisko na krzaczaste brwi, w ręku trzymał coś jakby poduszkę.

— Już po wszystkim — powiedział, rzucając poduszkę za siebie. Musiała być czymś obciążona, bo chlupnąwszy do wody, natychmiast zaczęła tonąć. — Nasza fortuna. Nasze całe zakupy. Ale, niestety, masz rację. We Władywostoku rozpirzą ten statek na strzępy.

Korzystając z uwolnienia rąk, Karp odchylił się i zapalił papierosa. Wyglądał dość beztrosko, jak ktoś, komu właśnie ulżyło. Kilwater skrzył się błyskami luminescencji, które pojawiały się i rozpływały w ciemnościach. Arkadij dźwignął się na nogi.

— Wyglądasz mi na wystraszonego, Renko.

— Bo jestem

— Masz. — Karp przysunął się bliżej, podał mu zapalonego papierosa i zapalił dla siebie drugiego. Potem odwrócił twarz i spojrzał w górę pochylni. — Sam tu przyszłeś?

— Tak.

— To się jeszcze okaże.

Uwagę Arkadija przyciągnęły widoczne przez krople deszczu światła, które bujały się w oddali jak lampy na wietrze. „Orzeł" kołyszący się na falach jakieś dwieście metrów od nich.

— A jeśli to, co wyrzuciłeś, wpadnie im do sieci? — powiedział.

— „Orzeł" nie wlecze teraz sieci. Mają dość roboty z usuwaniem lodu z pokładu. Taki dodatkowy ciężar nad linią wody jest groźny dla małej łódki. Skąd wiedziałeś, że tu jestem?

Arkadij postanowił przemilczeć spotkanie z Pawłem.

— Chciałem obejrzeć miejsce, skąd Zina wpadła do wody.

— Stąd?

— Przed pójściem na tańce zostawiła kurtkę i torebkę albo tu, albo na podeście. Jak wyglądała w sieci?

Karp wolno zaciągnął się papierosem.

— Widziałeś kiedyś topielca? — zapytał.

— Tak.

— To wiesz. — Karp odwrócił głowę i wlepił wzrok w niknące w falach deszczu światła „Orła". Sprawiał wrażenie, jakby na kogoś czekał. — Morze jest niebezpieczne, ale powinnem ci być wdzięczny za wywalenie mnie z Moskwy. Bo ile ja mogłem trafić na alfonserce i obrabianiu frajerów? Dwadzieścia, trzydzieści rubli dziennie? Dla reszty świata ruble nawet nie są forsą.

— Ale ty nie mieszkasz w reszcie świata. W Związku Radzieckim rybacy bardzo dobrze zarabiają.

— I co z tego? Mięso na kartki, cukier na kartki. Pierestrojka to żarty. Jedyna różnica, że teraz wódka też na kartki. Kto jest kryminalistą? Kto przemytnikiem? Delegacje jeżdżą do Waszyngtonu i wracają z torbami pełnymi ciuchów, kosmetyków, żyrandoli. Sekretarz generalny zbierał szybkie samochody, jego córka kolekcjonowała diamenty. To samo w republikach. Jeden wódz partyjny ma pałac z marmuru, inny kufry tak wyładowane złotem, że nie da się ich ruszyć. Jeszcze inny ma tabun ciężarówek do wożenia maku, a konwoje ochraniają zmotoryzowane patrole milicji. Renko, ty jesteś jedyny, którego nie mogę rozgryźć. Jesteś jak taki lekarz w burdelu.

— Cóż, romantyk ze mnie. Więc chciałeś czegoś więcej, tylko dlaczego narkotyki?

Na ramionach Karpa zebrały się zamarznięte kropelki deszczu i ich wygląd skojarzył się Arkadijowi z widokiem komory mgłowej do demonstrowania toru biegu jonów.

— To jedyny sposób, w jaki robotnik może dojść do prawdziwej forsy, trzeba tylko nie pękać — rzekł Karp. — Rządy tak nienawidzą narkotyków, bo nie mają nad nimi kontroli. Trzymają łapę na handlu wódką i tytoniem, ale dragów nie kontrolują. Popatrz na Amerykę. Tam nawet czarni robią forsę.

— Myślisz, że w Związku Radzieckim też tak będzie?

— Już tak jest. Można kupić broń w bazie Armii Czerwonej, przemycić przez granicę i sprzedać Afgańcom, żeby mieli czym z nami walczyć. Duszmeni mają magazyny zawalone po dach koką. To lepsze niż złoto. Nowa waluta. Dlatego wszyscy tak się boją weteranów. Nie dlatego, że to narkomani, ale dlatego, że wiedzą, co jest grane.

— Ale ty nie należysz do potężnej afgańskiej siatki — rzekł Arkadij. — Ty pewnie handlujesz tylko syberyjską *anaszą*. Jaki kurs obowiązuje przy waszej wymianie sieci?

Twarz Karpa rozjaśnił połyskujący złotem uśmiech.

— Parę cegieł naszych za łyżeczkę ich. Można by pomyśleć, że nas cyckają, ale wiesz, po ile chodzi gram kokainy na polu naftowym na Syberii? Pięćset rubli. Skapowałeś, że chodzi o sieci. Bystry jesteś.

— Nie rozumiem tylko, jak ci się udało przemycić *anaszę* przez kontrolę graniczną i wnieść na pokład „Gwiazdy Polarnej".

W głosie bosmana pojawiły się i duma, i chęć do zwierzeń, i niemal żal, że nie mogą się teraz rozsiąść wygodnie i jak dwaj kumple pogadać przy butelce. Arkadij wiedział, że jego rozmówca cały czas gra, napawając się poczuciem całkowitej kontroli nad sytuacją.

— To ci się spodoba — powiedział. — Co bosman połowowy może zamawiać z potrzebnych mu rzeczy? Sieć, igły, klamry, sznury. Wiadomo, że zaopatrzenie zawsze próbuje wciskać najtańszy szajs. A z czego się robi najtańszy sznur?

— Z konopi. — Funkcjonowały legalne uprawy mandżurskich konopi, z których robiono sznury i materiały uszczelniające; *anasza* była tylko wzmocnioną, zapyloną wersją produktu otrzymywanego z tych samych krzewów. — Schowałeś *anaszę* w sznurze, konopie w konopiach. — Arkadij nie potrafił ukryć podziwu.

— I w ten sposób wymieniamy gówno na złoto. Dwa kilogramy są warte milion rubli.

— Ale teraz będziesz musiał kiblować następne sześć miesięcy, żeby przemycić kolejny ładunek.

— Niestety, to wpadka. — Karp popatrzył w zadumie na pochylnię. — Nie tak bolesna jak ta, która czeka ciebie, ale wpadka. Mówisz, że przyszłeś tu w lejącym deszczu w środku nocy tylko po to, żeby obejrzeć miejsce wypadku Ziny? Jakoś ci nie wierzę.

— A wierzysz w sny?

— Też nie.

— Ani ja.

— Wiesz, dlaczego zabiłem tego sukinsyna w Moskwie? — Karp zmienił nagle temat.

— Tego z prostytutką na bocznicy kolejowej?

— Tego, za którego mnie dorwałeś, tak.

— Czyli to jednak nie był wypadek. Zrobiłeś to celowo?

— To było dawno, piętnaście lat temu. Nie możesz mnie po raz drugi ścigać.

— Więc dlaczego go zabiłeś?

— Wiesz, kto to była ta kurwa? Moja matka.

— Nie przyznała się. Miała inne nazwisko.

— Taak, ale ten sukinsyn wiedział i groził, że wszystkim rozpowie. To nie było tak, że nagle mi odbiło.

— Trzeba było powiedzieć.

— Dostałaby jeszcze cięższy wyrok.

Arkadij jak przez mgłę pamiętał krzykliwie umalowaną kobietę z włosami w kolorze chińskiej czerwieni. W tamtych czasach prostytucja oficjalnie nie istniała, więc skazano ją za współudział w rabunku.

— Co się z nią stało?

— Umarła w łagrze. Produkowali watowane kurtki na Syberię, więc może nawet taką nosiłeś. Jak wszyscy, oni też mieli plan produkcji. Ale umarła szczęśliwa. W łagrze było pełno kobiet z małymi dziećmi i powstało prawdziwe przedszkole za drutami. Pozwolili jej tam sprzątać. Napisała mi, że czuje się dobrze w otoczeniu dzieci. Tyle że umarła na gruźlicę, którą się pewnie zaraziła od jakiegoś zasmarkanego gówniarza. To śmieszne, od czego ludzie czasem giną. — Wytrząsnął z rękawa nóż.

Arkadij usłyszał za sobą kroki i odwrócił głowę. W mętnym świetle lamp pokładowych rysowała się ludzka postać w kasku ochronnym, która przytrzymując się liny ratunkowej Karpa, zaczęła ostrożnie przesuwać się w dół pochylni.

— To Paweł — powiedział Karp. — Coś mu długo zeszło. Ty naprawdę przyszłeś tu sam.

Arkadij zaczął przekładać dłonie na linie i podciągać się w górę pochylni, ale Karp był szybszy. Wprawdzie był obwiązany tą samą liną, ale wydawało się, że do niczego mu nie jest potrzebna, bo bez jej pomocy ruszył po oblodzonej pochyłości.

Postać u góry pochylni się zatrzymała. Żeby ją ominąć, Arkadij musiałby puścić linę i zrobić krok w bok, wiedział jednak, że to grozi zsunięciem się wprost do wody. Nogi ześlizgiwały mu się po oblodzonej stromiźnie. Jak on to robi, że tak swobodnie się porusza po tej piekielnej pochyłości?

— Ale warto było poczekać — parsknął Karp i potrząsnął liną. Arkadij kolejny raz się poślizgnął i chwilę później poczuł na ramieniu jego dłoń.

— Arkadij? — usłyszał głos Nataszy. — To ty?

— Tak.

Postać na górze pochylni nie była Pawłem. Z bliska można było dostrzec, że to, co wziął za kask ochronny, to chusta na głowie Nataszy.

— Kto tam jest z tobą? — spytała ostro.

— Korobec — odrzekł Arkadij. — Znasz Korobeca.

Arkadij niemal słyszał, jak w głowie bosmana obracają się trybiki. Czy zdąży go zabić i dopaść Nataszy, zanim ta cofnie się na pokład i podniesie alarm?

— Jesteśmy starymi kumplami — powiedział Karp, nie zwalniając uścisku na ramieniu Arkadija. — Znamy się od dawna. Podaj nam rękę.

— Wracaj na pokład! — zawołał Arkadij — Ja pójdę za tobą.

— Wy dwaj? — zdziwiła się Natasza. — Kumple?

— Idź — ponaglił ją Arkadij. Sam nie ruszył się z miejsca, zastawiając drogę Karpowi.

— Arkadij, co tu jest grane? — Natasza nie należała do tych, które dają sobą komenderować.

— Zaczekaj! — zawołał Karp.

— Tak, zaczekaj — odezwał się Paweł. Stał trochę powyżej Nataszy. Trzymał się jedną ręką liny, w drugiej miał siekierę.

Arkadij kopnięciem podciął nogi Karpa, który padł na brzuch i zaczął się zsuwać po pochylni. Renko miał nadzieję, że zjedzie do wody, ale lina ratunkowa przytrzymała go tuż nad krawędzią wodnej kipieli. Natychmiast zerwał się na nogi i rozpoczął wspinaczkę po pochylni, ale przez ten czas Arkadijowi udało się dotrzeć do haka, o który zaczepiony był łańcuch od bramki bezpieczeństwa. Odczepił go, bramka ze świstem opadła i z metalicznym brzękiem zatrzasnęła się tuż przed Karpem. Bosman połowowy znalazł się w dolnej części pochylni, a droga ucieczki na pokład była odcięta.

Arkadij wyminął Nataszę. Za plecami usłyszał łomot szarpanej bramki, jakby obdarzony ogromną siłą Karp miał nadzieję, że uda mu się pokruszyć stalową siatkę. Potem zapadła cisza i Arkadij usłyszał jego wrzask.

— Renko!

Na widok zbliżającego się Renki Paweł się zawahał. Oczy miał okrągłe jak spodki i widać było, że mimo wszystko bardziej boi się Karpa niż Renki.

— Wszystko spierdoliłeś — jęknął. — A mówił, że tak będzie.

Z dołu dobiegł ich rechot Karpa.

— Zdaje ci się, że gdzieś mi uciekniesz?

— Spieprzaj! — Natasza wymówiła magiczne słowo i Paweł bez słowa się wycofał.

Rozdział 27

— Tworzymy dobry zespół — powiedziała Natasza

Wciąż jeszcze przeżywała ucieczkę z pochylni, wzrok jej płonął, długi kosmyk włosów zwisał luźno na twarzy. Arkadij zaprowadził ją do stołówki, która znów zamieniła się w salę balową. Tym razem obyło się bez zapowiedzi przez radio. Trzeci oficer Sław Bukowski w roli odpowiedzialnego za rozrywkę na statku postanowił poprawić nastrój i morale załogi, skrzyknął muzyków i rozesłał wici, że będzie można potańczyć przy muzyce. Ponieważ pogoda była paskudna i nie było nic do roboty, członkowie załogi snuli się po kątach, znudzeni i rozdrażnieni, lub bezczynnie przesiadywali w kajutach. Dzięki Sławowi wstąpiło w nich nowe życie i wszyscy ochoczo zbiegli się do stołówki. Tym razem nie zjawili się żadni Amerykanie — nawet miejscowi przedstawiciele spółki — a zespół z jakiegoś powodu nie grał muzyki rockowej. Obracająca się lustrzana kula sypała po sali błyskami światła jak śniegiem, tańczący poruszali się w sennym transie, stojący na estradzie Sław wydobywał ze swego saksofonu słodkorzewne dźwięki bluesa.

Arkadij i Natasza usiedli na ławce pod ścianą w towarzystwie Dynki i madame Malcewej.

— Szkoda, że tu nie ma mojego Mehmeda. — Uzbeczka złożyła dłonie jak do modlitwy.

— Słuchałam muzyków z floty czarnomorskiej. — Malcewa siedziała pełna wyniosłej godności, z chustą narzuconą na ramiona, potem jednak na tyle się rozluźniła, że dodała: — Właściwie to on nawet nie jest najgorszy.

— Powinniśmy pójść do kapitana i opowiedzieć mu, co się wydarzyło — szepnęła Natasza Arkadijowi do ucha.

— I co byśmy mu powiedzieli? Że widziałaś na pochylni mnie i Karpa, i tyle. Bosman połowowy może mieć mnóstwo powodów, żeby tam przebywać. A ja nie.

— Ale był też Paweł z siekierą.

— Przez cały dzień rąbali lód na pokładzie. Może jest Bohaterem Pracy Socjalistycznej.

— Zaatakowano cię.

— To ja zamknąłem bramkę przed nosem Karpowi, nie on mnie. A ty tylko słyszałaś, jak mówi, że jesteśmy kumplami. Ten człowiek to chodząca niewinność.

Następną melodią były *Oczi czornyje*, ociekająca sentymentalizmem opowieść o cygańskiej miłości. Grająca na syntezatorze dziewczyna wydobywała z niego dźwięki zbliżone do gitary, Sław ciągnął smętną linię melodyczną. Piosenka była bezwstydnie szmirowata i jak zawsze chwytała za serce. Parkiet zaroił się od wolno obracających się par.

— Ty i Karp jesteście jak mysz i wąż — powiedziała z naciskiem Natasza. — Nie możecie siedzieć w jednej norze.

— Już niedługo.

— Skąd ty się wziąłeś na pochylni?

— Masz ochotę zatańczyć? — spytał Arkadij.

Natasza przeszła natychmiastową metamorfozę. Rozpromieniły jej się nie tylko oczy, ale też cała twarz. Zdjęła z siebie kurtkę i chustę i oddała Dynce pod opiekę z takim pietyzmem, jakby to była ukochana etola z soboli, potem wyciągnęła spinający fryzurę grzebień, tak by włosy opadły jej luźną kaskadą na ramiona.

— Gotowa? — upewnił się Arkadij.

— Zawsze. — Głos też jakby jej złagodniał.

Miał świadomość, że tworzą dość niezwykłą parę: zagorzała aktywistka partyjna i niepokorny wichrzyciel. Prowadząc Nataszę w stronę parkietu, widział, jak siedzący przy stolikach obrzucają ją zdumionymi spojrzeniami, w których była i złość, i podziw.

Radzieccy tancerze nie potrzebują zbyt wiele miejsca do tańca, a na parkiecie niemal zawsze obijają się o siebie, jak kulki potrząsane w słoiku. Nadaje to tańcowi charakter beztroskiej zabawy, zwłaszcza jeśli za oblodzonymi iluminatorami aż po horyzont ciągną się pola lodowe i zawodzi arktyczny wiatr. Wydawało się, że mimo swej postury Natasza płynie w ramionach Arkadija, a jej rozpalony policzek od czasu do czasu muskał jego twarz.

— Przepraszam za moje buty — powiedziała w pewnej chwili.

— Nie, to ja przepraszam za swoje — odrzekł.

— Lubisz romantyczne piosenki?

— Gdy ich słucham, staję się kompletnie bezbronny.

— Ja też — westchnęła. — Bo wiem, że lubisz wiersze.

— Skąd to wiesz?

— Znalazłam twoją książkę.

— Naprawdę?

— Kiedy leżałeś chory. Była pod materacem. Nie ty jeden wiesz, gdzie szukać.

— Doprawdy?

Odsunął się na moment i spojrzał jej w oczy, ale nie znalazł w nich śladu poczucia winy czy zawstydzenia.

— To nawet nie są wiersze — powiedział. — To tylko kilka esejów i listów autorstwa Mandelstama. — Nie wspomniał, że książkę dostał w prezencie od Susan.

— No cóż, te eseje były dla mnie za mądre — przyznała Natasza — ale podobały mi się jego listy do żony.

— Do Nadieżdy?

— Tak, tylko że miał dla niej tak wiele innych imion: Nadik, Nadia, Nadka, Nadeńka, Nadiusza, Nanusza, Nadiuszok, Nanoczka, Nadenisz, Niakuszka. W sumie dziesięć różnych wariantów Nadieżdy. To się nazywa poeta. — Bardziej zdecydowanie przylgnęła policzkiem do jego policzka.

Sław na swym saksofonie wciąż zawodził *Oczy czornije*. Tancerze kręcili się wolno pod obracającą się kulą. Wiszący nisko nad głową sufit i migotliwe światła tworzyły nastrój wyraźnie sprzyjający otwieraniu się rosyjskich dusz.

— Zawsze podziwiałam twoją pracę na dole — wyznała Natasza.

— A ja twoją.

— To, jak sobie radzisz z rybami — ciągnęła. — Zwłaszcza z tak trudnymi jak morszczuk.

— Wycina im się kręgosłup, żeby... no i w ogóle. — Chyba nie jestem w tym za dobry, pomyślał w duchu.

Natasza odchrząknęła.

— A co do twoich problemów w Moskwie, to myślę, że partia mogła się mylić.

Partia mogła się mylić? Dla kogoś takiego jak Natasza było to równoznaczne ze stwierdzeniem, że białe może być czarne, lub dopuszczeniem myśli, że może istnieć szarość.

— Niestety, akurat tym razem nie — powiedział.

— Ale każdego można zrehabilitować.

— Z zasady pośmiertnie. Ale nie martw się, poza partią też jest życie. Aż nie do wiary, jak dużo życia.

Natasza miała nastrój do rozważań, a myśli biegły torem przypominającym linię kolejową Bajkał—Amur: duże fragmenty niewykończone, tunele rozchodzące się w nieznanych kierunkach. Wiersze, ryby, partia. Był ciekaw, z czym jeszcze wyskoczy.

— Wiem, że jest ktoś jeszcze — oświadczyła. — Inna kobieta.

— Tak.

Czyżby dosłyszał jej prychnięcie? Miał nadzieję, że się przesłyszał.

— Musiało tak być — odezwała się po dłuższej chwili milczenia. — Tylko proszę o jedno.

— Mianowicie?

— Żeby to nie była Susan.

— Nie, to nie jest Zuu-zan.

— I to nie była Zina?

— Nie.

— Nikt na statku?

— Nie ma jej na statku i jest daleko.

— Bardzo daleko?

— O tak, bardzo.

— To mi wystarczy. — Oparła głowę na jego ramieniu.

Arkadij pomyślał, że chyba Ridley miał rację. Oto przejaw cywilizacji, a może nawet jej szczyt: rybacy i rybaczki tańczący w walonkach na Morzu Beringa. Doktor Vainu sunął po parkiecie wpity w Olimpiadę jak człowiek toczący głaz; posłuszna islamskim nakazom Dynka tańczyła z jednym z mechaników, zachowując dystans wyciągniętych rąk. Było też kilka par jednopłciowych — kobiet i mężczyzn tańczących z sobą, byle nie wyjść z wprawy. Część zdążyła się przebrać w czyste ubrania, ale większość przyszła tak, jak stała, podkreślając w ten sposób nieformalny charakter zabawy. Arkadij z chęcią w niej uczestniczył, bo pozwalało mu to lepiej wczuć się w atmosferę ostatnich godzin życia Ziny, a towarzystwo Nataszy było jak spinająca wszystko klamra. Jakby Zina miała się tu za chwilę zjawić i zacząć tańczyć.

— Przyszedł — szepnęła Natasza, sztywniejąc w jego ramionach.

Karp przeciskał się powoli wzdłuż ławek w tylnej części stołówki. Wyglądał na zupełnie rozluźnionego, jakby tylko wpadł rozejrzeć się wśród znajomych. Arkadij pociągnął Nataszę bliżej estrady.

— Kola chciałby z tobą zatańczyć — powiedział.

— Tak sądzisz?

— Jak go spotkasz, spróbuj go zachęcić. To mądry gość, naukowiec, botanik, trzeba go tylko ściągnąć na ziemię.

— Wolałabym ci pomóc — rzekła Natasza.

— Jeśli chcesz mi pomóc, to pół minuty po moim wyjściu na parę sekund zgaś światła na estradzie.

— Ciągle chodzi o Zinę, prawda? — Głos Nataszy nagle przygasł. — Dlaczego tak ci na niej zależy?

Pytanie trochę go zaskoczyło.

— Bo nie znoszę samobójstw.

Sław sprawiał wrażenie na nowo wyzwolonego, jakby saksofon stał się czarodziejską różdżką, która dotknęła jego duszy. Poruszając się w takt zawodzących dźwięków saksofonu, Arkadij i Natasza przesunęli się w pobliże wyjścia do kambuza.

— Ale ona sama się nie zabiła? — upewniła się jeszcze Natasza.

— Nie.

— Karp ją zabił?

— W tym wszystkim to jest najdziwniejsze. Bo nie sądzę, żeby to on.

* * *

382

W ciasnym kambuzie stłoczono rząd stalowych zlewozmy-
waków, blaszane tace tak powyginane, jakby służyły za tarcze
na polu bitwy, sterty białych misek do zupy i wielkie płyty
kuchenne z wiszącymi nad nimi rondlami o rozmiarach wanie-
nek. Królestwo Olimpiady Bowiny. W kadziach z wrzątkiem
parzyła się poszatkowana kapusta, którą szykowano na śniadanie
albo rozgotowywano na kleistą masę. W misie twardniejącego
ciasta sterczało wielkie mieszadło. Arkadij miał poczucie, jakby
posuwał się po śladach Ziny, która też tu weszła podczas tamtej
zabawy tydzień wcześniej. Według relacji Sława wyjęła wtedy
z gara jakąś plastikową torbę. Co mogło znajdować się w tej
torbie? I dlaczego torba była plastikowa? Według zeznań innego
świadka Zinę widziano potem na pokładzie.

Arkadij uchylił drzwi na korytarz na tyle, by dostrzec
stojącego przy drzwiach stołówki Pawła, który nerwowo zaciągał się papierosem i lustrował wzrokiem wszystkich wychodzących. Chwilę potem *Oczi czornyje* wreszcie się skończyły i na sali rozległy się krzyki: „Światło!" i „Zejdź mi
z nogi, pieprzony idioto!". Paweł natychmiast wsadził głowę
do środka i Arkadij bezszelestnie wymknął się z kambuza
i ruszył korytarzem.

◆ ◆ ◆

Kto, jeśli nie Kola Mer, mógł stać przy relingu i rozkoszować
się padającym deszczem? Deszcz stopniowo przemieniał się
w kłujące igiełki marznącego śniegu, które siekły ukośnie pod
naporem opadającej mgły. Dojrzał przemykającego obok Arkadija i chwycił go za ramię.

— Chciałem ci powiedzieć o tych kwiatach.

— O kwiatach?

— O tym, gdzie je znalazłem. — Z rękawiczek z obciętymi
końcami palców wystawały gołe palce.

— Irysy?

— Nataszy powiedziałem, że znalazłem je przy drodze pod sklepem w Dutch Harbor. Ale irysy naprawdę rosną trochę wyżej. Widziałem, jak zaglądasz do mojego notatnika, więc wiesz, że znalazłem je na zboczu. Widziałem, jak szedłeś za tym Amerykaninem. — Dla kurażu Kola głęboko odetchnął. — Wołowoj mnie o ciebie wypytywał.

— Spotkałeś na zboczu Wołowoja?

— Szukał cię. Zagroził nawet, że jeśli mu nie powiem, to mi zabierze moje eksponaty. Ale nic mu nie powiedziałem

— Zawiódłbym się, gdybyś mu uległ. Był sam?

Powiedz, że nie, poprosił w myślach. Powiedz, że pierwszy oficer był w towarzystwie bosmana połowowego, a od razu pójdziemy z tym do kapitana.

— Była mgła i dobrze nie widziałem — rzekł Kola. Arkadij czuł, że Karp lada chwila pojawi się na pokładzie, a może już zmierza pod pokład, żeby mu odciąć drogę do części dziobowej. Kola patrzył prosto przed siebie. — Całkiem jak dziś. Śnieg przestanie padać i zrobi się mleko. Brakuje mi mojego sekstansu.

— Nie widać gwiazd, więc i tak nie na wiele by ci się przydał. Lepiej wejdź do środka. Ogrzej się. Zatańcz sobie.

• • •

Znalazłszy się z dala od sali tanecznej, Arkadij dosłyszał subtelną zmianę w tonie dochodzącym z maszynowni. Chociaż zawieja śnieżna mogła stwarzać wrażenie, że statek pędzi niczym sanie, buczenie śrub napędowych stało się niższe, a to oznaczało, że „Gwiazda Polarna" zwolniła. Pod stopami czuł wibrację pracujących silników i wstrząsy powodowane pękaniem bloków lodu pod ciężarem stalowego dziobu. Płatki śniegu tańczyły wokół bomów i suwnic i osiadały grubą warstwą na antenach i ramionach radarów. Wszystko lśniło w świetle lamp, które dzięki wiszącej tuż nad nimi gęstej mgle jakby jeszcze jaśniej świeciły. Można było odnieść wrażenie, że „Gwiazda Polarna" płynie między dwoma morzami, jednym rozpościerającym się nad nią i drugim pod nią.

Zza pleców dobiegł go odgłos kroków po pokładzie, jednocześnie przed sobą usłyszał, że ktoś inny schodzi po schodkach z pokładu dziobowego. Arkadij przecisnął się przez szparę w siatce otaczającą boisko do siatkówki. Śnieg na oczkach siatki zlodowaciał i całość wyglądała jak utkany z lodu namiot, którego ścianki dygotały na wietrze. Światło lamp z tej odległości rozmywało się w niewyraźną poświatę, ale Arkadij zdołał dojrzeć dwóch ludzi, którzy się spotkali i zaczęli rozmawiać. Trzeba było uzbroić się w nóż kuchenny z kambuza, pomyślał. Słupki do siatki i cały osprzęt używany do gry został zdjęty i nie było niczego, co mogłoby posłużyć do obrony. Nawet piłki.

Jeden z mężczyzn ruszył śladem Arkadija, chwilę później to samo zrobił drugi i wszyscy trzej znaleźli się wewnątrz ogrodzenia. Arkadij oczekiwał, że mężczyźni rozdzielą się i zaczną go oskrzydlać, jednak oni razem ruszyli ku niemu. Oblodzona siatka była u dołu przymocowana do zaczepów i przeciśnięcie się pod nią nie wchodziło w rachubę. Może udałoby się wspiąć po siatce i przeskoczyć górą? Wątpliwe. Boisko jest na tyle oblodzone, że jeśli uda mu się powalić jednego, to może on pociągnie za sobą drugiego.

— Renko? To ty?

Drugi z mężczyzn zapalił zapałkę i w nikłym świetle płomyka Arkadij rozpoznał twarze z krzaczastymi brwiami i ustami, w których błyskały złote zęby, rozdziawionymi w niepewnych uśmiechach. Skiba i Ślezko, dwaj szpicle Wołowoja.

— Czego chcecie? — burknął.

— Jesteśmy z tobą — zapewnił go Ślezko.

— Chcą cię tej nocy załatwić — dodał szybko Skiba. — Nie chcą, żebyś dożył rana.

— Jacy „oni"?

— No przecież wiesz — odparł Ślezko zgodnie z wieloletnią radziecką tradycją. Zawsze lepiej nie mówić wszystkiego do końca.

— My wciąż pełnimy służbę — dodał Skiba. — Tylko że nie mamy już komu zdawać raportów.

Zapałka zgasła. Wydęta przez wiatr siatka wokół boiska była jak lodowe żagle.

— Nikt już nie dba o dyscyplinę, czujność, należyty przepływ informacji — powiedział Ślezko. — Szczerze mówiąc, czujemy się trochę zagubieni.

— Musiałeś im się narazić, bo szukają cię po całym statku. Jeśli nie będą mieć wyboru, to ci poderżną gardło w twojej kajucie. Albo na środku pokładu.

— Dlaczego mi o tym donosisz? — zapytał Arkadij.

— Zdaję raport, nie donoszę — rzekł Ślezko. — Spełniam tylko swój obowiązek.

— Mnie zdajesz raport?

— Dużo o tym myśleliśmy — oświadczył Skiba. — Komuś musimy, a ty jedyny się nadajesz, żeby zająć jego miejsce.

— Czyje miejsce?

— No jak to, Wołowoja, oczywiście. — Ślezko wzruszył ramionami.

— Analizując twoje postępowanie, doszliśmy do wniosku, że możesz reprezentować odpowiednie organy — dodał Skiba.

— Czyli jakie?

— No przecież wiesz. — Ślezko znów wymigał się od bezpośredniej odpowiedzi.

Pewnie, że wiem, pomyślał Arkadij. Podejrzewają, że jestem z KGB. To czyste wariactwo. Za życia Wołowoja bez skrupułów na mnie donosili jako na wroga ludu, ale gdy go zabrakło, poczuli się jak psy gończe, które straciły pana. Stanowili typ donosicieli, którym nie chodzi o wierność ideałom, lecz o odpowiednio twardą rękę na końcu smyczy. No cóż, rolnik sieje zboże, szewc robi buty, a szpicel potrzebuje pana. Utraciwszy Wołowoja, przeklasyfikowali Arkadija z ofiary na nowego pana.

— Dzięki — powiedział. — Będę miał na uwadze wasze ostrzeżenie.

— Nie rozumiem, dlaczego ich po prostu nie aresztujesz — rzekł Skiba. — Przecież to tylko zwykli robole.

— Póki tego nie zrobisz, nie będziesz bezpieczny — dodał Ślezko

— A ja wam radzę: lepiej sami na siebie uważajcie.

Skiba smętnie pokiwał głową.

— Takie teraz czasy, że nikt nie może się czuć bezpieczny.

♦ ♦ ♦

Jarzące się na dziobie i sterówce lampy powodowały, że stojący na mostku skupiał wzrok na pojedynczych płatkach, które z milionami podobnych pędziły z ciemności i osiadały na szybie. Dzięki regularnemu odmrażaniu parą szyba pokryła się cieniutką warstewką lodu i błyszczała. Wycieraczki cierpliwie zgarniały zbierający się śnieg, ale od narożników zaczynało już narastać oblodzenie.

Oświetlenie mostka było przytłumione i wnętrze tonęło w zielonkawej poświacie bijącej z ekranów radarowych i echosondy, i tylko żyrokompas pływał we własnej kuli światła. Tym razem za sterem stał sam Marczuk, towarzyszył mu Hess. Obaj byli wpatrzeni w przednią szybę i żaden nie okazał zdziwienia na widok wchodzącego Arkadija.

— A oto i towarzysz Jonasz — powiedział cicho kapitan.

Ani na mostku, ani w pomieszczeniu nawigacyjnym nie było sternika. Telegraf maszynowy ustawiono w pozycji między „Bardzo powoli" a „Stop".

— Dlaczego zwalniamy? — spytał Arkadij.

Kapitan miał tak znękaną minę, że gdy zaczął wytrząsać papierosa z paczki, skojarzył się Arkadijowi ze skazańcem, który spełnia swoje ostatnie życzenie przed złożeniem głowy pod gilotynę. Hess, po którego twarzy przesuwał się cień pracującej wycieraczki, wyglądał, jakby miał być następny.

— Trzeba cię było nie ruszać — rzekł Marczuk. — Siedziałeś na śluzgawce jak w brzuchu wieloryba i był spokój. Musieliśmy zwariować, żeby cię stamtąd wyciągać.

— Stajemy? — Arkadij nie dał się zbyć.

— Mamy drobne kłopoty — mruknął Hess. — Nie jesteś jedynym naszym problemem na tym statku.

Światło sączące się przez szyby było blade i zimne, ale i bez tego twarz głównego elektryka floty wydała się Arkadijowi tak śmiertelnie blada, że nie pomogłyby wszystkie solaria świata.

— Chodzi o ten pański kabel? — domyślił się.

— Mówiłem ci — zwrócił się Hess do Marczuka. — Wywęszył moje stanowisko.

— Cóż, twoje stanowisko to jak perła w ostrydze, więc ktoś taki jak Renko musiał je w końcu wymacać. To jeszcze jeden dowód na to, że należało zostawić go w spokoju. — Kapitan w zadumie wypuścił z ust kłąb dymu i odwracając głowę do Arkadija, dodał: — Powiedziałem mu, że w tym rejonie dno jest płytkie i bardzo nierówne, ale i tak rozwinął ten swój kabel.

— Kabel hydrofonowy jest tak skonstruowany, że się nie zaczepia — powiedział Hess. — Na okrętach podwodnych korzystają z niego w każdych warunkach.

— No i coś się w niego zaplątało — ciągnął Marczuk. — Może jakaś pułapka na kraby, a może łeb morsa i jego kły szorują po dnie oceanu. Kabel nie daje się zwinąć i jest zbyt naprężony żeby można było płynąć szybciej.

— Cokolwiek to jest, w końcu się odczepi — powiedział Hess.

— Ale na razie — wtrącił Marczuk — musimy płynąć bardzo ostrożnie i jednocześnie walczyć z lodem i wichurą o sile siedmiu stopni. Kapitanowie marynarki wojennej muszą być chyba magikami. — Zaciągnął się papierosem i ogienek rozświetlił mu oczy. — Ach, przepraszam, zapomniałem. W marynarce wojennej używają ich na okrętach podwodnych, nie na oblodzonych statkach przetwórniach.

„Gwiazda Polarna" zadrżała i lekko uniosła się na fali wzbierającej pod skorupą lodu. Arkadij nie miał wykształcenia technicznego, ale wiedział tyle, że aby statek mógł kruszyć pokrywę lodową, musi utrzymywać pewien minimalny pęd. Przy zbyt małej prędkości na zbyt niskim przełożeniu silniki dieslowskie prędzej czy później się zatrą.

— Jak dobrym kapitanem jest Morgan? — spytał na głos.

— To się okaże — odrzekł Marczuk. — Łupina w rodzaju „Orła" powinna pływać wśród palm kokosowych i łowić krewetki, a nie zapuszczać się na jednolity lód. Teraz, kiedy fale na torze wodnym się wzmagają, jego dziób i pokład leżą zbyt nisko. W takich warunkach powinien ustawić się pod wiatr, ale musi płynąć za nami, bo inaczej utknie w lodzie. A od góry jest już tak oblodzony, że grozi mu wywrotka.

Do Arkadija nagle dotarło, że na mostku panuje zupełna cisza. A przecież jeden z odbiorników radiowych powinien zawsze pracować na częstotliwości awaryjnej. Marczuk podążył wzrokiem za spojrzeniem Arkadija, zdjął rękę z koła sterowego i podkręcił głośność odbiornika. Z głośnika dobył się tylko głośniejszy szum tła.

— Jak dotąd Morgan nie wysłał sygnału awaryjnego — powiedział Hess.

— Nie wysłał żadnego sygnału — uściślił Marczuk.

— Może należałoby go wywołać? — Arkadij pamiętał, że podczas złej pogody statki pływające u wybrzeży Sachalinu bez przerwy z sobą gadały.

— Nie odpowiada — odparł Marczuk. — Mogła mu paść któraś z anten.

— Morgan i tak się domyśla, że coś nie gra, bo tak wolno suniemy — rzekł Hess. — I zapewne wie też, że rozwinęliśmy kabel. A jego ambicją jest zdobycie kawałka naszego kabla. To my znaleźliśmy się w sytuacji zagrożenia, nie on. Pogoda idealnie mu sprzyja.

Tor wodny wyżłobiony przez „Gwiazdę Polarną" na ekranach radaru wyglądał jak ciąg zielonych kropek stanowiących odbicie fal radarowych od dna morskiego. Mniej więcej w połowie ciągu, jakieś pięćset metrów za „Gwiazdą Polarną", widać było pojedynczy rozbłysk oznaczający „Orła", ale poza tym ekran był pusty. Arkadij przełączył odczyt na zasięg pięćdziesiąt kabli, jednak „Orzeł" pozostał jedynym obiektem na ekranie. Miały do nich płynąć nowe trawlery z Seattle, lecz fatalne warunki pogodowe mogły je opóźnić.

— Morgan też ma radar — powiedział Hess. — A także kierunkową echosondę. Jeśli coś przywarło do kabla, zauważy to. To szansa, na którą pewnie czekał od dawna.

— Ale jeśli utracił maszt antenowy, utracił też radar — zauważył Marczuk.

Trzymający się wyznaczonego kursu autopilot obrócił koło sterowe o jeden rumpel.

— Kapitanie — rzekł Hess. — Rozumiałbym twój niepokój o kolegę rybaka, ale Morgan nim nie jest. Morgan to ichni Anton Hess. Kiedy na niego patrzę, widzę siebie. Zachowuje milczenie, obserwuje i tylko czeka na nasz błąd. Na przykład żebyśmy zwiększyli szybkość, bo wtedy to coś, co się zaplątało w kabel, mogłoby wypłynąć na powierzchnię wprost przed dziobem „Orła".

— A jeśli kabel się zerwie? — spytał Arkadij.

— Jeżeli zachowamy tę szybkość, to się nie zerwie.

— A jeśli? — wtrącił Marczuk.

— Nie zerwie się. — Hess pokręcił głową.

Na czym to on grywał? Na wiolonczeli. Arkadij pomyślał, że Hess zachowuje się jak zawzięty wiolonczelista, który mimo pękających strun nadal próbuje grać.

— Nie zerwie się — powtórzył Hess — ale nawet gdyby, to ma ujemną pływalność i opadnie na dno. Prawdziwym problemem byłby wtedy powrót do domu i wyjaśnienie szefostwu floty Pacyfiku, jak to się stało, że utraciliśmy kabel. Dotknęło nas podczas tego rejsu wystarczająco wiele nieszczęść, kapitanie. Nic potrzebujemy nowych.

— Ale dlaczego Morgan nie reaguje na nasze wywoływanie? — zaperzył się Marczuk.

— Już powiedziałem dlaczego. Nie licząc braku łączności radiowej, „Orzeł" zachowuje się całkiem normalnie. Cała reszta to tylko twoja wyobraźnia. — Wyglądało, że Hess zaczyna tracić cierpliwość. — Wracam do siebie. Może uda mi się choć trochę podciągnąć kabel. — Stanął przed Arkadijem i spojrzał mu w twarz. — Wyjaśnij kapitanowi, że Zina Patiaszwili nie po to biegała na rufę przy każdym podpłynięciu „Orła", żeby dostawać całusy od jego załogi. Okazuje się, że miała ich wystarczająco dużo od mojego radiowca. Gdyby tu teraz była, sam bym ją zabił.

Główny elektryk floty opuścił mostek i zszedł zewnętrznymi schodkami na pokład. Przez otwarte drzwi wpadł do środka kłąb płatków śniegu, zawirował i opadł.

— To naprawdę śmieszne — rzekł Marczuk. — Po długim postoju w suchym doku, podczas którego montowano kabel, jedyne, co się psuje na statku, to kabel.

Kapitan pochylił się nad blatem i z czułością pogłaskał kompas, otwierając go i zamykając.

— Wciąż mam nadzieję, Renko, że wszystko pójdzie ku lepszemu. Że da się żyć zwyczajnie i uczciwie. Że w każdym, kto chce solidnie pracować, jest dobro i szlachetność. To nie znaczy, że ludzie są doskonali albo że ja jestem doskonały. Ale że są dobrzy. Czy to znaczy, że jestem durniem? Powiedz mi. Czy kiedy wrócimy do Władywostoku, masz zamiar wyjawić prawdę o mnie i Zinie?

— Nie. Ale w ramach śledztwa pokażą fotografie oficerów i załogi w restauracji, gdzie pracowała, i ludzie pana poznają.

— Czyli tak czy owak, mam przesrane.

Nie, tak czy owak, przesrane mam ja, pomyślał Arkadij. Karp i jego ludzie nie spoczną, póki mnie nie dopadną. Marczuk ma na głowie dużo poważniejszą aferę z kablem. Jak mu wyjaśnić, że Karp na mnie nastaje, chociaż nie mogę już udowodnić przemytu? W najlepszym razie wyjdę na wariata, ale prędzej uznają, że skończyłem z sobą z powodu Wołowoja i Aleuty.

— Wiesz, w jakim stanie dostarczono ten statek? — spytał Marczuk. — Wiesz, jak wygląda statek opuszczający stocznię?

— Jak spod igły?

— Lepiej niż spod igły. „Gwiazdę Polarną" zbudowano w polskiej stoczni. W chwili jej przekazania armatorowi było wszystko: nowiusieńkie nakrycia stołowe, obrusy i pościel, zasłony, oświetlenie i cała reszta. Można było od razu wypływać w morze. Ale nasze statki nigdy nie wypływają od razu. Pierwsi na pokład wchodzą ludzie z KGB i z ministerstwa. Zabierają nową zastawę stołową i zastępują starą, zabierają obrusy i pościel, wykręcają mocne żarówki i zastępują takimi, przy których człowiek może oślepnąć. Zachowują się dokładnie jak złodzieje wynoszący wszystko z domu. Wyrywają dobrą armaturę i zastępują ołowianym szajsem. Zabierają nawet materace i demontują okucia drzwi. Wszystko, co dobre, zastępują szajsem. Dopiero wtedy przekazują statek rybakom i mówią: „Towarzysze, wyruszajcie w morze!". To był kiedyś ładny, dobry statek.

Kapitan spuścił głowę, rzucił niedopałek na podłogę i przygniótł obcasem.

— No to już teraz wiesz, dlaczego płyniemy tak wolno. Chcesz czegoś jeszcze?

— Nie.

Kapitan wpatrzył się w lśniąca, pokrytą warstewką lodu przednią szybę.

— Paskudna sprawa z nami i z „Orłem". Joint venture to dobra rzecz. Bo inaczej wracamy do czasów jaskiniowych, nie sądzisz?

Rozdział 28

Arkadij wyszedł z mostka i ruszył korytarzem, nie bardzo wiedząc, gdzie się udać. Nie mógł po prostu pójść do kajuty i bezczynnie czekać na to, co się wydarzy. Powrót na salę taneczną też nie wyglądał na bezpieczny. Znalazł się w klasycznej sytuacji więziennej, w której ktoś taki jak Karp był w swoim żywiole. Światła znów na moment zgasną, a gdy się zapalą, on w odpowiednio dociążonym worku będzie się już ześlizgiwał po pochylni do morza. Albo go znajdą w pustej skrzyni na ryby z otwartą puszką farby pod nosem i uznają za oczywistą ofiarę nałogu wąchania oparów, a jego przypadek posłuży do umoralniających pogadanek.

— Nigdy nie skończyliśmy naszej gry — usłyszał głos Susan.

Cofnął się do otwartych na oścież drzwi jej kajuty. Minął je wcześniej, ale nie zwrócił na nie uwagi, bo w środku było ciemno.

— Nie bój się — dodała, zapalając główną lampę na suficie na tyle długo, by zdążył zauważyć powyrywane przewody z radia i podstawy lampy na biurku. Siedziała na dolnej koi z włosami wilgotnymi i zmierzwionymi, jakby dopiero co wyszła spod prysznica. Stopy miała bose, ubrana była w dżinsy i wypuszczoną na wierzch dżinsową koszulę, jej brązowe oczy przybrały niemal czarną barwę. W dłoni trzymała napełnioną po brzegi szklaneczkę, z której na całą kajutę roznosił się zapach whisky. Zgasiła światło wyłącznikiem przy koi.

— Zamknij za sobą drzwi — poleciła.

— Myślałem, że gdy przyjmujesz radzieckich gości, to ich nigdy nie zamykasz.

— Zawsze musi być ten pierwszy raz. Na radzieckich statkach nigdy nie zdarzają się niezaplanowane imprezy, a słyszę, że właśnie coś takiego się odbywa. Wszyscy moi chłopcy tam pobiegli, więc wychodzi na to, że mamy dziś wieczór pierwszych razów.

Arkadij zamknął drzwi i po omacku poszukał krzesła obok koi, które wcześniej wypatrzył. Susan zapaliła nocną lampkę z dwudziestowatową żarówką, która świeciła niewiele jaśniej od świeczki.

— Na przykład powiedziałam sobie, że przelecę pierwszego mężczyznę, który przejdzie obok moich drzwi. Ale potem tym mężczyzną okazałeś się ty i zmieniłam zdanie. „Orzeł" ma kłopoty, co?

— Mam wiadomości z pewnego źródła, że śnieg wkrótce przestanie sypać.

— Ale łączność radiowa urwała się już godzinę temu.

— Nadal mamy ich na radarze. Nie są zbyt daleko za nami.

— Czyli?

— Czyli pewnie oblodziło im antenę radiową. Na tych wodach to się zdarza.

Susan wsunęła mu szklaneczkę do dłoni i nalała szkockiej tak szczodrze, że parę kropel wypłynęło poza krawędź.

— Pamiętaj — parsknęła. — Ten, kto pierwszy rozleje, dostaje po głowie.

— Znowu te norweskie zabawy. — Arkadij zmarszczył czoło.

— Tak. W końcu nie bez powodu mówią na nich „kapuściane łby".

— A jest też amerykańska wersja tej zabawy?

— Tak. Dostajesz kulkę w łeb.

— A, czyli wersja skrócona. To ja mam inny pomysł. Kto pierwszy rozleje, zaczyna mówić prawdę.

— To wersja radziecka?

— Chciałbym.

— Nie. — Skrzywiła się. — Jeśli o mnie chodzi, to możesz liczyć na wszystko z wyjątkiem prawdy.

— No to będę oszukiwał. — Uniósł szklaneczkę do ust i pociągnął łyk.

Susan powtórzyła jego ruch i też upiła duży łyk. Widać było, że ma nad nim znaczną przewagę w ilości wypitego alkoholu, ale nie wyglądała na pijaną. Lampka nocna nie tyle się świeciła, ile jarzyła, i jej oczy tonęły w mroku, wyglądało jednak na to, że spojrzenie ma bystre.

— Nie pisałeś ostatnio listów pożegnalnych samobójcy, co?

Arkadij odstawił szklankę na podłogę i sięgnął po papierosa.

— Dla mnie też zapal — powiedziała.

— Samobójcze listy pożegnalne to sztuka sama w sobie. — Arkadij jedną zapałką zapalił dwa biełomory i podał jej jednego. Dłonie miała gładkie i wypielęgnowane, jakże różne od jego stwardniałych i zniszczonych od pracy z rybami.

— Mówisz jak ekspert.

— Badacz amator. Listy samobójcze tworzą dział piśmiennictwa, który zbyt często się pomija. Są listy pełne zadumy, pełne goryczy, pełne poczucia winy, rzadziej pełne humoru, bo zawsze przebija przez nie formalne poczucie odpowiedzialności. Zwykle autor czy autorka podpisują się imieniem i nazwiskiem, ale czasem kończą stwierdzeniem w rodzaju „Kocham cię", „Tak będzie lepiej" czy „Uważajcie mnie za dobrego komunistę".

— Zina tego nie zrobiła.

— A list zazwyczaj zostawiają w miejscu, gdzie zostanie znaleziony równocześnie z ciałem albo w chwili, gdy ktoś zauważy zniknięcie ofiary.

— Tego też nie zrobiła.

— I zawsze, jako że jest to rodzaj testamentu, piszący używa całej kartki papieru. Nie jakiegoś świstka czy połówki stroniczki wyrwanej z notesu. Nikt nie pisze na czymś takim ostatniego listu w życiu. A tak przy okazji, jak ci idzie twoje pisanie? — Arkadij obrzucił spojrzeniem maszynę do pisania i podręczną biblioteczkę Susan.

— Zablokowałam się. Myślałam, że na statku znajdę idealne miejsce do pisania, ale... — Wbiła wzrok w ściankę grodzi, jakby przed jej oczami przewijały się obrazy z odległej, zamglonej przeszłości. — Za dużo tu ludzi, za mało miejsca. Chociaż nie, to niesprawiedliwe. Radzieccy pisarze cały czas piszą we wspólnych mieszkaniach, prawda? Ja mam kajutę wyłącznie dla siebie. Ale czuję się tak, jakbym wsłuchiwała się we własną muszlę morską, a w niej nic nie szumi.

— Myślę, że na „Gwieździe Polarnej" trudno usłyszeć szum muszli.

— To prawda. Wiesz, Renko, dziwny z ciebie facet. Pamiętasz ten wiersz, ten, w którym...

— „Powiedz, jak mężczyźni cię całują, jak ich ty całujesz".

— Właśnie. Pamiętasz ostatnią zwrotkę? — Po czym, nie czekając na odpowiedź, zaczęła recytować:

Ach, rozumiem, chodzi o to, że on czuje,
Serdecznie i żarliwie,
Że niczego ode mnie nie chce,
Więc nie mogę niczego mu odmówić.

— To o tobie. Ze wszystkich mężczyzn na statku jesteś jedynym, który niczego nie chce.

— To nieprawda — rzekł Arkadij. Bardzo chciał pozostać żywy. Chciał przeżyć tę noc.

— To czego chcesz? — spytała.

— Chcę się dowiedzieć, co się stało z Ziną.

— A czego chcesz ode mnie?

— Jesteś ostatnią osobą, która widziała Zinę przed zniknięciem. Chciałbym wiedzieć, co wtedy powiedziała.

— No i sam widzisz. — Zaśmiała' się cicho, ale chyba bardziej z siebie niż z niego. — Dobrze. Chcesz wiedzieć, co powiedziała? Szczerze?

— Spróbujmy.

Tym razem upiła dużo mniejszy łyk.

— Sama nie wiem. Ta gra staje się niebezpieczna.

— To ci powiem, co myślę, że powiedziała. Myślę, że ci powiedziała, iż wie, co „Gwiazda Polarna" ciągnie wtedy, kiedy nie ciągnie sieci. I że może dostarczyć informacji o stanowisku kontrolnym tego kabla.

Susan wzruszyła ramionami.

— Jakiego kabla? O czym ty w ogóle mówisz?

— Tego, przez który Morgan jest tam, gdzie jest, a ty tutaj.

— Gadasz jak Wołowoj.

— To nie taka prosta gra — powiedział Arkadij. Whisky była dobra; przy niej nawet jego papieros smakował słodko jak cukierek.

— A może ty jesteś szpiegiem? — zastanowiła się Susan.

— Nie. Brak mi globalnego spojrzenia. Dużo lepiej czuję się w węższej, bardziej ludzkiej skali. I rzekłbym, że z ciebie też bardziej amatorka niż zawodowiec. Ale zgodziłaś się wsiąść na ten statek, więc jak ci Morgan mówi, że masz tu zostać, to masz zostać.

— No więc mnie nie brakuje globalnego spojrzenia. Nie sądzę, żeby Zina chciała równie zdecydowanie opuścić statek amerykański.

— Tylko że ona...

Zamilkł i nadstawił uszu. Jego uwagę zwróciły nie tyle kroki w korytarzu, ile przerwa w krokach, które nagle zatrzymały się w pobliżu ich drzwi. Z korytarza wchodziło się do sześciu kajut, znajdującymi się na jego końcach schodami można było wejść na mostek lub zejść na główny pokład. Po chwili kolejna osoba zbiegła ze schodów i też stanęła.

Słychać było, jak w sąsiedniej kajucie drzwi otwierają się i zaraz zamykają, potem rozległ się odgłos drzwi otwieranych po drugiej stronie korytarza i chwilę później pukanie.

— Zuu-zan! — usłyszeli głos Karpa.

Nie spuszczając wzroku z Arkadija, przyglądała się, jak szybko gasi papierosa. Był ciekaw, czy dostrzega w jego oczach wyraz paniki. W jej widział tylko podniecenie.

Ponowne pukanie, tym razem bardziej natarczywe.

— Jesteś tam sama?! — W głosie Karpa można było dosłyszeć groźbę.

— Idź sobie — powiedziała głośno, wciąż wpatrując się w Arkadija.

Klamka poruszyła się, ale drzwi oparły się naciskowi i nie puściły. Przynajmniej drzwi na statku są z metalu, pomyślał Arkadij. W radzieckim budownictwie mieszkaniowym drzwi robiono z tak lichego materiału, że dawało się je otworzyć jednym kopniakiem, i wszelkie umieszczone na nich zamki i zasuwy służyły wyłącznie do celów dekoracyjnych. Susan wstała, zdjęła z górnej koi magnetofon i kasetę i cichutko włączyła nagranie Jamesa Taylora.

— Zuu-zan?! — zawołał ponownie Karp.

— Idź stąd, bo jak nie, to poskarżę się kapitanowi.

— Otwieraj — powiedział rozkazującym tonem Karp. Walnął w drzwi, pewnie tylko ramieniem, ale aż zadrżały i niewiele brakowało, żeby zamknięcie puściło.

— Zaczekaj! — zawołała Susan, gasząc lampkę przy koi.

Arkadij bezszelestnie przesunął się wraz z krzesłem z linii wzroku, Susan wzięła do ręki drinka i podszedłszy do drzwi, lekko je uchyliła. Lustro nad jej umywalką było otwarte i Arkadij stwierdził, że ze swego miejsca widzi w nim wyraźne odbicie głowy Karpa. Wyższy od Susan bosman połowowy zajrzał do kajuty, starając się przebić wzrokiem ciemność. W lustrze było widać, że za plecami czają się pozostali członkowie jego brygady pokładowej. Zupełnie jak sfora wilków, która tylko czeka na sygnał przywódcy stada. Arkadijowi pozostało mieć nadzieję, że panujące w kajucie ciemności nie pozwolą im go dojrzeć.

— Zdawało mi się, że słyszałem jakieś głosy. — Karp próbował nadać swoim słowom wyraz troski. — Chcieliśmy tylko sprawdzić, czy u ciebie wszystko w porządku.

— Na pewno nie będzie wszystko w porządku, kiedy pójdę do kapitana i mu powiem, że członkowie jego załogi próbują się do mnie włamywać.

— Przepraszam. — Arkadij miał wrażenie, że wypowiadając te słowa, Karp patrzy wprost na niego. — Chodziło tylko o twoje bezpieczeństwo. Nieporozumienie. Proszę o wybaczenie.

— Wybaczam.

— To miło. — Karp nadal trzymał stopę w szparze uchylonych drzwi, wsłuchując się w cichy męski śpiew przy akompaniamencie gitary. W końcu przeniósł wzrok na Susan i jego przymilny uśmiech zamienił się w grymas troski. — Zuu-zan, ja jestem tylko prosty marynarz, ale muszę cię ostrzec.

— Przed czym?

— Przed piciem w samotności. To bardzo niezdrowo.

Susan zatrzasnęła drzwi, ale jeszcze przez długą chwilę Arkadij pozostawał bez ruchu. Kroki na korytarzu oddaliły się, ale jakby zbyt głośno i ostentacyjnie. Siedząc w łazience, słyszał, jak Susan przechodzi przez kajutę i pogłaśnia magnetofon, ale płynące z niego słowa nadal brzmiały dziwnie niezrozumiale, jakby nie niosły treści. Potem usłyszał stuknięcie odstawianej szklanki, które zabrzmiało tak, jakby była już pusta. Po sześciu miesiącach spędzonych w ciasnej kajucie umiała się w niej poruszać nawet po omacku. Arkadij znów usłyszał jej kroki i poczuł dotyk palców na zroszonej potem skroni.

— Chodzi im o ciebie? — spytała szeptem.

Położył jej palce na wargach. Był pewien, że za drzwiami nadal ktoś stoi. Chwyciła go za przegub i wsunęła sobie jego dłoń pod koszulę.

Piersi miała małe. Skierowała jego dłoń ku guzikom koszuli i zaczęła je razem z nim rozpinać, potem przyciągnęła ku sobie jego twarz i Arkadij poczuł, jak jej całe ciało wiotczeje i poddaje się. Pocałował ją i przytulił do siebie. Jeśli możliwy był powrót do chwili w Dutch Harbor, kiedy niespodziewanie ją zostawił, czuł, że ta chwila właśnie nadchodzi.

Wydawało się, że Susan nic nie waży. Cały świat wstrzymał oddech i zamilkł, jakby grająca obok taśma i nasłuchujący pod drzwiami zbir należeli do innego wymiaru, znajdowali się na innym statku, na innym morzu... Koszula i spodnie opadły cicho u jej stóp. Czy tak smakuje dotyk kobiety? Jej wilgotne włosy na karku? Jej lekko gryzące zęby i jednocześnie uległe usta? Od jak dawna tego nie doświadczył?

Ściągnął z siebie kurtkę i resztę ubrania, jakby zrzucał starą skórę. Może właśnie na tym polega bycie żywym. Czuć serce walące w piersi i drugie serce, które odpowiada w tym samym rytmie, to jakby żyć podwójnie. Czuł się tak, jakby jego ciało należało do kogoś, kto przez długi czas tkwił uwięziony w grobowcu, teraz został uwolniony i może znów o sobie decydować, a on tylko temu towarzyszy. Przylgnęła do niego, wsparła się na nim i oplotła go całym ciałem. Przez moment bezładnie obijali się o ściankę grodzi, chwilę potem był już w niej.

W którym momencie wrogość zatrzymuje się, zawraca i przemienia w pożądanie? Czy emocje łatwo przechodzą z jednej skrajności w drugą, czy to tylko pozory? Dlaczego w podejrzeniach od razu zawarta jest odpowiedź? I skąd wiedział, że tak będzie smakowała?

— Poczułam, że ze mną źle — szepnęła — kiedy po usłyszeniu wiadomości o śmierci Wołowoja i Mike'a od razu pomyślałam: A co z Arkadijem?

Wtuliła się w niego i zmiękła w jego ramionach, jakby omdlała, i jednocześnie mocniej przywarła do niego w środku. Podtrzymywał ją i pomagał się poruszać. Byli jak dwoje ludzi chodzących po linie zawieszonej tak wysoko, że wolą to robić po ciemku.

— Susan...

— Kolejny pierwszy raz — szepnęła mu do ucha. — Wypowiedziałeś moje imię.

Powoli osunęli się na kolana, potem ułożył ją plecami na podłodze, czując na sobie spojrzenia jej wielkich brązowych oczu. Kocie oczy, oczy nocy. Rozpostarła nogi jak skrzydła.

Jak on ją podtrzymywał na stojąco, tak teraz ona miała go zarówno na sobie, jak i w środku, niosąc go ku niewidzialnej pochodni w ciemnościach, jakby pluskali się w ciepłej wodzie, a nie leżeli na zimnym metalowym pokładzie.

♦ ♦ ♦

— Podoba mi się twoje imię — szepnął. — Susan. Zuu-zan.
Jak Zuzanna od starców, tak?

— Chyba tamta była dziewicą. Znasz Biblię?

— Znam ją jako dobrą opowieść z elementami voyeuryzmu,
spiskowania — przerwał, by odpalić papierosa od jej papierosa — uwodzenia i zemsty.

Leżeli na koi z głowami na jej poduszce i drugiej ze
zrolowanego koca. W kajucie panował chłód, ale nie było mu
zimno. Magnetofon stał teraz na podłodze, zwrócony głośnikiem
w stronę drzwi. Gdy muzyka dobiegała końca, Susan prze-
kładała kasetę i ponownie włączała odtwarzacz.

— Dziwny z ciebie detektyw — powiedziała. — Dociekasz
znaczenia imion?

— Na przykład Ridley. Enigma, człowiek pełen zagadek*.
Albo Morgan. Był kiedyś słynny pirat Morgan, prawda?

— A Karp?

— Ryba, duża ryba.

— A Renko? Co to znaczy?

— Czyjś syn. Na przykład Fiodorenko to syn Fiodora. Ja
jestem synem... czyimś.

— Zbyt zagmatwane. — Pociągnęła palcem po obrysie jego
warg. — Z każdą chwilą coraz dziwniejszy z ciebie detektyw.
Ale ze mnie też dziwna dziewica. Po prostu dobrana z nas para.

Przynajmniej na jedną noc, pomyślał Arkadij. Szpara pod
drzwiami była cienką kreską światła w ciemnościach. Nawet
jeśli Karp wciąż pod nimi tkwił, jego ludzie już się zapewne
wycofali na pokład. Mogli wprawdzie próbować zajrzeć przez
iluminator, ale zobaczyliby tylko zaciągniętą zasłonkę.

Wziął do ręki szklankę.

— Nie skończyliśmy naszej zabawy — powiedział.

---

* *Riddle* (ang) — zagadka.

— W szczerość? Popatrz na mnie. Czy ja nie jestem dość szczera? Ale dobrze, będę jeszcze bardziej szczera. Zostawiłam otwarte drzwi w nadziei, że będziesz tędy przechodził. Nie wiedziałam, co ci powiem. Pewnie, że strasznie mnie irytujesz. — Zmieniła ton na łagodniejszy i poprawiła się: — Że strasznie mnie irytowałeś. A potem przyznałam sama przed sobą, że ta udawana wrogość między nami bierze się stąd, iż jesteś ostatnim, którym chciałabym się zainteresować.

— To może stanowimy dobraną parę ciem.

Ale wiedział, że dla niego to coś więcej. Zaczął powracać do życia i gdy trzymał ją w ramionach, czuł, że znowu żyje. Jakby jej pożądanie sprawiło, że odtajała w nim ostatnia zamrożona blokada. I choć byli zamknięci w małej stalowej klatce pośrodku lodowego pustkowia, czuł, że żyje, nawet jeśli tylko przez tę jedną noc. A może każda ćma tak myśli?

— Zwerbował mnie w Atenach — powiedziała Susan.

— Morgan?

— Tak, George. Studiowałam grekę, która była pasją mego życia, przynajmniej tak mi się wtedy zdawało. On był kapitanem jachtu należącego do jakiegoś bogatego Saudyjczyka, który słał do George'a telegramy, że ma po niego tu czy tam przypłynąć. Saudyjczyk nigdy się nie pojawiał, ale George musiał pływać z Cypru do Trypolisu i z powrotem do Grecji. Zwerbował mnie, kiedy się domyśliłam, że żaden Saudyjczyk nie istnieje. Moją następną pasją stały się studia slawistyczne. George uznał, że mam wybitne zdolności językowe. On sam ich nie ma, choć jego arabski jest całkiem znośny. Opłacił mi naukę w Niemczech. Widywaliśmy się w Boże Narodzenie i latem spędzaliśmy razem tydzień. Ale gdy skończyłam szkołę, George powiedział, że przeszedł na swoje. Koniec z użeraniem się na rządowej posadzie, oświadczył. Prowadził niewielką firmę spedycyjną na Rodos, która specjalizowała się w omijaniu embarga. Podmienialiśmy etykiety na puszkach z konserwami z RPA, nalepki na pomarańczach z Izraela i napisy na oprogramowaniu z Tajwanu. Zawsze znajdowali się nabywcy z Angoli, Kuby, ZSRR. George mawiał, że komuniści ufają ci dopóty, dopóki na nich zarabiasz. A zaufają ci jeszcze bardziej, jeśli odpalisz im działkę. Wszystko brzmiało sensownie. Nie musiał już uzyskiwać niczyjej akceptacji, nie miał na karku żadnej rządowej komisji, żadnych zbędnych papierzysk i tylko co dwa tygodnie jadł lunch w Genewie z kimś z Langley. A ponieważ i tak musiał tam jeździć do banku, więc wszystko świetnie pasowało. George ma łeb na karku. Pierwszy wyczuł potencjał w nawiązaniu współpracy z Rosjanami w przemyśle rybnym, bo był pewien, że robicie dokładnie to samo co on. W ciągu tygodnia zlikwidował firmę na Rodos i przeniósł się do Seattle. Na rynku było mnóstwo wolnych kutrów. Wydaje mi się, że celowo kupił niewłaściwy, żeby uniknąć zbytniego szumu. A już na pewno mógł skompletować lepszą załogę. Tak więc znam George'a od wielu lat, a od trzech dla niego pracuję. Z tego rok spędziłam w Niemczech, rok pracowałam na Rodos, a od roku pływam na radzieckich statkach. Przez te wszystkie lata byliśmy z sobą w sumie przez sześć miesięcy, z czego dwa dni w ciągu ostatnich dziesięciu miesięcy. W tych warunkach trudno być w kimś zakochaną. Skończyło się na tym, że zaczęłam się rozglądać za kimś takim jak ty. Jestem wystarczająco szczera?

♦ ♦ ♦

Czy statki są jak kobiety, czy to kobiety są jak statki? Jak coś, do czego się lgnie w sennych marzeniach?

Z korytarza dobiegły ich głosy Amerykanów, którzy zmęczeni godzinnymi tańcami, chwiejnym krokiem zmierzali do swych kajut. Arkadij nawet nie miał zegarka.

Przesunął łagodnie dłoń z jej czoła w dół, jakby zapamiętywał profil Susan. Kiedyś wydawała mu się chuda i koścista, ale teraz jej twarz stanowiła właściwą oprawę dla warg i szeroko rozstawionych oczu, pasującą do dziecinnej fryzury na głowie. Gdy przesunął palce na jej brzuch, zwróciła ku niemu uśmiechniętą twarz. Ciepła, przyjazna barkentyna pod złocistym żaglem.

♦ ♦ ♦

— Zina wspomniała, że zobaczyła coś w wodzie — powiedział Arkadij.

— Wspomniała też o oficerze marynarki wojennej, którego spotkała na pokładzie. Jakimś radiowcu. — Susan leżała z głową opartą na piersiach Arkadija. Palili wspólnie jednego winstona z jej paczki.

— Uznałaś ją za prowokatorkę?

— Początkowo tak. Powiedziała Wołowojowi, że paliła trawkę z Lantzem. Akurat tyle, żeby rozbudzić jego ciekawość.

— I tyle, żeby mogła szwendać się po całym statku — uzupełnił Arkadij. Oddał jej papierosa i położył dłoń w miejscu, gdzie kończyła się szczęka i zaczynała szyja.

— Zina była za bardzo zwariowana, żeby to mogło być udawane. I zbyt bystra. A mężczyźni w ogóle tego nie dostrzegali.

— Myślisz, że nimi manipulowała?

— Wołowojem, Marczukiem, Sławem i nie wiem kim jeszcze. Może wszystkimi prócz ciebie.

— Opowiadała ci o Władywostoku, o swoim tamtejszym życiu?

— Tylko o podawaniu do stołu i opędzaniu się od natrętnych marynarzy.

— To dlaczego zamustrowała się na „Gwiazdę Polarną"? — zdziwił się Arkadij. — Przecież to było jak z deszczu pod rynnę.

— Też się nad tym zastanawiałam. To był jej sekret.

— Mówiła o przygodach z mężczyznami we Władywostoku?

— O Marczuku i tym radiowcu.

— A o broni?

— Nie.

— Narkotykach?

— Też nie.

— To o co jej chodziło, kiedy ustawiała się obok ciebie przy relingu rufowym?

Susan parsknęła śmiechem.

— Nigdy ci się to wypytywanie nie znudzi, co?

— Nie, nigdy. — Arkadij czuł pod opuszkami palców, jak jej tętno wyraźnie przyspiesza. — Ciekawe pytania nigdy mi się nie nudzą. Chodziło jej o połów? Dlaczego interesowały ją akurat ryby z „Orła"?

— Mężczyźni, nie ryby — odrzekła Susan. — Na „Orle" był Mike.

Arkadij wyobraził sobie, jak Zina stoi przy relingu rufowym i przyjaźnie macha do amerykańskiego trawlera. Czy to ważne, kto jej machał w odpowiedzi?

— I Morgan — powiedział.

— Morganowi chodziło tylko o zdobycie dowodu na to, że „Gwiazda" ciągnie za sobą jakiś kabel. Zina nie umiała mu podać żadnych szczegółów, a on niczego więcej od niej nie oczekiwał.

— A czego ona oczekiwała od niego?

— Aż za dużo.

— I właśnie to jej powiedziałaś tamtej nocy? Tuż przed jej zniknięciem?

— Próbowałam jej wytłumaczyć, że dla George'a nie stanowi wartościowego nabytku.

— Dlaczego nie? — Susan nie odpowiedziała i po chwili

Arkadij spytał: — A co miałaś na myśli, mówiąc, że nie chciałaby opuścić statku amerykańskiego?

— Bo chciała wybrać wolność.

◆ ◆ ◆

Położył jej głowę na ramieniu. Najspokojniejsze miejsce, pomyślał. Jak poduszka na księżycu.

— A ty chciałbyś uciec z „Gwiazdy Polarnej"? — spytała.

— Tak.

Dosłyszał, jak przed wypowiedzeniem następnych słów wstrzymuje oddech.

— Mogę ci w tym pomóc.

W jednej ręce trzymał papierosa, w drugiej zapałkę, ale go nie zapalał. Wolał skupiać się na lekkim drżeniu jej piersi pod swoim policzkiem.

— W jaki sposób?

— Potrzebny ci kamuflaż. Mogę wystąpić do Marczuka, żeby cię wyznaczył na tłumacza dla załóg. Marnujesz się na tej śluzgawce. Moglibyśmy spędzać więcej czasu razem.

— Ale jak możesz mi pomóc w ucieczce z „Gwiazdy Polarnej"?

— Możemy się tym zająć.

— Co musiałbym zrobić?

— Nic. Kto to jest Hess?

Dopiero teraz potarł zapałkę i przed przytknięciem płomyka odczekał, aż wypali się pierwszy siarkowy swąd.

— Nie powinniśmy rzucić palenia? — zapytał.

— Nie.

Zaciągnął się gryzącym dymem z surowej radzieckiej machorki.

— To taki nasz Morgan, kolejny rybak.

— Widziałeś ten kabel, prawda?

— Widziałem pokrywę nad nim. Nic specjalnego.

— Ale byłeś tam w środku.

Nim zdmuchnął płomyk, sięgnął po szklankę z podłogi. Była w połowie wypełnia whisky.

— A może powinniśmy przestać pić?

— Nie. Wróć tam i jeszcze raz się przyjrzyj.

— Hess już mnie tam nie wpuści. — Zdmuchnął płomyk i upił połowę zawartości.

— To sam się dostań. Wygląda na to, że potrafisz wszędzie się wkręcić.

Podał jej szklankę.

— Dopóki Karp mnie nie dopadnie.

— Tak. — Wychyliła do końca whisky i odwróciła głowę. — A wtedy pomożemy ci zejść albo cię znieść.

Uniósł się na łokciu, jakby mógł w ten sposób dojrzeć jej twarz. Włosy miała wciąż wilgotne w dotyku. Ujął ją pod brodę i odwrócił jej twarz ku sobie.

— Zejść albo znieść? Co to znaczy?

— To, co mówię.

♦ ♦ ♦

Butelka była pusta i wszystkie winstony zamieniły się w obłok wiszącego nieruchomo niebieskiego dymu. Jakby wszystko wraz z nimi też poszło z dymem.

— Nie chcę, żebyś wychodził — powiedziała.

Lampka przy koi ledwie się żarzyła, ale i tak dostrzegł wyraz jej oczu i swoje w nich odbicie.

♦ ♦ ♦

— Hess wspominał coś o długości? — spytała. — Ile jest hydrofonów? Jaki mają zakres? Ma tam komputery i oprogramowanie. Byłoby fajnie, gdybyś zdobył mi dyskietkę. A jeszcze lepiej hydrofon.

Arkadij zapalił biełomora.

— Ciebie to nie nudzi? — zapytał. — Szpiegowanie nie kojarzy ci się z niekończącą się grą w karty?

— Podczas bytności w Dutch Harbor George cię sprawdził. Ma tam dostęp do bezpiecznego łącza. Chciał się dowiedzieć, czy jesteś tym, za kogo się podajesz. — Wzięła od niego papierosa. — FBI mówi, że nie można ci ufać.

— To samo mówi KGB. Przynajmniej w tym jednym się zgadzają.

— Czyżbyś nie miał wystarczającego powodu, żeby się stąd wynieść? — Patrzyła na niego szeroko otwartymi oczami, jakby chciała go przejrzeć w blasku papierosowego żaru, tego odwiecznego światełka rosyjskich spiskowców.

— W Dutch Harbor oskarżyłaś Morgana i mnie o współudział w zamordowaniu Ziny. Czujesz pociąg do morderców? — zapytał Arkadij.

— Nie.

— To dlaczego tak powiedziałaś? Przecież chcesz, żebym mu zaufał.

— To nie była wina George'a.

— A czyja? — Odczekał chwilę, a gdy nie odpowiedziała, kontynuował: — Ty i Zina stałyście na pokładzie rufowym. Zabawa w stołówce jeszcze trwała. Statkiem targały fale, było ciemno, przy burcie stał przycumowany „Orzeł". Oświadczyłaś Zinie, że oczekuje zbyt wiele. Co na to odpowiedziała?

— Powiedziała, że nie uda mi się jej powstrzymać.

— Ktoś ją jednak powstrzymał. Pokazała ci plastikową torbę?

— Torbę?

— Z ręcznikiem i ciuchami w środku. Od jednej ze swoich współlokatorek pożyczyła czepek pod prysznic. Nigdy go jej nie oddała.

— Nie. A poza tym ty to co innego. Ona była niewiadomą, przeciwnie niż ty. Jeśli dostarczysz mi coś z zabawek Hessa, naprawdę będziemy mogli ci pomóc. W domu nic na ciebie nie czeka, prawda? Po co miałbyś wracać?

— Naprawdę możecie mi pomóc? Naprawdę możecie zrobić tak, żebyśmy stąd zniknęli i znaleźli się gdzieś na ulicy, usiedli w jakiejś kawiarni, poszli do łóżka na drugim końcu świata?

— Należy mieć nadzieję.

— Jeśli chcesz mi pomóc, to powiedz, co Zina robiła podczas tych wszystkich wizyt na rufie. Po co tam stawała, zanim jeszcze cokolwiek wiedziała o Morganie, radiowcu czy kablu?

Pstryknęła wyłącznik lampki i kajuta pogrążyła się w ciemnościach.

— To zabawne. Jakbyśmy przez całą noc trzymali dłonie nad płomieniem.

— Powiedz.

Susan milczała przez dobrą minutę, w końcu zaczęła jednak mówić.

— Nie wiedziałam. Nie byłam pewna. Początkowo myślałam, że po prostu okazuje przyjaźń albo że została nasłana przez Wołowoja. Czasami coś się wokół ciebie dzieje, coś, co się powtarza, a ty się nie możesz połapać, o co chodzi. Potem zaprzyjaźniłyśmy się i przestałam się nad tym zastanawiać, bo było mi miło mieć ją obok siebie. Dopiero gdy ty się pojawiłeś, zaczęłam kombinować i zadawać pytania, ale pewność zyskałam w Dutch Harbor, kiedy kazali mi wrócić na „Gwiazdę Polarną" i pomóc w wyciszeniu sprawy. Mieliśmy trzymać się razem i radzić sobie z pojawiającymi się problemami. Rozpoznać i rozwiązać. Na tym polega problem z pracą w sektorze prywatnym. Nikt ci nie udzieli wsparcia, nikt cię nie odwoła. Cały czas trzeba iść na kompromis, a ludzie wynajęci do brudnej roboty jeszcze bardziej się brudzą. George jest maniakiem kontrolowania wszystkiego, ale utracił kontrolę. Da sobie jednak radę. Jest niezniszczalny, nie to, co my. Wcześniej niż ja zorientował się, co Zina robi przy relingu, a jak mówi, że się czymś zajmie, to się tym zajmie. Ale mogę cię zapewnić, że on jej nie zabił.

— Ale skąd ci przyszło do głowy, że to ja ją zabiłem?

— Bo byłeś taki nieprawdziwy. Śledczy przy taśmie produkcyjnej? Poza tym tej nocy powiedziała mi, że wróci.

— Wróci? — Arkadij pamiętał dziewczynę pływającą w zatoce we Władywostoku, pożyczającą czepek pod prysznic, oklejającą taśmą plastikową torbę. Znów wszystko było pozbawione sensu. Były dwie różne Ziny: Zina snująca marzenia z Mikiem i słuchająca Rolling Stonesów oraz Zina potajemnie wszystko nagrywająca. Ale gdyby miała zamiar zbiec na „Orła", zabrałaby taśmy z sobą i zostawiła zmyślony pożegnalny list samobójczyni, a nie tylko kilka kartek w notesie z wprawkami. A poza tym była za sprytna, żeby udawać samobójstwo w chwili, gdy przy burcie cumował statek amerykański. — Wróci skąd?

Gdy Susan znów zaczęła mówić, w jej głosie pojawiło się znużenie.

— George oświadczył, że musi mieć kogoś więcej niż tylko rybaków, i takich dostał. Potrzeba mu tylko trochę czasu, żeby zapanować nad załogą. Nic nie wiedział o Zinie i nie mógł nic zrobić w sprawie Mike'a i Wołowoja. Był tylko zdziwiony, że nie znalazł tam też ciebie.

Arkadij pomyślał o Karpie.

— Chodźmy z tym do Marczuka.

— Nie mogę tego nikomu powtórzyć. W razie czego wyprę się wszystkiego, wiesz to najlepiej.

— Tak. — Arkadij musiał przyznać jej rację.

— Wszystko, co tu powiedziałam, było tylko zabawą. Zabawą z cyklu: „Co by było, gdyby...".

— Na przykład: „Co by było, gdyby nie nadeszło rano?", tak?

Dłonią poszukała jego dłoni.

— To teraz ty mi powiedz, czy gdybyś mógł zbiec, zniknąć z „Gwiazdy Polarnej" i znaleźć się w Ameryce, zrobiłbyś to?

Słuchając swojej odpowiedzi, Arkadij nie był do końca pewien, czy to wciąż tylko gra.

— Nie.

♦ ♦ ♦

Leżeli wtuleni w siebie na wąskiej koi, a ich uśpione ciała kołysały się wraz z całym statkiem, gdy ten zadzierał stalowy dziób i miażdżył kolejne zwały lodu. Towarzyszący temu łoskot był mocno stłumiony i bardziej przypominał podmuchy wiatru, który chłodzi skórę, lub dalekie pomruki oddalającej się burzy.

♦ ♦ ♦

Arkadij rozsunął zasłonkę na iluminatorze i stwierdził, że śnieg już się nie iskrzy, lecz pada wielkimi, gęstymi płatami. Nastawał świt na Morzu Beringa.

— Stoimy — powiedział.

Nie słychać już było zgrzytu stali o lód, choć pod stopami dawało się wyczuć wibracje pracujących silników. Wrócił do koi i nacisnął wyłącznik lampki nocnej, która posłusznie zapaliła się i zgasła. Wyglądało na to, że z siecią zasilającą jest wszystko w porządku, ale poza tym „Gwiazda Polarna" jakby zawisła w próżni. Statek nie tyle ucichł, ile pogrążył się w martwej ciszy.

— A co z „Orłem"? — spytała Susan.

— Jeśli my stoimy, to on też. — Zebrał z podłogi spodnie i koszulę.

— Mają swojego przewodnika, a w końcu to wy nim jesteście, nieprawdaż? — rzekła Susan.

— Prawdaż.

— No i takie jest to nasze joint venture. „Orzeł" nie jest przystosowany do pływania wśród lodów i Marczuk o tym wie. Arkadij zapiął koszulę.

— Idź do radiowęzła — powiedział — i spróbuj nawiązać łączność z Dutch Harbor, albo wejdźcie na kanał awaryjny.

— A ty dokąd się wybierasz?

Arkadij włożył skarpetki.

— Do kryjówki. „Gwiazda Polarna" to duży statek.

— I jak długo masz zamiar w niej siedzieć?

— Potraktuję to jako wyzwanie w ramach współzawodnictwa socjalistycznego.

Wcisnął nogi w buty i zdjął z krzesła kurtkę. W bladym świetle iluminatora wielkości otworu strzelniczego widział, że Susan leży bez ruchu i tylko jej oczy uważnie śledzą każdy jego ruch.

— Nie wierzę, że idziesz się schować — powiedziała. — Dokąd się wybierasz?

Położył rękę na klamce, zabrał i ponownie położył.

— Chyba wiem, gdzie zginęła Zina.

— Przez całą noc chodziło ci tylko o Zinę?

— Nie — zaprzeczył, zwracając do niej uśmiechniętą twarz.

— Z czego tak się cieszysz?

Niemal go to zmieszało.

— Bo wciąż żyję. Oboje żyjemy. Czyli chyba jednak nie para ciem.

— No dobra. — Uniosła się, zanurzając się cała w mdłym świetle jak w chmurze pyłu. — Powtórzę, co powiedziałam Zinie. Powiedziałam jej: Nie idź.

Ale jego już nie było.

Rozdział 29

„Gwiazda Polarna" znalazła się na dnie białej studni. Statek ze wszystkich stron otaczały ściany gęstej mgły, a odbite od lodu i uwięzione we mgle promienie słońca świeciły blaskiem rozmytym i jednocześnie rażącym wzrok.

Sam statek też błyszczał, bo lód grubą warstwą pokrywał wszystkie zewnętrzne elementy, a pokład przypominał lśniące bielą lodowisko. Siatka otaczająca boisko do siatkówki skrzyła się jak konstrukcja zbudowana z nakładających się warstw kryształów, rozwieszone nad głowami przewody antenowe lśniły, jakby zrobiono je ze szkła. Wszystkie iluminatory pokryły się mlecznymi lodowymi powłokami, gruba warstwa lodu skuła leżące na zewnątrz sągi drewna. Cały statek przypominał wielką rybę, która wynurzyła się z Morza Arktycznego.

◆ ◆ ◆

— Oczywiście ten kabel, który nie miał prawa o nic się zaczepić, leży teraz na dnie kompletnie splątany — powiedział z goryczą Marczuk. Stanęli z Arkadijem w kącie mostka, tak by sternik nie mógł podsłuchiwać ich rozmowy. Kapitan nie zmrużył oka przez całą noc, brodę miał zmierzwioną, a oczy za ciemnymi okularami zapadnięte i przekrwione. — Musieliśmy zatrzymać maszyny i czekać, żeby Hess skończył swoją zabawę ze zwijaniem i rozwijaniem tego cudeńka.

— A co z „Orłem"? — Arkadij powtórzył pytanie zadane wcześniej przez Susan.

Wycieraczki z mozołem szorowały po oblodzonej przedniej szybie mostka, ale nie miało to większego znaczenia, bo statek i tak stał w miejscu, a widok za szybą ograniczał się do morza rażącej wzrok mgły. Arkadij ocenił, że widoczność nie przekracza stu metrów.

— Ciesz się, Renko, że jesteś na właściwym statku.

— Nie odezwali się?

— Radio kompletnie im wysiadło.

— Trzy radiostacje i wszystkie padły?

— Mógł im się złamać maszt. Wiemy, że byli silnie oblodzeni i bardzo nimi kiwało, więc to niewykluczone.

— Nie powinniśmy tam kogoś wysłać?

Marczuk poklepał się po kieszeniach w poszukiwaniu papierosów, potem pochylił się nad blatem i zaniósł kaszlem, jakby się właśnie zdrowo zaciągnął. Na koniec odchrząknął i powiedział:

— Wiesz, co zrobię, gdy tylko wrócimy? Zafunduję sobie kurację zdrowotną. Żadnego picia, żadnego palenia. Pojadę do takiego ośrodka pod Soczi, gdzie ci oczyszczają cały organizm. Każą wdychać opary siarki i oblepiają cię gorącym błotem. Mam zamiar tkwić w tym błocie co najmniej sześć miesięcy, aż zacznę śmierdzieć jak chińskie jajko. Dopiero wtedy ma się pewność, że cię naprawdę wyleczyli. Wrócę różowiutki jak pupcia noworodka. I wtedy mogą mnie rozstrzelać. — Zerknął w stronę sternika, potem w głąb pomieszczenia nawigacyjnego, gdzie drugi oficer siedział nad rozłożonymi mapami. Wprawdzie „Gwiazda Polarna" utknęła w lodzie, ale nie przestała zmieniać położenia, ponieważ cały lód systematycznie dryfował. — Kiedy się dotrze tak daleko na północ, ze sprzętem zaczynają się dziać różne dziwne rzeczy. Niezwykłe zjawiska nie ograniczają się tylko do omamów wzrokowych. Na przykład sygnał radiowy nagle sam się wzmacnia, gdzieś się odbija i wraca. Pole magnetyczne jest tak silne, że pochłania sygnały radiolokacyjne. Nie trzeba lecieć w kosmos, żeby się znaleźć w czarnej dziurze. Cały ten rejon to jedna wielka czarna dziura.

— Może jednak powinniśmy tam kogoś wysłać — powtórzył Arkadij.

— Nie wolno mi, dopóki kabel nie zostanie prawidłowo zwinięty. Jeśli zaczepił o coś pływającego, może się znajdować tuż pod lodem i może nawet być widoczny z góry.

— Kto jest kapitanem tego statku, pan czy Hess?

— Renko! — Marczuk poczerwieniał i wykonał ruch, jakby chciał wyjąć ręce z kieszeni. — A kto jest marynarzem drugiej klasy, który powinien być wdzięczny, że nie siedzi przykuty łańcuchem do swojej koi?

Arkadij podszedł do zestawu przyrządów. Mimo iż „Orzeł" wciąż znajdował się tylko dwa kilometry za „Gwiazdą Polarną", odpowiadająca mu zielona kropka na ekranie była ledwie widoczna.

— Nie bój się, nie toną — uspokoił go Marczuk. — Po prostu są mocno oblodzeni, a lód nie daje takiego odbicia jak czysty metal. Hess twierdzi, że u nich wszystko w porządku, bo ich urządzenia radiowe działają i namierzają nasz kabel. Słyszałeś, jak powiedział, że to my jesteśmy w sytuacji zagrożenia, nie oni.

— A jak całkiem znikną z ekranu, to Hess powie, że zamienili się w łódź podwodną. Za chwilę będzie tu Susan. Jak pan sobie poradzi z nią i resztą naszych Amerykanów?

— Zaproszę ich do mesy i przedstawię pełną i szczerą

analizę sytuacji — rzekł sucho Marczuk. — Najważniejsze, żeby ich trzymać z dala od rufy, póki nie uda się zwinąć kabla. Duży statek przetwórnia i mały trawler utknęły na dobre w zwałach lodu. Były zwrócone dziobami na południowy wschód, skąd miały przypłynąć statki wysłane z Seattle. Rozglądali się za nimi na różnych zakresach, ale radar nie sygnalizował zbliżania się jakichkolwiek jednostek. Tylko na zakresie pięciu kilometrów, na kierunku trzystu stopni pojawiał się blady rozbłysk oznaczający „Orła".

— Jeśli przez następną godzinę towarzysz Hess nie wciągnie tego swojego kabla — mruknął Marczuk — to go osobiście odetnę i wyrwę się z lodu. To trochę potrwa, bo w tej temperaturze woda jest gęsta i kabel będzie wolno tonął. Dopiero wtedy będę mógł zawrócić i zająć się „Orłem". Ale możesz mi wierzyć, że nie dopuszczę do śmierci rybaków. Mnie też zależy, żeby wypłynęli na otwarte wody.

— Nie — powiedział Arkadij. — Już lepiej niech zostaną tam, gdzie są.

Marczuk stanął plecami do szorujących po szybie wycieraczek. W dole widać było uniesiony dziób statku, którego zielone, upstrzone plamami rdzy poszycie pokrywała złowrogo lśniąca powłoka lodu. Dalej roztaczała się już tylko monotonna biel, w której nie sposób było dojrzeć wody, nieba czy linii horyzontu.

— Nikomu nie pozwolę opuścić statku — rzekł Marczuk. — Po pierwsze dlatego, że mi nie wolno. Po drugie, bo nic by to nie dało. Chodziłeś kiedyś po zamarzniętym jeziorze?

— Tak.

— To nie to samo. To nie Bajkał. Lód z wody morskiej jest dwa razy bardziej kruchy od lodu z wody słodkiej. Jest bardziej jak ruchome piaski niż beton. Rozejrzyj się! W takiej mgle nic nie widać. Po stu krokach straciłbyś orientację. Jeśli jakiś szaleniec chciałby wyruszyć w drogę po tym lodzie, powinien najpierw się ze wszystkimi pożegnać. Nie, mowy nie ma.

— Chodził pan kiedyś po takim lodzie? — spytał Arkadij.

Marczuk skłonił głowę, jakby witał wspomnienie.

— Tak, chodziłem.

— I jak było?

— Było — kapitan rozłożył ręce — przepięknie.

* * *

Z szafki na sprzęt ratunkowy Arkadij wyjął dwie kamizelki i rakietnicę. Kamizelki z kostek pianki plastikowej były obszyte pomarańczową bawełnianą tkaniną, miały kieszonki na gwizdki alarmowe i taśmy do obwiązania się w pasie. Rakietnica była przerobionym starym modelem nagana, w którym bębenek i lufę zastąpiono grubą gilzą flary.

Pokład trałowy wydał mu się pusty i dopiero poniewczasie zauważył, że obserwuje go ktoś siedzący wysoko w kabinie operatora dźwigu — ledwie dostrzegalny zarys człowieka w przeszklonej klatce i tylko twarz przytknięta do trójkątnego pęknięcia w szybie pozwoliła rozpoznać w nim Pawła, który nie zareagował na widok idącego po pokładzie Arkadija. Arkadij dotarł do tylnej nadbudówki i uzmysłowił sobie, że włożony na głowę kaptur i mocno pogrubiające kamizelki na tyle zmieniły jego wygląd, iż Paweł mógł go z tej odległości nie rozpoznać.

— Arkadij, to ty? — Gurij kręcił się po korytarzu koło kuchni, przerzucając z dłoni do dłoni gorące pielmienie. Rękawy jego skórzanej kurtki były białe od mąki.

W pierwszej chwili widok współlokatora zaskoczył Arkadija, ale szybko zdał sobie sprawę, że takie zachowania stały się ostatnio normą. Z mesy stale rozchodziły się zapachy jedzenia, a niemający nic do roboty członkowie załogi wałęsali się pod pokładem, grali w szachy lub warcaby, oglądali filmy, drzemali.

Zdarzało się już wcześniej, że „Gwiazda Polarna" z jakiegoś powodu stawała, ale prawie nigdy nie podawano przyczyny. Załoga czuła pod stopami, że silniki pracują na wolnym biegu, ale nie zwracała na to uwagi i jakby nigdy nic zajmowała się swoimi sprawami.

— Musisz to zobaczyć. Niby zwyczajne pierożki z mięsem w kształcie gówienka, ale...

Gurij odgryzł połowę, przełknął i pokazał Arkadijowi drugą połówkę.

— No i co?

Gurij uśmiechnął się i podsunął mu połówkę pierożka pod nos.

— Ani śladu mięsa. Nie chodzi mi o to, że jak zwykle zamiast mięsa są żyłki i inne śmieci. Mam na myśli to, że ten farsz nawet się nie otarł o jakiegoś przedstawiciela rodziny ssaków. To mączka rybna wymieszana z sosem.

— Potrzebny mi twój zegarek.

To Gurija zaskoczyło.

— Chcesz wiedzieć, która godzina?

— Nie — odparł Arkadij, rozpinając pasek nowego nabytku Gurija. — Chcę go od ciebie pożyczyć.

— Pożyczyć? Wiesz, że ze wszystkich złych słów w języku rosyjskim, takich jak „pierdolić" czy „zabijać", „pożyczać" jest chyba najgorsze. „Leasingować", „najmować", „dzierżawić"... to są słowa, jakich trzeba się uczyć.

— Zatem rekwiruję twój zegarek. — Kompas w pasku miał nawet podziałkę w stopniach.

— Jesteś człowiekiem godnym zaufania.

— Złożysz skargę na Olimpiadę za podkradanie mięsa?

Chwilę potrwało, zanim Gurijowi udało się wrócić do poprzedniej myśli.

— Nie, nie. Ale pomyślałem, że po powrocie do Władywostoku mógłbym założyć z nią firmę i otworzyć knajpę. Olimpiada to geniusz. Z taką wspólniczką można zbić majątek.

— Życzę powodzenia. — Arkadij zapiął zegarek na przegubie.

— Dzięki. Do czego ty zmierzasz? — Gurij wykrzywił twarz, ale zaniepokoił się dopiero wówczas, gdy Arkadij ruszył w stronę pokładu rufowego. — Dokąd ty się wybierasz w takim stroju? Kiedy oddasz mi zegarek?

W obawie, że może go wypatrzyć któryś z ludzi Karpa, Arkadij celowo poruszał się ociężałym chodem kogoś dużo tęższego i nie rozglądał po pokładzie łodziowym. Zatknięta na rufie czerwona bandera była oblodzona i zwisała nieruchomo, na lśniącym lodowisku, w jakie zamienił się pokład, widać było tylko kilka śladów ludzkich stóp. Przy schodkach prowadzących na rampę stało dwóch zziębniętych ludzi z czerwonymi opaskami członków ochotniczej służby porządkowej. Skiba i Ślezko, obaj w ciemnych okularach i futrzanych czapach na głowach. Poznali Arkadija i spróbowali zagrodzić mu drogę, ale on władczym gestem kazał im się odsunąć. Wielokrotnie stykał się z tym gestem w Moskwie — krótkim, pewnym siebie, lekceważącym machnięciem dłonią, którym cieszący się władzą zganiali przechodniów z jezdni przed przejazdem kawalkady pojazdów rządowych, wysyłali do akcji psy, odprawiali adiutantów czy rozpędzali zbiegowiska.

— Ale kapitan zakazał... — zaczął Ślezko

— Nikomu nie wolno... — wszedł mu w słowo Skiba.

Arkadij sięgnął po słoneczne okulary Skiby.

— Czekaj — powiedział Ślezko i wręczył mu paczkę marlboro.

— Towarzysze, możecie mnie uważać za złego komunistę. — Arkadij zasalutował i ruszył w dół schodami.

Lina bezpieczeństwa była przymarznięta do poręczy podestu,

skąd bosmani połowowi zwykle kierowali operacją wciągania sieci. Aby ją uwolnić, Arkadij musiał parę razy w nią kopnąć. Przekroczył poręcz i obwiązał linę wokół ręki, ale schodzenie po pochylni i tak przypominało niekontrolowane zsuwanie się po oblodzonym stoku. Po paru krokach nogi spod niego uciekły, zjechał resztę drogi na siedzeniu i zatrzymał się dopiero na lodzie.

Wysoko nad głową Arkadij widział sylwetki Skiby i Ślezki, którzy stali wychyleni przez poręcz i wpatrywali się w niego jak dwie łasice polujące na krawędzi urwiska. Wstał i wyznaczył sobie kierunek marszu zgodnie ze wskazaniem kompasu na zegarku Gurija. Lód pod nogami był twardy jak kamień i Arkadij pewnym krokiem ruszył przed siebie.

Już po chwili wiedział, że powinien był włożyć dwie warstwy bielizny, podwójne skarpety i filcowe walonki. Na szczęście miał dobre rękawice, wełnianą czapkę pod kapturem i dwie kamizelki ratunkowe, które okazały się doskonałymi izolatorami ciepła. W miarę posuwania się do przodu zaczęło mu się robić coraz cieplej. Czuł się też coraz pewniej. Ciemne okulary nie tyle tłumiły oślepiający blask mgły, ile wyostrzały obraz, co pozwalało odróżniać poszczególne smugi bieli. Kiedyś doznał podobnego uczucia, gdy lecąc w chmurach, wyjrzał przez okno samolotu. Lód pod nogami był twardy i tak mlecznobiały, jak białe bywają zamarznięte przy brzegu fale morskie. Był też szklisty niczym lustro, ale zamiast swego odbicia widział w nim tylko mętny obraz zamarzniętych wewnątrz pęcherzyków powietrza. Obejrzał się i stwierdził, że opuszczony przed chwilą statek rozpływa się we mgle i jakby odrealnia. „Gwiazda Polarna" coraz mniej przypominała stojący na wodzie statek, a coraz bardziej szare wrzeciono, które spadło skądś z góry.

Dwa kilometry szybkim krokiem to jakieś dwadzieścia minut, może pół godziny. Ale ilu przed nim chodziło tak po morzu?

Był ciekaw, czy Zina też tak patrzyła na wznoszącą się nad nią bryłę statku. Jemu było dużo łatwiej, bo teraz woda zamarzła w płaski alabastrowy chodnik. Gdy po chwili znów się obejrzał, „Gwiazda Polarna" już znikła.

Starał się cały czas utrzymywać kierunek marszu na linii trzystu stopni, choć igła kompasu co chwilę miotała się po całej tarczy. Bliskość bieguna magnetycznego powodowała, że działały na nią potężne siły i czubek igły jak za pociągnięciem sznurka wychylał się gwałtownie to w lewo, to w prawo, jednak poza wskazaniami kompasu nie miał żadnych innych punktów odniesienia. Nie tyle brakowało punktów orientacyjnych na horyzoncie, ile samego horyzontu — choćby śladu linii odgraniczającej lód od mgły. Wszystkie kierunki wyglądały tak samo. Otaczała go totalna pustka.

Chciał przede wszystkim zajrzeć do szaf w kajutach, potem sprawdzić zakamarki w maszynowni. Był pewien, że przed wrzuceniem do wody ciało Ziny ukrywano gdzieś na „Orle".

Marczuk miał rację co do omamów. W pewnej chwili ujrzał przed sobą czarną płytę winylową na siedemdziesiąt osiem obrotów, która obracała się zawieszona w powietrzu, nie wydając żadnego dźwięku. Jego umysł chyba postanowił urozmaicić białą pustkę pierwszym z brzegu przedmiotem podsuniętym przez pamięć. Rzucił okiem na kompas. A może chodzi w kółko? We mgle to się zdarza. Nicktórzy naukowcy twierdzą, że dzieje się tak, ponieważ jedna z nóg jest zawsze silniejsza, inni uważają, że to wpływ efektu Coriolisa związanego z obrotami Ziemi, i upierają się, że człowiek decyduje o swych ruchach w podobnym stopniu jak wiatr czy woda.

Im bardziej zbliżał się do płyty, tym szybciej zdawała się ona wirować. Gdy zostało mu do niej tylko parę kroków, zaczęła się nagle kiwać jak wytrącona z równowagi, po czym przemieniła się w krąg smoliście czarnej wody o nieregularnych, mocno zbryzganych krwią krawędziach.

Niedźwiedzie polarne czatują przy przeręblach służących fokom do zaczerpnięcia powietrza i rzucają się na nie, gdy tylko foka wystawi głowę nad powierzchnię. W tym celu potrafią zapuszczać się dwieście czy trzysta kilometrów w głąb pola lodowego. Zwykle hałas łamania lodu przez statek je odstrasza, ale „Gwiazda Polarna" od pewnego czasu trwała w bezruchu. Arkadij nie słyszał żadnych odgłosów walki, więc zapewne atak nie wydarzył się przed chwilą, jednak nigdzie dalej nie było śladów krwi ani łap, a to musiało znaczyć, że niedźwiedź albo wskoczył za swą ofiarą do wody i jeszcze nie wypłynął, albo popłynął pod lodem do innego otworu. Lód wokół przerębla był tak poszarpany i zakrwawiony, jakby doszło tu do eksplozji. W wodzie kręciło się kilka kawałków lodu, świadcząc o istnieniu podwodnych prądów.

Jakże nieoczekiwane zakończenie: być zjedzonym przez niedźwiedzia. Choć zapewne nie pierwsze w historii, przynajmniej w Rosji. Ależ ta foka musiała być zaskoczona. Znał to uczucie. Ponownie sprawdził wskazanie kompasu i ruszył w dalszą drogę.

Gdzieś przed sobą usłyszał głośny trzask. W pierwszej chwili pomyślał, że to może ów niedźwiedź wyłamuje się spod lodu, potem przyszło mu do głowy, że może to oznaczać pękanie lodu. Pod wpływem prądów morskich lód wciąż się przesuwa, pęka i ponownie łączy. Ale zbytnio go to nie zaniepokoiło. W wodzie dźwięk rozchodzi się szybciej i dalej niż w suchym powietrzu, a mgła nie tylko go nie tłumi, ale jeszcze wzmacnia. Jeśli nawet doszło do pęknięcia lodu, nastąpiło to dość daleko od niego.

Zaklinał w duchu cholerną igłę kompasu, żeby wreszcie przestała skakać. Ile czasu już idzie? Według zegarka, dwadzieścia minut. Ale czy można mieć zaufanie do japońskiej kontroli jakości? Nigdzie nie było śladu „Orła", za to gdy obejrzał się za siebie, zauważył, że w oddali pojawiło się coś, co jak mglista zjawa podążało jego śladem.

Poczuł, jak poszarzały fragment lodu ugina się pod jego ciężarem, i szybko przesunął się w bok na bielszy lód, po czym ponownie wyznaczył sobie kierunek marszu. Pasmo większego lodu biegło chyba z południowego zachodu na północny wschód, w poprzek kierunku jego marszu, ale potraktował to jako ostrzeżenie. Zjawa podążająca za nim poruszała się długimi susami, ale nie mogła być niedźwiedziem, bo utrzymywała pozycję pionową i była czarna.

Do Arkadija zaczynało docierać, że się zgubił. Albo źle wyznaczył kierunek marszu, albo błędnie ocenił odległość dzielącą „Gwiazdę Polarną" od „Orła". Stwierdził też, że chwilami mgła przemieszcza się z lewej strony ku prawej, i po raz pierwszy uświadomił sobie, że to, co uważał za nieruchomą ścianę mgły, w rzeczywistości przesuwało się pod kątem do kierunku marszu, a to znaczyło, że obrany przez niego kierunek od początku mógł być błędny. Sunął do przodu, a mgła otulała go ze wszystkich stron. Postać zbliżyła się na jakieś sto metrów i można już było wyróżnić parę nóg, rąk i okalającą twarz brodę. Ależ to Marczuk! Skiba i Ślezko musieli go zawiadomić tuż po zejściu Arkadija z pokładu, a osobiste podjęcie pogoni za uciekinierem było typowym postępowaniem zawziętego Sybiraka w rodzaju Marczuka. Parę kroków dalej Arkadij wkroczył w gęściejszą mgłę i postać Marczuka się rozmyła.

Kapitan nie próbował go wołać. Arkadijowi zależało już tylko na tym, by dotrzeć do „Orła", zanim Marczuk go dogoni i zmusi do powrotu na „Gwiazdę Polarną". Obecność kapitana na pokładzie trawlera w niczym by mu nie przeszkadzała, byle tylko miał okazję trochę się rozejrzeć. Właściwie byłoby nawet lepiej mieć go obok siebie. Wiedział, że Ridley i Coletti mają układ z Karpem, który prawdopodobnie nie obejmuje Morgana, ale kapitan musiał wiedzieć, że coś się na jego statku dzieje. Wprawdzie wciąż poruszał się w gęstej mgle, ale oczami wyobraźni widział swoje ślady, które jak po sznurku prowadzą do „Orła". Przypominały strzałę zmierzającą prosto do celu. O ile oczywiście nie minął już trawlera i nie zmierzał w stronę koła podbiegunowego.

Znów usłyszał trzask, tym razem wyraźniejszy i głośniejszy. To nie pękanie lodu. To odbijanie lodu: walenie, po którym słychać jakby brzęk tłukącego się szkła. Arkadij zaczął nastawiać uszu, namierzając źródło hałasu. Dźwięki rozchodzące się we mgle potrafią bardzo zmylić, często wydaje się, że ich źródło znajduje się dużo bliżej. Arkadij wysiłkiem woli powstrzymał chęć puszczenia się biegiem. Wiedział, że w takich okolicznościach łatwo pobiec w niewłaściwym kierunku. Gęsta mgła osaczała go teraz ze wszystkich stron jak fala, która próbuje wynieść pływaka na otwarte morze. Ile trzeba mieć hartu, żeby odważyć się przepłynąć choćby parę metrów w takiej lodowatej wodzie. Widział rybaków, którzy wpadli do takiej wody i niemal natychmiast doznawali szoku termicznego, grzebiąc tym samym szanse na uratowanie.

Odgłos walenia nagle przybrał na sile i mniej więcej dziesięć metrów przed nim z mgły wyłoniła się sylwetka „Orła". Trawler stał wypchnięty na lód i lekko przechylony. Opływające go smugi mgły sprawiały wrażenie, jakby statek pędził po otwartym morzu.

Przyczyną oblodzenia „Gwiazdy Polarnej" był głównie padający śnieg. Płynący za nią „Orzeł" pokrył się grubą warstwą lodu, pochodzącego z rozbryzgów wody morskiej. Zamarzała ona na nim w formie groteskowych szarych stalaktytów, które stopniowo pokrywały się coraz grubszym lodowym szkliwem.

Lód spływał kaskadami po drabinkach z mostka i wypływał lodowymi jęzorami ze spływników w burcie, a sople wyrastające z krawędzi burty sięgały pola lodowego. Coletti stał na zewnątrz sterówki i palnikiem acetylenowym podgrzewał lód w szparach wokół okien. W blasku płomienia widać było jego wymizerowaną twarz. Wnętrze mostka oświetlały ledwie jarzące się lampki, ale mimo to Arkadijowi udało się dojrzeć postać skuloną na kapitańskim fotelu. Widać też było Ridleya, który próbował odrąbywać lód z poprzeczek masztu radiowego. Anteny dipolowe w ogóle zniknęły ze szczytu masztu, prętowe były wygięte pod kątem dziewięćdziesięciu stopni i obwieszone soplami lodu. Nie ma się co dziwić, że anteny w tym stanie odbierają co najwyżej szumy tła. Mgła podniosła się i sylwetka „Orła" znów się rozpłynęła. Zajęci pracą rybacy nawet nie unieśli głów i Arkadij przez nikogo niezauważony ruszył w stronę rufy.

Ciekawe, o ile udało mu się wyprzedzić Marczuka? Dziesięć kroków? Dwadzieścia? Odgłosy walenia młotkami na pewno też go tu przyciągną. Arkadij już wkraczał na pochylnię, gdy coś przykuło jego uwagę. Na kambuzie leżała zrolowana sieć, a zwisające z niej czarne i pomarańczowe wąsy były obrośnięte soplami lodu. Wiatr dął na trawler z taką siłą, że w powietrzu tworzyło się coś w rodzaju upiornego kilwateru — tunelu pozbawionego mgły, w którym na końcu pojawiła się już sylwetka Marczuka. Ale to nic, teraz kapitan już mu nie przeszkodzi. Wszystko szło po jego myśli.

Śpiesząca się postać była coraz lepiej widoczna i Arkadij zdał sobie sprawę, że to, co wydało mu się zarostem, naprawdę było górą swetra naciągniętego na twarz. Mężczyzna w pewnej chwili pociągnął sweter i spod niego wyłoniła się twarz Karpa. Był lepiej od Arkadija przygotowany do drogi — miał oczy zasłonięte przyciemnionymi okularami, na nogach syberyjskie filcowe walonki, a w ręku trzymał siekierę.

Arkadij pomyślał, że ma niewiele możliwości. Chyba tylko puścić się truchtem do bieguna północnego. Albo jeszcze dalej, na Hawaje.

Pochylnia „Orła" była niewysoka, ale bardzo śliska i Arkadij zaczął wciągać się na nią na brzuchu. Leżące na pokładzie pojedyncze ryby i kraby przysypane były warstwą śniegu, z zadaszenia utworzonego przez występ górnego pokładu zwisały długie sople lodu. Ridley, którego długie włosy i brodę pokryła warstwa szronu od zamarzającego oddechu, wspiął się wysoko na maszt, dotarł do oblodzonego obrotowego ramienia radaru i precyzyjnymi ruchami zaczął obtłukiwać lód. Arkadij ocenił odległość od pochylni do sterówki na jakieś piętnaście metrów, z czego niczym nieosłonięte pierwsze pięć między pochylnią a zadaszeniem wzdłuż burty było najbardziej niebezpiecznych.

Karp był coraz bliżej. Wysunął w bok siekierę niczym skrzydło i wydawało się, że wręcz leci nad lodem.

Rozdział 30

Arkadij przebiegł kilka metrów dzielących go od zadaszenia. Nie widział stąd mostka, ale równocześnie z mostka nikt nie mógł zauważyć jego. Znajdujący się kilka metrów za nim Karp dotarł już do pochylni i krokiem wytrawnego marynarza rozpoczął wspinaczkę.

Arkadij wpadł do sterówki przez szatnię z umywalniami i przebiegł do kambuza. Zdjął okulary i rozejrzał się po mrocznym pomieszczeniu, w którym jedynym źródłem światła były dwa iluminatory pokryte grubą warstwą lodu, a panująca tu atmosfera przypominała wnętrze łodzi podwodnej w zanurzeniu. Stół pokryty matami antypoślizgowymi otaczała drewniana ławka, nad płytą kuchenną wisiał rząd rondli. W głębi widać było wejścia do dwóch kajut i schodki prowadzące w górę na mostek i w dół do maszynowni.

Kajuta po lewej mieściła dwie koje, ale tylko dolna sprawiała wrażenie używanej. Jeden rzut oka wystarczył, by się upewnić, że w kajucie nie ma występującej na statkach radzieckich szafy na ubrania, która mogłaby pomieścić ciało. Umieszczony na ściance grodziowej uchwyt na strzelbę był pusty. Arkadij obmacał łóżko w nadziei, że znajdzie ukryty pistolet lub nóż, ale pod poplamioną poduszką było tylko pisemko z fotografiami nagich dziewczyn. Pod koją znajdowała się szuflada z kłębowiskiem brudnej bielizny i kolejnymi pismami z golizną, a także katalogi broni palnej, wydawnictwa opisujące techniki survivalu, skarpeta ze zwitkiem studolarówek, mocno wyżłobiona osełka, karton papierosów i puste pudełko po nabojach do strzelby.

— To wszystko Colettiego — powiedział Karp, zasłaniając sobą wyjście. Wyglądał jak drwal, który wybrał się do tajgi na poranny wyrąb drzew. Zamiast kurtki i kamizelki ratunkowej miał na sobie dwa swetry, grube rękawice, walonki, uszankę i odsunięte na czoło ciemne okulary. I nawet nie był zdyszany. — Fajnie, że mi tak ułatwiasz sprawę. Pozbycie się ciebie na statku było trochę skomplikowane. Ale tu możesz po prostu zniknąć bez śladu i nikt się nawet nie dowie, że miałem z tym coś wspólnego.

Siekiera pochodziła zapewne z kompletu sprzętu przeciwpożarowego na pokładzie łodziowym „Gwiazdy Polarnej" i Arkadij pomyślał, że Karp wziął ją z sobą w konkretnym celu: żeby wyrąbać w lodzie dziurę i wrzucić w nią ciało. Jak zwykle plan bosmana połowowego cechowała podziwu godna prostota. Z zewnątrz dochodziły odgłosy zmagania się z lodem, a uporczywe walenie młotkiem bardziej się kojarzyło z kuźnią niż ze statkiem. Amerykanie nadal nie mieli pojęcia, że na pokładzie znajduje się ktoś niepowołany.

— Po coś tu przyszedł? — zapytał Karp.

— Poszukać śladów Ziny.

W kieszeni kurtki miał rakietnicę z flarą i pomyślał, że jej odpalenie w tak ciasnym pomieszczeniu narobiłoby niezłego zamieszania. Przesunął dłoń w stronę kieszeni, ale Karp natychmiast szturchnął w nią obuchem siekiery.

— Prowadzisz kolejne dochodzenie?

— Nie, to moja inicjatywa. Nikt o tym nie wie. I prócz mnie nikomu nawet nie zależy. — Nadgarstek w miejscu, gdzie uderzył obuch siekiery, już mu zdrętwiał. Tak musi się czuć człowiek osaczony przez wilka, pomyślał.

— Jak tylko ktoś umiera — powiedział Karp — od razu chcesz mnie wrobić.

— Byłeś zaskoczony, kiedy zobaczyłeś ją w sieci. Mógłbyś przecież spuścić ją z rybami do skrzyni i później pozbyć się ciała, a jednak ty ją wydobyłeś z sieci. Bo nic nie wiedziałeś. I wczoraj na pochylni wciąż jeszcze nie wiedziałeś.

Siekiera znów jakby od niechcenia odtrąciła dłoń Arkadija od kieszeni. Arkadij czuł, że nie godzi się umierać w poczuciu takiej bezradności, ale strach uniemożliwiał mu trzeźwe myślenie.

— Próbujesz mnie zwodzić — burknął Karp.

Arkadij był zbyt przerażony, żeby mu to przyszło do głowy.

— Nie chcesz wiedzieć, kto ją zabił? — To już można by uznać za próbę zwodzenia, pomyślał.

— A dlaczego miałbym chcieć?

— Bo to ty ją tu sprowadziłeś — rzekł Arkadij. — Chyba w czasach moskiewskich lepiej mi się myślało, bo długo nie mogłem dojść, jak to się stało, że Zina w ogóle trafiła na „Gwiazdę Polarną". Oczywiście dzięki Sławowi. Ale kto ją na niego nasłał, kiedy pływał po zatoce? I kto wcześniej pływał ze Sławem?

— Cała załoga.

— Ale z tamtej załogi tylko trzech znalazło się na „Gwieździe Polarnej": Marczuk, Paweł i ty. Wypatrzyłeś go w doku.

— Synek tatusia udający marynarza. Tylko ojciec mógł mu załatwić pływanie na prawdziwym statku.

— Przed Sławem zagrała niewiniątko. Dlatego nigdy nie zaprowadziła go do waszego mieszkania.

Karp zdjął okulary z czoła.

— Czyli wiedziałeś, że to ja?

— Wiedziałem, że to ktoś mający wystarczająco dużo pieniędzy, broni i zimnej krwi, żeby się zająć handlem prochami. — Arkadij mówił teraz szybko, pewnym siebie głosem. Przeszło mu przez myśl, że to cudowne, jak dzięki adrenalinie łatwo się dodaje dwa do dwóch. — Jedynym mężczyzną na pokładzie „Gwiazdy Polarnej" odpowiadającym tym wymogom jesteś ty. Skoro w Złotym Rogu zarabiała niezłe pieniądze, można ją było skusić tylko czymś lepszym od rubli. Na statku trzymaliście się z dala od siebie, jednak nie aż tak, jak twierdziłeś. Powiedziałeś, że widywałeś ją jedynie w mesie, ale przecież przy każdym ciągnięciu sieci z „Orła" widziałeś ją stojącą na rufie. Zanim kogokolwiek poznała, już tam była i czekała na „Orła". Bo ty jej tak kazałeś.

— No, tak było. — W głosie Karpa zabrzmiała nuta dumy. — Nie jesteś taki głupi.

Arkadij pomyślał o Amerykanach borykających się z nawałnicą radiowych szumów i zmagających ze zwałami lodu, podczas gdy on i Karp zachowują się jak spiskowcy, o których obecności na trawlerze nikt nie wie.

— Fioł Wołowoja — powiedział na głos. — Miał manię prześladowczą na punkcie przemytu. Sprawdzał każdy drobiazg, nawet rzeczy przekazywane z jednego radzieckiego statku na drugi. Co było jego naczelnym hasłem?

— Czujność. — Karp mimo woli się uśmiechnął. Uniósł siekierę i położył ją sobie na ramieniu. — Tylko trzymaj łapy tak, żebym je widział.

— Jedyne, nad czym nie mógł sprawować kontroli, to krążące tam i z powrotem sieci. Skąd wiedziałeś, że w sieci będzie towar?

— To proste. Jak w sieci było coś ekstra poza rybami, machał Ridley, jak nie było, machał Coletti. Zależnie od tego

Zina stawała albo przy bakburcie, albo przy sterburcie. Ja ją obserwowałem i dawałem znać chłopakom na pochylni, czy sieć będzie szczególnie ciężka, czy nie.

— I jeśli była, odszukiwali przyczepioną do nabory szczelnie opakowaną przesyłkę, tak?

— Byłbyś w tym niezły. Paweł ją odcinał i chował pod kamizelkę. W ten sam sposób dawaliśmy znać Ridleyowi o przesyłce dla nich. Ale po co ci to wszystko, Renko? I tak nie wyjdziesz stąd żywy.

— Jak człowiek sobie odpuści, to może się dowiedzieć wielu ciekawych rzeczy.

— No. — Taka filozofia była Karpowi bliska.

— I nadal interesuje mnie Zina.

— Mężczyźni zawsze się nią interesowali. Była z niej prawdziwa dama. — Karp na moment skierował wzrok w górę, skąd dochodziły odgłosy, ale od razu powrócił do swej ofiary. Arkadij jeszcze nigdy nie miał do czynienia z taką czujnością.

— Mogłeś mnie dogonić na lodzie? — zapytał.

— Jakbym chciał.

— Czyli mogłeś mnie zabić dziesięć minut temu.

— Bez różnicy.

— Więc ty też chcesz się dowiedzieć, co naprawdę stało się z Ziną.

— Chcę tylko wiedzieć, co miałeś na myśli wczoraj na pochylni, kiedy powiedziałeś, że to stamtąd wpadła do wody.

— Z czystej ciekawości?

W nieruchomej postaci Karpa było coś ze spokoju spiżowego pomnika. Milczał przez dłuższą chwilę, wreszcie rzucił:

— No to mówcie, towarzyszu śledczy. Zina poszła na tańce i...

— Cały czas flirtowała z Mikiem, ale gdy wracał na „Orła", nie wyszła z nim, żeby się pożegnać, bo już trzy kwadranse wcześniej udała się na pokład rufowy. Widzieli ją tam wtedy Marczuk, Lidia i Susan. Ale pół godziny przed opuszczeniem „Gwiazdy" przez Mike'a nikt jej nie widział na pokładzie, bo w chwili gdy Mike wracał do siebie, już nie żyła. — Arkadij ostrożnie sięgnął do kieszeni, wyjął kawałek papieru i podał Karpowi. Kartka zawierała protokół oględzin zwłok. — Przyczyną śmierci było uderzenie w tył głowy. Potem jeszcze dźgnięto ją nożem, żeby zwłoki nie wypłynęły na powierzchnię. Następnie schowano ją na tym statku, upychając zwłoki w jakimś ciasnym kącie, gdzie doszło do odciśnięcia tych regularnych śladów na skórze. To musiała być jakaś szafa, komórka, magazyn, skrzynia.

— To tylko jakiś świstek papieru. — Karp oddał protokół Arkadijowi.

— Chcę to miejsce znaleźć. Muszę zajrzeć do drugiej kajuty. — Arkadij powiedział to pewnym siebie tonem, ale nie odważył się poruszyć.

Karp w zamyśleniu obracał w palcach trzonek siekiery. Zakończenie z ostrzem po jednej i obuchem po drugiej stronie obracało się na ramieniu jak moneta z orłem i reszką. W końcu pchnął drzwi kajuty.

— Dobra, zajrzymy tam razem.

Przechodząc przez kambuz, Arkadij słuchał intensywniejszego walenia młotkami, którymi Amerykanie wykuwali sobie drogę do wolności. Czuł bliskość siekiery i ściekające mu po plecach kropelki potu.

Karp pchnął go w stronę kajuty na sterburcie. Koja była tu przykryta prawdziwym wełnianym kocem, na półce stały książki z filozofii, elektroniki i napędów dieslowskich. Na ściance działowej wisiała kabura i plakat przedstawiający mężczyznę pokazującego język — Alberta Einsteina.

— Ridley — mruknął pod nosem Arkadij.

— Zeszła z „Gwiazdy Polarnej" i... co dalej? — burknął Karp.

— Pamiętasz, jak jej pokazałeś Sława pływającego po zatoce? — W głosie Arkadija znów pobrzmiewała większa pewność siebie. W szufladzie pod koją Ridleya leżała równo poskładana czysta bielizna, skórzane bransoletki na przeguby i srebrne szpilki do uszu. Było też kilka fotografii, na których Ridley i dwie kobiety jeździli na nartach i trącali się kieliszkami z trzecią, a także hinduski modlitewnik, talia kart do gry, elektroniczne szachy i znaczek z Myszką Minnie do wpięcia w klapę. Arkadij wziął do ręki karty, przepuścił przez palce i rozłożył na koi obrazkami do góry.

— Potrzebna mi była na statku, a Bukowski miał układy. I co z tego?

— Lubiła podpływać do mężczyzn na łodziach, a dla tak świetnej pływaczki jak ona przepłynięcie paru metrów do „Orła" w chwili, gdy stał przycumowany do burty „Gwiazdy Polarnej", było pestką. Po prostu wystarczyło zsunąć się z pochylni do wody.

— Ale po co?

— Taki miała zwyczaj. Przerzucała się z mężczyzny na mężczyznę, ze statku na statek.

— Nie, nie przyjmuję takiej odpowiedzi — obruszył się Karp. — Nie ryzykowałaby tylko po to, żeby złożyć komuś wizytę. Więc pytam was, towarzyszu śledczy, po co to zrobiła?

— Sam się nad tym zastanawiałem.

— No i?

— Nie wiem.

Karp przycisnął Arkadija siekierą do ściany.

— Bo jak myślisz, Renko, że Zina miała zamiar mnie zostawić, to się mylisz.

— Sypiała z innymi mężczyznami.

— Żeby ich wykorzystywać. Dla niej to nic nie znaczyło. Ale Amerykanie byli naszymi wspólnikami, a to co innego.

— A jednak tu była.

— Rozglądam się i jakoś nie widzę żadnego takiego miejsca, w którym mogliby ją trzymać. Ani żadnego śladu po niej. — Karp zajrzał do otwartej szuflady. — Jeśli liczyłeś, że znajdziesz tu spluwę, to zapomnij. Na tym statku wszyscy noszą broń przy sobie.

— Musimy się jeszcze rozejrzeć — powiedział Arkadij. Pamiętał swoją walkę z Karpem w bunkrze. Ostatnim miejscem, gdzie chciałby robić uniki przed siekierą, była ciasna kajuta na trawlerze.

Wzrok Karpa padł na rozłożoną talię kart. Nie opuszczając siekiery, pochylił się nad koją i zaczął im się przyglądać, wodząc palcem od jednego końca wachlarza kart do drugiego.

— Nie ruszaj się — rzucił ostrzegawczo i odłożywszy siekierę, podniósł karty i zaczął je powoli przesuwać między palcami. Na koniec schował talię do pudełka i odłożył do szuflady. Jego małe oczka zapadły się jeszcze bardziej, twarz mu się wyciągnęła i wyraźnie przybladła. Sprawiał wrażenie tak zdruzgotanego, że Arkadij przez chwilę sądził, iż ugną się pod nim kolana i wielki Karp osunie się na podłogę. On jednak tylko schylił się po siekierę i rzekł: — Zaczniemy od maszynowni.

Gdy wyszli z kambuza, nad ich głowami zaczynało się kolejne gwałtowne natarcie młotkami na lód. Bosman połowowy uniósł lekko głowę i spojrzał obojętnie, jakby dochodząca z góry kanonada była tylko bębnieniem deszczu.

◆ ◆ ◆

Dwa diesle „Orła" — główny sześciocylindrowy i zapasowy czterocylindrowy — dygotały na swych stalowych łożach. Tu znajdowało się królestwo Ridleya, duszne pomieszczenie pod pokładem, w którym poruszanie się wśród wirujących wałów i kół pasowych, generatorów i pomp hydraulicznych, zaworów i plątaniny rur wymagało nie lada zręczności. Nisko zawieszone rury, osłony przekładni pasowych i cała reszta grożących wypadkiem elementów wyposażenia była pomalowana na czerwono, przejścia między maszynami wyłożono stalową kratownicą.

Karp zaczął szperać po zakamarkach, Arkadij zajął się przednią częścią maszynowni, gdzie umieszczono warsztat naprawczy. Na ścianach wisiały narzędzia i zapasowe pasy, na stole warsztatowym stały przyśrubowane imadło i gwintownica, na półce nad stołem leżały piłki do metalu i zestaw wierteł. Koło stołu znajdowały się drzwi do czegoś, co mogłoby być chłodnią, gdyby nie to, że „Orzeł" swoje połowy od razu przekazywał na „Gwiazdę Polarną" i chłodnia nie była mu do niczego potrzebna. Arkadij otworzył drzwi i z trudem opanował śmiech. Pod ścianą leżała sięgająca do pasa sterta brązowych, jednokilogramowych kostek mandżurskiej *anaszy*. No cóż, tak handlowały z sobą nawet duże firmy. Ponieważ rubel był walutą niewymienialną, międzynarodowe transakcje z reguły opierały się na handlu wymiennym. Skoro ich przedmiotem mógł być radziecki gaz czy radziecka ropa naftowa, to czemu nie radziecka *anasza*?

W ciasnym kącie pomieszczenia stał stolik z krzesłem i bogatym zestawem sprzętu elektronicznego: oscyloskopem ze słuchawkami, wzmacniaczem z korekcją barwy dźwięku, komputerem i podwójną konsolą, a także gruby segregator z dyskietkami. Całość do złudzenia przypominała stanowisko pracy Hessa i różniła się tylko tym, że tu wszystkie urządzenia bardziej lśniły, były mniejsze i zgrabniejsze, i nosiły nazwy znanych producentów w rodzaju EDO czy Raytheon. Obrazu dopełniała umieszczona pod stołem i wystająca z podłogi kopuła z włókna szklanego, do złudzenia przypominająca kopułę Hessa.

Arkadij wziął do ręki jedną z dyskietek i odczytał etykietę: „Menu Beringa, Kartoteka, SSBN »Los Angeles«, USS »Sawtooth«, USS »Patrick Henry«, USS »Manwaring«, USS »Ojai«, USS »Roger Owen«". Napisany na innych dyskietkach głosiły: „SSBN »Ohio«", „SSGN", „SSN". Na stoliku leżała sztywna podkładka z przypiętym arkuszem papieru z naniesionymi kolumnami: „Data", „Okręt", „Pozycja", „Czas transmisji". Ostatnia zanotowana transmisja nosiła wczorajszą datę i dotyczyła USS „Roger Owen". W szufladzie leżało kilka instrukcji obsługi i schematów urządzeń. Arkadij przekartkował kilka stronic instrukcji „Akustycznego symulatora...". „Holowany kabel w osłonie polietylenowej z odcinkiem akustycznym i modułem separacji drgań...". „Bęben zwijający z osiowym przesuwem...". W szufladzie leżała też broszura z czerwonym nadrukiem: „Wynoszenie z biura surowo wzbronione", zatytułowana: *Wykaz jednostek rezerwowych, wycofanych i zdemontowanych — stan na 1/1/83*. W sekcji „Okręty podwodne" znajdowała się adnotacja, że USS „Roger Owen" zdemontowano rok temu, a USS „Manwaring" i USS „Ojai" zostały wycofane ze służby.

Wyglądało na to, że wszystko razem zakrawa na jeden wielki żart. Urządzenia elektroniczne na „Orle" były niemal identyczne z urządzeniami Hessa i różniły się tylko jednym istotnym szczegółem: kabel Morgana zamiast hydrofonu do podsłuchu miał zamknięty w hermetycznej obudowie nadajnik, który pełnił funkcję akustycznej elektronicznej przynęty. Na dyskietki wgrano odgłosy pracy silników okrętów podwodnych, które zostały już wycofane z czynnej służby lub zdemontowane. Morgan i Hess krążyli po Morzu Beringa, wzajemnie się szpiegując, przy czym pierwszy wysyłał fałszywe sygnały po to, by drugi mógł je z triumfem przechwytywać. W rezultacie Hess musiał dochodzić do wniosku, że wokół niego krąży cała gromada amerykańskich okrętów podwodnych. Arkadij odłożył broszurę na miejsce, ale schował do kieszeni garść dyskietek. Buszujący po maszynowni Karp nie zwracał na niego uwagi, jakby działania Arkadija w ogóle go nie interesowały.

Przeszli razem przez szatnię z porzuconymi kaloszami i ubiorami wodoodpornymi i wyszli na pokład. Pod osłoną zadaszenia leżały zwoje oblodzonej siatki i sieci z pławami, stał stół spawalniczy z imadłem, pod ścianą ciągnął się rząd skrzynek i beczek po ropie z wetkniętymi w nie łopatami i bosakami. Walenie młotkami wprawdzie ustało, ale Karpa nic już nie mogło powstrzymać. Na „Orle" znajdowały się też ładownie na ryby, nie używano ich jednak od czasu, gdy całość połowów zaczęła trafiać na statek przetwórnię. Karp zabrał się do odrąbywania siekierą lodu z klapy ładowni i skrzące się odłamki fruwały w powietrzu. Do otwarcia klapy musiał użyć bosaka, jednak ładownia okazała się zupełnie pusta.

W tym czasie Arkadij zajął się rzędem skrzynek pod ścianą, po kolei je otwierając. Z pierwszej wyjął zwój liny i kilka bloczków, z drugiej gumowe kalosze do połowy ud, kilka par rękawic, rozdarty kombinezon i kawał plandeki. Wcześniej w skrzynce musiano trzymać zwój stalowej liny, bo na dnie pozostały ślady smaru i rdzy. A także ślady świadczące o tym, że posłużono się nią jako trumną. Można było wyróżnić miejsca, gdzie spoczywały kolana i łokcie Ziny, na bocznej ściance widać było rządek sześciu nakrętek w odstępach co jakieś pięć centymetrów, które odcisnęły regularne ślady na ciele Ziny.

— Chodź i zobacz — szepnął Arkadij.

Karp zajrzał do środka i wyjął kosmyk blond włosów z ciemnymi odrostami. Arkadij wyciągnął po niego rękę i w tym momencie poczuł na karku coś zimnego.

— Co wy tu robicie? — warknął Ridley, mocniej przyciskając lufę. Jednocześnie z nadbudówki wyłonił się Coletti z dubeltówką w dłoniach.

— To nieoficjalna wizyta? — Morgan zatrzymał się w połowie drabinki prowadzącej ze sterówki.

Puchate kurtki włożone pod kombinezony powodowały, że Ridley i Coletti wyglądali jak napompowani. Na lewych dłoniach mieli grube rękawice, z prawych je zdjęli, aby palce pomieściły się w kabłąkach spustów. Wargi mieli popękane i spierzchnięte od oddychania na mrozie, a ich krwista czerwień kontrastowała z bielą otulającą cały statek. W odróżnieniu od nich Morgan stał w rozpiętej kamizelce i kapitańskiej czapce, wskutek czego wyglądał, jakby wpadł tylko na chwilę z zupełnie innego klimatu, i tylko w jego zimnym spojrzeniu skrzył się lód. Z ramienia zwisał mu przysadzisty pistolet maszynowy z magazynkiem dłuższym od lufy.

— Szukacie wódki? Tam jej nie znajdziecie.

— Wysłali nas z „Gwiazdy Polarnej" — powiedział Arkadij. — Myślę, że kapitan Marczuk z przyjemnością powitałby wiadomość, iż dotarliśmy.

Morgan ruchem głowy wskazał maszt. Mimo wysiłków Ridleya ramię radaru wciąż się nie obracało, a anteny radiowe nadal były oblodzone.

— Nasze radio nie działa. I nie wyglądacie mi na oficjalną ekspedycję ratunkową.

— Tkwimy na górze i odmrażamy sobie tyłki, żeby oskrobać pieprzoną łajbę z lodu, a tu z dołu słyszymy walenie. Schodzimy i kogo widzimy? Dwóch cholernych szperaczy. Kapujesz, co to znaczy szperacz? — Dla lepszego efektu Ridley pokręcił lufą w karku Arkadija.

— Chyba tak.

— Coś mi się zdaje — powiedział Morgan — że na „Gwieździe Polarnej" nikt nie wie o waszej wycieczce. A jeśli nawet, to w żaden sposób nie mogą wiedzieć, czy wam się udało. Czego tu szukacie?

— Ziny — odparł Arkadij.

— Znowu?

— I tym razem ją znaleźliśmy. A w zasadzie to, co tu po niej zostało.

— Mianowicie?

— Kosmyk włosów. Pobrałem też próbkę osadu z dna i myślę, że bez trudu da się ją dopasować do śladów na jej spodniach. Oczywiście wolałbym zabrać całą skrzynię.

— Oczywiście. — Morgan kiwnął głową. — Dopilnujemy, żeby przed waszym powrotem na „Gwiazdę Polarną" została dokładnie wyczyszczona. A co do tych włosów, to mogliście je znaleźć gdziekolwiek.

Ridley cały czas stał z tyłu, ale Arkadijowi udało się dojrzeć, że trzyma w ręku ogromny kowbojski rewolwer. Wciskał lufę w potylicę Arkadija — dokładnie tam, pomyślał, gdzie śmiertelne rany zadano Zinie i Mike'owi, tyle że w ich przypadku posłużono się czymś innym. Uznał też, że nie może liczyć na żadną pomoc ze strony Karpa. Bosman stał jak skamieniały, w dłoni luźno trzymał bosak i tylko jego oczy nerwowo śledziły ruchy warg wypowiadających słowa w niezrozumiałym języku.

— Przemyśl sprawę — powiedział Ridley, przenosząc wzrok na Morgana. — Mamy dużo do stracenia, ale ty też.

— Chodzi ci o *anaszę*? — spytał Arkadij.

Ridley zamilkł i spojrzał na Colettiego.

— Byli na dole — mruknął.

— I w tym miejscu przebiega granica — odezwał się Morgan. — Nie pozwolę, żeby kogoś przy mnie zabijano.

— Kapitanie, drogi kapitanie — parsknął Ridley. — Siedzimy uwięzieni w pierdolonym lodzie. Renko wróci do siebie, zamelduje, co tu widział, i nim się obejrzymy, pięćdziesięciu Ruskich zacznie węszyć po całym statku. Chodzi o kwestię bezpieczeństwa narodowego, nie?

— Chcecie tylko ratować swój narkotykowy biznes — burknął Morgan.

— Ja też mogę przejść do tematów osobistych. — Ridley się skrzywił. — W Dutch Harbor Renko przeleciał twoją kobietę. Wyjął ci ją spod nosa. Pewnie od tej pory rżnie ją regularnie na statku.

Morgan spojrzał badawczo na Renkę, ale okazja do zaprzeczeń minęła równie szybko, jak się pojawiła.

— No proszę — rzucił Ridley. — Bingo! I co, kapitanie? Pozwolisz mu wrócić do siebie jakby nigdy nic?

— Na tym polega różnica między nami — rzekł Morgan. — Ja jestem profesjonalistą, ty tylko małym chciwym gnojkiem.

— Mamy prawo do naszej działki.

— Dlaczego nie pozbyliście się *anaszy* w Dutch Harbor? — spytał Arkadij.

— Bo Mike dostał pierdolca na punkcie Ziny — odrzekł Ridley. — Był gotów zacząć sypać. A potem, kiedy już nie żył i wszyscy Aleuci się na nas gapili, chcieliśmy jak najszybciej się zmyć. Postanowiliśmy to zrobić później, gdzieś na stałym lądzie. — Ridley spojrzał na Morgana. — Prawda, kapitanie? Wszyscy mamy swoje interesy. Niektórzy całkiem namacalne, inni patriotyczne. Natomiast ciekawi mnie — Ridley przeszedł z angielskiego na rosyjski i zwrócił się do Karpa — w której drużynie ty grasz? Jesteś wspólnikiem Renki czy naszym?

— Mówisz po rosyjsku? — zdziwił się Arkadij.

— Lepiej niż w esperanto.

— Przyszedłem tu za nim, żeby go załatwić — odrzekł Karp.

— To zrób to.

— Puść Renkę wolno — rozkazał Morgan.

Ridley westchnął i zwrócił się do Colettiego:

— No i patrz, kapitan Bligh się znalazł. Damy sobie wciskać takie gówno?

Arkadija zdumiał czas reakcji Morgana. Coletti okręcił się, wycelował i strzelił, ale trafił tylko w okno za schodkami, gdzie jeszcze sekundę wcześniej stał Morgan. Jednak strzelec też wykazał się refleksem, bo natychmiast wypalił z drugiej lufy i trafił Morgana w kamizelkę. Kapitan runął na pokład, zalewając się krwią i obsypując pierzem.

— Jak jebana kaczka. — Coletti złamał lufy dubeltówki i do jednej włożył kolejny nabój.

Morgan wił się na pokładzie, starając się dosięgnąć swego pistoletu, który znalazł się pod nim. Jego bark i ucho zamieniły się w czerwoną miazgę, szczękę miał zbryzganą krwią.

— Twoja kolej — zwrócił się Ridley do Karpa. — Chciałeś załatwić Renkę, to go załatw.

— Kto zabił Zinę? — zapytał Karp.

Coletti stał nad Morganem z lufą przytkniętą do głowy kapitana, ale na dźwięk głosu Karpa uniósł głowę.

— Renko nam powiedział, że utonęła — rzucił Ridley.

— Wiemy, że Zina tu była — rzekł Arkadij. — Na zabawie udałeś, że się upiłeś. Wróciłeś na „Orła" i czekałeś, aż tu przypłynie.

— Nieprawda — żachnął się Ridley. — Pochorowałem się. Już ci mówiłem.

— Poszła za tobą — ciągnął Arkadij. — Znaleźliśmy ślady, jej włosy. Nie ma cienia wątpliwości, że tu była.

— No dobra, więc wróciłem i ona nagle zjawiła się na pokładzie. — Arkadij nie widział stojącego za nim Ridleya, ale czuł na karku, jak jego ręka z rewolwerem nerwowo podryguje. — Słuchaj Karp, powodzenie całego przedsięwzięcia zależało od tego, czy wszyscy będą się normalnie zachowywać i trzymać fason: Amerykanie tu, Rosjanie tam. Joint venture.

— Zina była bardzo atrakcyjną kobietą — powiedział Arkadij.

— Kto ją zabił? — powtórzył Karp.

Dubeltówka Colettiego zaczynała wolno odsuwać się od głowy Morgana.

— Nikt jej nie zabił — powiedział Ridley. — Zina wymyśliła sobie wariacki plan. Wzięła z sobą torbę i chciała zapakować do niej zestaw ratunkowy, żeby z niego skorzystać przy następnym zejściu ze statku. Czyste wariactwo. Miała zamiar wyskoczyć za burtę, kiedy koło „Gwiazdy" nikogo nie będzie, a my mieliśmy ją wyłowić parę kilometrów dalej. Twierdziła, że jeśli na „Gwieździe" nie stwierdzą braku sprzętu ratunkowego, to uznają ją za martwą.

— Nie wątpię, że macie doskonały sprzęt ratunkowy. — Arkadij musiał przyznać, że Zina nieźle to sobie obmyśliła. Nie miał wątpliwości, że właśnie po to tu przypłynęła. — To mogło się udać.

— Karp, to moja wina — rzekł Ridley. — Powiedziałem jej, że jest twoją dziewczyną i że musi wracać na „Gwiazdę Polarną" tą samą drogą, którą tu dotarła. Wygląda na to, że się jej nie udało.

— Brakuje karty — powiedział Karp.

Ridleya na moment zamurowało.

— Brakuje karty?

— Damy kier. Brała je na pamiątkę od swoich kochanków.

Coletti wyraźnie zaczynał mieć dość.

— Ty, co on, kurwa, wygaduje?

— Nie wiem — odrzekł Ridley — ale zdaje się, że straciliśmy kolejnego wspólnika. Trzymaj tę małpę na muszce. — Odjął lufę od głowy Arkadija. — Trzeba oszczędzać amunicję. — Sięgnął ręką do skrzyni i wyjął czekan. Arkadij spróbował się odwrócić, ale Ridley walnął go czekanem w pierś.

Siła uderzenia była tak duża, ze Arkadij runął na pokład. Usiadł, opierając się o skrzynię, i sięgnął ręką pod kurtkę.

— Bo mnie uwiodła — powiedział Ridley do Karpa. — Kto by jej się oparł po czterech miesiącach pływania? Ale żeby szantażem wymuszać pomoc w ucieczce? — Uniósł rewolwer. — Wy, Ruscy, żyjecie w innym świecie. W zupełnie innym jebanym świecie!

Arkadij wypalił z rakietnicy. Celował w plecy Ridleya, ale flara trafiła w jego czapkę i odbiła się, zapalając ją jak potartą główkę zapałki.

Ridley zdarł z głowy płonącą czapkę i szarpnął się w stronę Arkadija, ale w tym momencie po jego ramieniu przemknął wielki czarny pająk i skoczył mu na twarz. Pająkiem okazała się trójzębna końcówka bosaka w ręku bosmana połowowego. Jeden ząb rozorał policzek Ridleya, drugi zaczepił o ucho. Ridley wrzasnął z bólu, ale Karp błyskawicznie go uciszył, zaciskając mu linę wokół szyi i pozbawiając tchu. Coletti szukał właściwego kąta do oddania strzału, ale Karp i Ridley stali zbyt blisko siebie. Karp okręcał swą ofiarę liną tak ciasno, jakby oplatał klepki rozeschniętej beczki. Ridleyowi wprawdzie udało się dwukrotnie wypalić z jego kowbojskiej armaty, ale oba razy niecelnie, a trzecie pociągnięcie za spust skończyło się suchym trzaskiem kurka, komora bębna była pusta. Gałki oczne wywróciły mu się do tyłu i mechanik wypuścił broń z ręki.

— Chryste Panie! — sapnął Coletti.

Arkadij wyrwał sobie z piersi szpikulec czekana. Jego koniec był zakrwawiony, ale główny impet zamortyzowały dwie warstwy kamizelek ratunkowych.

— Został ci już tylko jeden nabój — odezwał się nagle Morgan. Kapitanowi udało się w końcu wydobyć spod siebie pistolet i mierzył z niego teraz do swego rybaka.

Karp pchał Ridleya na burtę, krusząc odpadające z brzękiem sople lodu, ten jednak nie dawał za wygraną i nie przestawał się wyrywać. Czasem rybacy złowią halibuta — rybę wielkości człowieka, która potrafi też walczyć jak człowiek i którą należy jak najszybciej uśmiercić przez wbicie jej w mózg stalowego szpikulca. Ze skrępowanymi rękami i nogami Ridley przypominał złowionego halibuta, tyle że Karp nie spieszył się z jego uśmierceniem.

Arkadij z trudem się podniósł.

— Gdzie jest jej kurtka i torebka? — zapytał.

— Już dawno pływają w morzu — burknął Coletti. — Nikt ich nigdy nie znajdzie. No bo skąd można było przypuszczać, że wpadnie w tę cholerną sieć?

— Zinę zabił Ridley. Mike'a też? — chciał wiedzieć Arkadij.

— W każdym razie nie ja. Byłem w tym czasie w barze. Mam na to świadków. Ale co to ma za znaczenie?

— Lubię mieć stuprocentową jasność — rzekł Arkadij.

Karp przerzucił koniec liny przez ramię czterometrowej suwnicy bramowej, naprężył ją i przekładając dłonie, zaczął podciągać Ridleya. Mechanik był rosłym mężczyzną, ale lina bez trudu ślizgała się po oblodzonym metalu, zwłaszcza że Ridley dał za wygraną i przestał nawet wierzgać.

— Jak się czujesz? — zwrócił się Arkadij do Morgana.

— Nie mam nic złamanego. W kajucie mam morfinę i penicylinę. — Morgan wypluł na pokład metalowe kulki. — Stalowy śrut. Nie tak groźny jak ołowiany.

— Naprawdę? — Arkadij pamiętał, że Susan nazwała go niezniszczalnym. Może nie jest nieprzenikalny, pomyślał, ale na pewno trudny do ugryzienia. — Nawet superman nie da rady prowadzić statku jedną ręką.

— Kapitan i ja coś wymyślimy — pospiesznie wtrącił Coletti. Po jego minie było widać, że zaczyna szybko zmieniać front. — Bądź spokojny, mamy większe szanse od ciebie. Jak myślisz, jak daleko ujdziesz, zanim Karp cię załatwi?

Karp przywiązał koniec liny do hydraulicznych zaworów na słupie suwnicy i Ridley zawisł nad pokładem, wolno się kołysząc. Szyję miał tak wyciągniętą, jakby mu wykręcono głowę z ramion i na powrót ledwo wkręcono.

— Jesteśmy na amerykańskim statku i na amerykańskich wodach terytorialnych — przypomniał Morgan. — A wy tak naprawdę nie macie żadnych dowodów.

Karp odsunął się od suwnicy i Coletti ponownie uniósł dubeltówkę.

— Nadal mam jeszcze jeden nabój — powiedział do Arkadija. — Zabierz stąd tego świra.

Karp obrzucił Colettiego takim spojrzeniem, jakby mierzył w myślach dzielącą ich odległość i oceniał swoje szanse w stożku rozrzutu śrutu, ale widać było, że żar pchający go do działania już w nim przygasł.

Arkadij podszedł bliżej.

— No to już wiesz — powiedział.

— Renko! — zawołał Morgan.

— Morgan?! — odkrzyknął Arkadij.

— Wracajcie do siebie. Uruchomię radiostację i powiadomię Marczuka, że wszystko jest pod kontrolą.

Arkadij ogarnął wzrokiem pokryty lodem statek, potrzaskane szyby w oknach, leżącą na pokładzie i wciąż jeszcze kopcącą się czapkę Ridleya i jego samego dyndającego na linie przerzuconej przez suwnicę, i poczuł coś na kształt podziwu.

— W porządku. — Kiwnął głową. — A jak będziesz rozmawiał z kapitanem Marczukiem, to nie zapomnij go poinformować, że wraca dwóch jego marynarzy.

Rozdział 31

Arkadij wygrzebał z kieszeni papierosy otrzymane od Ślezki i poczęstował Karpa.

— Znasz piosenkę *Ruda bladź*? — spytał Karp.

— Znam.

— *Po coś se te brwi wyskubała, dziwko? I po coś ten niebieski beret włożyła, kurwo?* — zaśpiewał Karp chrapliwym tenorem. — Tak było z Ziną i ze mną. Traktowała mnie jak śmiecia. *Przecież wiesz, żem dla ciebie zwariował, że nakradnę dla ciebie, ile zechcesz, ale ostatnio coś za bardzo się szlajasz.*

— Słyszałem cię na jej taśmie.

— Lubiła moje piosenki. Tak się poznaliśmy. Siedziałem z kumplami w Złotym Rogu, śpiewaliśmy i fajnie było. I wtedy ją zauważyłem. Stała na drugim końcu sali, patrzyła na nas i słuchała. Powiedziałem do siebie: „Ta będzie twoja!". Po tygodniu się do mnie wprowadziła. Szlajała się, ale faceci nic dla niej nie znaczyli, więc jak człowiek może być zazdrosny? Działała poza regułami. Jeśli miała jakąś wadę, to tylko to jej uwielbienie dla wszystkiego, co zachodnie. Jakby Zachód był jednym wielkim rajem. To była jej jedyna słabość.

— W jej kurtce znalazłem zaszyte kamienie.

— Zawsze je lubiła. Ale patrzyłem, jak przejmuje kontrolę nad „Gwiazdą Polarną". Początkowo za nic nie mogłem jej namówić, żeby weszła na pokład. Ale potem napatoczył się Sław, a ona zajęła się jeszcze Marczukiem. Wypłynęliśmy z portu i od razu zaczęła wydeptywać sobie ścieżki po całym statku. Gdyby chciała, to ciebie też by zdobyła.

— Na swój sposób to zrobiła. — Arkadijowi przyszły na myśl taśmy.

Według kompasu szli prosto na „Gwiazdę Polarną". Mgła robi psikusy, powoduje, że idącemu wydaje się, iż stoi w miejscu. Niby stawiali kroki, ale nic się nie zmieniało i wciąż tonęli w takiej samej mgle, jakby dreptali w miejscu.

Ból w klatce piersiowej Arkadija promieniował na całe ciało. Chwała tytoniowi, znieczulaczowi dla biedaków. Morgan może rzeczywiście nawiąże łączność z Marczukiem i poinformuje go, że dwóch jego ludzi wraca na statek, ale kto potem udowodni, że jeden z nich nie zgubił się we mgle, nie natknął na niedźwiedzia albo nie wszedł na miękki lód i nie utonął?

— Namówiliście się z Ridleyem, kiedy przez dwa tygodnie był na naszym statku, tak?

— W drugim tygodniu podszedł do mnie i oświadczył: „Religia to opium dla mas". Powiedział to po rosyjsku. A potem dodał: „A kokaina to biznes dla mas". Od razu go wyczułem. Wróciłem do domu i powiedziałem Zinie o fantastycznym kontakcie i jak bardzo żałuję, że nie mogę jej przeszmuglować na pokład. Ale ona znalazła sposób. Czym jest przeznaczenie? Ptak leci z gniazda w Afryce na gałąź w Moskwie. Każda zima w tym samym gnieździe, każde lato na tym samym drzewie. Czy to sprawa magnetyzmu? A może pozycji słońca na niebie? Każdy węgorz świata rodzi się w Morzu Sargassowym, a potem trafia do określonej rzeki, czasami płynąc latami. Zina urodziła się w Gruzji, ale coś ją przywiodło na Syberię, a potem na morze.

— To samo co przywiodło ciebie do mnie — powiedział Arkadij.

— To znaczy?

— Morderstwo, pieniądze, chciwość.

— Coś więcej. — Karp pokręcił głową. — Miejsce, gdzie da się oddychać. W tej chwili jesteśmy najbardziej wolnymi ludźmi na świecie. Morgan nawet palcem nie ruszy w sprawie Ridleya, a on był gotów go zabić. Utopiłem wszystko, co przemyciłem, więc na razie nic na mnie nie mają.

— A co z Wołowojem? Kiedy we Władywostoku obejrzą jego poderżnięte gardło, zaczną się pytania.

— Kurwa! Nie mogę wyjść na prostą, nawet gdybym chciał.

— Taki los.

Karp zaciągnął się petem.

— Pierdolone reguły — mruknął. — To jak taka niebieska krecha na szkolnej ścianie. Niebieska krecha na zasranym tynku. W każdej klasie, na każdym korytarzu, w każdej szkole. Zaczyna się na wysokości ramion, potem jak człowiek rośnie, obniża się do pasa, ale wiecznie tam jest. Człowiekowi się zdaje, że ciągnie się przez cały kraj. Ta sama krecha w łagrach. Ta sama krecha na posterunkach milicji. Wiesz, dokąd sięga? Myślę, że kończy się gdzieś w Irkucku.

— Dla mnie w Norylsku.

— Dalej na wschód nie ma już żadnych krech. Może zabrakło im farby, może Syberii nie da się pomalować. Wiesz, co mnie najbardziej wkurwia w tym, że Ridley przespał się z Ziną? Zawsze od swoich kochasiów brała kartę, damę kier, taką pamiątkę. Przyjrzałeś się kartom Ridleya? Przejrzałem dokładnie całą talię. Damy kier nie było. Stąd wiedziałem, że Zina była na „Orle".

Arkadij podciągnął rękaw i podał Karpowi kartę z obrazkiem wyobrażającym kobietę w stylizowanych szatach z czerwonych serc.

— Schowałem ją przed rozłożeniem talii.

— Ty chuju!

— Bałem się, że się nigdy nie kapniesz.

— Jebany skurwiel. — Karp pochylił głowę i przyglądał się karcie z niedowierzaniem. — A ciebie jednego miałem za uczciwego.

— Nie. — Arkadij się skrzywił. — Nie wtedy, kiedy goni mnie facet z siekierą. Ale najważniejsze, że podziałało. Dzięki temu dowiedzieliśmy się, kto ją zabił.

— Ale to i tak kurewski numer — burknął Karp, rzucając kartę na lód.

Podjęli marsz na nowo.

— Pamiętasz tego kierownika rzeźni? — zapytał Karp. — Jego córki trzymały od małego renifera jako domową maskotkę. Kiedyś coś mu się pomyliło, polazł nie tam gdzie trzeba i obie poleciały do rzeźni go szukać. Zrobiło się śmiesznie, bo jak odróżnić jednego martwego renifera od drugiego? Po tej historii jedna z nich wyjechała. Ta, którą bardziej lubiłem.

W oddali — znacznie wcześniej, niż to wynikało z obliczeń Arkadija — pojawił się mglisty zarys czarnej plamy na lodzie, który z każdym krokiem nabierał kształtów foczego przerębla. Na tle wszechobecnej bieli czerń wody i czerwień krwi aż kłuły w oczy.

Karp machinalnie zaczął zwalniać i rozglądać się na boki.

— Trza nam było kiedyś razem się upić, tylko ty i ja — powiedział, stając nad przeręblem i pstrykając niedopałek do wody.

Arkadij zrobił to samo. Przez głowę przemknęła mu absurdalna myśl: Zaśmiecanie Morza Beringa to kolejne przestępstwo.

— Morgan na pewno już powiadomił „Gwiazdę Polarną", że obaj wracamy — bąknął na wszelki wypadek.

— O ile udało mu się uruchomić to jego radio. Zresztą nieważne. Cholernie tu niebezpiecznie i takie powiadomienie nic nie znaczy.

Otwór był bardziej okrągły, niż pamiętał Arkadij. Miał zaledwie około dwóch metrów średnicy, ale i tak wyraźnie odcinał się we mgle. Dotarli do bieguna niedostępności. Miejscami lód był przesiąknięty krwią, gdzie indziej tylko lekko zbryzgany na różowo. Czarna woda w otworze rytmicznie chlupała o krawędzie przerębla. Arkadij pomyślał, że gdyby dłużej mu się przyglądać, dałoby się pewnie wyczuć ukryte tętno.

— Życie jest do dupy — westchnął Karp, po czym jednym kopnięciem w nogi zwalił Arkadija na lód, usiadł na nim i zaczął mu wykręcać głowę. Arkadij przekręcił się na plecy i uderzył łokciem w szczękę napastnika, tak że ten też rozciągnął się na lodzie.

— Czuję się tak, jakbym od zawsze próbował cię zabić — burknął Karp.

— To sobie odpuść.

— Teraz już nie mogę. Zresztą widziałem facetów po takim ciosie. Myślę, że jesteś w gorszym stanie, niż ci się wydaje. — Walnął go w piersi dokładnie w ranę po czekanie i Arkadijowi przez moment wydawało się, że odpadło mu płuco. Nie był w stanie zrobić ruchu. Karp uderzył go ponownie i Arkadij poczuł, że z płuc ucieka mu całe powietrze.

Jego prześladowca przekręcił go na brzuch, usiadł na nim i docisnął ramiona do krawędzi przerębla.

— Przykro mi — mruknął i wepchnął głowę Arkadija pod wodę.

Z ust popłynęła kaskada pęcherzyków powietrza i srebrzyste kuleczki przylgnęły mu do rzęs i włosów. Woda miała temperaturę płynnego lodu i była bardzo słona, ale wcale nie czarna, tylko kryształowo czysta. Jak przez soczewkę powiększającą Arkadij widział głowę Karpa, który pochylony przytrzymywał go pod wodą. Na jego twarzy malował się wyraz autentycznego żalu, jakby przyszło mu uczestniczyć w nieprzyjemnym, ale koniecznym obrządku. Arkadij wyrwał jedną rękę, chwycił Karpa za sweter i pociągnął w dół.

Karp szarpnął się do tyłu, ale to wystarczyło, by Arkadij, prychając, wynurzył głowę z wody i trzymany w drugiej ręce czekan wcisnął zakrwawionym szpicem w jego szyję między końcem szczęki a nabrzmiałą z wysiłku żyłą. Karp spuścił wzrok i gałki oczne uciekły mu do tyłu. Powinienem go teraz załatwić, pomyślał Arkadij. Z całej siły wcisnąć ostrze, rozharatać mu żyłę i zagłębić szpikulec aż po kręgosłup. Nie ma żadnych świadków i już nigdy nie trafi się lepsza okazja.

Karp przekręcił się na bok. Poza niewielkim skaleczeniem nic mu nie było, ale jakby nagle uszło z niego powietrze, a wraz z nim cała zawziętość. Jakby ciężar całego życia zwalił mu się nagle na piersi.

— Wystarczy — powiedział.

◆　◆　◆

— Tyle że i tak szybko zamarzniesz. Długo tak nie pociągniesz. — Karp siedział nad przeręblem ze skrzyżowanymi nogami i papierosem w zębach i wyglądał jak posąg wypoczywającego po pracy Sybiraka. — Jesteś cały przemoczony. Za chwilę zamienisz się w chodzącą bryłę lodu.

— To ruszajmy — ponaglił go Arkadij. Już teraz trudno mu było zdecydować, co gorsze: tępy ból w piersiach czy narastające poczucie obezwładniającego zimna.

— Tak się zastanawiam... — Karp nawet nie drgnął. — Jak myślisz, jak wyglądałoby życie Ziny, gdyby jej się udało? To coś takiego, że człowiek może spędzić resztę życia, śniąc o tym. Znasz kogoś, komu udało się uciec?

— Tak, ale nie wiem, jak jej się wiedzie.

— Ale przynajmniej możesz sobie wyobrażać. — Karp wypuścił kłąb dymu w kolorze mgły. Wyglądał, jakby cały pławił się w ulotnym świecie dymu. — Bo tak się zastanawiam. Paweł już sra po nogach ze strachu jak królik. Masz rację. Jak wrócimy do Władywostoku, to nie popuszczą, póki ktoś nie zacznie sypać. Paweł albo ktoś inny. Nie ma znaczenia, czy ty wrócisz, czy nie. I tak jestem skończony.

— Przyznaj się do przemytu — powiedział Arkadij. — Złóż zeznanie, to za Wołowoja dostaniesz piętnastkę i po dziesięciu wyjdziesz.

— Z moją kartoteką?

— Jesteś przodującym bosmanem połowowym.

— Tak jak ty jesteś przodującym pracownikiem śluzgawki? Dwaj przodownicy pracy socjalistycznej, ty i ja. Nie, dorwą mnie za brutalne morderstwo. Nie chcę stracić zębów w łagrze. Nie chcę, żeby mnie w łagrze pogrzebali. Widziałeś kiedyś takie nieduże placyki zaraz za drutami? Parę stokrotek za nieszczęsne dusze tych, którzy nie dożyli. To nie dla mnie.

Na włosach i rzęsach Arkadija zaczynał się tworzyć lodowy szron. Jego kurtka lśniła od lodu, a gdy spróbował zgiąć rękę, rozległ się taki trzask, jakby pękało szkło.

— Na Alaskę jest trochę za daleko — powiedział. — Pogadamy po drodze na statek. Trochę nas to rozgrzeje.

— Masz, włóż to. — Karp wstał i ściągnął z siebie sweter. — Musisz włożyć coś suchego.

— A ty?

Karp pomógł Arkadijowi zdjąć kurtkę i wciągnąć sweter. Miał drugi taki sam pod spodem.

— Dzięki. — Arkadij kiwnął głową. Była szansa, że wraz

454

z kamizelkami ratunkowymi sweter zapewni mu wystarczającą izolację termiczną. — Jeśli pójdziemy odpowiednio szybkim krokiem, to może nam się udać.

Karp zgarnął szron z włosów Arkadija.

— Ktoś, kto jak ty przebywał dość długo na Syberii, powinien wiedzieć, że człowiek najwięcej ciepła traci przez głowę. Za chwilę odmrozisz sobie uszy. Handel wymienny. — Włożył swoją czapę na głowę Arkadija i otulił mu uszy.

— A ty co za to chcesz?

— Papierosy. — Karp wyciągnął paczkę z kieszeni kurtki Arkadija. — Czasem się o ciebie martwię. Musi tu być jakiś suchy.

Odłamał nierozmoczoną połówkę i odpalił od peta, który właśnie się dopalał. Choć Arkadij miał takie uczucie, jakby z zimna krzepła mu krew, po Karpie nic nie było widać.

— Radocha — powiedział, wypuszczając dym. — Hasło na jednym z transparentów w łagrze mówiło: „Radujcie się pracą!". Na innym było napisane „Praca czyni wolnym!". Produkowaliśmy aparaty fotograficzne. Nazywały się „Nowe pokolenie". Rozejrzyj się za nimi po sklepach.

— Idziesz?

— Ostatniego dnia we Władywostoku pojechaliśmy z Ziną na piknik pod miasto. Na urwisko nad brzegiem morza. Na wystającym cyplu stoi latarnia morska. Wygląda jak szary zamek z biało-czerwoną świeczką na czubku, który szykuje się do wyruszenia w morze. Renko, to fantastyczne miejsce. Fale rozbijają się u stóp urwiska, foki wystawiają łby z wody. Na górze rosną sosny, wszystkie przygięte do ziemi przez wiatr. Szkoda, że nie miałem wtedy aparatu.

Nie wyjmując peta z ust, Karp ściągnął z siebie drugi sweter. Pokrywające jego tors i ramiona tatuaże sprawiały wrażenie, jakby nadal był ubrany.

— Nie idziesz? — powtórzył Arkadij.

— Albo można pójść do lasu. Wbrew temu, co wszyscy sądzą, to nie jest tajga. To las mieszany. Wzgórza porośnięte jodłami i klonami, w dole leniwie płynące rzeki pełne lilii wodnych. Człowiek ma ochotę ułożyć się tam do snu, żeby usłyszeć ryk tygrysa. Nigdy żadnego nie zobaczysz, zresztą są pod ochroną. Ale usłyszeć tygrysa w nocy to coś, czego do końca życia nie zapomnisz.

Karp ściągnął walonki i spodnie i stanął nagi z niedopałkiem papierosa w ustach. Żar parzył mu już usta. Skóra zaróżowiła mu się od zimna i jego tatuaże jeszcze bardziej się uwydatniły.

— Nie rób tego — rzekł Arkadij.

— Najważniejsze, że nikt nie może powiedzieć, że kiedykolwiek skrzywdziłem Zinę. Ani razu. Jak się kogoś kocha, to się go nie krzywdzi i się od niego nie ucieka. Długo by tam nie wytrzymała.

Tatuaże Karpa jakby nabrzmiały na wietrze. Orientalne smoki wspinały się po ramieniu, a zielone szpony wysuwały się z ich łap, niebieskie kobiety owijały się lubieżnie wokół jego ud, przy każdym oddechu sęp dziobał Karpa w serce. Jeszcze wyraźniejsze były jego zbielałe blizny — pasma martwej tkanki na piersiach, skąd wypalono mu antypaństwowe hasła. W poprzek niskiego czoła ciągnęła się sinoczerwona smuga. W reakcji na zimno skóra gwałtownie mu poczerwieniała i widać pod nią było drgające w proteście mięśnie, przez co wszystkie tatuaże jakby ożyły. Arkadij pamiętał męczarnie przeżywane w chłodni z rybami, a przecież był wtedy ubrany. Widać było, że z każdą sekundą Karpowi jest coraz trudniej mówić, skupiać się, nawet myśleć.

— Wracaj ze mną — rzekł Arkadij.

— Po co? Po co? Wygrałeś. — Karp dygotał już tak mocno, że z trudem utrzymywał się na nogach, mimo to raz jeszcze się zaciągnął i dopiero wtedy rzucił do wody żarzącą się końcówkę. Rozłożył ramiona w geście triumfu i zanucił: — *Co dzień staję przed nimi pyskiem w pysk, twarzą w twarz, bezzębnymi ich straszę szczękami. Nie jesteśmy już więcej wilkami.* — Uśmiechnął się do Arkadija i zaczerpnąwszy powietrza, wskoczył na głowę do przerębla.

Jeszcze przez chwilę było widać, jak silnymi pociągnięciami ramion płynie w głąb, ciągnąc za sobą warkoczyk lepkich pęcherzyków powietrza. Pod wodą jego tatuaże bardziej przypominały łuskę niż ludzką skórę. Gdy osiągnął jakieś cztery metry głębokości, jakby na moment się zawahał, po czym wypuścił z płuc potężny haust powietrza i zanurkował niżej, niemal rozmywając się w ciemniejszej warstwie wody. Chwilę później chwycił go prąd i Karp zaczął odpływać.

Na podeszwach nie miał tatuaży i gdy już cała sylwetka zniknęła, Arkadij jeszcze przez chwilę widział poruszające się stopy, które przypominały dwie blade ryby w czarnej wodzie.

Rozdział 32

Arkadij patrzył z górnego pokładu na stojącą przy ich burcie kanonierkę patrolową z wielkim ramieniem radaru, szarymi działkami i tubami wyrzutni torpedowych. Marynarze Radzieckiej Floty Pacyfiku przez całą minioną noc kręcili się po „Gwieździe Polarnej", przenosząc na kuter zaplombowane skrzynie ze sprzętem. W końcu, tuż przed świtem, nadeszła pora opuszczenia posterunku przez Antona Hessa, który niczym aktor w trakcie zmiany kostiumu miał na sobie rybacki skafander zarzucony na spodnie o wyraźnie wojskowym kroju.

— To miło, że przyszedłeś mnie pożegnać. Zawsze wierzyłem, że przy odpowiednim zmotywowaniu mogą być z ciebie duże korzyści. No i proszę, co mamy.

— Ciemność.

— Jasność. — Hess odciągnął Arkadija od relingu. — Nie masz pojęcia, jak smakowitą kością dla KGB może być wpadka wywiadu marynarki wojennej. To zostanie docenione. — Westchnął głęboko, ale na koniec parsknął. — Widziałeś minę Morgana, kiedy wyciągnęliśmy jego „Orła" z lodu? Oczywiście łajba nadaje się już tylko do remontu. Co więcej, Morgan wiedział, co nam z niej dostarczyłeś.

Gdy tylko „Orzeł" wyzwolił się z lodowych oków, zawrócił i wolno popłynął w stronę Alaski. „Gwiazda Polarna" zrezygnowała z dalszych połowów i zawróciła do Dutch Harbor, gdzie w zatoce Susan Hightower, dwaj przedstawiciele spółki i Lantz przesiedli się na pilotówkę.

— Jedyne, czego nie zrozumiałem, to zachowania Susan przy pożegnaniu — powiedział Hess. — Co ją tak rozbawiło?

— Taki nasz prywatny żart. Podziękowałem jej za skuteczną pomoc. — W końcu to ona mu podpowiedziała, co ukraść, choć dotyczyło to innego statku.

Gdy Nikołaja przenoszono na kanonierkę, wsadzono go do klatki transportowej w towarzystwie marynarza piechoty morskiej w pełnym rynsztunku. Marynarz miał twarz jak księżyc w pełni, czarny beret, czarny mundur polowy i przewieszony przez ramię karabin szturmowy. Młody radiotechnik wyglądał dość żałośnie, ale przynajmniej nie skuto mu rąk. Hess wyraźnie odwlekał moment opuszczenia pokładu jak ktoś, komu trudno jest rozstać się z myślą o długiej i pomyślnie zakończonej przygodzie.

— Renko, wiesz, że nie wolno ci wyjawić prawdy o tych dyskietkach. Nie możemy ich zbrukać. Sam chętnie bym się pod to podpiął.

— Do zdobycia nagrań okrętów podwodnych, które już dawno pocięto na żyletki? Podsłuchiwałeś okręty, które nie istnieją.

— To nie ma znaczenia. Akcja Morgana została udaremniona. I tym razem to my wychodzimy z potyczki z tarczą.

— W postaci dyskietek z niczym. — Arkadij się uśmiechnął.

— Niech ci będzie, z upiorami i zjawami straszącymi w ciemnościach. Zdarzało się, że u podstaw wielkich karier leżało znacznie mniej. — Hess wsiadł do klatki i zamknął wejście łańcuchem. — Ale coś ci powiem, Renko. Ta walka ma wiele rund i nigdy się nie kończy. Jeszcze tu wrócę.

— To był drugi powód śmiechu Susan — powiedział Arkadij. — Ona już nie musi.

Ale nic nie mogło popsuć Hessowi dobrego humoru.

— Nieważne. — Wyciągnął rękę i uścisnął dłoń Arkadija. — Nie powinniśmy się spierać. Dobrze się przysłużyłeś. I jeszcze wcześnie się zerwałeś, żeby mnie pożegnać.

— Niezupełnie.

— Nieważne — powtórzył Hess.

— Powodzenia. — Arkadij odwzajemnił uścisk.

＊ ＊ ＊

Po odpłynięciu kanonierki patrolowej „Gwiazda Polarna" ruszyła w dalszą drogę. Z godziny na godzinę na wciąż ciemnym horyzoncie pojawiało się coraz więcej przybrzeżnych kutrów rybackich. W pewnej chwili w odległości kilometra minęli cały sznur świateł sunących w przeciwnym kierunku. Każdy mijany kuter wyglądał jak konstelacja świateł powitalnych, co tworzyło zupełnie odmienny nastrój niż podczas sceny pożegnania w zatoce Dutch Harbor. Pożegnanie odbyło się w deszczowe popołudnie, wilgoć przenikała wszystko i trzech Amerykanów od razu stłoczyło się na mostku pilotówki wiozącej ich do portu. Nie było wśród nich tylko Susan, która stała samotnie na pokładzie i nie machała wprawdzie na pożegnanie, ale ani na chwilę nie oderwała wzroku od statku.

Dziwne jest życie, kiedy człowiek najbardziej docenia to, co traci, pomyślał wtedy Arkadij. Ponad dzielącym ich i poszerzającym się pasmem wody czuł na sobie jej wzrok z taką samą intensywnością, z jaką patrzyła na niego w łóżku. Usterka na łączach po jego stronie spowodowała, że łączność została zerwana.

— Towarzysz Jonasz — powiedział Marczuk, stając obok Arkadija.

— Towarzysz kapitan. — Arkadij otrząsnął się ze wspomnień. — Zawsze lubiłem nocne łowienie.

— Za chwilę będzie świtać — rzekł Marczuk, opierając się o reling. Widać było, że nadal stara się podtrzymywać swobodną atmosferę, chociaż po raz pierwszy od początku rejsu ubrał się w granatowy mundur kapitański z czterema złotymi paskami na rękawach i złotym szamerunkiem na otoku czapki. W panującym mroku jego złocenia lśniły z daleka. — Jak tam twoja rana?

— Okazała się na tyle lekka, że nawet doktor Vainu sobie z nią poradził — odparł Arkadij, choć naprawdę nie mógł nawet głębiej odetchnąć. — Przykro mi, że musiał pan przerwać połów.

— Wnieśliśmy korektę do planu połowów. — Marczuk wzruszył ramionami. — To zaleta wszystkich planów, że można je korygować. Ale mieliśmy dobre wyniki. Powinniśmy byli tylko łowić.

Robiło się coraz jaśniej i romantyczne girlandy świateł trawlerów zaczynały blednąć, ustępując miejsca widokowi zwykłych suwnic bramowych i bomów odcinających się od blednącego nocnego nieba. Po wodzie niósł się brzęk łańcuchów zarzucanych sieci. W półmroku wczesnego poranka widać było krążące nad kutrami stadka mew. Pokład „Gwiazdy Polarnej" zaludniał się coraz bardziej, choć stojących przy relingach ludzi można było głównie rozpoznać po żarzących się papierosach.

— Jednak nie okazałeś się Jonaszem — ciągnął kapitan. — Wiesz, przez radio mówią o tobie per śledczy Renko. Cokolwiek to znaczy.

Tuż nad wodą przeleciał sznur kanciastych skrzydlatych sylwetek, które z wciągniętymi dziobami zaczęły muskać dolinę fali dziobowej. Pelikany.

461

— Może znaczyć wszystko — powiedział Arkadij.

— Prawda.

Sylwetki trawlerów połyskiwały w unoszącym się nad wodą oparze niebędącym mgłą, lecz zwyczajnym parowaniem wody morskiej. Był to ten ulotny moment, kiedy ludzki umysł musi sam ułożyć sobie obraz statku — dołączyć tu dziób, tam komin, pomalować je, zaludnić załogami, ożywić. Arkadij spojrzał na pokład łodziowy, gdzie wśród stojących widać było Nataszę, która spoglądała w stronę wschodzącego słońca. Oczy jej błyszczały, czarne włosy chwilami lśniły złotymi refleksami. Stojący obok Kola zerkał co chwilę na zegarek, Dynka ze wzrokiem skierowanym ku wschodowi aż się wspięła na palce. Przy relingu widać też było Izraila w swetrze tak skrupulatnie wyczesanym z rybich łusek, że przypominał nastroszone jagnię, Lidię z twarzą mokrą od łez i Gurija nerwowo poprawiającego sobie ciemne okulary.

Arkadij nie zerwał się wcześnie, aby pożegnać Hessa. W ogóle nie położył się spać i to, na co czekał przez całą noc, właśnie zaczynało majaczyć w oddali.

Stadko mew poszybowało nad „Gwiazda Polarną" jakby podrzucone falą światła, która niczym podmuch wiatru przetoczyła się nad statkiem przetwórnią. Chmury rozjarzyły się od wschodzącego słońca, szyby w oknach kutrów rozbłysły i z mroku wyłonił się niski, zielony ojczysty brzeg.

Spis treści

PARK GORKIEGO

Moskwa, początek lat 80. Pewnej zimowej nocy w Parku Gorkiego odnalezione zostają trzy ciała. U celu uniemożliwienia identyfikacji morderca pozbawił je palców i usunął skórę z twarzy. Prowadzący dochodzenie śledczy Arkadij Renko z niechęcią reaguje na okazywane przez KGB zainteresowanie sprawą. Poddaje czaszki rekonstrukcji, by ustalić tożsamość ofiar. Czy jedną z nich może być obywatel USA, którego w Moskwie poszukuje amerykański policjant? Dlaczego nikomu nie zależy, by śledztwo zostało doprowadzone do końca? Czego boi się najważniejszy świadek, młodziutka Irina Asanowa, którą Arkadij obdarzył uczuciem? Jaką niewygodną prawdę skrywa skuty lodem Park Gorkiego?

DUCH STALINA

Śledczy Arkadij Renko, jedyny uczciwy gliniarz w postkomunistycznej Rosji, pracujący dla moskiewskiej prokuratury, otrzymuje nietypowe zadanie – zbadać sprawę rzekomego ukazywania się Józefa Stalina na stacji metra Czistyje Prudy. Czy dziwne incydenty są częścią politycznej intrygi, obliczonej na zdobycie poparcia wyborczego tej grupy Rosjan, wśród której nieżyjący dyktator nadal cieszy się wielkim poważaniem? Znacznie większym niż Renko, którego właśnie rzuciła jego kochanka Ewa, wybierając detektywa Mikołaja Isakowa – byłego członka Czarnych Beretów, weterana wojny domowej w Czeczenii i bohatera wojennego. Jak podejrzewa Arkadij – także zabójcę na zlecenie, zamieszanego w kilka morderstw. Nici śledztwa prowadzą do równin wokół Tweru, gdzie podczas II wojny światowej walczyły miliony żołnierzy, a oficjalne dochodzenie przeradza się w osobiste poszukiwania podsycane zazdrością.